Irene Sommer | Frederik von Harbou
Lehrbuch Sozialverwaltungsrecht

Studienmodule Soziale Arbeit

Herausgegeben von
Heinz-Jürgen Dahme I Ronald Lutz I Ria Puhl I Regina Rätz-Heinisch I
Wolfgang Schröer I Titus Simon I Werner Steffan I Mechthild Wolff

Die Reihe „Studienmodule Soziale Arbeit" präsentiert Grundlagentexte für
Studienanfänger in den Diplom- und Bachelor-Studiengängen und bietet
eine Einführung in basale Themen der Sozialen Arbeit. Sie orientiert sich
sowohl konzeptionell als auch in Inhalt und Aufbau der Einzelbände hoch-
schulübergreifend an den jeweiligen Studienmodulen.
Jeder Band bereitet den Stoff eines Semesters in eigenständigen Lehr-
und Lerneinheiten auf und schließt mit Übungsfragen, Vorschlägen für das
Selbststudium und weiterführenden Literaturhinweisen.

Irene Sommer | Frederik von Harbou

Lehrbuch
Sozialverwaltungsrecht

Grundlagen der Sozialverwaltung,
des Verwaltungshandelns
und des Rechtsschutzsystems

3., überarbeitete und aktualisierte Auflage

Mit Online-Materialien

BELTZ JUVENTA

Die Autor:innen

Irene Sommer ist Rechtsanwältin und Fachanwältin für Sozialrecht in Berlin. Außerdem arbeitet sie als Lehrbeauftragte an der Alice-Salomon-Hochschule und als Referentin in der Weiterbildung.

Prof. Dr. Frederik von Harbou ist Professor für Rechtswissenschaft an der Ernst-Abbe-Hochschule Jena. Zu seinen Schwerpunkten gehören das Öffentliche Recht, insbesondere das Migrationsrecht, der Menschenrechtsschutz und die Rechtstheorie.

Dieses Buch ist erhältlich als:
ISBN 978-3-7799-7906-7 Print
ISBN 978-3-7799-7907-4 E-Book (PDF)

3., überarbeitete und aktualisierte Auflage 2025

© 2025 Beltz Juventa
in der Verlagsgruppe Beltz · Weinheim Basel
Werderstraße 10, 69469 Weinheim
Alle Rechte vorbehalten

Herstellung: Ulrike Poppel
Satz: text plus form, Dresden
Druck und Bindung: Beltz Grafische Betriebe, Bad Langensalza
Beltz Grafische Betriebe ist ein Unternehmen mit finanziellem Klimabeitrag
(ID 15985-2104-1001)
Printed in Germany

Weitere Informationen zu unseren Autor:innen und Titeln finden Sie unter: www.beltz.de

Inhalt

7. Kapitel
Fehler und Fehlerfolgen eines VA

Teil I:
Grundlagen der Sozialverwaltung

1. Kapitel
Sozialverwaltungsrecht im Rechtssystem

Zur Einordnung des Sozialverwaltungsrechts in das Rechtssystem werden die verschiedenen Rechtsbereiche (Privatrecht, öffentliches Recht, Verfassungsrecht, allgemeines und besonderes Verwaltungsrecht, Sozialrecht) kurz erläutert und voneinander abgegrenzt. Der Begriff „Rechtsnorm" wird erklärt und die wesentlichen nationalen und internationalen Rechtsquellen sowie ihre Beziehung zueinander werden dargestellt.

1.1 Bürgerliches und öffentliches Recht

Es gibt eine historisch gewachsene Zweiteilung der deutschen Rechtsordnung. Man unterscheidet Bürgerliches Recht (auch: „Zivilrecht" oder „Privatrecht") und öffentliches Recht.[1]

▶ **Bürgerliches Recht** umfasst die Rechtsnormen[2], die die Rechtsverhältnisse zwischen Bürger:innen, also Privatpersonen, d. h. sowohl natürlichen als auch juristischen Personen[3], regeln. In bürgerlich-rechtlichen Rechtsnormen sind Rechte und Pflichten geregelt, die für **jedermann** gleichermaßen gelten.

Beispiele: Das Bürgerliche Gesetzbuch (BGB) regelt die Rechte und Pflichten aus gegenseitigen Verträgen, z. B. zwischen Käufer und Verkäufer, zwischen Mieter und Vermieter, zwischen Handwerksunternehmer und Auftraggeber etc. Es regelt auch die Rechte und Pflichten, die sich aus Familienverhältnissen ergeben, z. B. Unterhaltspflichten oder Erbberechtigung. Das Arbeitsrecht gehört ebenfalls im Wesentlichen zum Bürgerlichen Recht und regelt etwa die Rechte und Pflichten aus Arbeitsverhältnissen zwischen Arbeitgebern und Arbeitnehmern.

---

1   Trenczek/Tammen/Behlert/v. Boetticher/Beetz, Grundzüge, Kap. 1.1.4, S. 65 ff.
2   Zum Begriff „Rechtsnorm" s. Kap. 1.4; vgl. auch Trenczek/Tammen/Behlert/v. Boetticher/Beetz, Grundzüge, Kap. 1.1.3, S. 51 ff.
3   Zum Begriff: Kap. 2.3.

▶ **Öffentliches Recht** regelt die Rechtsverhältnisse zwischen **Bürger:innen und Staat** und die Rechtsverhältnisse zwischen einzelnen **Staatsorganen untereinander.** Öffentlich-rechtliche Normen verpflichten oder berechtigen nicht jedermann, sondern einseitig einen Träger staatlicher Gewalt.

Beispiele: Der Staat ist berechtigt, Steuern und Sozialabgaben von den Bürger:innen zu verlangen und einzuziehen. Der Staat ist aufgrund bestimmter Normen verpflichtet, Leistungen zu gewähren, z. B. Bürgergeld oder die Zuweisung eines Platzes an einer Hochschule. Der Staat erteilt Erlaubnisse für bestimmte Betätigungen der Bürger:innen, z. B. Fahrerlaubnis, Gewerbeerlaubnis, Baugenehmigung.

Die Rechtsbeziehungen zwischen Staatsorganen untereinander regeln z. B. Art. 70 ff. Grundgesetz (GG), die festlegen, für welche Sachgebiete entweder der Bund oder die Länder Gesetze erlassen dürfen. §§ 102 ff. SGB X regeln z. B. Ausgleichsansprüche zwischen verschiedenen Sozialleistungsträgern[4].

Auch das **Strafrecht,** welches den staatlichen Strafanspruch gegenüber den Bürger:innen regelt, ist Teil des öffentlichen Rechts im weiteren Sinn, auch wenn es häufig als eigenständige Materie behandelt wird. Im öffentlichen Recht (im engeren Sinn) wird insbesondere zwischen **Verfassungsrecht** und **Verwaltungsrecht** unterschieden.

▶ Das **Verfassungsrecht** (in der Bundesrepublik Deutschland geregelt im Grundgesetz – „GG" abgekürzt) umfasst die Rechtsnormen, die die **Grundordnung eines Staates** festlegen, z. B. die Rechtsstellung der Bürger:innen, die Wahl der Staatsform, die Einrichtung und Aufgaben der einzelnen Staatsorgane (u. a. Bundestag, Bundesregierung, Bundesverfassungsgericht), die grundsätzlichen Regelungen über die Ausübung der Staatsgewalt sowie die Grundsätze des wirtschaftlichen und gesellschaftlichen Lebens. In Abgrenzung dazu richtet sich das **Verwaltungsrecht** an die Träger der öffentlichen Verwaltung und umfasst diejenigen Rechtsnormen, die den Staat zur **konkreten Umsetzung, Erfüllung und Verwirklichung der verfassungsrechtlichen Aufgaben** berechtigen und verpflichten.

---

4   Zum Begriff: Kap. 3.

Das sehr viel detailliertere Verwaltungsrecht konkretisiert also in einer Vielzahl von Regelungen das schlanke und damit notwendig abstraktere Verfassungsrecht.

Beispiel: Das Sozialgesetzbuch II – SGB II wurde Ende des Jahres 2003 als ein neues Gesetz vom Bundestag beschlossen und in die Rechtsordnung der Bundesrepublik Deutschland eingeführt. In den Art. 76 ff. GG ist festgelegt, wie ein Gesetzgebungsverfahren auszusehen hat, wer angehört werden muss, mit welcher Mehrheit ein Gesetz beschlossen werden kann usw. In den Art. 1–19 GG sind die Grundrechte, in Art. 20 GG die Staatsstrukturprinzipien (z. B. das Demokratieprinzip) festgelegt, die ein neues Gesetz nicht verletzen darf. Dies alles ist Verfassungsrecht.

Die konkreten Bestimmungen des SGB II, also die Vorschriften darüber, wer in welcher Situation, unter welchen Voraussetzungen, welche Art von Leistungen von welcher Behörde beanspruchen kann, sind Verwaltungsrecht.

Das Verwaltungsrecht teilt man ein in einen **allgemeinen** und einen **besonderen** Teil.[5]

Das **allgemeine Verwaltungsrecht** hat die grundsätzlich[6] für **alle Sachgebiete** der öffentlichen Verwaltung geltenden Regelungen zum Gegenstand. Dies sind z. B. allgemein gültige Regelungen über den Ablauf eines Verwaltungsverfahrens, die Verfahrensprinzipien, allgemeine Rechte und Pflichten von Bürger:innen und Behörden und die Regelungen für das verwaltungsgerichtliche Verfahren. Geregelt ist dies in den Verwaltungsverfahrensgesetzen (VwVfG) des Bundes und der Länder und der Verwaltungsgerichtsordnung (VwGO).

Zum **besonderen Verwaltungsrecht** gehören die Regelungen für die **einzelnen, unterschiedlichen Sachgebiete** der Verwaltung, z. B. Aufenthaltsrecht, Baurecht, Beamtenrecht, Einkommenssteuerrecht, Gewerberecht, Hochschulrecht, Immissionsschutzrecht, Polizeirecht, Sozialrecht, Umweltrecht etc. Diese Regelungen sind jeweils in für ein bestimmtes Sachgebiet geltenden Gesetzen festgelegt, z. B. Aufenthaltsgesetz (AufenthG), Baugesetzbuch (BauGB), Bundesbeamtengesetz (BBG), Einkommenssteuergesetz (EStG), Gewerbeordnung (GewO), Hochschulrahmengesetz (HRG), Bundesimmissionsschutzgesetz (BImschG), Thüringer Polizeiaufgabengesetz (PAG, TH), Sozialgesetzbuch (SGB), Bundesnaturschutzgesetz (BNatSchG) etc.

---

5   Zum Hintergrund: Ipsen, Verwaltungsrecht, § 1 Rn. 56–58.
6   Vgl. aber die Ausnahmen vom Anwendungsbereich bzw. der Zuständigkeit nach §§ 2 VwVfG, 40 VwGO, wonach (i. V. m. § 51 SGG) u. a. für das Sozialrecht in der Regel statt VwVfG und VwGO das SGB X und das SGG gelten; s. u. 1.2.

Beispiele: Im AufenthG ist geregelt, unter welchen Voraussetzungen drittstaatsangehörige Ausländer eine Aufenthaltserlaubnis bekommen können, im SGB XIV ist u. a. geregelt unter welchen Voraussetzungen und in welcher Höhe ein Gewaltopfer Anspruch auf staatliche Entschädigung hat. Dies ist besonderes Verwaltungsrecht.

Im VwVfG und in der VwGO ist z. B. geregelt, wie und in welcher Form die Entscheidung der Behörde Betroffenen bekannt zu geben ist, welche Befugnisse die Behörde bei der Ermittlung des Sachverhalts hat oder wie, unter welchen Voraussetzungen und innerhalb welcher Fristen Betroffene dagegen Widerspruch einlegen können. Dies ist allgemeines Verwaltungsrecht.

1.2 Sozialrecht

▶ Das Sozialrecht ist Gegenstand des besonderen Verwaltungsrechts und regelt die Umsetzung des **im GG verankerten Sozialstaatsprinzips**[7] als Aufgabe der öffentlichen Verwaltung (Sozialverwaltung). Das Sozialstaatsprinzip dient der Herbeiführung von sozialer Sicherheit und Gerechtigkeit.[8] Zur Verwirklichung wurde ein gesetzlich festgelegtes, staatliches Leistungsangebot geschaffen, welches verschiedene Leistungen der **Vorsorge (Sozialversicherung),** der **Hilfe und Förderung** sowie der **Entschädigung** enthält.[9]

Kernstück des Sozialrechts ist das **Sozialgesetzbuch (SGB)** mit seinen 13 verschiedenen Büchern (SGB I–XII, XIV). Je nach Zielrichtung der sozialen Aufgabe gibt es im SGB ein eigenes Gesetzbuch. Mit den historisch ältesten Regelungsbereichen des SGB über die gesetzliche **Sozialversicherung** sollen wesentliche Lebensrisiken abgesichert werden: Arbeitslosigkeit (SGB III), Krankheit (SGB V), Unfall (SGB VII), Alter/Erwerbsunfähigkeit (SGB VI) und Pflegebedürftigkeit (SGB XI). Hierbei besteht das Prinzip der Vorsorge durch die Zahlung von Versicherungsbeiträgen. Das heißt, wer als Arbeitnehmer in die gesetzliche Sozialversicherung einzahlt, entrichtet dadurch Beiträge zur Arbeitslosen-, Kranken-, Renten-, Unfall- und Pflegeversicherung. Verwirklicht sich eines der versicherten Lebensrisiken, d. h. wird der Betreffende z. B. krank, erreicht er das Rentenalter

---

7 Vgl. Art. 20 Abs. 1, Art. 28 Abs. 1 S. 1 GG; Trenczek/Tammen/Behlert/v. Boetticher/Beetz, Grundzüge, I-2.1.3, S. 118 ff.
8 Vgl. § 1 SGB I.
9 S. Kap. 1.5 Übersicht 2; Frings/Schweigler, Sozialrecht, Kap. 1.3, S. 23 ff.

oder verliert seine Arbeit, erhält er die nach den entsprechenden Gesetzbüchern vorgesehenen Leistungen.[10]

Das SGB gewährleistet Leistungen jedoch auch unabhängig von vorher erbrachten Versicherungsbeiträgen. Dies geschieht in Form von **steuerfinanzierten Leistungen zur Hilfe und Förderung von Bedürftigen**, z. B. die Sozialhilfe für Nicht-Erwerbsfähige (SGB XII), die Bürgergeld genannte Grundsicherung für Erwerbsfähige (SGB II), die Förderung von Menschen mit Behinderung (SGB IX) und die Leistungen des Kinder- und Jugendhilferechts (SGB VIII).

Zusätzlich gibt es auch **außerhalb des SGB** eine Vielzahl von Gesetzen, die gemäß der Auflistung in § 68 SGB I ebenfalls dem Sozialrecht zuzuordnen sind. Zu nennen wären z. B. das Ausbildungsförderungsrecht (BAföG), das Elterngeld (BEEG), die Künstlersozialversicherung (KSVG) oder das Wohngeld (WoGG).

Wie im übrigen Verwaltungsrecht, so lässt sich auch im Sozialrecht zwischen einem **allgemeinen** und einem **besonderen Teil** unterscheiden. Neben den oben dargestellten Spezialgesetzen, die ein bestimmtes Sachgebiet des Sozialrechts regeln (= besonderer Teil), gibt es Gesetze, die für die meisten Bereiche des Sozialrechts gleichermaßen gelten (= allgemeiner Teil). Diese sind das **SGB I** und das **SGB X** für die verwaltungsbehördlichen Verfahren und das **Sozialgerichtsgesetz (SGG)** für die sozialgerichtlichen Verfahren. Zusammengefasst werden diese Regelungen als „**Sozialverwaltungsrecht**" bezeichnet. Vom Aufbau und von den Inhalten her ähneln sich das Sozialverwaltungsrecht und das allgemeine Verwaltungsrecht stark. So wurden z. B. das SGB X aus dem VwVfG und das SGG aus der VwGO abgeleitet, aber punktuell für das Sozialrecht modifiziert.[11]

In der **Sozialen Arbeit** hat man sowohl mit dem **Sozialverwaltungsrecht** als auch mit dem **allgemeinen Verwaltungsrecht** zu tun. So gelten z. B. für das Asyl-, Aufenthalts-, Jugendhilfe- oder Wohngeldrecht das VwVfG und die VwGO, für das Sozialhilfe- oder Schwerbehindertenrecht das SGB I, SGB X und das SGG. Ob für einen Fall Sozialverwaltungsrecht oder allgemeines Verwaltungsrecht gilt, ist gesetzlich genau festgelegt und z. B. entscheidend für die Frage, **vor welchem Gericht** ein Fall zu verhandeln ist.[12]

Einen Überblick, für welche Sachgebiete das SGB I, SGB X und SGG gelten und für welche das VwVfG und die VwGO, findet man in § 51 SGG, § 40 VwGO.[13]

---

10 S. zur Einführung in das Sozialrecht: Eichenhofer, Sozialrecht; zur historischen Einordnung: Stolleis, Geschichte.

11 In diesem Lehrbuch liegt der Schwerpunkt auf der Darstellung der §§ des SGB I, SGB X, SGG. Auf die Parallelvorschriften von VwVfG/VwGO wird jeweils in den Fußnoten hingewiesen. Entscheidende Unterschiede werden thematisiert.

12 S. Kap. 1.3; Kap. 1.5 Übersicht 1.

13 S. Kap. 1.5 Übersicht 2; Kap. 12.3 Übersicht 1.

1.3 Gerichtszweige

Eine weitere Einteilung des Rechtssystems zur Einordnung des Sozialverwaltungsrechts lässt sich anhand der Gliederung der verschiedenen Gerichtszweige vornehmen.

▶ In Deutschland unterscheidet man die **ordentliche Gerichtsbarkeit,** die **Verwaltungs-, Finanz-, Arbeits-** und die **Sozialgerichtsbarkeit**[14] sowie die **Verfassungsgerichtsbarkeit**[15].

Als die historisch ältesten Gerichtszweige bezeichnet man die Gerichte für **Zivil-** und für **Strafsachen** auch als „ordentliche Gerichte"[16]. Die anderen Gerichtszweige haben sich aus den ordentlichen Gerichten herausgebildet und sind erst im Laufe der Rechtsentwicklung entstanden.

Im Zivilrecht ist die **Arbeitsgerichtsbarkeit** zur Befassung mit der Spezialmaterie des Arbeitsrechts ausgegliedert worden und bildet seither einen eigenen Gerichtszweig. Das übrige Zivilrecht ist den allgemeinen Zivilgerichten zugewiesen.

Bestimmte Bereiche des Verwaltungsrechts erfordern ein hohes Maß an Spezialisierung. Daher sind diese Bereiche aus der **Verwaltungsgerichtsbarkeit** ausgegliedert worden und haben eine eigene Gerichtsbarkeit erhalten. Dies betrifft das **Steuerrecht (Finanzgerichte)** und das **Sozialrecht (Sozialgerichte)**. § 51 SGG legt fest, welche Sachgebiete des Verwaltungsrechts der Sozialgerichtsbarkeit zugewiesen sind.[17]

Die **Verfassungsgerichtsbarkeit** wird durch das Bundesverfassungsgericht sowie die Landesverfassungsgerichte ausgeübt.

1.4 Rechtsnormen

Das Gemeinwesen, das Zusammenleben der Bürger:innen, die Befugnisse und Aufgaben des Staates, der Aufbau der Gesellschafts- und Wirtschaftsordnung etc. werden bestimmt von **Rechtsnormen**: Rechtsnormen enthalten typischerweise **Handlungsgebote, -verbote oder Erlaubnisse,** die sich an Bürger:innen

---

14 Vgl. Art. 95 Abs. 1 GG.
15 Vgl. Art. 92 GG.
16 Vgl. §§ 12, 13 Gerichtsverfassungsgesetz (GVG).
17 S. Kap. 1.5 Übersicht 2; Kap. 12.1.1.

oder auch an staatliche Behörden oder Gerichte richten.[18] Somit enthalten Rechtsnormen die Regeln darüber, wie z. B. Konflikte zwischen Bürger:innen untereinander oder zwischen ihnen und dem Staat zu lösen sind oder welche gegenseitigen Rechte und Pflichten bestehen.[19]

▶ Rechtsnormen sind der **Oberbegriff** für verschiedene Arten von staatlichen Regelungen: **Gesetze, Rechtsverordnungen, Satzungen, Verfassungsartikel, Bestimmungen des EU- und des Völkerrechts.**

Kennzeichnend für Rechtsnormen ist ihre **allgemeine Verbindlichkeit:** Jeder muss sich an die Ge- oder Verbote, welche mit ihnen ausgesprochen werden, halten. Eine konkrete Kenntnis der Rechtsnormen ist für ihre Geltung nicht erforderlich.

Rechtsnormen sind allgemein, d. h. **abstrakt**, formuliert: Durch die Verwendung abstrakter Begriffe soll eine **Vielzahl von einzelnen Lebenssachverhalten,** die unbestimmt viele Personen betreffen, mit der Rechtsnorm abgedeckt werden.[20] Es wäre nämlich unmöglich, für jede konkrete Lebenssituation, jeden Konflikt, jeden einzelnen Fall, eine eigens darauf zugeschnittene Regelung bereit zu halten.

▶ **Rechtsnormen** werden daher definiert als generell-abstrakte Regelungen mit Außenwirkung, als allgemeinverbindliche Regelungen also, die sich an eine unbestimmte Zahl von Personen zur Regelung einer unbestimmten Zahl von Fällen wenden.[21]

Innerhalb der Rechtsordnung gibt es **verschiedene Arten von Rechtsnormen.** Sie unterscheiden sich z. B. danach, von wem sie erlassen wurden oder nach dem Grad ihrer Verbindlichkeit. Generell unterscheidet man zwischen Verfassung, Gesetz, Rechtsverordnung, Satzung und internationalen Rechtsnormen. Zwischen den verschiedenen Rechtsnormen besteht eine Rangordnung.

---

18 Rüthers/Fischer/Birk, Rechtstheorie, Rn. 121.
19 S. auch Ipsen, Verwaltungsrecht, Rn. 87 ff.
20 Einzelheiten: Kap. 5.3.
21 Rüthers/Fischer/Birk, Rechtstheorie, Rn. 219; Trenczek/Tammen/Behlert/v. Boetticher/ Beetz, Grundzüge, I-1.1.3, S. 51 ff.

1.4.1 Verfassung

> ► Eine Verfassung ist die rechtliche **Grundordnung eines Staates.**

In der Bundesrepublik Deutschland ist die Verfassung das **Grundgesetz** (GG). Das GG wurde nach dem Zweiten Weltkrieg auf Initiative der westlichen Alliierten und auf Geheiß der westdeutschen Ministerpräsidenten zuerst durch eine Expertenrunde (Herrenchiemseer Verfassungskonvent) entworfen und sodann im Parlamentarischer Rat weiter ausgearbeitet. Es trat im Mai 1949 für Westdeutschland in Kraft und wurde im Oktober 1990 durch den Beitritt der DDR zur Bundesrepublik zur gesamtdeutschen Verfassung.[22] Das GG enthält Bestimmungen über die **Grundrechte** sowie über die **Staatsorganisation.**

1.4.2 Gesetz

> ► Gesetze sind Rechtsnormen, die vom **Bundestag** oder einem **Landesparlament** in einem vom Grundgesetz oder einer Landesverfassung festgeschriebenen, förmlichen Verfahren erlassen wurden.

Das Gesetzgebungsverfahren ist für Bundesgesetze in den Art. 76 ff. GG geregelt.[23] Parlamentsgesetze gelten als „Prototyp" der Rechtsnorm.[24]

1.4.3 Rechtsverordnung

> ► Rechtsverordnungen sind Rechtsnormen, die von der **Exekutive** (Bundesregierung, Bundesministerium oder Landesregierung) erlassen werden.

Genauso wie ein Gesetz sind sie allgemeinverbindlich. Sie sind jedoch nicht unmittelbar durch ein demokratisch legitimiertes Parlament im verfassungsrechtlich vorgesehenen Gesetzgebungsverfahren zustande gekommen. Daher

---

22 Zur Geschichte u. Entwicklung: Robbers Rn. 90 ff.
23 Zum Gesetzgebungsverfahren: Ipsen/Kaufhold/Wischmeyer, Staatsrecht I, § 6, Rn. 24 ff., § 7, Rn. 13 ff.
24 Trenczek/Tammen/Behlert/v. Boetticher/Beetz, Grundzüge, I-1.1.3.2, S. 50.

benötigt die Exekutive zu ihrer Legitimation stets eine **Ermächtigung durch ein Parlamentsgesetz,** ehe sie eine Rechtsverordnung erlassen kann.[25] Das Bedürfnis für Rechtsverordnungen besteht in ihrer **Entlastungsfunktion** für den parlamentarischen Gesetzgeber: Die Exekutive steht den konkreten Lebenssachverhalten und der Verwaltung näher, welche die Gesetze direkt auf einzelne Fälle anwendet. Daher soll sie berechtigt sein, **Details eines Sachgebietes** zu regeln, während das Parlament mit dem Gesetz den Rahmen vorgibt.[26]

> **Beispiel:** Im Existenzsicherungsrecht regeln die §§ 19, 20 SGB II und §§ 27, 27a SGB XII Ansprüche auf Leistungen zur Deckung des sog. Regelbedarfs von Bürgergeld- bzw. Sozialhilfeberechtigten. Im Gesetzestext werden dabei noch keine konkreten Eurobeträge genannt.
>
> In § 40 SGB XII findet sich die Verordnungsermächtigung an das Bundesministerium für Arbeit und Soziales zur Neufestsetzung der Regelbedarfsbeträge. Über § 20 Abs. 1a S. 1 SGB II ist dieser Wert auch für das Bürgergeld maßgeblich. Durch das zuständige Ministerium werden regelmäßig entsprechende Rechtsverordnungen erlassen (etwa die Regelbedarfsstufen-Fortschreibungsverordnung 2024) in der für alle Regelbedarfsstufen konkrete Eurobeträge angegeben werden.

1.4.4 Satzung

> ▶ Satzungen sind Rechtsnormen von Selbstverwaltungsorganisationen, d. h. von **juristischen Personen mit Selbstverwaltungsbefugnissen**[27] zur Regelung ihrer eigenen Angelegenheiten.

Sie sind in ihrer Geltungskraft gegenüber Gesetzen und Rechtsverordnungen eingeschränkt, denn Satzungen gelten nur gegenüber den der juristischen Person **angehörigen oder unterworfenen Personen.** Mit einer Satzung können nur die **eigenen Angelegenheiten** geregelt werden, d. h. nur diejenigen Angelegenheiten für die der Selbstverwaltungsorganisation per Gesetz Satzungsautonomie zugewiesen wurde.

> **Beispiele:** Eine Gemeindesatzung gilt nur für den räumlichen Bereich des Gemeindegebietes und nur für die Einwohner der Gemeinde. Eine Hochschule kann mit einer

---

25 Vgl. Art 80 Abs. 1 GG.
26 Im Einzelnen: Ipsen/Kaufhold/Wischmeyer, Staatsrecht I, § 15, Rn. 12 ff.
27 S. Kap. 3.4.; Sodan/Ziekow, Öffentliches Recht, § 63, Rn. 3.

Satzung z. B. die Tätigkeit von Hochschulgremien oder die Hochschulprüfungen regeln. Solche Regelungen sind verbindlich lediglich für die Angehörigen der Hochschule. Eine gesetzliche Kranken- oder Pflegekasse kann mit einer Satzung z. B. Zusatzleistungen für ihre Mitglieder festlegen. Auch im Privatrecht gibt es Satzungen: Ein eingetragener Verein (e. V.) ist z. B. berechtigt, eine Vereinssatzung zu erlassen. Diese besitzt Geltungskraft nur gegenüber den Vereinsmitgliedern.

1.4.5 Internationale Rechtsnormen

International existieren weitere Arten von Rechtsnormen, die für die Rechtsordnung Deutschlands von großer Bedeutung sind, nämlich die Bestimmungen des Völker- und des Rechts der Europäischen Union (EU).

Völkerrecht
Das Völkerrecht umfasst insbesondere die **völkerrechtlichen Verträge** zwischen zwei („bilateral") oder einer Vielzahl von Staaten („multilateral"), z. B. die Europäische Menschenrechtskonvention (EMRK), die Genfer Flüchtlingskonvention (GFK), die UN-Behindertenrechtskonvention (BRK), das Haager Kinderschutzübereinkommen oder internationale Sozialversicherungsabkommen. Völkerrechtliche Verträge, die die Bundesrepublik Deutschland als Vertragspartei abgeschlossen hat, werden über Art. 59 Abs. 2 S. 1 GG **in nationales Recht transformiert**. Sie haben dann innerhalb der Rechtsordnung den **Status eines Bundesgesetzes**.[28] **Völkerrechtssubjekt,** d. h. derjenige, an den sich die Rechte und Pflichten aus dem Vertrag richten, ist typischerweise nicht der einzelne Mensch, sondern der Staat. So müssen z. B. die Sozialleistungsbehörden die Artikel der BRK bei der Anwendung der SGB-Vorschriften für Menschen mit Behinderung beachten. Rechte aus völkerrechtlichen Verträgen sind (unter Beachtung der übrigen, nationalen Rechtsordnung) grundsätzlich vor den Behörden oder Gerichten des eigenen Heimatstaates geltend zu machen. Eine Ausnahme hierzu ist der Europäische Gerichtshof für Menschenrechte, als ein internationales Gremium, an das sich Individuen zur Geltendmachung ihrer Rechte aus völkerrechtlichen Bestimmungen wenden können.[29]

---

28 Ipsen/Kaufhold/Wischmeyer, Staatsrecht I, § 21, Rn. 4; Trenczek/Tammen/Behlert/v. Boetticher/Beetz, Grundzüge, I-1.6, S. 81–85.
29 S. Kap. 12.1.1 u. 12.3.2.

EU-Recht

Das EU-Recht unterscheidet sich von dem Völkerrecht dadurch, dass die EU selbst Rechtspersönlichkeit besitzt und eine eigenständige Rechtsordnung bildet. Die EU ist zwar kein Staat, bildet aber eine sog. supranationale Organisation und wird zuweilen als „Staatenverbund"[30] bezeichnet.[31] Die EU-Gründungsverträge sowie die EU-Grundrechtecharta bilden zusammen das **primäre Unionsrecht,** die Grundordnung der EU ihr Äquivalent einer Verfassung. Die mittels der Gründungsverträge errichteten Organe der EU (z. B. Parlament, Kommission, Rat) sind befugt, in zahlreichen Rechtsbereichen Verordnungen und Richtlinien zu erlassen und Beschlüsse zu fassen (**sekundäres Unionsrecht**). Richtlinien verpflichten die Mitgliedstaaten zur fristgerechten Umsetzung in nationales Recht. Darüber hinaus gilt EU-Recht unmittelbar und ist gegenüber nationalem Recht vorrangig anzuwenden.[32] Bedeutsam ist das EU-Recht auch in vielen Bereichen der Sozialen Arbeit, etwa die Regelungen des EU-Freizügigkeitsrechts und des Gemeinsamen Europäischen Asylrechts, die Bestimmungen über die Anerkennung von Schul- und Hochschulabschlüssen, das Gleichstellungs- und Antidiskriminierungsrecht oder das Recht der Beihilfen.[33]

1.4.6 Rangordnung

Zwischen den einzelnen Rechtsnormen besteht eine Rangordnung/Hierarchie, da vermieden werden soll, dass **Antworten der Rechtsordnung auf dieselbe Rechtsfrage** sich **nicht widersprechen** sollten.[34] Im Idealfall sollten sich die einzelnen Rechtsnormen inhaltlich nicht entgegenstehen. Kommt dies doch einmal vor, so ist die niederrangige Rechtsnorm gegenüber der höherrangigen Rechtsnormen in konkreten Fällen nicht anzuwenden oder gar insgesamt ungültig. In der Bundesrepublik Deutschland gilt die folgende Hierarchie:

EU-Recht
   Verfassung (GG)
      Gesetz
         Rechtsverordnung
            Satzung

---

30 BVerfGE 89, 155 (183).
31 Ipsen/Kaufhold/Wischmeyer, Staatsrecht I, § 3, Rn. 2.
32 EuGH, C-26/62, *van Gend & Loos gegen Niederländische Finanzverwaltung;* EuGH, C-6/64, *Flaminio Costa gegen E. N. E. L.*
33 Trenczek/Tammen/Behlert/v. Boetticher/Beetz, Grundzüge, I-1.1.5.2, S. 75 f.
34 Rüthers, Rechtstheorie Rn. 271.

Für das Verhältnis zwischen Rechtsnormen von **Bund** und **Ländern** gilt die Regel des Art. 31 GG: Bundesrecht geht dem Landesrecht vor.

1.5 Übersichten

Übersicht 1: Rechtsgebiete und Gerichtszweige

Recht						
Öffentliches Recht					Bürgerliches Recht (Privatrecht)	
Verfassungs-recht	Steuer-recht	Verwaltungs-recht	Sozial-recht	Strafrecht	Zivilrecht	Arbeits-recht
Einteilung Gerichtszweige und Rechtsgebiete						
Bundes-/ Landesverfas-sungsgerichte	Finanz-gerichte	Verwaltungs-gerichte	Sozial-gerichte	Amts- u. Land-gerichte für Strafsachen	Amts- u. Land-gerichte für Zivilsachen	Arbeits-gerichte
Verfassungs-beschwerden, Streitigkeiten zwischen Staatsorganen	u. a. Ein-sprüche gegen Steuer-beschei-de	Ansprüche auf ö. r. Leistungen (z.B. Bau-/ Gewerbegeneh-migungen, Studienplatz), Abwehr staatl. Eingriffe (z. B. Abschiebung) u. v. m.	u. a. Ansprüche auf Sozial-leistungen, Erhebung von Beiträgen durch die Sozial-versiche-rungen	u. a. Geld- oder Frei-heitsstrafen wegen Delikten des StGB, Geldbußen wegen Ordnungs-widrigkeiten	Ansprüche aus Ver-trägen, Familien-verhältnis-sen, Erb-ansprüche, Schadens-ersatz-ansprüche u. v. m.	Ansprüche auf Kündi-gungs-schutz, Lohn-zahlung u. v. m.

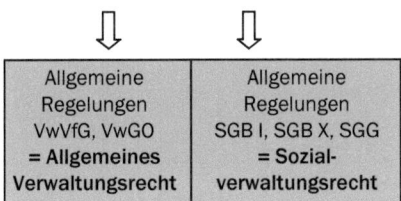

Allgemeine Regelungen VwVfG, VwGO = **Allgemeines Verwaltungsrecht**	Allgemeine Regelungen SGB I, SGB X, SGG = **Sozial-verwaltungsrecht**

Übersicht 2: Sozialrecht

Allgemeine Regelungen	Sozialversicherung	Soziale Entschädigung	Hilfe/soziale Förderung	
	Absicherung von Lebensrisiken	Soziale Gerechtigkeit Existenzsicherung		Verwaltungsrecht, Verwaltungsgesetze, VwVfG, VwGO
Grundprinzipien SGB I	Arbeitslosigkeit (Arbeitslosengeld) SGB III	Kompensation bestimmter Schäden, z. B. für Opfer von Straftaten, von Justiz- oder Verwaltungsunrecht, von Impfschäden, Soldatenentschädigung usw. SGB XIV, StrRehaG, HHG usw.	Arbeitslosigkeit (Bürgergeld) SGB II	
Verfahren SGB X	Krankheit SGB V		Kinder- u. Jugendhilfe SGB VIII	
Verfahren für Sozialversicherung SGB IV	Alter (Rente) SGB VI		Teilhabe bei Behinderung SGB IX	
Gerichtsverfahren SGG	Unfall SGB VII		Sozialhilfe SGB XII	
	Pflegebedürftigkeit SGB XI			

Übersicht 3: Rechtsnormen

	Rechtsnorm = generell-abstrakte, allgemeinverbindliche Regelung, die sich an eine unbestimmte Zahl von Personen zur Regelung einer unbestimmten Zahl von Fällen wendet	
Hierarchie	**EU-Recht** = Gründungsverträge, EU-Grundrechtecharta, Verordnungen, Richtlinien, Beschlüsse der EU	Bundesrecht geht Landesrecht vor
	Verfassung = rechtliche Grundordnung eines Staates	
	Gesetz = Rechtsnorm, die vom Bundestag/einem Landesparlament in einem vom Grundgesetz/einer Landesverfassung festgelegten, förmlichen Verfahren erlassen wird; völkerrechtliche Verträge erhalten über Art. 59 Abs. 2 GG den Status eines Bundesgesetzes	
	Rechtsverordnung = Rechtsnorm, die von der Exekutive (Regierung oder Ministerium) erlassen wird	
	Satzung = Rechtsnormen, die von Selbstverwaltungsorganisationen (juristischen Personen mit Selbstverwaltungsbefugnissen, z. B. Hochschule, Kommune) zur Regelung ihrer eigenen Angelegenheiten erlassen wird	

1.6 Übungsfragen

1.6.1
Die 12-jährige J wird von der Polizei nachts auf der Straße aufgegriffen. J ist von zu Hause weggelaufen. Sie berichtet von Gewalt und Missbrauch durch ihren Stiefvater. Die Polizei informiert das Jugendamt, welches für die Unterbringung in einer betreuten Jugendhilfeeinrichtung sorgt. Die Kosten der Unterbringung übernimmt das Jugendamt. Die Polizei überlegt, ein Strafverfahren gegen den Stiefvater der J einzuleiten. Das Jugendamt überlegt, sich die Kosten für die Jugendhilfeeinrichtung von den Eltern der J bezahlen zu lassen, da diese dem Kind gegenüber unterhaltsverpflichtet sind. Zu welchem Rechtsgebiet gehört

a) *die Unterbringung in der Jugendhilfeeinrichtung*
b) *die Kostenübernahme durch das Jugendamt*
c) *das Strafverfahren gegen den Stiefvater der J*
d) *der Unterhalt für J*

1.6.2
Was ist der Unterschied zwischen allgemeinem Verwaltungsrecht, besonderem Verwaltungsrecht und Sozialrecht?

1.6.3
Herr R ist 70 Jahre alt. Er bezieht eine geringfügige Altersrente. Weil R während der DDR-Zeit rechtsstaatswidrig inhaftiert war und seither an einer posttraumatischen Belastungsstörung leidet, bekommt er zusätzlich eine monatliche Entschädigungsrente. Beides reicht zum Leben nicht aus, daher bekommt R zusätzlich noch Sozialhilfe. R hat chronische Wirbelsäulenbeschwerden und kann nur noch mühsam an Krücken gehen. Er erhält deswegen einen Schwerbehindertenausweis. R hat den Pflegegrad 2 und wird regelmäßig von einem ambulanten Pflegedienst versorgt. Gehen Sie Kapitel 1.2 und die verschiedenen Bücher des SGB durch und ordnen Sie ein:

a) *Welche der Leistungen, die R bezieht, gehören zu Sozialversicherung, Hilfe oder Entschädigung?*
b) *Zu welchem der Bücher des SGB gehören die Rente, die Sozialhilfe, der Schwerbehindertenausweis, die Versorgung durch den Pflegedienst?*
c) *Handelt es sich bei den Sozialleistungen, die R bezieht, um allgemeines oder um besonderes Sozialrecht?*

1.6.4
Warum ist die Zuordnung einer Rechtsnorm zu einem bestimmten Rechtsgebiet wichtig?

1.6.5
Schauen Sie sich § 37 Abs. 1 SGB XI an und überlegen Sie folgenden Fall: Die gesetzliche Kranken- und Pflegekasse G möchte für ihre Mitglieder zukünftig mehr Geld für gesundheitliche Präventivmaßnahmen bereitstellen. Der Vorstand überlegt, wo man etwas einsparen könnte und kommt auf den Gedanken, eine Satzung zu erlassen, in der festgelegt wird, dass das Pflegegeld für ihre Mitglieder in allen Pflegegraden zukünftig jeweils 10 EUR niedriger sein wird als nach § 37 Abs. 1 SGB XI. Wäre dies zulässig?

(Lösungen siehe www.lehrbuch-sozialverwaltungsrecht.de)

Weiterführende Literatur

Rechtssystem
Trenczek, Thomas/Tammen, Britta/Behlert, Wolfgang, Grundzüge des Rechts, 3. Aufl. 2011, Teil I Ziff. 1.1.1–1.1.6 (S. 36–86); Teil I Ziff. 2.1.3 (S. 118–122)

Gerichtszweige
Robbers, Gerhard, Einführung in das deutsche Recht, 8. Aufl. 2023, Teil A.II Rn. 36–54.

Sozialrecht/Sozialstaatsprinzip
Eichenhofer, Eberhard, Sozialrecht, 13. Aufl. 2024, §§ 1, 5 u. 6.

Rechtsnormen
Rüthers, Bernd/Fischer, Christian/Birk, Axel, Rechtstheorie und Juristische Methodenlehre, 12. Aufl., München 2022, §§ 4 u. 6.

2. Kapitel
Staats- und Verwaltungsorganisation

Das Kapitel widmet sich rechtlichen und staatsorganisatorischen Grundprinzipien, die für das Verständnis des Sozialverwaltungsrechts wichtig sind. Erklärt werden das Staatsstrukturprinzip der Gewaltenteilung, der Föderalismus sowie die Begriffe der natürlichen und juristischen Person. Ein weiteres Thema ist die Darstellung von Verwaltungstätigkeit und der verschiedenen Verwaltungsaufgaben.

2.1 Staat, Staatsgewalt und Gewaltenteilung

▶ Ein Staat wird in der Staatsphilosophie und der allgemeinen Staatslehre durch die **„Drei-Elemente-Lehre"** definiert. Danach ist ein Staat die politische Organisation einer Personengemeinschaft, die ein **Staatsgebiet**, ein **Staatsvolk** und eine **Staatsgewalt** voraussetzt.[35]

Die Staatsgewalt ist die **Herrschaftsmacht** (oder auch „Hoheitsgewalt") des Staates über sein Gebiet und seine dort befindlichen Personen. Staatsgewalt bedeutet, dass allein der Staat berechtigt ist, einseitig verbindliche Regelungen und Anordnungen gegenüber seinen Bürger:innen zu erlassen und sie erforderlichenfalls auch unter Einsatz von Gewalt durchzusetzen.

In der Staatsform der Bundesrepublik Deutschland gilt für die Staatsgewalt das Prinzip der **Gewaltenteilung**. Dieses Staatsorganisationsprinzip geht wesentlich auf die Lehre des Staatsphilosophen Charles de Montesquieu (1689–1755) zurück und soll die Freiheit des Einzelnen vor unbeschränkter, absolutistischer Staatsmacht garantieren. Seit dem 19. Jahrhundert ist die Gewaltenteilung ein tragendes Organisationsprinzip der meisten demokratischen Verfassungen und grundlegendes Merkmal eines Rechtsstaates.[36]

Durch die Gewaltenteilung wird die Herrschaftsmacht des Staates in **drei Funktionsbereiche – Gesetzgebung, vollziehende Gewalt sowie Rechtsprechung** – aufgeteilt. Durch diese Aufteilung und eine gegenseitige Kontrolle der drei Bereiche untereinander („checks and balances") soll eine Mäßigung der

---

35 Jellinek, Staatslehre, S. 394 ff.
36 Vgl. Ipsen/Kaufhold/Wischmeyer, Staatsrecht I, § 14, Rn. 1 ff.

Staatsgewalt insgesamt erreicht werden. In der Bundesrepublik Deutschland ist das Prinzip der Gewaltenteilung festgelegt in **Art. 20 Abs. 2 GG**, wonach die Staatsgewalt „durch besondere Organe der Gesetzgebung, der vollziehenden Gewalt und der Rechtsprechung" ausgeübt wird.[37]

Grob zusammengefasst lässt sich das Prinzip der Gewaltenteilung wie folgt beschreiben:

Die vom **Staatsvolk** in regelmäßigen Abständen **direkt** gewählten Abgeordneten der **Parlamente** initiieren Gesetzgebungsverfahren, erlassen oder ändern **Gesetze.** Sie sind die **gesetzgebende Gewalt** („Legislative") und schaffen gültiges Recht, welches sowohl für die Bürger:innen als auch für die Staatsgewalten gilt. Außerdem **bestimmen** die gewählten Abgeordneten die **Regierung.**

Die **Regierung** und die ihr **nachgeordneten Verwaltungsbehörden** führen die Gesetze aus und setzen sie um. Sie sind die **vollziehende Gewalt** („Exekutive"). Die vollziehende Gewalt ist berechtigt, das Gemeinwesen zu planen und zu lenken, ebenfalls Gesetzgebungsinitiativen zu starten oder in Bereichen, in denen sie von der Gesetzgebung dazu ermächtigt wurde, selbst Recht zu setzen durch den Erlass von Rechtsverordnungen[38].

Die **Rechtsprechung** („Judikative") sind die **Gerichte.** Sie wenden die Gesetze in einzelnen Streitfällen an und entscheiden sie durch Urteile und Beschlüsse. So überwachen sie die allgemeine Einhaltung der Gesetze.

Eine **gegenseitige Kontrolle der Staatsgewalten** findet z. B. dadurch statt, dass Gerichte Verwaltungsentscheidungen kontrollieren können, dass Abgeordnete die Regierung auch wieder abwählen dürfen, dass die Richter:innen der Gerichte in der Regel durch die Exekutive ernannt werden.

2.2   Verwaltungsbegriff und Verwaltungsaufgaben

Die Vollziehung (= Verwirklichung, Ausführung) von Gesetzen, d. h. die **Regelung von Einzelfällen** auf der Basis von Gesetzen, ist die typische (aber bei weitem nicht die einzige) Verwaltungsaufgabe.

Beispiele: In den Unterbringungsgesetzen der Bundesländer ist geregelt, dass ein psychisch kranker Mensch in einer psychiatrischen Klinik untergebracht werden kann, wenn er „infolge seines Leidens sein Leben, seine Gesundheit oder bedeutende Rechtsgüter anderer erheblich gefährdet und die gegenwärtige Gefahr nicht anders abgewendet werden kann" (vgl. z. B. § 7 Abs. 1 S. 1 Thüringer Gesetz zur Hilfe und

---

37   Ipsen/Kaufhold/Wischmeyer, Staatsrecht I, § 14, Rn. 3 ff.
38   S. Kap. 1.4.3, Kap. 2.2 u. Kap. 4.2.

Unterbringung psychisch kranker Menschen). Nachbarn der an einer Psychose leidenden Frau P bemerken, dass diese gestikulierend und schreiend auf dem Dach ihres Wohnhauses herumläuft. Sie droht herabzustürzen. Die herbeigerufene Polizei kontaktiert den Sozialpsychiatrischen Dienstes, der das Unterbringungsgesetz vollzieht, indem der die vorläufige Unterbringung von Frau P in einer psychiatrischen Klinik anordnet.

In § 340 SGB III ist geregelt, wie die Leistungen der Bundesagentur für Arbeit (Arbeitslosenversicherung) zu finanzieren sind. U.a. heißt es, dass die Leistungen durch „Beiträge der Versicherungspflichtigen und der Arbeitgeber" zu finanzieren sind. In Vollziehung des SGB III ist die Bundesagentur für Arbeit berechtigt, von jedem Einzelnen versicherungspflichtigen Arbeitnehmer und jedem Arbeitgeber seinen jeweiligen Beitrag für die Arbeitslosenversicherung zu erhalten.

In § 27 SGB VIII ist als eine der Aufgaben des Jugendamtes die Hilfe zur Erziehung geregelt. Es heißt dort, dass ein Personensorgeberechtigter Anspruch auf Hilfe hat, „wenn eine dem Wohl des Kindes oder des Jugendlichen entsprechende Erziehung nicht gewährleistet ist". J, 15 Jahre alt, lebt mit seinem alleinerziehenden Vater V zusammen. V macht sich große Sorgen, da J den Schulbesuch verweigert, Drogen konsumiert und sich von V nichts mehr sagen lässt. Das Jugendamt muss das SGB VIII vollziehen, indem es V (und J) alle möglichen und gesetzlich vorgesehenen Hilfeleistungen des Jugendhilferechts gewährt, um so das Ziel des Gesetzes – die „Förderung (…) zu einer selbstbestimmten, eigenverantwortlichen und gemeinschaftsfähigen Persönlichkeit" (§ 1 Abs. 1 SGB VIII) – zu verwirklichen.

Ein weiterer Aufgabentyp der Exekutive ist die **Planung und Durchführung von staatlichen Vorhaben** und damit die Gestaltung der Zukunft.

Beispiel: Die Verwaltung im Bundesland B erhebt Daten, wie sich zukünftig die Bevölkerung entwickeln wird. In bestimmten Regionen, in denen die Bevölkerung stark zurückgeht, wird der Rückbau von Städten, d.h. der Abriss von Gebäuden und die Schaffung von Grünflächen oder Naturschutzgebieten geplant und durchgeführt. In anderen Regionen mit prognostizierbarem Bevölkerungswachstum wird der Bau von Straßen, Wohnungen, Kindergärten und Schulen geplant und durchgeführt.

Die Exekutive nimmt auch aktiv am Wirtschaftsleben teil, indem sie eine Reihe von **erwerbswirtschaftlichen Unternehmungen** betreibt.[39]

---

39 Soweit dies den Tatbestand „privatrechtliches Handeln" erfüllt, s. Kap. 4.1.

Beispiele: Die Gemeinde G verkauft oder verpachtet ihr gehörende Waldstücke, sie verkauft das dort geschlagene Holz. Die Stadt S besitzt verschiedene Gebäude und Wohnsiedlungen und verwaltet und vermietet diese in Form einer öffentlich-rechtlichen Wohnungsbaugesellschaft. Der Landkreis L betreibt ein Sparkassenunternehmen.

Weiterhin hat die Regierung ein Initiativrecht für die Gesetzgebung[40] und setzt durch den **Erlass von Rechtsverordnungen**[41] selbst unmittelbar Recht. Somit wirkt sie unmittelbar an der Rechtssetzung und damit der **Gestaltung der Rechtsordnung** mit.

Die Sachgebiete, in denen sich die Verwaltung betätigt, sind **umfassend** und betreffen alle denkbaren Lebensbereiche, z. B. Steuern/Finanzen, Wirtschaft, Polizei, Verkehr, Migration, Soziales, Kultur, Wissenschaft, Schule, Gesundheit, Umwelt, Wohnung/Bauen, u. v. m. Wegen der Vielgestaltigkeit der Aufgaben fehlt es daher auch an einer klaren **Definition des Begriffs „Verwaltung".** Oft wird der Begriff schlicht negativ gefasst als der Teil der Staatstätigkeit, der weder Gesetzgebung noch Rechtsprechung ist.[42]

Um dennoch eine generalisierende Einteilung zu erreichen, wird zwischen den Verwaltungsbereichen **Eingriffs- und Leistungsverwaltung** unterschieden.[43] Ausgangspunkt für die Einteilung ist die Frage, ob die jeweilige Verwaltungsmaßnahme aus Sicht der Bürger:innen belastend (Eingriffsverwaltung) oder begünstigend (Leistungsverwaltung) wirkt.

Die **Eingriffsverwaltung** umfasst die gefahrenabwehrende, ordnende Verwaltung (z. B. Polizei- oder Genehmigungsrecht) sowie die Abgabenverwaltung, d. h. die Beschaffung der für den Staat erforderlichen Geldmittel (die Erhebung von Steuern, Beiträgen und Gebühren).

Die **Leistungsverwaltung** dient der Daseinsvorsorge der Bürger:innen. Sie umfasst zum einen die allgemeine Gestaltung der Lebensbedingungen durch Schaffung einer Infrastruktur (z. B. Verkehrswege, Beförderungsmittel, Wasser, Gas, Strom usw.) sowie durch Schaffung von Einrichtungen (z. B. Kindertagesstätten, Krankenhäuser, Schulen, Universitäten, Schwimmbäder, Theater usw.). Zum anderen umfasst die Leistungsverwaltung die soziale Unterstützung von Einzelnen, z. B. durch Sozialleistungen, Subventionen oder Beratungsangebote.

---

40 Vgl. Art 76 Abs. 1 GG; vgl. auch Ipsen/Kaufhold/Wischmeyer, Staatsrecht I, § 6, Rn. 24–26.
41 S. Kap. 1.4.3.
42 Bull/Mehde, Verwaltungsrecht, Rn. 16–23; Ipsen, Verwaltungsrecht, Rn. 46–51.
43 Bull/Mehde, Verwaltungsrecht, Rn. 28–31.

2.3   Verwaltungsträger und Verwaltungsbehörden

▶ Ein Staat besteht aus seinen Einwohnern und hat diesen gegenüber im Rahmen seiner Staatsaufgaben gesetzlich und verfassungsrechtlich begründete **Rechte und Pflichten**. Die Bundesrepublik Deutschland ist somit **Träger** von Rechten und Pflichten. Durch die Zuordnung der Staatsaufgabe „Verwaltung" ist sie auch ein **Verwaltungsträger.**[44]
Um Rechte und Pflichten auch durchsetzen und erfüllen zu können, d. h. um **handlungsfähig** zu sein, benötigt der Staat **Institutionen und Personen,** die für ihn rechtlich verbindlich handeln. Diese werden als **Organe und Organwalter** bezeichnet.[45] Für die Staatsaufgabe Verwaltung sind die für den Staat handelnden Organe die **Verwaltungsbehörden.**[46]

Die Verwaltungsbehörden handeln **stellvertretend** für den Staat. Sie treten für ihn nach außen, z. B. gegenüber Bürger:innen, in Erscheinung. Die Handlungen der Verwaltungsbehörden werden dem Verwaltungsträger (also dem Staat) zugeordnet. Das heißt, die Wirkungen ihrer Handlungen bzw. die **rechtliche Verantwortung** für die Handlungen trifft nicht die einzelne Verwaltungsbehörde, sondern den Verwaltungsträger.

Beispiele: Das Verfahren und die Entscheidung darüber, ob ein Ausländer in der Bundesrepublik Deutschland Asyl nach Art. 16a GG oder die Zuerkennung der Flüchtlingseigenschaft im Sinne der Genfer Flüchtlingskonvention erhalten kann, obliegt einer durch die Bundesrepublik Deutschland errichteten Behörde, dem Bundesamt für Migration und Flüchtlinge (BAMF). A reist nach Deutschland ein und beantragt die Anerkennung als Asylberechtigte oder Flüchtlingsschutz. Ihr Antrag wird abgelehnt. A geht davon aus, dass dies zu Unrecht geschieht. Sie möchte gegen die Entscheidung Rechtsmittel einlegen. Wen müsste sie als Verantwortlichen in Anspruch nehmen? Lösung: Die Bundesrepublik Deutschland als rechtlich verantwortliche Verwaltungsträgerin. Das BAMF ist nur das für die Bundesrepublik Deutschland handelnde Organ. Organwalter wäre übrigens der konkrete Sachbearbeiter beim BAMF, der den Antrag der A ablehnte.
    K möchte wegen seiner vielen chronischen Krankheiten einen Schwerbehindertenausweis erhalten. Er lebt im Bundesland Berlin. Dort gibt es eine Behörde, das „Landesamt für Gesundheit und Soziales", welches für die Ausstellung von Schwer-

---

44 Ipsen, Verwaltungsrecht, Rn. 206 u. 209.
45 Sodan/Ziekow, Öffentliches Recht, § 58, Rn. 1–4.
46 Ipsen, Verwaltungsrecht, Rn. 213.

behindertenausweisen zuständig ist. K beantragt dort den Schwerbehindertenausweis. Er wird aber abgelehnt, weil seine gesundheitlichen Einschränkungen noch nicht gravierend genug seien. K ist nicht einverstanden und möchte dagegen vorgehen, beispielsweise mit einer Klage. Wen müsste er als Verantwortlichen in Anspruch nehmen? Lösung: Das Bundesland Berlin als rechtlich verantwortlichen Verwaltungsträger. Das Landesamt für Gesundheit und Soziales ist nur das für das Land Berlin handelnde Organ. Organwalter wäre hier der konkrete Sachbearbeiter des Landesamts, der den Antrag abgelehnt hat.

Das Prinzip der Trennung von „rechtlich verantwortlichem Verwaltungsträger" und „handelnder Verwaltungsbehörde" gilt unter anderen Begrifflichkeiten allgemein in der gesamten Rechtsordnung. Es lässt sich illustrieren anhand der Unterscheidung zwischen der **Rechts- und Handlungsfähigkeit** von **natürlichen Personen** und der **Rechts- und Handlungsfähigkeit** von **juristischen Personen.**

2.3.1 Natürliche Person

Ein Mensch ist eine „natürliche Person". Mit seiner Geburt wird er „**rechtsfähig**", d. h. ein Träger von Rechten und Pflichten.[47] Rechtlich **handlungsfähig** ist ein Mensch dann, wenn er in der Lage ist, seine Rechte und Pflichten selbstständig, eigenverantwortlich und mit rechtlich verbindlicher Wirkung wahrzunehmen, also i. d. R. erst ab Vollendung des 18. Lebensjahrs.[48]

Beispiel: Mit der Geburt erwirbt ein Mensch einen gesetzlichen Unterhaltsanspruch gegenüber seinen Eltern. Ihn selbstständig geltend machen kann er erst ab 18. Auch ein neugeborener Mensch kann bereits Eigentümer einer großen Firma sein. Fähig, seine Firma selbstständig zu verwalten, ist er erst ab 18.

Bei einer natürlichen Person fallen die Rechts- und die Handlungsfähigkeit ab Erreichen der **Volljährigkeit** zusammen. Dies ist bei juristischen Personen anders.

47　§ 1 BGB.
48　Einzelheiten: Robbers Rn. 575–580.

2.3.2 Juristische Person

▶ Eine juristische Person ist ein **Zusammenschluss mehrerer natürlicher Personen,** mit einem **eigenen Namen** und **rechtlich anerkannter Selbstständigkeit.**[49]

Rechtliche Selbstständigkeit bedeutet, der Zusammenschluss wird rechtlich so behandelt wie eine natürliche Person: Die juristische Person ist ebenfalls Trägerin von Rechten und Pflichten, agiert unter ihrem Namen, tätigt Geschäfte, erfüllt Aufgaben, nimmt am Rechtsverkehr teil usw.

> **Beispiel:** In einem „Verein für soziale Integration e. V." haben sich mehrere Sozialarbeiter:innen zusammengeschlossen, die als Betreuer:innen für psychisch kranke Menschen arbeiten. Der Verein ist eine juristische Person, d. h. die Büroräume sind auf den Namen des Vereins angemietet, das Geschäftskonto läuft auf diesen Namen und wenn Mitarbeiter:innen eingestellt werden, ist der Verein Vertragspartner und ihn treffen die Rechte und Pflichten eines Arbeitgebers.

Es gibt zahlreiche Arten von juristischen Personen, z. B. Vereine, Gesellschaften mit beschränkter Haftung, Körperschaften, Stiftungen u. v. m. Je nachdem, ob eine juristische Person **hoheitliche Befugnisse** hat, d. h. Staatsgewalt[50] ausüben kann oder nicht, unterscheidet man zwischen **juristischen Personen des öffentlichen Rechts**[51] **und juristischen Personen des Privatrechts.** Die Bundesrepublik Deutschland, die Bundesländer und auch die Gemeinden sind juristische Personen des öffentlichen Rechts.

Eine juristische Person ist zwar rechtsfähig, aber als solche nicht handlungsfähig. Es ist klar, dass für Handlungen der juristischen Person nicht stets alle Mitglieder, aus denen sie besteht, synchron handeln können. Die juristische Person benötigt daher, um handlungsfähig zu sein, Institutionen und Personen, die befugt sind, in ihrem Namen zu handeln und sie zu vertreten. Diese Personen und Institutionen sind die „**Vertretungsorgane**" einer juristischen Person. Die rechtliche Verantwortlichkeit für die Handlungen der Vertretungsorgane trifft stets die juristische Person selbst.[52]

---

49 Robbers: Rn. 581–585; Trenczek/Tammen/Behlert/v. Boetticher/Beetz, Grundzüge, II-1.1.1, S. 257 ff.
50 S. Kap. 2.1.
51 Zu den juristischen Personen des öffentlichen Rechts vgl. Kap. 3.4.1.
52 Von dem Prinzip, dass immer der hinter der handelnden Behörde stehende Verwaltungsträger als rechtlich Verantwortlicher in Anspruch zu nehmen ist (auch „Rechtsträgerprin-

Die Vertretungsorgane werden je nach Typus der juristischen Person unterschiedlich bezeichnet, z. B. Vorstand, Geschäftsführung, Vorsitzender – und bei Verwaltungsträgern als Behörden.

2.4 Föderalismus

▶ Als ein weiteres, für die Verwaltung bedeutsames Staatsstrukturprinzip gilt in der Bundesrepublik Deutschland das Prinzip des **Föderalismus**.[53] Dies bedeutet, dass der Staat aus einem **Gesamtstaat** und **einzelnen Gliedstaaten** gebildet wird. In der Bundesrepublik Deutschland sind dies der **Bund** und die **16 Bundesländer**. Sowohl der Gesamtstaat als auch die Gliedstaaten besitzen Staatlichkeit und üben eigene Staatsgewalt aus.[54] Die einzelnen Bundesländer und die Bundesrepublik Deutschland sind jeweils **selbstständige juristische Personen des öffentlichen Rechts** und eigenständige **Verwaltungsträger**.

Die **Aufteilung der Staatsgewalt** zwischen Bund und Ländern (auch als „vertikale Gewaltenteilung" bezeichnet) ist für die drei Staatsgewalten (der „horizontalen Gewaltenteilung") im Grundgesetz geregelt. Es gilt der Grundsatz des Art. 30 GG, wonach die „Ausübung staatlicher Befugnisse" Sache der Länder ist, soweit das GG nicht eine anderweitige, spezielle Regelung getroffen hat.

2.4.1 Föderalismus in der Gesetzgebung

In den Art. 70–74 GG ist die Aufteilung der Staatsgewalt zwischen Bund und Ländern für den Bereich der Gesetzgebung geregelt. Art. 70 Abs. 1 GG wiederholt die Aussage des Art. 30 GG, wonach die Länder die Gesetzgebungskompetenz haben, soweit nicht dem Bund ausdrücklich Kompetenzen zugewiesen sind. Die Verteilung der Kompetenzen wird in den Art. 71 ff. GG vorgenommen und richtet sich nach **Sachgebieten**. Für viele bedeutsame Sachgebiete, nämlich überall dort, wo die **Herstellung gleichwertiger Lebensverhältnisse innerhalb**

---

zip" genannt), gibt es landes- oder bundesgesetzlich geregelte Ausnahmen (sog. „Behördenprinzip"), vgl. dazu § 70 Nr. 3 SGG; § 61 Nr. 3 VwGO; für die Jobcenter vgl. § 44b Abs. 1 SGB II.
53 Vgl. Art. 20 Abs. 1 GG: „Die Bundesrepublik Deutschland ist ein demokratischer und sozialer *Bundesstaat.*"
54 Sodan/Ziekow, Öffentliches Recht, § 8, Rn. 1–11.

des gesamten Bundesgebietes erforderlich ist, darf der Bund die Gesetze erlassen. Andere Lebensbereiche dürfen von den Ländern mehr oder weniger eigenständig durch eigene Gesetze gestaltet werden.[55]

> **Beispiele:** Der Bund erlässt z. B. nach Art. 73, 74 GG die Gesetze für Bürgerliches Recht, Strafrecht und Strafvollzug, Arbeits- und Sozialversicherungsrecht, Staatsangehörigkeitsrecht, Asyl- und Aufenthaltsrecht, Luft- und Eisenbahnverkehr, Recht der Wirtschaft, Recht der öffentlichen Fürsorge (z. B. SGB II, SGB XII), Personenstandswesen, Passrecht, Zollrecht, Tierschutz, u. v. m.
> Den Ländern steht nach Art. 70 GG z. B. die Gesetzgebungskompetenz zu für das Schulwesen, das Polizei- und Ordnungsrecht, das Heimrecht, das Denkmalschutzrecht, das Recht zur Unterbringung psychisch kranker Menschen, das Versammlungsrecht, das Wohnraumförderungsrecht u. v. m.

2.4.2 Föderalismus in der Rechtsprechung

In den Art. 92–96 GG ist die Aufteilung der Staatsgewalt zwischen Bund und Ländern für die Rechtsprechung geregelt. Hier findet keine Verteilung nach Sachgebieten statt, sondern die **Bundesgerichte** haben allein die Funktion von **obersten Rechtsmittelgerichten** im Rahmen eines gerichtlichen **Instanzenzuges**. Es gibt jeweils ein oberstes Bundesgericht pro Gerichtszweig[56] (Zivil- und Strafrecht, Verwaltungs-, Finanz-, Sozial- und Arbeitsrecht). Die Einrichtung der unteren Gerichte (Amts-, Land-, Oberlandesgerichte, sowie die einzelnen Fachgerichte) ist Ländersache.[57] Eine Sonderrolle haben das Bundesverfassungsgericht (Art. 93 und 94 GG) sowie die Landesverfassungsgerichte (z. B. Art. 79 f. Verfassung des Freistaats Thüringen), die nicht in den Instanzenzug integriert sind.

> **Beispiel:** Ein Instanzenzug im Bereich der Verwaltungsgerichtsbarkeit wäre z. B. I. Instanz: Verwaltungsgericht (zuständig für einen Gerichtsbezirk des Landes), II. Instanz: Oberverwaltungsgericht/Verwaltungsgerichtshof (zuständig für ein Bundesland) und III. Instanz: Bundesverwaltungsgericht. Das gleiche Prinzip gilt für den Instanzenzug der Sozialgerichtsbarkeit: I. Instanz: Sozialgericht (zuständig für einen Gerichtsbezirk

---

55 Einzelheiten zu den Gesetzgebungskompetenzen vgl. Ipsen/Kaufhold/Wischmeyer, Staatsrecht I, § 9, Rn. 8 ff.; § 10; Robbers Rn. 161.
56 Vgl. Kap. 1.2.
57 zum Aufbau der Gerichtsbarkeit vgl. Ipsen/Kaufhold/Wischmeyer, Staatsrecht I, § 12, Rn. 3 ff.; Robbers Rn. 40 ff.

des Landes), II. Instanz: Landessozialgericht (zuständig für ein Bundesland), III. Instanz: Bundessozialgericht.[58]

2.4.3 Föderalismus in der Verwaltung

In den Art. 83–90 GG ist die Verteilung der Staatsgewalt zwischen Bund und Ländern für die Verwaltung, also für die Ausführung der Gesetze, geregelt. Die Verteilung ist wie bei der Gesetzgebung ebenfalls nach **Sachgebieten** zwischen **Bundesverwaltung** und **Landesverwaltung** aufgeteilt. Allerdings deckt sich die Verteilung der Verwaltungsaufgaben nach Sachgebieten nicht mit der Verteilung der Gesetzgebungsbefugnisse. Die Länder sind viel stärker mit Verwaltungsaufgaben befasst, als es sich aus ihren Befugnissen zur Gesetzgebung ergeben würde.

▶ Es gibt **vier Arten** der Verwaltungsaufteilung zwischen Bund und Ländern: Den Vollzug von Bundesgesetzen durch die Länder als eigene Angelegenheit (Regelfall), die Bundesauftragsverwaltung, die bundeseigene Verwaltung und die landeseigene Verwaltung.

Vollzug von Bundesgesetzen durch die Länder als eigene Angelegenheit
Der **Regelfall** von Verwaltung ist nach Art. 83, 84 GG der Vollzug von Bundesgesetzen durch die Länder als eigene Angelegenheit.

Regelfall bedeutet, dass bei allen Sachgebieten, die durch ein Bundesgesetz geregelt werden und bei denen nicht explizit eine andere Verwaltungsform bestimmt wurde, das Prinzip „Vollzug durch die Länder als eigene Angelegenheit" gilt. Der Vollzug als eigene Angelegenheit bedeutet, dass die Länder zwar Gesetze ausführen, die sie nicht selbst erlassen haben (sondern der Bund). Sie tun dies jedoch als eigenständige juristische Personen, bzw. als eigenständige Verwaltungsträger. Das heißt, sie führen die Bundesgesetze **selbstständig, mit ihren eigenen Verwaltungsbehörden** aus. Inhaltlich gilt für die Verwaltungstätigkeit das jeweilige Bundesgesetz. Die Länder erfüllen die Verwaltungsaufgaben jedoch **in eigener Verantwortung**, d.h. sie organisieren selbst den Aufbau der Verwaltungsbehörden, bestimmen die generellen Regelungen des Verwaltungsverfahren

---

58 Vgl. Kap. 12.3 Übersicht 2.

usw.[59] Der Bund hat lediglich die **Rechtsaufsicht**[60] über die Verwaltungstätigkeit der Länder, d. h. die Möglichkeit, zu kontrollieren, dass die Bundesgesetze dem geltenden Recht entsprechend ausgeführt werden.

Beispiel: Für das Sachgebiet „Aufenthalts- und Niederlassungsrecht der Ausländer" hat der Bund die (konkurrierende) Gesetzgebungskompetenz.[61] Das zu diesem Sachgebiet erlassene Aufenthaltsgesetz (AufenthG) ist ein Bundesgesetz. Darin sind u. a. die Bestimmungen über die Erteilung, Verlängerung oder Versagung von verschiedenen Arten von Aufenthaltstiteln geregelt. Nach § 71 AufenthG sind die „Ausländerbehörden" der Bundesländer für den Vollzug des Aufenthaltsgesetzes zuständig. Welche Landesbehörden dies im jeweiligen Bundesland sind, wie sie strukturiert werden, wie die Verwaltungsbediensteten ausgebildet und eingesetzt werden etc., richtet sich nach der eigenen Verwaltungsorganisation des Landes. Auch die Bezeichnung variiert (in Berlin z. B. „Landesamt für Einwanderung"). Das Bundesministerium des Innern und für Heimat hat lediglich die Rechtsaufsicht darüber, dass die Landesbehörden die Bestimmungen des Aufenthaltsgesetzes korrekt erfüllen. Somit wäre es z. B. nicht mehr „eigene Angelegenheit", wenn ein Bundesland eine neue Art des Aufenthaltstitels, der nicht im AufenthG vorgesehen ist, einführen würde.

Bundesauftragsverwaltung

Die Bundesauftragsverwaltung ist geregelt in Art. 85 GG. Auch hier ist der Verwaltungsträger das Land und vollzieht die Bundesgesetze mit dem eigenen Verwaltungsapparat. Allerdings hat der Bund hier **mehr Einwirkungsmöglichkeiten** auf die Verwaltungstätigkeit der Länder als bei dem Vollzug als eigene Angelegenheit. Der Bund hat nicht nur die Rechts-, sondern auch die **Fachaufsicht**.[62] Dies bedeutet, der Bund hat die Möglichkeit, die Verwaltungstätigkeit direkt zu steuern und anzuleiten, z. B. durch Weisungen, Dienst- und Verwaltungsvorschriften. Er wirkt damit wesentlich stärker auf die Art und Weise der Landesverwaltung ein. Die Sachgebiete der Bundesauftragsverwaltung sind entweder selbst im GG benannt oder es ist im jeweiligen Bundesgesetz bestimmt, dass ein Sachgebiet als Bundesauftragsverwaltung ausgeführt werden muss.[63]

---

59 Ipsen/Kaufhold/Wischmeyer, Staatsrecht I, § 11, Rn. 4 ff.
60 Vgl. Art. 84 Abs. 3 GG; Einzelheiten vgl. Ipsen/Kaufhold/Wischmeyer, Staatsrecht I, § 11, Rn. 18 ff.; vgl. auch Kap. 3.6.
61 Art. 74 Abs. 1 Nr. 4 GG.
62 Vgl. Art. 85 Abs. 3 u. 4 GG; Einzelheiten vgl. Kap. 3.6.
63 Einzelheiten: Ipsen/Kaufhold/Wischmeyer, Staatsrecht I, § 11, Rn. 27 ff.

Beispiele: Die Sachgebiete Kernenergie, Luftverkehr, Bundesfernstraßen (mit Ausnahme der Autobahnen), sind z.B. als Gegenstände der Bundesauftragsverwaltung im GG benannt (Art 87 c, Art 87 d Abs. 2, Art. 89 Abs. 2 S. 3 u. 4, Art. 90 Abs. 3 GG). Im Bereich der sozialen Leistungen sind z.B. als Bundesauftragsverwaltung festgelegt das Sachgebiet Bundesausbildungsförderung (§ 39 Bundesausbildungsförderungsgesetz – BAföG) sowie das Bundeswohngeldgesetz – WoGG (Art. 104a Abs. 3 Satz 2 GG i.V.m. § 32 WoGG).

Bundeseigene Verwaltung

Nach Art. 86, 87 GG besteht die Möglichkeit der Ausführung der Bundesgesetze durch den Bund selbst, d.h. durch **eigens von ihm errichtete Behörden.** Verwaltungsträger ist in diesem Fall die Bundesrepublik Deutschland, die Länder sind von der Verwaltung ausgeschlossen. Die Sachgebiete, für die dieser Verwaltungstyp vorgesehen ist, sind entweder im GG selbst benannt oder können über Art. 87 Abs. 3 GG vom Bundesgesetzgeber durch ein Bundesgesetz als Gegenstand der bundeseigenen Verwaltung bestimmt werden,[64]

Beispiele:
Die Sachgebiete Auswärtiger Dienst, Finanz- und Steuerwesen, Verteidigungswesen, Verfassungsschutz, Bundespolizei (ehemals Bundesgrenzschutz) und Teile der Sozialversicherungen sind Beispiele für im GG benannte Gegenstände bundeseigener Verwaltung (Art. 87, Art. 87 a, Art. 87 b Abs. 1 GG).

Über Art. 87 Abs. 3 GG werden zahlreiche Sachgebiete, für die die Gesetzgebungskompetenz des Bundes besteht, in bundeseigener Verwaltung ausgeführt, z.B. Prüfung jugendgefährdender Medien (§ 17 Jugendschutzgesetz), Asylrecht (§ 5 Asylgesetz), Bundesstatistik (§ 2 Gesetz über die Statistik für Bundeszwecke), Fahreignungsregister (§ 28 Straßenverkehrsgesetz) u.v.m.

Landeseigene Verwaltung

Die Ausführung von Landesgesetzen ist ausschließlich Sache der Länder, die dafür ihre eigenen Verwaltungsbehörden einrichten und verwenden.[65]

Beispiel: Das Sachgebiet Schule kann jedes Bundesland durch ein eigenes Schulgesetz regeln. In den §§ 33–35 Landesschulgesetz des Bundeslandes Baden-Württemberg sind z.B. Organisation, Aufgaben und Befugnisse der verschiedenen Schulbehörden des Landes (Staatliche Schulämter, Regierungspräsidium, Kultusministerium) festgelegt.

---

64 Einzelheiten: S. Kap. 3.1,
65 Einzelheiten vgl. Kap. 3.2.

2.5 Übersichten

Übersicht 1: Gewaltenteilung

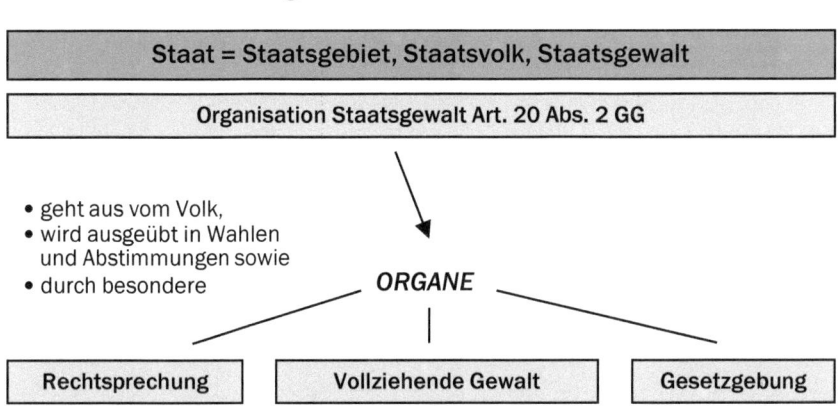

Staat = Staatsgebiet, Staatsvolk, Staatsgewalt

Organisation Staatsgewalt Art. 20 Abs. 2 GG

- geht aus vom Volk,
- wird ausgeübt in Wahlen und Abstimmungen sowie
- durch besondere

ORGANE

Rechtsprechung	Vollziehende Gewalt	Gesetzgebung

Rechtsprechung

- **Gerichte**
Amts-, Land-, Oberlandesgerichte, Fachgerichte der einzelnen Gerichtszweige, Bundesgerichte

- **Aufgaben**
Auslegung/ Konkretisierung der Gesetze zur Entscheidung einzelner Streitfälle, dadurch Kontrolle/Überwachung der Einhaltung der Gesetze, Weiter-entwicklung des Rechts

- **Handeln durch**
Urteile, Beschlüsse

Vollziehende Gewalt

(vollziehende Gewalt = Regierung und Verwaltung)

- **Behörden des Bundes/der Länder**
Regierung, Ministerien, nachgeordnete Verwaltungsbehörden, Selbstverwaltungskörperschaften

- **Aufgaben**
Ausführen von Gesetzen, Planung und Lenkung des Gemeinwesens, Gesetzgebungsinitiativen Erbringung von Leistungen, Durchsetzen von Pflichten, Rechtssetzung durch Rechtsverordnungen/Satzungen

- **Handeln durch**
Verwaltungsakt, Rechtsverordnung, Satzung, privatrechtliche Akte, schlichtes Verwaltungshandeln, öffentlich-rechtliche Verträge

Gesetzgebung

- **Parlamente**
Bundestag, Landtag, Abgeordnete

- **Aufgaben**
Rechtssetzung durch Erlass oder Änderung von Gesetzen, Gesetzgebungs-initiativen

- **Handeln durch**
Gesetze

Übersicht 2: Verwaltungsaufgaben

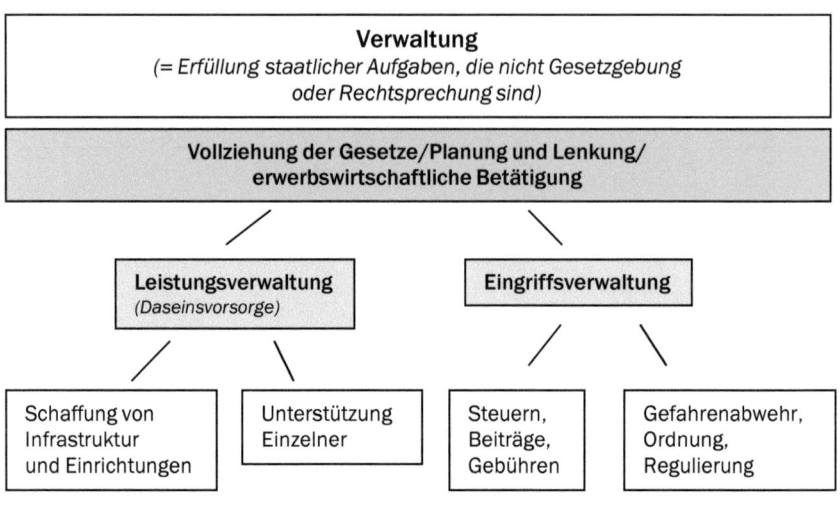

Übersicht 3: Rechts- und Handlungsfähigkeit natürlicher und juristischer Personen

Natürliche Person	Juristische Personen des Privatrechts	Juristische Personen des öffentlichen Rechts (= Verwaltungsträger)
Mensch	Zusammenschluss mehrerer natürlicher Personen, eigener Name, rechtliche Selbstständigkeit	Zusammenschluss mehrerer natürlicher Personen, eigener Name, rechtliche Selbstständigkeit UND hoheitliche Befugnisse
Rechtsfähigkeit (= Träger von Rechten und Pflichten) ab Geburt	Rechtsfähigkeit (= Träger von Rechten und Pflichten) ab Gründung	Rechtsfähigkeit (= Träger von Rechten und Pflichten) ab Gründung
Handlungsfähig ab 18 Jahren	Handlungsfähig durch Vertretungsorgane (Vorstand, Geschäftsführung)	Handlungsfähig durch Vertretungsorgane (Behörden)

Übersicht 4: Föderalismus

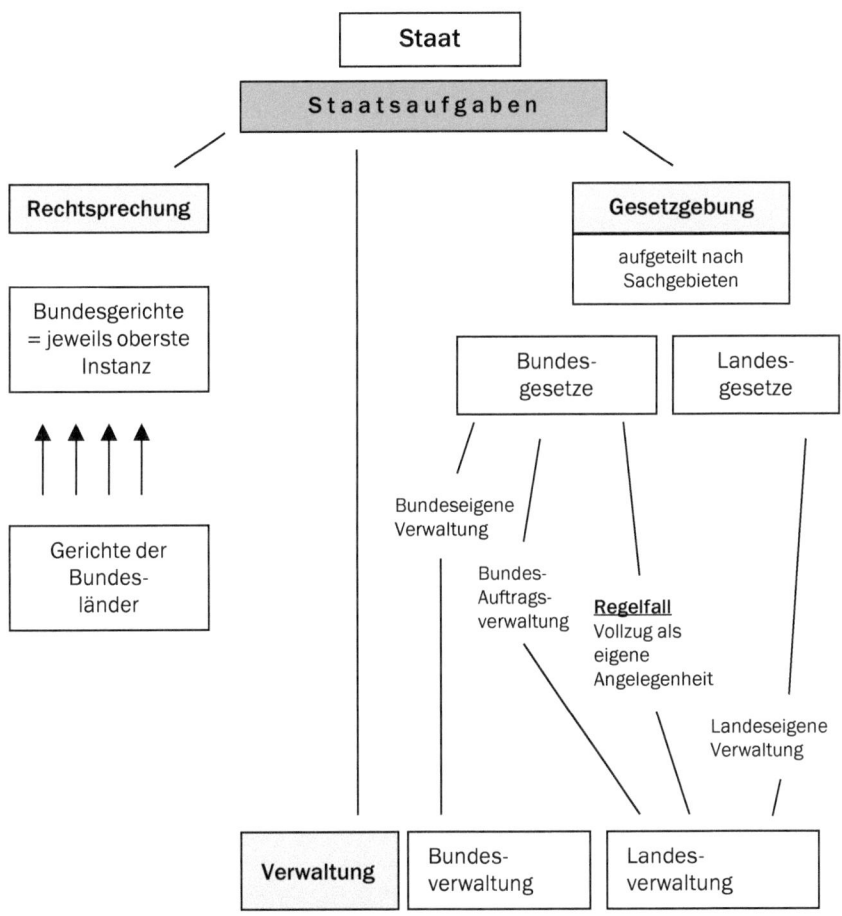

2.6   Übungsfragen

2.6.1

Das Bundesverfassungsgericht bekommt den Gesetzentwurf eines vom Bundestag geplanten Gesetzes zu lesen. Das Gericht ist der Auffassung, dieses Gesetz sei klar verfassungswidrig. Sogleich erlässt es einen Beschluss, in dem es ausspricht, dass das Gesetz verfassungswidrig ist, um damit das Gesetz von vornherein zu stoppen. Wäre dies möglich?

2.6.2

Bei den folgenden Aktivitäten der Verwaltung handelt es sich um welchen Verwaltungsbereich – Leistungs- oder Eingriffsverwaltung? Und um welche Verwaltungstätigkeit – Vollziehung von Gesetzen, Planung/Lenkung, erwerbswirtschaftliche Betätigung oder Rechtssetzung?

a) *Das Bundesministerium für Arbeit und Soziales hält den § 67 SGB XII für konkretisierungsbedürftig. Es entwickelt und erlässt zu diesem Zweck eine Regelung, die genau definiert, was die „besonderen Lebensverhältnisse mir sozialen Schwierigkeiten", von denen in § 67 SGB XII die Rede ist, eigentlich sind.*

b) *Die Sozial- und Gesundheitsverwaltung der Stadt S möchte das Problem der Obdachlosigkeit zukünftig besser in den Griff bekommen. Zu diesem Zwecke werden die Bereitstellung von Haushaltsmitteln und ein Maßnahmenkatalog beschlossen, der die zukünftige Nutzung und Umwandlung eines der Stadt gehörenden Gebäudes in eine Einrichtung des betreuten Wohnens für Obdachlose vorsieht.*

c) *Die obdachlose Frau O wird in einer kalten Januarnacht von der Polizei auf der Straße aufgegriffen und wegen der Gefahr des Erfrierens zu einer Notübernachtungseinrichtung eines freien sozialen Trägers gebracht.*

d) *Am nächsten Morgen stellt der dortige Sozialarbeiter für Frau O beim Sozialamt der Stadt S einen Antrag auf Unterbringung in einer Einrichtung des betreuten Wohnens. Das Sozialamt weist Frau O daraufhin einen Platz in der neuen Einrichtung zu und erklärt die Kostenübernahme.*

e) *In der neuen Wohnungslosen-Einrichtung der Stadt S befinden sich im Erdgeschoss Gemeinschaftsräume und eine große Küche. Die Stadt S beschließt, hier eine preisgünstige Cafeteria mit gesundem Essen und nichtalkoholischen Getränken einzurichten. Sie führt eine Ausschreibung durch und entscheidet sich schließlich, die Räume an den Bewerber mit dem überzeugendsten Konzept zu verpachten.*

2.6.3
Eine der Staatsaufgaben der Bundesrepublik Deutschland ist der Jugendschutz. Zur Verwirklichung dieser Aufgabe existiert u. a. die Verwaltungsbehörde „Bundeszentrale für Kinder- und Jugendmedienschutz" (vgl. §§ 17 ff. Jugendschutzgesetz), die zur Verwirklichung des Jugendschutzes Bücher, Filme, Computerspiele u. v. m. auf ihren Inhalt hin prüft und feststellt, ob ein konkretes Medium jugendgefährdend ist oder nicht. Wird Jugendgefährdung festgestellt, wird das Medium entsprechend indexiert und unterliegt dann bestimmten Verkaufsbeschränkungen. Computerfirma C entwickelt ein Computerspiel, welches von der Bundesprüfstelle als jugendgefährdend eingeschätzt und entsprechend indexiert wird. C ist damit nicht einverstanden und möchte sich dagegen wehren. Gegen wen müsste sich C wenden?

2.6.4
In der Bundesrepublik Deutschland gibt es ein Bundesgesetz, das den Beruf der Pflegefachfrau bzw. des Pflegefachmanns regelt. Es ist das Pflegeberufegesetz – PflBG. Die Länder führen dieses Gesetz als eigene Angelegenheit aus (vgl. § 49 PflBG). Im PflBG ist auch geregelt, inwieweit außerhalb der EU erworbene Berufsqualifikationen dem deutschen Berufsabschluss entsprechen Inhaber eines solchen Abschlusses die Berufsbezeichnung der Pflegefachfrau oder des Pflegefachmanns führen können. Um dem Fachkräftemangel u. a. in der Altenpflege entgegenzuwirken, überlegt man im zuständigen Bundesministerium für Familie, Senioren, Frauen und Jugend (BMFSFJ), wie man die Anerkennung ausländischer Berufsqualifikationen zukünftig möglichst einfach gestalten könnte. Die Idee ist, für die Anerkennung der ausländischen Berufsqualifikationen einfach eine zentrale „Anerkennungsbehörde" für das gesamte Bundesgebiet einzurichten. Wäre dies zulässig?

(Lösungen unter www.lehrbuch-sozialverwaltungsrecht.de)

Weiterführende Literatur

Staat, Staatsgewalt, Gewaltenteilung, Föderalismus
Ipsen, Jörn/Kaufhold, Ann-Katrin/Wischmeyer, Thomas, Staatsrecht I, 33. Aufl., München 2023, §§ 1, 13.

Verwaltungsbegriff, Verwaltungsaufgaben Verwaltungsträger, Verwaltungsbehörden
Maurer, Hartmut/Waldhoff, Christian, Allgemeines Verwaltungsrecht, 21. Aufl., München 2024 §§ 1, 21–23.

3. Kapitel
Verwaltungsträger und Verwaltungsebenen

Im Kapitel werden die verschiedenen Verwaltungsträger dargestellt, d. h. Bundes-, Landes- und Kommunalverwaltung. Die zwei verschiedenen Arten von Verwaltung, d. h. unmittelbare und mittelbare Verwaltung werden erklärt sowie die Einordnung der Träger der Sozialverwaltung in dieses System. Abschließendes Thema sind die Kontrollmechanismen innerhalb der Verwaltung (Rechts-, Fach- und Dienstaufsicht).

> ▶ Die Verwaltung gliedert sich nicht nur in die Bereiche Bundes- und Landesverwaltung, sondern auch „vertikal" in verschiedene **Hierarchieebenen.** Die obere Hierarchieebene hat **Aufsichts- und Weisungsbefugnisse** gegenüber der unteren Hierarchieebene.[66] Bürger:innen haben regelmäßig mit der unteren Ebene der Verwaltung zu tun.[67]

Beispiel: Die Mitarbeiter:innen des Jugendamtes im Landkreis L des Bundeslandes B bearbeiten die Fälle der Bürger:innen. Sie sind die untere Verwaltungsebene. Sie bearbeiten Einzelfälle, führen Beratungen durch, beschließen einzelne Jugendhilfemaßnahmen usw. Das Landesministerium für Jugend und Familie als obere Verwaltungsebene leitet und steuert die Arbeit des Jugendamtes L. Es erlässt z. B. regelmäßig Dienstanweisungen und Verwaltungsvorschriften, entscheidet über die Verteilung der Haushaltsmittel usw.

Im föderalen Staatsaufbau wird zwischen **Bundes-** und **Landesverwaltung** unterschieden.

---

66 Vgl. Kap. 3.6.
67 Vgl. Kap. 6.1.1.

3.1 Bundesverwaltung

Für die Bundesverwaltung existiert traditionell ein **dreistufiger** Verwaltungsapparat mit einer obersten, einer mittleren und einer unteren Behörde. **Oberste Bundesbehörden** sind die jeweils nach Ressorts aufgegliederten **Bundesministerien** (z. B. Bundesfinanzministerium – BMF, Bundesministerium für Familie, Senioren, Frauen und Jugend – BMFSFJ, Bundesministerium für Arbeit und Soziales – BMAS usw.), die zusammen mit dem Bundeskanzler die Regierung bilden. Ihnen nachgeordnet folgt der **Verwaltungsunterbau** mit den mittleren und den unteren Behörden, die flächendeckend im gesamten Bundesgebiet errichtet sind.

Beispiel: Die dreistufige Verwaltung im Sachgebiet Bundesfinanzverwaltung besteht aus: Bundesministerium der Finanzen (oberste Bundesbehörde), Bundeszentralamt für Steuern, Informationstechnikzentrum, Oberfinanzdirektionen (mittlere Bundesbehörden), Hauptzollämter und Zollfahndungsämter (untere Bundesbehörden).

Allerdings ist dieser mehrstufige Verwaltungsaufbau bei der Bundesverwaltung inzwischen sehr **selten** und betrifft nur noch **wenige Sachgebiete**.[68]

▶ Wesentlich häufiger ist die Bundesverwaltung so organisiert, dass ein Sachgebiet, bzw. eine bestimmte Verwaltungsaufgabe, einer einzigen **zentralen Behörde** übertragen wurde, die örtlich für das gesamte Bundesgebiet zuständig ist.[69] Diese zentrale Behörde wird per Bundesgesetz errichtet, rangiert unterhalb der Ebene der Bundesministerien und hat keinen weiteren Verwaltungsunterbau mehr. Bezeichnet wird dieser Typus von Behörden als „Bundesoberbehörde".

Als Behördenname wird typischerweise die Bezeichnung „Bundesamt für ..." verwendet.

---

68 Nach der Privatisierung von Bundesbahn und Bundespost (vgl. Art. 143a, b GG) und nach der Aussetzung der Wehrpflicht mit Neu-Organisation der Wehrverwaltung werden im Wesentlichen noch der Auswärtige Dienst (Auswärtiges Amt, Botschaften, Konsulate) und die Bundesfinanzverwaltung in dreistufiger Verwaltung geführt; vgl. Ipsen/Kaufhold/Wischmeyer, Staatsrecht I, § 11, Rn. 44; vgl. auch Art. 87 Abs. 1 GG, Art. 87 b GG.
69 Vgl. Ipsen/Kaufhold/Wischmeyer, Staatsrecht I, § 11, Rn. 50 ff.; vgl. auch Art. 87 Abs. 3 GG.

Beispiele: Bundesamt für Migration und Flüchtlinge, Kraftfahrtbundesamt, Bundeskartellamt, Bundesamt für Verbraucherschutz und Lebensmittelsicherheit, Statistisches Bundesamt, Bundesamt für Verfassungsschutz, Bundeskriminalamt, Bundeszentrale für Kinder- und Jugendmedienschutz, Bundesumweltamt u. v. m.

3.2   Landesverwaltung

Jedes Bundesland hat den Aufbau seiner Verwaltungsbehörden durch seine **Landesverfassung** in Verbindung mit einem **Verwaltungs-Organisationsgesetz** geregelt.[70] Weitere, für den Aufbau der Landesverwaltung bedeutsame Regelungen finden sich auch in den Gemeinde- und Landkreisordnungen der Länder.

▶ Es gibt in den Bundesländern drei Arten von Verwaltungsaufbau, den **dreistufigen,** den **zweistufigen** und die Verwaltung durch **eine zentrale Landesbehörde.**

Der dreistufige Verwaltungsaufbau besteht aus der obersten Landesbehörde, der Mittel- und der unteren Behörde. Der zweistufige Verwaltungsaufbau besteht nur aus der obersten und der unteren Behörde. Typisch ist der (traditionelle) dreistufige Verwaltungsaufbau in **größeren Flächenstaaten,** der zweistufige in **Stadtstaaten** und in **kleineren Flächenstaaten.**[71]

Oberste Landesbehörden sind die **Landesministerien,** die, nach Ressorts aufgeteilt, zusammen mit dem Ministerpräsidenten die Landesregierung bilden. Dem entspricht in den Stadtstaaten der Senat und der:die Bürgermeister:in.

Im dreistufigen Verwaltungsaufbau folgt die Ebene der **Mittelbehörden.** Die Mittelbehörden haben von Bundesland zu Bundesland unterschiedliche Bezeichnungen, z. B. „**Bezirksregierung**" oder „**Regierungspräsidium**". Die Mittelbehörde ist zuständig für alle Sachgebiete. Ihre örtliche Zuständigkeit bezieht sich auf einen bestimmten Bezirk des Landes. Aufgabe der Mittelbehörden ist

---

70   Die Verwaltungs-Organisationsgesetze werden von Bundesland zu Bundesland unterschiedlich bezeichnet, z. B. „Landesverwaltungsgesetz" Baden-Württemberg (LVG BW); „Allgemeines Zuständigkeitsgesetz" Berlin (AZG Bln); „Landesorganisationsgesetz" NRW (LOG NRW).

71   Allerdings setzt sich der zweistufige Verwaltungsaufbau immer weiter durch: Inzwischen haben nur noch fünf Bundesländer, nämlich Baden-Württemberg, Bayern, Hessen, Nordrhein-Westfalen und Sachsen einen dreistufigen Verwaltungsaufbau.

die Aufsicht über die unteren Verwaltungsbehörden, die Vermittlung der Entscheidungen der Regierungsebene und die Entscheidungen über Widersprüche.[72]

Die **unteren Verwaltungsbehörden** in Flächenstaaten sind die **Kommunen**[73], d. h. die **Gemeinden, Landkreise** oder **kreisfreien Städte.** In den Stadtstaaten sind die unteren Verwaltungsbehörden die **Bezirke.** Die Besonderheit dieser unteren Verwaltungsebene ist, dass es sich bei den Kommunen nicht nur um **reine Verwaltungsuntergliederungen** der Bundesländer handelt, sondern dass sie gleichzeitig einen verfassungsrechtlich festgelegten Status als **rechtlich selbstständige Gebietskörperschaften** haben.[74] Die Tätigkeit der unteren Verwaltungsbehörde entspricht daher der **Kommunalverwaltung** und ist im folgenden Abschnitt dargestellt.

Wie bei der Bundesverwaltung, gibt es schließlich auch für die Landesverwaltung die Möglichkeit, **Zentralbehörden** ohne weiteren Verwaltungsunterbau für eine bestimmte Verwaltungsaufgabe einzurichten. Diese Behörden heißen **Landesoberbehörden**, als Behördenname wird typischerweise die Bezeichnung „Landesamt für …" verwendet.

Beispiele: In Brandenburg wird auf Grundlage von § 10 Landesorganisationsgesetz ein Behördenverzeichnis erstellt, das u. a. folgende Landesoberbehörden ausweist: Landeskriminalamt, Landesamt für Bauen und Verkehr, Landesumweltamt, Landesamt für Soziales und Versorgung, Landeshauptkasse, Zentrale Ausländerbehörde u. v. m.

3.3   Kommunalverwaltung

► „Kommune" ist der Oberbegriff für **Gemeinden** sowie Gemeindeverbände (insbesondere **Landkreise**).[75]

Gemeinden sind **organisatorisch die kleinste Einheit** in den 13 deutschen Flächenstaaten. Allerdings sind nicht nur kleine Ortschaften Gemeinden, sondern auch (Groß-)Städte (z. B. München, Jena oder Gießen). Mehrere Gemeinden können zusammen einen Gemeindeverband bilden. Die mit großem Abstand wichtigste Form des Gemeindeverbands[76] ist der **Landkreis** (oder einfach Kreis).

---

72 Vgl. z. B. §§ 11 ff. Landesverwaltungsgesetz Baden-Württemberg; §§ 7 f. Landesorganisationsgesetz Nordrhein-Westfalen.
73 Zum Begriff vgl. Robbers, Rn. 334.
74 Art. 28 Abs. 2 GG.
75 Burgi, Kommunalrecht, § 1, Rn. 5.
76 Für andere Beispiele: Burgi, Kommunalrecht, § 20.

Dieser bildet damit die **größere Organisationseinheit.** Die Landkreise übernehmen bestimmte Aufgaben der Gemeinden, sofern diese aufgrund ihrer Größe
nicht die Organisations-, Verwaltungs- oder Wirtschaftskraft haben, um die Verwaltungsaufgaben allein zu übernehmen (häufig z. B. Trägerschaft der Kinder-
und Jugendhilfe oder Betrieb von Krankenhäusern). Die im Landkreis zusam-
mengefassten Gemeinden werden als **„kreisangehörige Gemeinden"** bezeichnet.
Demgegenüber sind Gemeinden ab einer bestimmten Einwohnerzahl **„kreisfreie
Städte",** d. h. sie sind nicht mehr einem bestimmten Landkreis zugeordnet.

Besonderheiten gelten für die drei deutschen **Stadtstaaten** Berlin, Bremen
und Hamburg. **Berlin** etwa, das zugleich Bundesland und Stadt ist,[77] gliedert sich
in **Bezirke,** deren Aufgaben und Befugnisse denen der Gemeinde in Flächenstaaten vergleichbar sind.[78]

> ▶ Die Kommunen gehören zu einem Bundesland und bilden **einen Teil von des-
> sen Verwaltungsorganisation.** Gleichzeitig sind sie **rechtlich selbstständige
> Gebietskörperschaften mit Selbstverwaltungsbefugnis.** Als **Gebietskörper-
> schaft** bezeichnet man eine juristische Person des öffentlichen Rechts, die
> sich aus ihren Mitgliedern, d. h. ihren **Einwohnern,** zusammensetzt, und deren
> Souveränität sich auf ein **bestimmtes, regional begrenztes Gebiet** bezieht.

Rechtlich selbstständige Gebietskörperschaft bedeutet, dass die Kommunen den
Status eigenständiger juristischer Personen des öffentlichen Rechts haben und
grundsätzlich in Eigenverantwortung handeln können.[79] Selbstverwaltungsbefugnis bedeutet, dass die Kommunen ihre internen Strukturen selbst organisieren, z. B. durch den Erlass von Satzungen[80], und ihre Vertretungsorgane von
den Einwohnern der Kommune demokratisch gewählt werden.

Aufgrund der **Doppelstellung der Kommune** – sowohl als eigenständige
juristische Person als auch als untere Verwaltungsbehörde des Bundeslandes –
gibt es für ihre Verwaltungstätigkeit zwei Möglichkeiten: Entweder handelt die
Kommune als **eigenverantwortlicher, rechtlich selbstständiger Verwaltungsträger** oder als **rechtlich unselbstständige Verwaltungsbehörde** des jeweiligen
Bundeslandes. Für die Frage, ob sie in der einen oder in der anderen Art und
Weise handelt, kommt es darauf an, ob und wie ihr vom Gesetz (Bundes- oder

---

77 So Art. 1 Abs. 1 Verfassung von Berlin.
78 Burgi, Kommunalrecht, § 1, Rn. 1–3.
79 S. Kap. 3.4.1.
80 S. Kap. 1.4.

Landesgesetz) eine Verwaltungsaufgabe zur Erfüllung übertragen wurde. Gilt eine Verwaltungsaufgabe als „**Selbstverwaltungsangelegenheit**", handelt die Kommune selbstständig, gilt sie als „**staatliche Auftragsangelegenheit**", handelt sie unselbstständig.[81] In den Gemeindeordnungen der Bundesländer wird hierfür z. T. auch die Terminologie verwendet „Aufgaben des eigenen Wirkungskreises" bzw. „Aufgaben des übertragenen Wirkungskreises" der Gemeinde.[82]

Die Erfüllung einer Aufgabe in **Selbstverwaltung** bedeutet die Erledigung in **eigener Verantwortung**. Das heißt, dass die Kommune bei der Aufgabenerledigung **Gestaltungsfreiheit** besitzt. Ob, wann, wie, mit wie viel oder welchem Personal sie die Verwaltungsaufgabe erledigt, bleibt ihr überlassen. Staatliche Kontrolle bei den Selbstverwaltungsangelegenheiten beschränkt sich nur auf **Rechtsaufsicht**.[83]

Konsequenzen hat die Differenzierung zwischen Selbstverwaltungsangelegenheiten und Auftragsangelegenheiten nicht nur bei der **Aufsicht** durch die Bundesländer, sondern auch bei der Frage, wer (Bundesland oder Kommune) über den **Widerspruch** gegen eine konkrete Verwaltungsmaßnahme zu entscheiden hat.[84]

► Ausgangspunkt für die Klassifizierung einer Verwaltungsaufgabe als Selbstverwaltungs- oder Auftragsangelegenheit ist die Grundregel des Art. 28 Abs. 2 S. 1 GG, wonach „**alle Angelegenheiten der örtlichen Gemeinschaft**" zur Selbstverwaltung der Gemeinde „**im Rahmen der Gesetze**" gehören.

Die Angelegenheiten der örtlichen Gemeinschaft sind solche öffentlichen Aufgaben, die in der örtlichen Gemeinschaft wurzeln, die den Einwohnern gemeinsam sind und die das Zusammenleben der Menschen in der Kommune betreffen.[85] Diese Definition ist so umfassend, dass auch von einer grundsätzlichen „**Allzuständigkeit**" der Kommunen gesprochen wird.[86] Es gilt, dass für alle Sachgebiete, bei denen ein **örtlicher Bezug** besteht, eigentlich die Kommunen zuständig sind, **soweit nicht** durch Bundes- oder Landesgesetze eine **andere Zuständigkeit** geschaffen wurde. Soziale Aufgaben haben typischerweise einen

---

81 Burgi, Kommunalrecht, § 2, Rn. 3 ff.
82 So z. B. in Art. 57 und 58 der Bayerischen Gemeindeordnung.
83 S. Kap. 3.6.
84 Burgi, Kommunalrecht, § 8, Rn. 6–7; s. auch Kap. 3.6.1; Kap. 11.2.
85 Burgi, Kommunalrecht, § 6 Rn. 13 ff., mit der Aufzählung von zahlreichen Beispielen unter Rn. 19.
86 Burgi, Kommunalrecht, § 6, Rn. 27

örtlichen Bezug und fallen damit grundsätzlich in die Selbstverwaltungsbefugnis der Kommunen.[87]

Die Einschränkung „im Rahmen der Gesetze" bildet die Grenze für die Selbstverwaltung: Dies bedeutet zum einen, dass der Staat (Bund oder Bundesländer) den Kommunen Verwaltungsaufgaben **durch Gesetz ausdrücklich zuweisen** kann. Die Kommunen müssen die Aufgabe sodann übernehmen. Die Zuweisung der Verwaltungsaufgabe per Gesetz kann entweder eine Zuweisung als Selbstverwaltungsangelegenheit oder als Auftragsangelegenheit sein. Zum anderen kann der Staat durch Gesetz auch bestimmte Verwaltungsaufgaben aus der Selbstverwaltungsbefugnis der Kommunen **ausklammern** und anderen Verwaltungsträgern zuweisen.

Damit ergeben sich die folgenden **Grund-Konstellationen** für die Aufgabenzuweisung:

- Eine Verwaltungsaufgabe ist nicht durch Bundes- oder Landesgesetz geregelt, hat örtlichen Bezug und fällt damit gemäß Art. 28 Abs. 2 GG in die Selbstverwaltungsbefugnis der Kommune. Der Aufgabentyp wird i. d. R. als weisungsfreie oder **„freiwillige Selbstverwaltungsangelegenheit"** bezeichnet. Die Kommune hat hier einen weiten Ermessensspielraum, **ob und wie** sie die Angelegenheit erledigen möchte. Sie selbst entscheiden, ob sie – insbesondere im Rahmen ihrer finanziellen Leistungskraft – eine bestimmte Aufgabe überhaupt übernehmen will.[88]

Beispiele: Errichtung und Betrieb von Sportstätten, Museen, Theatern, Badeanstalten, Parkanlagen oder öffentlichen Verkehrsmitteln, Betrieb von Sparkassen.

- Eine Verwaltungsaufgabe wurde der Kommune per Bundes- oder Landesgesetz ausdrücklich als Selbstverwaltungsangelegenheit zugewiesen. Der Aufgabentyp wird i. d. R. als **„pflichtige Selbstverwaltungsaufgabe"** bezeichnet. Die Kommune hat keine Entscheidungsfreiheit, ob sie die Aufgabe übernimmt oder nicht – sie muss sie auf jeden Fall erledigen. **Wie** sie die Erfüllung und Durchführung der Verwaltungsaufgabe gestaltet, bleibt ihr überlassen. Den Rahmen für die Art und Weise der Aufgabenerfüllung bildet das Gesetz, mit dem der Kommune die Aufgabe zugewiesen wurde.[89]

---

87 Zum gegliederten System der verschiedenen, selbstständigen Sozialleistungsträger s. Kap. 3.5; vgl. auch Bieker, Kommunale Sozialverwaltung, Kap. B 2.2; Kap. B.7; Trenczek/Tammen/Behlert/v. Boetticher/Beetz, Grundzüge, I-4.1.2, S. 179 ff.
88 Burgi, Kommunalrecht, § 8 Rn. 13.
89 Burgi, Kommunalrecht, § 8 Rn. 14.

Beispiele:

Zuweisung per Bundesgesetz: Sozialhilfe (§ 3 Abs. 2 SGB XII), Städtebau (§ 2 Baugesetzbuch).

Zuweisung per Landesgesetz: Kinder- und Jugendhilfe (vgl. die Landes-Ausführungsgesetze zu § 69 Abs. 1 SGB VIII, z. B. § 1 Abs. 1 AG KJHG Bremen; § 1 Abs 1 AG KJHG Niedersachsen), Errichtung und Betrieb von Schulen (z. B. §§ 22, 23 Schulgesetz Sachsen).

- Eine Verwaltungsaufgabe wurde der Kommune per Bundes- oder Landesgesetz als Auftragsangelegenheit zugewiesen. Hier besteht neben dem „ob" der Aufgabenerledigung auch ein **fachliches Weisungsrecht** des Bundes oder des Landes bezüglich der Art und Weise der Aufgabenerledigung, also bezüglich des „wie"[90]. Das heißt, es besteht **Rechts- und Fachaufsicht**.[91] Die staatlichen Behörden, z. B. die Landesministerien oder die Regierungspräsidien, lenken und steuern die Art und Weise der Aufgabenerledigung, etwa durch Erlass von Verwaltungsvorschriften, Rundschreiben oder Dienstanweisungen. Die Kommunen sind dadurch praktisch ein verlängerter Arm der Landesbehörden. Je nach Ausprägung des fachlichen Weisungsrechts werden die Aufgaben als **„Pflichtaufgaben zur Erfüllung nach Weisung"** oder als **„Organleihe"** bezeichnet.

Beispiele:

Zuweisung per Bundesgesetz: Aufgaben der Standesämter (§ 1 Personenstandsgesetz).

Zuweisung per Landesgesetz: Denkmalschutz (z. B. § 3 DSchG Baden-Württemberg), Unterbringung psychisch kranker Menschen (z. B. § 4 PsychKG Sachsen-Anhalt)

- Eine Verwaltungsaufgabe wird per Bundes- oder Landesgesetz anderen Verwaltungsträgern als den Kommunen zugewiesen. Damit ist die Aufgabe den Kommunen **entzogen,** selbst dann, wenn sie „örtlichen Bezug" aufweist.

Beispiele:

Regelung per Bundesgesetz: Die Arbeitsförderung übernimmt die Bundesagentur für Arbeit (§§ 367, 368 SGB III).

Regelung per Landesgesetz: Die Aufgabe, die Standards von Pflegeheimen zu kontrollieren, ist in Berlin den Bezirken (funktionelles Äquivalent der Kommunen) entzogen und stattdessen einer zentralen Landesoberbehörde, dem Landesamt für Gesundheit und Soziales zugewiesen, vgl. §§ 23 ff., 34 Abs. 1 Wohnteilhabegesetz – WTG Berlin.

---

90 Bieker, Kommunale Sozialverwaltung, Kap. C 1.3 und 1.4.
91 S. Kap. 3.6.

3.4   Unmittelbare und mittelbare Verwaltung

> ▶ **Unmittelbare Staatsverwaltung** bedeutet die Verwaltung durch staatliche Behörden. Sie ist entweder Bundes- oder Landesverwaltung. Die **Bundesrepublik Deutschland** oder ein **Bundesland** sind hier die **rechtlich verantwortlichen Verwaltungsträger.**

Kennzeichnend für diese Art der Verwaltung ist der hierarchische Aufbau, d. h. die jeweils höheren Behörden sind gegenüber den nachgeordneten aufsichts- und weisungsbefugt. Die Behörden sind unmittelbarer Teil des Staatsapparates, daher der Begriff „unmittelbare" Verwaltung. Nach dem Rechtsträgerprinzip sind die jeweiligen Behörden rechtlich unselbstständig und handeln für ihren Verwaltungsträger (den Bund oder ein Bundesland).[92]

> ▶ **Mittelbare Staatsverwaltung** liegt vor, wenn der Bund oder ein Land durch ein Gesetz einen **eigenständigen Verwaltungsträger** schafft und diesem eine oder mehrere Verwaltungsaufgaben zur Erledigung überträgt.

Die eigenständigen Verwaltungsträger handeln sodann in ihrem Aufgabenbereich als selbstständige Rechtspersönlichkeiten in eigener Verantwortung. Grund für die Übertragung von Aufgaben im Rahmen mittelbarer Verwaltung ist die Idee der **Dezentralisierung.**[93]

Typisch für die mittelbare Verwaltung sind z. B. die in Art. 87 Abs. 2 GG und § 29 SGB IV erwähnten **Träger der Sozialversicherung** (z. B. Bundesagentur für Arbeit, gesetzliche Krankenversicherung, Deutsche Rentenversicherung, Berufsgenossenschaften).[94] Damit ist die Verwaltungsaufgabe „soziale Absicherung" zu großen Teilen aus der unmittelbaren Verwaltung der Bundesrepublik Deutschland ausgegliedert und verschiedenen, rechtlich selbstständigen Verwaltungsträgern übertragen worden.[95]

Die Verwaltungsträger der mittelbaren Verwaltung haben **Selbstverwaltungsbefugnisse,** d. h. sie organisieren sich selbst, können Satzungen erlassen, handeln

---

92   S. Kap. 2.3.2.
93   Trenczek/Tammen/Behlert/v. Boetticher/Beetz, Grundzüge, I-4.1.2, S. 183.
94   S. Kap. 3.5.
95   Ruland/Becker/Axer, SRH, § 14, Rn. 10 ff.

eigenverantwortlich, wählen sich ihre Vertretungsorgane usw. **Kontrolliert** wird ihr Handeln durch staatliche (Aufsichts-)Behörden des Bundes oder des Landes.[96]

> **Beispiele:** Die Bundesagentur für Arbeit wird kontrolliert durch das Bundesministerium für Arbeit und Soziales, vgl. § 393 SGB III. Aufsichtsbehörden für die Krankenkassen sind das Bundesversicherungsamt und das Bundesministerium für Gesundheit, vgl. § 274 SGB V.

Die selbstständigen Verwaltungsträger der mittelbaren Verwaltung sind **juristische Personen**[97]. Je nachdem, ob sie Staatsgewalt ausüben können, d. h. hoheitliche Befugnisse haben oder nicht, sind sie entweder juristische Personen des öffentlichen Rechts oder juristische Personen des Privatrechts.

3.4.1 Juristische Personen des öffentlichen Rechts

▶ Juristische Personen des öffentlichen Rechts sind durch Bundes- oder Landesgesetz gegründete rechtlich verselbstständigte Verwaltungträger für eine (oder mehrere) Verwaltungsaufgaben. Man unterscheidet hierbei **drei Organisationstypen:** Körperschaften, Anstalten und Stiftungen.

Körperschaften

Körperschaften sind durch Gesetz geschaffene, **mitgliedschaftlich** verfasste Organisationen, die eigenverantwortlich und rechtlich selbstständig öffentliche Aufgaben mit hoheitlichen Mitteln unter staatlicher Aufsicht wahrnehmen.[98] Die Mitgliedschaft in einer Körperschaft knüpft kraft Gesetzes an eine bestimmte Tatsache an (z. B. Wohnsitz, sozialrechtlicher Status), ist also nicht freiwillig. Man unterscheidet **Gebietskörperschaften** und **Personalkörperschaften**.

Bei einer Gebietskörperschaft ist die Tatsache, die die Mitgliedschaft in der Körperschaft begründet der **Wohnsitz**.[99] Kommunen sind Gebietskörperschaften, ebenso wie die Bundesrepublik Deutschland und die Bundesländer. Mit der Wohnsitznahme in der Bundesrepublik Deutschland, in einem Bundesland X, in einer Kommune Y wird man automatisch Mitglied dieser Gebietskörperschaften und ist damit den dort gültigen Rechtsnormen unterworfen.

---

96 Ehlers/Pünder, Verwaltungsrecht, § 8 Rn. 39/40; vgl. auch Kap. 3.6.
97 Zum Begriff: Kap. 2.3.2.
98 Trenczek/Tammen/Behlert/v. Boetticher/Beetz, Grundzüge, I-4.1.2, S. 180.
99 Sodan/Ziekow, Öffentliches Recht, § 60, Rn. 3.

Bei Personalkörperschaften knüpft die Mitgliedschaft in der Regel an **berufliche, wirtschaftliche** oder **soziale Merkmale** an:[100]

> **Beispiele:** Als abhängig beschäftigter Arbeitnehmer ist man z. B. automatisch Mitglied in der gesetzlichen Sozialversicherung, d. h. Mitglied der gesetzlichen Arbeitslosen-, Kranken-, Renten-, Unfall- und Pflegeversicherung. Ist man Angehöriger der freien Berufe (z. B. Arzt, Architekt, Rechtsanwalt, Steuerberater usw.), ist man Mitglied in der jeweiligen Berufskammer. Auch Hochschulen sind Körperschaften, deren Mitglied man u. a. mit Immatrikulation wird.

Die beiden großen **Kirchen** haben eine historisch gewachsene Stellung als juristische Personen des öffentlichen Rechts (Körperschaften), ohne aber Teil der (mittelbaren) Verwaltung zu sein.[101] Gleiches gilt für den Zentralrat der Juden in Deutschland. Für ihre soziale Tätigkeit haben sie jeweils Wohlfahrtsverbände (Diakonie, Caritas, Zentralwohlfahrtsstelle) gegründet. Die Wohlfahrtsverbände haben allerdings den rechtlichen Status eingetragener Vereine und sind damit – wie auch die nicht konfessionellen Wohlfahrtsverbände (z. B. AWO, Der Paritätische) – juristische Personen des Privatrechts und nicht des öffentlichen Rechts. Auch sie sind kein Teil der (mittelbaren) Staatsverwaltung.

Anstalten

Anstalten sind durch Gesetz geschaffene Verwaltungsträger mit hoheitlichen Befugnissen, die als Verwaltungszweck typischerweise Aufgaben aus der **Leistungsverwaltung** wahrnehmen und **Nutzer** haben, die die durch die Anstalt dargebotenen Leistungen empfangen.[102]

> **Beispiele:** Rundfunkanstalten, Studierendenwerke, Filmförderungsanstalt, Kreis- und Stadtsparkassen, Krankenhäuser.[103]

Die Mitglieder einer Körperschaft tragen die Körperschaft mit, daher müssen in den Körperschaften demokratische Mitwirkungsbefugnisse gegeben sein. Die Benutzer einer Anstalt kommen **von außen,** die Benutzung ist freiwillig, folglich gibt es bei den Anstalten i. d. R. auch keine Mitwirkungsbefugnisse.

---

100 Siegel, Allgemeines Verwaltungsrecht, Rn. 143.
101 Art. 140 GG i. V. m. Art. 137 Abs. 1 Weimarer Reichsverfassung; vgl. auch Trenczek/Tammen/Behlert/v. Boetticher/Beetz, Grundzüge, I-4.1.2.2, S. 191.
102 Sodan/Ziekow, Öffentliches Recht, § 60 Rn. 27.
103 Einzelheiten und weitere Beispiele: Siegel, Allgemeines Verwaltungsrecht, Rn. 145–149.

Stiftungen

Die Stiftung ist ein durch Gesetz geschaffener Verwaltungsträger mit der Aufgabe, einen von Stiftern dafür zur Verfügung gestellten, **zweckgebundenen Vermögenswert** seiner Bestimmung gemäß zu verwalten und den Stiftungszweck zu verwirklichen.[104] Typischerweise sollen Vermögenswerte bestimmten Personen zugute kommen. Stiftungen gibt es sowohl im öffentlichen als auch im Bürgerlichen Recht (vgl. §§ 80 ff. BGB). Öffentlich-rechtliche Stiftungen haben hoheitliche Befugnisse, unterliegen staatlicher Aufsicht, haben weder Mitglieder noch Benutzer, sondern **Begünstigte**.

Beispiele: Stiftung für Hochschulzulassung, Stiftung „Erinnerung, Verantwortung und Zukunft", die mit der Auszahlung von Entschädigungen an NS-Zwangsarbeiter:innen befasst ist, „Bundesstiftung Gleichstellung", die sich für die Förderung der Gleichstellung von Frauen und Männern einsetzt.

3.4.2 Juristische Personen des Privatrechts

▶ Juristische Personen des Privatrechts sind **Gesellschaften** (z. B. AG, GmbH), **Vereine** (e. V.) und **Stiftungen**.[105]

Bund oder Länder können die Erfüllung einer oder mehrerer Verwaltungsaufgaben durch Gesetz auch juristischen Personen des Privatrechts übertragen. Dies bedeutet, dass eine staatliche Aufgabe **privatisiert** wird, d. h. die Rechtsbeziehungen zwischen Bürger:innen und der juristischen Person des Privatrechts sind nicht mehr Gegenstand des öffentlichen, sondern des **Bürgerlichen Rechts**.[106]

In gewissen Grenzen kann der Staat **wählen,** in welcher Form – d. h. öffentlich-rechtlich oder privatrechtlich – er seine Aufgaben erfüllt.[107] Die Privatisierung staatlicher Aufgaben ist allerdings umstritten und wirft im Einzelnen viele rechtliche Probleme auf.[108] In Grundzügen gilt bei der Privatisierung staatlicher Aufgaben Folgendes:

---

104 Ehlers/Pünder, Verwaltungsrecht, § 1 Rn. 15.
105 Trenczek/Tammen/Behlert/v. Boetticher/Beetz, Grundzüge, II-1.1.1, S. 213/214.
106 S. Kap. 4.1.
107 Ehlers/Pünder, Verwaltungsrecht, § 3 Rn. 25, 78.
108 Bull/Mehde, Verwaltungsrecht, Rn. 374–378; Ipsen, Verwaltungsrecht, Rn. 265 ff.

- Soweit der Staat zur Erfüllung einer Aufgabe verpflichtet ist (z. B. aufgrund verfassungsrechtlicher Vorgaben wie beispielsweise dem Sozialstaatsprinzip[109]), muss er – auch bei der Übertragung auf Private – eine **Gewährleistungsverantwortung** übernehmen, d. h. die Verantwortung dafür, dass die Aufgabe durch den Privaten auch tatsächlich vollständig erfüllt wird.[110]
- Auch bei der Übertragung einer Aufgabe auf Private bleiben bestimmte öffentlich-rechtliche Grundsätze bestehen, z. B. die Geltung der **Grundrechte**.[111]
- Die **Kontrolle** über die juristische Person des Privatrechts übt der Staat dadurch aus, dass er z. B. alle oder die Mehrheit der Gesellschaftsanteile innehat und dadurch die Entscheidungen der juristischen Person des Privatrechts steuern kann.

Typische Beispiele für die Erfüllung von Verwaltungsaufgaben durch juristische Personen des Privatrechts sind z. B. die Leistungen von privaten Wasser-, Energie- und Abfallentsorgungsunternehmen, die Unternehmen des öffentlichen Nahverkehrs sowie die Deutsche Bahn.

3.4.3 Beliehene

▶ Eine weitere Form der mittelbaren Verwaltung ist die Übertragung einer bestimmten Verwaltungsaufgabe auf **natürliche Personen** oder **juristische Personen des Privatrechts**. Zur Erfüllung dieser Aufgabe werden ihnen per Gesetz **hoheitliche Befugnisse verliehen**. Diesen Vorgang der nennt man „Beleihung", die Personen „Beliehene".

Beispiele: Notare für die öffentliche Beglaubigung von Urkunden, staatlich anerkannte Privatschulen hinsichtlich ihres Rechts, hochschulzugangsqualifizierende Prüfungen (Abitur) abzuhalten, TÜV-Sachverständige soweit sie das Recht haben, Zeugnisse über die Verkehrssicherheit eines KFZ auszustellen.

Die insofern punktuell als staatliche Behörden agierenden Privatpersonen unterliegen ebenfalls diesbezüglich **staatlicher Aufsicht**.[112] Da die Ausübung von

---

109 Zu diesem s. Kap. 1.2.
110 Maurer/Waldhoff, Verwaltungsrecht, § 1, Rn. 18, § 23, Rn. 65.
111 Dies gilt auch für von der öffentlichen Hand beherrschte gemischtwirtschaftliche Unternehmen in Privatrechtsform, zentral hierzu: BVerfGE 128, 226 – *Fraport.*
112 S. Kap. 3.6.

Staatsgewalt stets **demokratisch legitimiert** sein muss, darf eine Beleihung nur aufgrund eines Gesetzes, welches den konkreten Umfang der übertragenen Hoheitsbefugnisse bestimmt, erfolgen. Grundsätzlich soll diese Art der Verwaltung eine Ausnahme bleiben.[113]

3.5 Sozialverwaltung

In der Sozialverwaltung lassen sich **alle Arten** von Verwaltung finden.[114] Gemäß der Einteilung der Sozialleistungen in die Bereiche **Sozialversicherung, Hilfe und Förderung** sowie **soziale Entschädigung**[115] lässt sich folgende Einteilung vornehmen:

3.5.1 Träger der Sozialversicherung

▶ In der Sozialversicherung besteht **mittelbare Verwaltung,** d. h. Verwaltungsträger der Sozialversicherung sind die per Bundes- oder Landesgesetz errichteten, selbstständigen Körperschaften für die **fünf verschiedenen Zweige der Sozialversicherung.**[116]

Für die **Arbeitslosenversicherung** (u. a. zuständig für die Zahlung des Arbeitslosengelds) ist Verwaltungsträger die Bundesagentur für Arbeit, handelnde Behörden sind die regionalen Agenturen für Arbeit. Für die **Krankenversicherung** sind Verwaltungsträger die gesetzlichen Krankenkassen, d. h. die verschiedenen entweder bundes- oder landesweit agierenden Orts-, Betriebs-, Innungs- oder Ersatzkassen. Das gleiche System besteht für die **Pflegeversicherung,** denn die Pflegekassen sind bei den Krankenkassen errichtet und übernehmen deren Verwaltungsstrukturen.[117] Verwaltungsträger der gesetzlichen **Unfallversicherung** sind die verschiedenen, jeweils nach Berufsgruppen systematisierten Berufsgenossenschaften. Verwaltungsträger der gesetzlichen **Rentenversicherung** sind die Deutsche Rentenversicherung Bund, die 14 Regionalträger der Deutschen

---

113 Ehlers/Pünder, Verwaltungsrecht, § 10, Rn. 26 ff.
114 S. Kap. 3.7 Übersicht 3; vgl. auch §§ 12, 18–29 SGB I.
115 S. Kap. 1.2.
116 Einzelheiten vgl. Muckel/Ogorek/Rixen, Sozialrecht, § 7, Rn. 8 ff.; Ruland/Becker/Axer, SRH, § 14, Rn. 1 ff.
117 Vgl. § 46 Abs. 1 SGB XI.

Rentenversicherung sowie die Deutsche Rentenversicherung Knappschaft-Bahn-See, die inzwischen gemeinsam unter „Deutsche Rentenversicherung" firmieren.

Gemeinsam ist allen Körperschaften das Prinzip der **Selbstverwaltung**, d. h. sie schaffen sich ihre eigenen Organisationsstrukturen selbst, das Prinzip der **demokratischen Mitbestimmung**, d. h. alle sechs Jahre finden Sozialversicherungswahlen (auch „Sozialwahlen") für die Mitglieder statt, und die **staatliche Aufsicht** gemäß §§ 87 ff. SGB IV.[118]

3.5.2 Träger von Hilfs- und Förderungsleistungen sowie sozialer Entschädigung

Üblicherweise sind Verwaltungsträger dieser Sozialleistungen die **Kommunen** im Rahmen ihrer „pflichtigen Selbstverwaltung"[119], so beispielsweise bei der Jugend- oder der Sozialhilfe. Auch hier besteht folglich **mittelbare Verwaltung**. Es existiert jedoch auch **unmittelbare Staatsverwaltung**, so z. B. im Bereich der Teilhabe von schwerbehinderten Menschen und bei der sozialen Entschädigung. Verwaltungsträger ist hier in der Regel das jeweilige **Bundesland**, Verwaltungsbehörde eine vom Bundesland geschaffene **Landesoberbehörde**, die diese Aufgaben wahrnimmt.

Beispiel: Für das Bundesland Mecklenburg-Vorpommern wurde die Landesoberbehörde „Landesamt für Gesundheit und Soziales" geschaffen, die zuständig ist, welche u. a. die Zuständigkeiten des alten „Versorgungsamts" übernommen hat, insbesondere Leistungen zur Teilhabe schwerbehinderter Menschen (SGB IX) und soziale Entschädigung (SGB XIV).[120]

▶ Die Sozialleistung **Grundsicherung für Arbeitssuchende (Bürgergeld**, früher „Arbeitslosengeld II") wird seit deren Einführung durch das **SGB II** im Jahr 2005 von Behörden namens **„Jobcentern"** ausgezahlt. Verwaltungsträger dieser Behörden sind gemäß § 6 SGB II einerseits die Bundesagentur für Ar-

---

118 Einzelheiten: Muckel/Ogorek/Rixen, Sozialrecht, § 7 Rn. 12–15; Ruland/Becker/Axer, SRH, § 14 Rn. 62 ff.
119 S. Kap. 3.3.
120 Vgl. § 2 des Gesetzes zur Errichtung des Landesamtes für Gesundheit und Soziales Mecklenburg-Vorpommern.

beit, eine selbstständige juristische Person des Bundes, andererseits auch die
den Bundesländern zugeordneten Kommunen.[121]

Diese sog. „gespaltene Trägerschaft" oder Mischverwaltung war im bisherigen
Verwaltungssystem der Bundesrepublik Deutschland nicht vorgesehen. Zur
rechtmäßigen Etablierung der Jobcenter musste daher das Grundgesetz geändert
werden und Art. 91e Abs. 1 GG bildet seither die Basis für diesen Typus von ge-
mischter Bundes- und Landesverwaltung.[122]

3.5.3 Private Träger?

Natürliche oder juristische Personen des Privatrechts werden i. d. R. nur ergänzend zur Erfüllung sozialer Aufgaben herangezogen. Eine **substanzielle Privatisierung,** d. h. eine Verlagerung eines ganzen Aufgabenbereichs vom Staat auf die
Privatwirtschaft, ist selten. Ein folgenreiches und heute häufig kritisiertes Beispiel stellt aber die Privatisierung des sozialen Wohnungsbaus dar.

▶ Typisch für das Sozialleistungsrecht ist stattdessen die Einschaltung von privaten Dritten als sogenannte **„Leistungserbringer"**[123] bzw. zur **ergänzenden
Aufgabenerfüllung.** Dies erfolgt i. d. R. durch eine **vertragliche Beauftragung,**
entweder nach § 97 SGB X oder nach speziellen Vorschriften des jeweiligen
Leistungsgesetzes.

Durch diese Vertragsbeziehung wird jedoch der private Dritte weder zu einem
Verwaltungsträger noch zu einem Beliehenen noch ändert sich der öffentlich-
rechtliche Charakter des sozialen Leistungsanspruchs.

Beispiele: Die gesetzlichen Krankenkassen erbringen die Heilbehandlungsleistungen
für ihre Versicherten nicht selbst, durch eigenes Personal, sondern schließen nach
§§ 72 ff., 108 ff. SGB V Verträge mit privaten Dritten, d. h. mit Ärzten, Krankenhäu-

---

121 S. Kap. 3.3.
122 Einzelheiten vgl. Ipsen/Kaufhold/Wischmeyer, Staatsrecht I, § 11, Rn. 67 f.; zur Bundes- u.
   Landesverwaltung vgl. auch Kap. 2.4.3.
123 Zum Leistungserbringungsrecht: Beyer, Recht, Kap. 5, S. 59 ff.; Trenczek/Tammen/Beh-
   lert/v. Boetticher/Beetz, Grundzüge, III-1.5, S. 457 ff.

sern, Therapeuten usw. Diese erbringen dann auf Rechnung der gesetzlichen Krankenversicherung für die Versicherten die Heilbehandlungsleistungen (= Sachleistungen). Der Anspruch, dass die Krankenversicherung die Kosten für die Heilbehandlung übernimmt, bleibt ein öffentlich-rechtlicher Anspruch, vgl. § 27 SGB V.

Gleiches gilt für die gesetzlichen Pflegekassen: Auch sie erbringen die Pflegleistungen nicht selbst, sondern schließen nach §§ 72 ff. SGB XI Verträge mit privaten ambulanten Pflegediensten oder Pflegeheimen, die dann auf Rechnung der Pflegeversicherung den Versicherten die benötigten Pflegeleistungen erbringen. Der Anspruch auf die Kostenübernahme für diese Leistungen ist ein öffentlich-rechtlicher Anspruch gegenüber der Pflegekasse, vgl. §§ 36 ff. SGB XI.

Durch §§ 3, 4 SGB VIII sind die freien Träger und die Verbände der freien Wohlfahrtspflege an der Erbringung von Leistungen bei der Kinder- und Jugendhilfe beteiligt (= ergänzende Aufgabenerfüllung). Die Bürger:innen haben ihren Anspruch auf Hilfe jedoch gegenüber der Kommune und machen ihn beim dortigen Jugendamt geltend, vgl. § 76 Abs. 2 SGB VIII.

Nach § 16a SGB II gehört zu den Hilfeleistungen der Jobcenter u. a. auch die Schuldner- oder die Suchtberatung. Diese wird jedoch nicht durch die Jobcenter selbst erbracht, sondern wird Beratungsstellen von freien Trägern (u. a. der Verbände der freien Wohlfahrtspflege) durch Vertrag übertragen, vgl. § 17 SGB II.

3.6   Aufsicht

Aufsicht sind staatliche **Kontroll- und Überwachungsbefugnisse innerhalb der Verwaltung.** Gemäß Art. 20 Abs. 3 GG besteht für die gesamte öffentliche Gewalt die Verpflichtung zur **strikten Rechtsbindung.** Für die Verwaltung heißt dies die unbedingte Einhaltung der Gesetze[124]. Dies wird u. a. durch die staatliche Aufsicht gewährleistet, unabhängig davon, ob unmittelbare oder mittelbare Verwaltung vorliegt.[125] Es gilt, dass der aufsichtsberechtigten Stelle durch Rechtsnormen **Aufsichtsbefugnisse** gegenüber der aufsichtsunterworfenen Stelle zugewiesen sind, die mit **Aufsichtsmitteln** durchgesetzt werden können.

Die **außerhalb der Verwaltung stehenden Bürger:innen** haben **keinen einklagbaren Anspruch** auf Tätigwerden der aufsichtsberechtigten Stelle, können aber mit formlosen Rechtsbehelfen[126] um Aufsichtsmaßnahmen ersuchen.

---

124 S. Kap. 5.1.
125 Ehlers/Pünder, Verwaltungsrecht, § 8 Rn. 39/40.
126 Hierzu s. Kap. 10.1.

3.6.1 Aufsichtsarten

Unter der generellen Bezeichnung „Aufsicht" gibt es verschiedene Arten von Aufsichtsbefugnissen, jeweils abgestuft nach der **Intensität,** mit der die aufsichtsberechtigte Stelle in das Handeln der aufsichtsunterworfenen Stelle eingreifen darf. Man unterscheidet **Rechts-, Fach-** und **Dienstaufsicht.**

Rechtsaufsicht
Rechtsaufsicht bedeutet staatliche Kontrolle über Verwaltungsträger hinsichtlich der **Gesetzmäßigkeit** ihres Handelns. Der Staat ist auf die Rechtsaufsicht beschränkt, wenn selbstständige Verwaltungsträger (z. B. Bundesländer, Kommunen, Sozialversicherungsträger und sonstige Selbstverwaltungskörperschaften) im Rahmen ihrer Selbstverwaltungsbefugnisse tätig werden und sie insoweit eigenverantwortlich und **weisungsfrei** handeln dürfen.[127] Die Aufsichtsbehörde schreitet i. d. R. nur im Nachhinein ein, wenn ein rechtswidriges Handeln festgestellt wurde (**repressive Kontrolle**). Typische Aufsichtsmittel sind die Aufforderung zur **Auskunft,** die Entsendung von **Beauftragten** und bei Feststellung von Mängeln der Erlass einer formellen **Mängelrüge.** Werden die Mängel daraufhin nicht abgestellt, umfasst die Rechtsaufsicht auch die Möglichkeit von **Sanktionen** zur Erzwingung des rechtmäßigen Handelns bzw. das Recht zur **Ersatzvornahme** (hierbei übernimmt die aufsichtsberechtigte Stelle das rechtmäßige Handeln anstelle der aufsichtsunterworfenen).[128]

Beispiele: Die Bundesländer führen das Asylbewerberleistungsgesetz (AsylbLG), ein Bundesgesetz, das Existenzsicherungsleistungen für Asylsuchende und Geduldete regelt, gemäß Art. 83, 84 GG als eigene Angelegenheit aus. Gemäß § 10 AsylbLG sind die Bundesländer berechtigt, Einzelheiten bei der Ausführung des AsylbLG durch eigene Landesgesetze oder Landes-Rechtsverordnungen zu regeln. Das Bundesministerium für Arbeit und Soziales hat die Rechtsaufsicht. In § 5 Abs. 1 AsylbLG heißt es, dass die Aufnahmeeinrichtungen Geflüchteten möglichst in den Einrichtungen selbst und sonst „bei staatlichen, bei kommunalen und bei gemeinnützigen Trägern" sog. „Arbeitsgelegenheiten" zur Verfügung stellen sollen. Bundesland X könnte jetzt nicht einfach eine Erweiterung der Arbeitsgelegenheiten beispielsweise auch auf private Träger beschließen. Dies würde dem AsylbLG widersprechen, wäre also nicht gesetzmäßig. Das Bundesministerium könnte mit allen Mitteln der ihm zustehenden

---

127 Ehlers/Pünder, Verwaltungsrecht, § 8 Rn. 42.
128 Für die Rechtsaufsicht des Bundes über die Bundesländer vgl. Ipsen/Kaufhold/Wischmeyer, Staatsrecht I, § 11, Rn. 18 ff.; für die Rechtsaufsicht der Bundesländer über die Kommunen vgl. Sodan/Ziekow, Öffentliches Recht, § 58 Rn. 11 ff.

Rechtsaufsicht dagegen vorgehen und verlangen, dass eine solche Regelung oder Verwaltungspraxis aufgehoben bzw. aufgegeben wird.

Das Bundesversicherungsamt[129] hat die Rechtsaufsicht über den Sozialversicherungsträger Deutsche Rentenversicherung. Die Deutsche Rentenversicherung ist eine Selbstverwaltungskörperschaft und führt das SGB VI aus. In § 15 SGB VI ist vorgesehen, dass Versicherte Anspruch auf den Aufenthalt in einer Rehabilitationseinrichtung haben, wenn dies für Wiederherstellung der Erwerbsfähigkeit erforderlich ist. Nach § 15 Abs. 2 S. 3–4 SGB VI soll die Dauer eines solchen Aufenthalts in der Regel bis zu drei Wochen betragen, kann aber auch verlängert werden. Im Rahmen ihrer Selbstverwaltung ist die Deutsche Rentenversicherung berechtigt, verbindliche Vorgaben zu machen, in welchen Fallkonstellationen eine Rehabilitationsmaßnahme typischerweise zu verlängern ist und in welchen nicht. Nicht rechtmäßig wäre es, wenn die Deutsche Rentenversicherung Vorgaben beschließen würde, die eine Verlängerung von Rehabilitationsmaßnahmen gänzlich ausschließen würde. Hier könnte das Bundesversicherungsamt mit Aufsichtsmitteln eingreifen und verlangen, dass eine solche Regelung oder Verwaltungspraxis aufgehoben bzw. aufgegeben wird.

Fachaufsicht

Hier verfügen die Aufsichtsbehörden über wesentlich größere Steuerungsmöglichkeiten. Die Fachaufsicht **umfasst die Rechtsaufsicht,** geht aber **darüber hinaus** und ist im Prinzip mit der Leitung einer Behörde durch den Behördenchef vergleichbar.[130] So erstreckt sich die Fachaufsicht z. B. auch auf die **Kontrolle der Zweckmäßigkeit** des Verwaltungshandelns, berechtigt also in Eingriffe in das Ermessen[131], d. h. in die Spielräume, die der zuständigen Behörde vom Gesetzgeber zur Verfügung gestellt wurden. Die Aufsichtsbehörde kann hier verbindliche Vorgaben erlassen, wie beim Gesetzesvollzug Ermessensspielräume auszufüllen sind.

Die Fachaufsicht umfasst das Weisungsrecht sowohl für das **künftige Verwaltungshandeln** als auch die Korrektur und Aufhebung **bereits erfolgter Maßnahmen,** d. h. es bestehen sowohl **präventive** als auch **repressive** Kontrollbefugnisse. Somit bedeutet die Fachaufsicht keine bloße Beaufsichtigung, sondern auch die **Leitung** und die **Steuerung.** Fachaufsicht umfasst die Befugnis, sowohl allgemeine **Weisungen** (z. B. durch den Erlass von Verwaltungsvorschriften)[132] zu

---

129 Eine Bundesoberbehörde, die dem Bundesministerium für Arbeit und Soziales unterstellt ist.
130 So Bull/Mehde, Verwaltungsrecht, Rn. 401.
131 S. Kap. 5.4.
132 Zum Begriff: Kap. 4.4.

erteilen, als auch die Befugnis, eine **bestimmte Entscheidung** in einem **Einzelfall** zu verlangen.

Gerechtfertigt ist dieses Maß an Steuerung immer dann, wenn die aufsichtsunterworfene Stelle **keine eigenen Aufgaben** erfüllt, sondern Aufgaben, die ihr von der aufsichtsberechtigten Stelle zur Ausführung übertragen wurden.

> **Beispiel:** Siehe obiges Beispiel zum AsylbLG: Die Bundesländer haben in Ausführungsgesetzen nach § 10 AsylbLG den Kommunen die Zahlung der Existenzsicherungsleistungen an Geflüchtete außerhalb von Aufnahmeeinrichtungen oder Abschiebehaft als Auftragsangelegenheit übertragen (vgl. z. B. § 2 Aufnahmegesetz Niedersachsen, § 6 Landesaufnahmegesetz Schleswig-Holstein). Es besteht also Rechts- und Fachaufsicht. Im AsylbLG gibt es eine Vorschrift, die besagt, dass neben den genau festgelegten Sozialleistungen nach § 6 AsylbLG die Möglichkeit besteht, Geflüchteten „sonstige Leistungen" nach Ermessen zu erbringen, wenn sie in Einzelfällen erforderlich sind. Die Bundesländer können den zuständigen Kommunen genaue Vorgaben machen (z. B. per Verwaltungsvorschrift), in welcher Art von Fällen diese „sonstigen Leistungen" zu erbringen sind oder nicht und welche Leistungen dies im Einzelnen sein sollen. Da Fachaufsicht besteht, müssen sich die Kommunen an diese Vorgaben halten.

Dienstaufsicht

Mit Dienstaufsicht wird das Aufsichts- und Weisungsrecht der **höheren Behördenebene** gegenüber der **nachgeordneten** sowie das des **Dienstvorgesetzten** gegenüber den ihm nachgeordneten **Beamten oder Angestellten** bezeichnet. Sie korrespondiert mit der **Gehorsamspflicht** der nachgeordneten Behördenebene bzw. des Untergebenen. Die Dienstaufsicht geht noch weiter als die Fachaufsicht und erstreckt sich auf den Aufbau, die innere Ordnung, die allgemeine Geschäftsführung und die Personalangelegenheiten der Behörde.[133]

Sie umfasst die **fachliche Kontrolle** der Handlungen oder der **Art und Weise der Dienstausübung,** beispielsweise die Kontrolle schriftlicher Vorgänge durch die Unterschriftsberechtigung, die Überwachung der Arbeitszeiten, die Überwachung des geregelten Dienstablaufs etc. Zur Dienstaufsicht gehört insbesondere das **arbeits- oder beamtenrechtliche Weisungsrecht.**[134] So kann der Dienstaufsichtsberechtigte z. B. bei Verstößen gegen die Dienstpflicht **disziplinar- oder arbeitsrechtliche Maßnahmen** (z. B. Abmahnung, Kündigung) veranlassen.

---

133 Bull/Mehde, Verwaltungsrecht, Rn. 402; Ehlers/Pünder, Verwaltungsrecht, § 8 Rn. 44.
134 Vgl. § 62 Bundesbeamtengesetz (BBG), § 106 Gewerbeordnung (GewO).

Ist jemand der Ansicht, dass sich Amtspersonen (Beamte oder Angestellte) nicht sachgerecht verhalten, kann er bei deren Vorgesetzten eine **Dienstaufsichtsbeschwerde**[135] erheben, auf die diese dann reagieren müssen.

Beispiel: Da ihre Rente unter dem Existenzminimum liegt, beantragt G bei dem zuständigen Sozialamt ihres Landkreises Grundsicherung nach §§ 41 ff. SGB XII. Sachbearbeiter M lässt den Antrag wochenlang unbearbeitet liegen und kann auch auf Nachfragen der G keine Auskunft geben, warum es so lange dauert und wann G endlich mit einer Bewilligung der Leistung rechnen kann. G kann sich an die Vorgesetzte des M wenden und diese kann im Rahmen ihrer arbeits- oder beamtenrechtlichen Weisungsbefugnisse M anweisen, den Antrag der G sofort zu bearbeiten.

3.6.2 Aufsichtskonstellationen

Für das Sozialverwaltungsrecht bedeutsam sind vier verschiedene Konstellationen, die es innerhalb der Verwaltung zwischen aufsichtsberechtigter und aufsichtsunterworfener Stelle geben kann: **Bundesaufsicht, Kommunalaufsicht,** Aufsicht über die **Sozialversicherungsträger** der mittelbaren Verwaltung und die Aufsicht **innerhalb eines Verwaltungsträgers.**

Bundesaufsicht

Unter Bundesaufsicht versteht man die Aufsicht des Bundes, d. h. der **Bundesregierung,** über die **Landesverwaltungen** bei der **Ausführung von Bundesgesetzen.**[136] Soweit die Länder Bundesgesetze ausführen, soll mit der Bundesaufsicht sichergestellt werden, dass dies auch im Sinne des jeweils zu vollziehenden Bundesgesetzes und **einheitlich** im gesamten Bundesgebiet geschieht.

Für den **Regelfall** des Vollzugs der Bundesgesetze als **eigene Angelegenheit** beschränkt sich die Bundesaufsicht auf die Überwachung der Einhaltung des geltenden Bundesrechts, ist also eine bloße **Rechtsaufsicht.** Nur bei der **Auftragsverwaltung** unterstehen die Länder einem **Weisungsrecht** des Bundes, d. h. auch der **Fachaufsicht.**[137]

Aufsichtsberechtigte Stelle ist typischerweise das jeweils nach Sachgebiet zuständige **Bundesministerium.**

---

135 S. Kap. 10.1.
136 Vgl. Art. 84 Abs. 3 GG, Art. 85 Abs. 4 GG; vgl. auch Ipsen/Kaufhold/Wischmeyer, Staatsrecht I, § 11, Rn. 18 ff.
137 S. Kap. 2.4.3.

Kommunalaufsicht

Die **Kommunen** unterstehen der Aufsicht durch die **Bundesländer**. Je nachdem, ob die Kommunen Verwaltungsaufgaben als **Selbstverwaltungsangelegenheiten** oder als **Auftragsangelegenheiten** wahrnehmen, haben die Länder entweder nur die **Rechtsaufsicht** oder auch die **Fachaufsicht**.[138]

Die **Aufsichtsbehörden** variieren je nach **Aufsichtstyp** und **Verwaltungsaufbau der Länder**. Im Bereich der Rechtsaufsicht ist regelmäßig die **Behörde der nächsthöheren Ebene** die Aufsichtsbehörde.

Im **dreistufigen Verwaltungsaufbau** hat die Aufsicht der Landkreis gegenüber den kreisangehörigen Gemeinden, das Regierungspräsidium gegenüber den Landkreisen und den kreisfreien Gemeinden; oberste Aufsichtsbehörde ist das Landesinnenministerium.[139] Im **zweistufigen Verwaltungsaufbau** fällt die Mittelinstanz weg, so dass die Aufsicht über die Landkreise und die kreisfreien Gemeinden vom Landesinnenministerium (als nächsthöherer Behörde) wahrgenommen wird.[140]

Im Bereich der **Fachaufsicht** werden die Fachaufsichtsbehörden i. d. R. durch die Gesetze bestimmt, mit denen den Kommunen die **Verwaltungsaufgabe übertragen** wurde,[141] Fachaufsichtsbehörden sind i. d. R. die jeweils nach **Sachgebiet** zuständigen Landesministerien.

Aufsicht gegenüber den Sozialversicherungsträgern

Die Sozialversicherungsträger[142] sind **Selbstverwaltungskörperschaften**, d. h. sie nehmen die ihnen gesetzlich zugewiesenen Aufgaben in eigener Verantwortung wahr. Als Träger von Staatsgewalt sind sie zu rechtmäßigem Handeln verpflichtet. Die staatliche Aufsicht über die Versicherungsträger ist weitestgehend **Rechtsaufsicht**, vgl. § 87 Abs. 1 SGB IV, § 393 Abs. 1 SGB III. Zusätzlich ist nach § 88 Abs. 1 SGB IV ein weiterer Gegenstand der Aufsicht auch die Kontrolle der **Geschäfts- und Rechnungsführung**.[143]

Aufsichtsbehörden sind die nach Sachgebieten zuständigen Bundesministerien (z. B. Bundesministerium für Arbeit und Soziales, Bundesministerium für Gesundheit) sowie die speziell für die Versicherungsaufsicht zuständige Bundesoberbehörde, das **Bundesversicherungsamt**, vgl. § 90 SGB IV.

---

138 S. Kap. 3.3.
139 Vgl. z. B. § 119 Gemeindeordnung Baden-Württemberg.
140 Vgl. z. B. § 110 Abs. 2–3 Kommunalverfassung Brandenburg.
141 Vgl. z. B. § 122 Abs. 1 Kommunalverfassung Brandenburg.
142 S. Kap. 3.5.
143 Muckel/Ogorek/Rixen, Sozialrecht, § 7, Rn. 13; Ruland/Becker/Axer, SRH, § 14 Rn. 49–61.

Die **Aufsichtsmittel** sind geregelt in § 89 Abs. 1 SGB IV. Bis auf die Bestellung eines Beauftragten entsprechen sie im Grunde denen der Bundes- oder der Kommunalaufsicht, da sie ebenfalls ein **abgestuftes System** von Informationsrecht, Beratung zur Behebung der Rechtsverletzung, Anordnung zur Behebung der Rechtsverletzung und schließlich zwangsweiser Durchsetzung des rechtmäßigen Handelns vorsehen.

Aufsicht innerhalb eines Verwaltungsträgers

Innerhalb ein und desselben Verwaltungsträgers gilt das Prinzip der **Hierarchie**: die obere Behördenebene leitet die nachgeordnete. Das Prinzip korrespondiert mit der **Weisungsbefugnis** der Vorgesetzten im Beamtenrecht und dem **Direktionsrecht** der Arbeitgeber für die Angestellten des öffentlichen Dienstes.[144] Die höheren Behörden lenken den Gesetzesvollzug und die gesamte Verwaltungstätigkeit durch Einzel- oder allgemeine Weisungen. Die jeweils untergeordneten Stellen sind den Weisungen der höheren Stellen in Bezug auf die Erfüllung ihrer Aufgaben ausgesetzt, und die höhere Instanz ist befugt, Entscheidungen der unteren Stellen ohne Weiteres aufzuheben.[145]

---

144 Beispielsweise gemäß § 62 Bundesbeamtengesetz (BBG), § 106 Gewerbeordnung (GewO).
145 Vgl. z.B. §§ 11, 12 Landesorganisationsgesetz Nordrhein-Westfalen; vgl. auch Bull/Mehde, Verwaltungsrecht, Rn. 400.

3.7 Übersichten

Übersicht 1: Unmittelbare und mittelbare Verwaltung des Bundes und der Länder

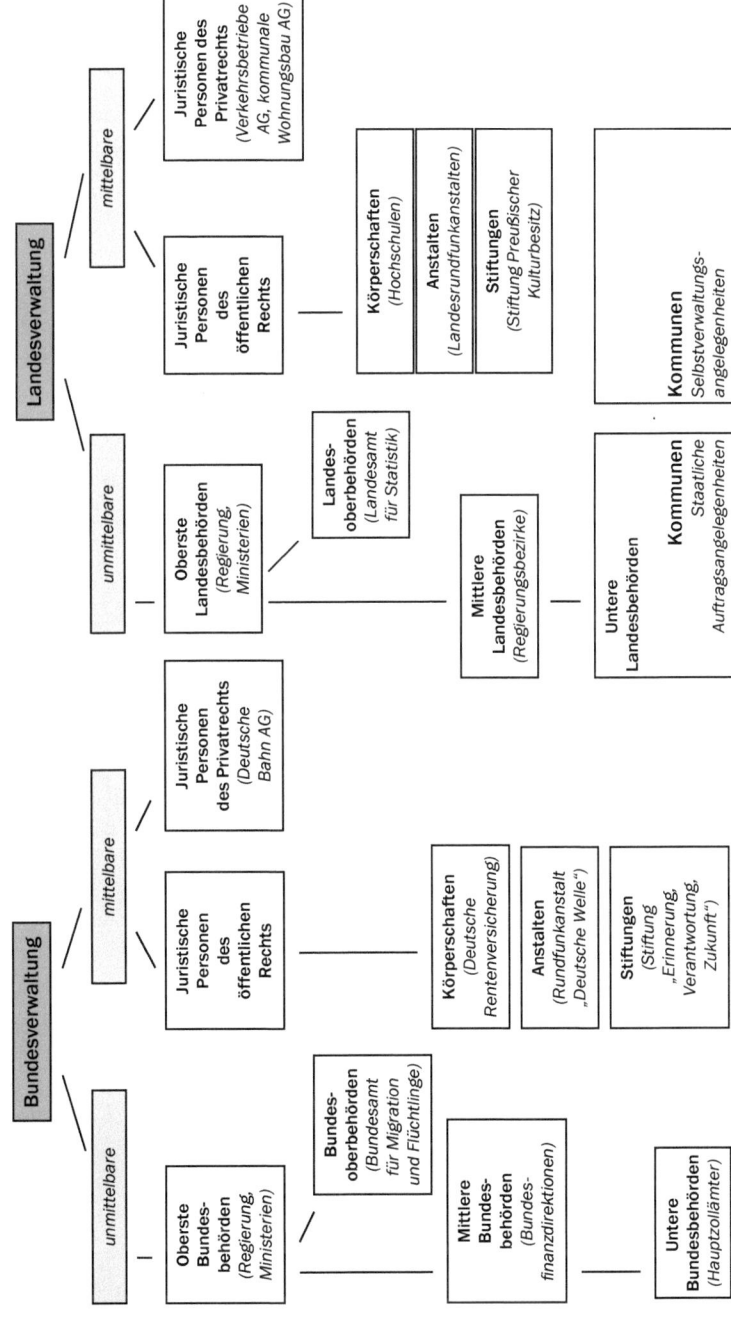

Übersicht 2: Verwaltungsaufgaben der Kommunen

Kommunalverwaltung			
Art der Aufgabenzuweisung	keine Zuweisung, es gilt Art. 28 GG	Pflicht zur Übernahme der Aufgabe, Durchführung in Selbstverwaltung	Pflicht zur Übernahme der Aufgabe, Durchführung weisungsgebunden als „Auftragnehmer"
Art der Aufgabe	freiwillige Selbstverwaltung	pflichtige Selbstverwaltung	Auftragsangelegenheiten („übertragener Wirkungskreis")
Beispiele	Badeanstalten, Museen, Parkanlagen, Sportstätten, Theater,	Abfallbeseitigung, Feuerschutz, Wasser/ Abwasser, Kitas, Jugendhilfe, Sozialhilfe	Gesundheitsamt, Gewerbeaufsicht, Schulen, Unterbringung von Flüchtlingen
Entscheidungsspielraum	Übernahme der Aufgaben freiwillig	gesetzliche Pflicht zur Übernahme der Aufgaben	gesetzliche Pflicht zur Übernahme der Aufgaben
	Selbstständige Art und Weise der Aufgabendurchführung	Selbstständige Art und Weise der Aufgabendurchführung	keine selbstständige Art und Weise der Aufgabendurchführung, Regelung durch Weisungen
Aufsicht	Rechtsaufsicht	Rechtsaufsicht	Rechts- und Fachaufsicht, teilweise auch Dienstaufsicht

Übersicht 3: Soziale Aufgaben und Verwaltungsträger

Soziale Aufgabe	Verwaltungsträger	Verwaltungsbehörde	Verwaltungstyp
Bürgergeld	gemeinsame Einrichtung aus Bundesagentur für Arbeit und Kommunen	Jobcenter	Mittelbare Verwaltung
Arbeitsförderung, Arbeitslosengeld	Bundesagentur für Arbeit	Regionale Agenturen für Arbeit	Mittelbare Verwaltung
Asylbewerberleistungen	Land	Sozialamt (Kommune)	Unmittelbare Verwaltung
Ausbildungsförderung	Land	Amt für Ausbildungsförderung (Kommune)	Unmittelbare Verwaltung
Gesundheitsfürsorge	Land	Gesundheitsamt (Kommune)	Unmittelbare Verwaltung
Kinder- und Jugendhilfe	Kommune	Jugendamt (Kommune)	Mittelbare Verwaltung
Krankenversicherung	Gesetzliche Krankenkassen	Regionale Geschäftsstelle der Krankenkassen	Mittelbare Verwaltung
Pflegeversicherung	Gesetzliche Pflegekasse (errichtet bei den gesetzlichen Krankenkassen)	Regionale Geschäftsstelle der Pflegekassen (bei den Geschäftsstellen der Krankenkassen	Mittelbare Verwaltung
Rente	Deutsche Rentenversicherung	Regionale Geschäftsstelle der Rentenversicherung	Mittelbare Verwaltung
Schwerbehinderten- versorgung	Land	Landesamt für Soziales u. Versorgung	Unmittelbare Verwaltung
Sozialhilfe	Kommune	Sozialamt (Kommune)	Mittelbare Verwaltung
Unfallversicherung	Berufsgenossenschaften	Geschäftsstelle der Unfallversicherung	Mittelbare Verwaltung
Unterbringung/Hilfe psychisch Kranker	Land	Gesundheitsamt (Kommune)	Unmittelbare Verwaltung
Wohngeld	Land	Wohngeldbehörde (Kommune)	Unmittelbare Verwaltung

Übersicht 4: Aufsicht

	Bund	Land	Aufsichts-behörde	übergeordnete Behörde/Stelle	
	↓	↓	↓	↓	
	Land	Kommune	Sozialversiche-rungsträger	nachgeordnete Behörde/Stelle	
Rechtsaufsicht	Art. 84 GG	Landesverfassung, Verwaltungsorgani-sationsgesetze, Kreis- u. Gemeinde-ordnungen	§§ 87–90 SGB IV	Landesverfassung, Verwaltungsorgani-sationsgesetze, Kreis- u. Gemeindeordnungen, Recht der Beamten u. Angestellten im öffentlichen Dienst	**Dienstaufsicht**
	Bereich: „eigene Angelegenheit"	Bereich: Selbstverwaltungs-angelegenheiten			
	Information, Beanstandung, Mängelrüge, Entsendung von Beauftragten, Beschluss des Bundesrates	Information, Beanstandung, Anordnung, Ersatzvornahme, Bestellung eines Beauftragten/Stadt-kommissars	Information, Beratung, Verpflichtung zur Korrektur, Kontrolle der Geschäfts- u. Rechnungs-führung, Verwaltungs-vollstreckung	Maßnahmen der Rechts- u. Fachaufsicht, Organisations- und Personalkontrolle (z.B. Abmahnungen, Kündigung, Disziplinar-maßnahmen	
Fachaufsicht	Art. 85 GG	Landesverfassung, Verwaltungsorgani-sationsgesetze, Kreis- u. Gemeinde-ordnungen			
	Bereich: Bundesauftrags-verwaltung	Bereich: Auftrags-angelegenheiten			
	Maßnahmen der Rechts-aufsicht u. zusätzlich: Weisungen, Verwaltungs-vorschriften	Maßnahmen der Rechtsaufsicht u. zusätzlich: Weisungen, Verwal-tungsvorschriften			

3.8   Übungsfragen

3.8.1
Was ist der Unterschied zwischen einer obersten Behörde und einer Oberbehörde?

3.8.2
Versuchen Sie, die genannten Behörden in eine hierarchisch korrekte Abfolge zu bringen: Landesministerium für Wirtschaft, Gewerbeamt der Kommune, Landesamt für Verbraucherschutz, Regierungspräsidium Dezernat Wirtschaft, Bundesministerium für Wirtschaft

3.8.3
Sind Kommunalbehörden staatliche Behörden?

3.8.4
Was ist eine juristische Person des öffentlichen Rechts und welche Arten gibt es?

3.8.5
Von der Partei CDU finanziert wird die „Konrad-Adenauer-Stiftung". Mitglieder der CDU stellen auch die Bundesregierung in Deutschland. Ist die Konrad-Adenauer-Stiftung damit eine Stiftung des Privatrechts oder des öffentlichen Rechts?

3.8.6
Frau W hat derzeit viel mit „den Behörden" zu tun. Stellen Sie fest, wer im jeweiligen Fall der verantwortliche Verwaltungsträger ist und ob unmittelbare oder mittelbare Verwaltung vorliegt.

a) *W war längere Zeit arbeitslos, hat aber jetzt eine günstige Gelegenheit, sich mit einer Gaststätte selbstständig zu machen. Bei ihrem Jobcenter hat sie einen Antrag auf Eingliederungszuschüsse nach § 16c SGB II eingereicht.*

b) *Während ihrer Arbeitslosigkeit war W bei der AOK gesetzlich krankenversichert. Jetzt muss sie sich als Selbstständige nach § 9 SGB V neu bei der AOK versichern lassen.*

c) *Die Mutter der W leidet an diversen chronischen Krankheiten. Sie beantragt mit der Hilfe der W einen Schwerbehindertenausweis beim zuständigen Landesamt für Gesundheitliche und Soziale Aufgaben.*

d) *W hat einen Sohn, S, 10 Jahre alt. Mit Herrn P, dem Vater von S, von dem W getrennt lebt, gab es immer wieder Streit um Fragen der Erziehung von S. Um ihre Probleme zu lösen, gehen P und W jetzt zu einer Erziehungsberatung des*

freien Trägers „Horizont e. V.", die ihnen vom Jugendamt der Kommune ver-
mittelt wurde.

3.8.7

Könnte ein Regierungspräsidium folgende Maßnahmen gegenüber einer, ihm nach
Landesrecht zur Aufsicht unterstellten Kommune erlassen:

a) *Anordnung gegenüber der Kommune, mehr für den Sport und die Gesundheit*
   ihrer Einwohner zu tun und daher dafür zu sorgen, dass ein auf dem Gemeinde-
   gebiet befindlicher See im Sommer als Badesee genutzt wird,
b) *Anordnung gegenüber der Kommune, in Zukunft Sozialhilfeanträge, die kurz*
   vor Weihnachten eingehen, nicht immer erst im neuen Jahr zu bearbeiten.

(Lösungen unter www.lehrbuch-sozialverwaltungsrecht.de)

Weiterführende Literatur

Bundes-/Landesverwaltung, unmittelbare/mittelbare Verwaltung, Aufsicht

Bull, Hans Peter/Mehde, Veith, Allgemeines Verwaltungsrecht mit Verwaltungslehre, 10. Aufl.
    2022, §§ 3 u. 10.
Ipsen, Jörn/Kaufhold, Ann-Katrin/Wischmeyer, Thomas, Staatsrecht I, 33. Aufl. 2023, § 11.
Ipsen, Jörn, Allgemeines Verwaltungsrecht, 11. Aufl. 2019, § 4.

Kommunalverwaltung, Aufsicht

Burgi, Martin Kommunalrecht, 7. Aufl. 2024, §§ 1–2, 6, 8.

Sozialverwaltung

Falterbaum, Johannes, Rechtliche Grundlagen Sozialer Arbeit, 6. Aufl., Stuttgart 2024, Kap. VI.

Teil II
Verwaltungshandeln

4. Kapitel
Handlungsformen

Im Kapitel werden die verschiedenen Handlungsformen der Exekutive (privatrechtliches Handeln, öffentlich-rechtlicher Vertrag, Verwaltungsakt, Rechtsverordnung, Satzung, schlichtes Verwaltungshandeln) behandelt und ihre Abgrenzung wird erklärt. Der Verwaltungsakt als Schwerpunkt des Verwaltungshandelns sowie seine wesentlichen Elemente werden erläutert. Weitere Themen sind die Allgemeinverfügung, die Nebenbestimmung und die Zusicherung.

Die Aufgaben der Verwaltung sind außerordentlich vielfältig.[1] Um sie zu erfüllen, kann die Verwaltung auf ebenso viele, verschiedene Handlungsformen zurückgreifen.

> ▶ Die Handlungsformen unterscheiden sich durch ihre **Rechtsnatur,** ihre **Rechtswirkungen** und durch die **Rechtsschutzmöglichkeiten,** die den Bürger:innen dafür zur Verfügung stehen.

Es ist klar, dass es einen großen Unterschied ausmacht, ob ein Ministerium z. B. eine Rechtsverordnung erlässt, eine Informationspublikation zu einem bestimmten Thema herausgibt oder eine Behörde einen Leistungsbescheid über eine Sozialleistung in einem konkreten Einzelfall erlässt. Eine Einteilung und Abgrenzung der unterschiedlichen Handlungsformen ist daher von erheblicher Bedeutung.

Eine Differenzierung der Handlungsformen lässt sich zunächst danach vornehmen, ob die Verwaltung auf dem Gebiet des **Privatrechts** oder des **öffentlichen Rechts** handelt. Das heißt, ob die Verwaltung gleichrangig auf der Ebene der Bürger:innen Willenserklärungen abgibt und (zivilrechtliche) Verträge abschließt oder ob sie hoheitlich, also in Ausübung von Staatsgewalt, einseitig verbindliche Anordnungen erlässt.

---

1 S. Kap. 2.2.

Handelt die Verwaltung auf dem Gebiet des öffentlichen Rechts, lassen sich ihre Handlungen danach einteilen, ob die Verwaltung **abstrakt-generell,** d.h. durch den Erlass von Rechtsnormen wie einer Satzung oder einer Rechtsverordnung,[2] handelt oder **konkret-individuell,** d.h. bezogen auf einen Einzelfall beispielsweise durch den Erlass eines **Verwaltungsaktes (im Folgenden: „VA")** oder den Abschluss eines öffentlich-rechtlichen Vertrags.

Schließlich lässt sich das Verwaltungshandeln noch danach differenzieren, welche **Wirkungen** die Handlungen der Verwaltung entfalten: Haben sie eine **rechtlich verbindliche** Wirkung oder nicht? Rechtlich verbindliche Handlungen gestalten ein einzelnes Rechtsverhältnis neu oder beanspruchen, wie im Falle von Rechtsnormen, Gültigkeit gegenüber der Allgemeinheit.[3] **Nicht-regelndes Verwaltungshandeln,** wie z.B. eine Beratung, besitzt diese rechtliche Verbindlichkeit nicht. Keine rechtliche Verbindlichkeit gegenüber Bürger:innen haben auch Handlungen, die nur innerhalb der Verwaltung (**verwaltungsinternes Handeln**) stattfinden, wie z.B. eine Dienstanweisung des Vorgesetzten. Zusammengefasst werden nicht-regelndes und verwaltungsinternes Verwaltungshandeln auch als **schlichtes Verwaltungshandeln** bezeichnet.[4]

Ausgehend von diesen Kriterien lassen sich **fünf Handlungsformen** der Verwaltung unterscheiden: Privatrechtliches Handeln, der Erlass von Rechtsnormen (abstrakt-generelles Handeln), öffentlich-rechtliche Verträge, schlichtes Verwaltungshandeln und der VA.

4.1   Privatrechtliches Handeln

▶ Während Bürger:innen (oder juristische Personen des Privatrechts) stets privatrechtlich handeln,[5] kann die Verwaltung im gesetzlichen Rahmen wählen, ob sie privatrechtlich oder öffentlich-rechtlich handelt. Handelt sie privatrechtlich, nimmt sie wie alle anderen am privaten Rechtsverkehr teil und **unterliegt den privatrechtlichen Regelungen** (z.B. Bürgerliches Gesetzbuch, Kündigungsschutzgesetz).

Typische Erscheinungsformen des privatrechtlichen Handelns sind der Abschluss von privaten Verträgen, z.B. zur Deckung des Bedarfs der Verwaltung,

---

2   S. Kap. 1.4.
3   S. Kap. 1.4.
4   Ehlers/Pünder, Verwaltungsrecht, § 36, Rn. 1.
5   Einzige Ausnahme: Beliehene, s. Kap. 3.4.3.

die Betätigung des Staates als Unternehmer oder die Erfüllung von Verwaltungsaufgaben durch juristische Personen des Privatrechts innerhalb der mittelbaren
Verwaltung.[6]

> **Beispiele:** Eine Behörde kauft Büromaterial, verpachtet Räume in ihrem Behörden-
> gebäude an einen Gastwirtschaftsbetrieb oder stellt Mitarbeiter:innen, d.h. Ange-
> stellte des öffentlichen Dienstes, ein. Eine Gemeinde betreibt ein Wohnungsbau- oder
> ein Energieversorgungsunternehmen in Form einer privaten Aktiengesellschaft.

Das Privatrecht regelt die Rechtsbeziehungen der Bürger:innen untereinander
und ist vom **Prinzip der Gleichrangigkeit** der beteiligten Rechtssubjekte gekennzeichnet.[7] Das öffentliche Recht regelt die Rechtsbeziehungen zwischen
Bürger:innen und dem Staat und ist vom **Prinzip des hoheitlichen Handelns**
gekennzeichnet. Hoheitliches Handeln bedeutet Handeln, welches für Bürger:in-
nen verbindlich ist und welches der Staat notfalls mit Zwang (also Gewalt) durchsetzen kann. Früher grenzte man das Gleichordnungsverhältnis des Privatrechts
dementsprechend von dem „**Über-Unterordnungsverhältnis**" des öffentlichen-
Rechts ab („**Subordinationstheorie**"). Heute grenzt man mit der „**modernen
Subjektstheorie**" danach ab, ob eine Rechtsnorm für jedermann gleichermaßen
gilt (dann handelt es sich um Zivilrecht) oder ob sie den **Staat einseitig berechtigt oder verpflichtet** (dann handelte es sich um öffentliches Recht).[8]

> **Beispiel:** Die mietrechtlichen Vorschriften des BGB etwa gelten für alle gleicherma-
> ßen – ob die Verwaltung z.B. als Mieterin (etwa eines Büros) oder Vermieterin auf-
> tritt, sie tritt als gleichrangige Vertragspartnerin auf und wird durch diese Normen
> nicht einseitig berechtigt oder verpflichtet. Durch das Steuerrecht hingegen wird die
> Verwaltung einseitig berechtigt, nämlich dazu, Abgaben bei Bürger:innen einzufor-
> dern (und dies notfalls zwangsweise durchzusetzen). Viele sozialrechtliche Vorschrif-
> ten schließlich verpflichten die Verwaltung einseitig, z.B. zur Zahlung von Bürger-
> geld. Die Einseitigkeit beruht auf der Funktion und dem Gewaltmonopol des Staates:
> Bürger:innen können weder zur Erhebung von Steuern berechtigt noch zur Zahlung
> von Sozialleistungen verpflichtet sein.

---

6   S. Kap. 3.4.2; Einzelheiten: Maurer/Waldhoff, Verwaltungsrecht, § 3 Rn. 18 ff.
7   S. Kap. 1.1.
8   Zu den Abgrenzungstheorien: Beyer, Recht, Kap. 1.2, S. 25 ff.; Ipsen, Verwaltungsrecht,
    Rn. 13–33; Maurer/Waldhoff, Verwaltungsrecht, § 3 Rn. 7–17.

Das Verwaltungshandeln im Bereich des **Sozialrechts** richtet sich in aller Regel nach öffentlich-rechtlichen Normen.[9] Soweit die Sozialleistungsträger **bei ihrer Aufgabenerfüllung Private einschalten,** z. B. freie Träger (wie Organisationen der freien Wohlfahrtspflege), private Leistungserbringer im Kranken- und Pflegeversicherungsrecht etc. ist deren Handeln dem Privatrecht zuzuordnen.[10]

Die **Rechtsschutzmöglichkeiten** gegenüber privatrechtlichen Handlungen der Verwaltung umfassen wie sonst im Zivilrecht privatrechtliche Willenserklärungen (z. B. Anfechtung, Rücktritt oder Kündigung), Klagen und Anträge vor den **Amts-/Landgerichten der Zivilgerichtsbarkeit** bzw. den **Arbeitsgerichten.**[11]

4.2 Erlass von Rechtsnormen (abstrakt-generelles Handeln)

▶ Im Rahmen der Gewaltenteilung ist die Exekutive beschränkt berechtigt, Rechtsnormen zu erlassen.[12] Dies betrifft zum einen die Befugnis zum Erlass von allgemein-verbindlichen **Rechtsverordnungen,** zum anderen die Befugnis von Selbstverwaltungskörperschaften, ihre eigenen Angelegenheiten durch **Satzungen** zu regeln.[13]

Rechtschutzmöglichkeiten für Bürger:innen gegenüber Rechtsnormen sind beschränkt: Der Grund hierfür ist ein Rechtsprinzip des GG, nämlich dass es keine **allgemeine Rechtmäßigkeitskontrolle** für staatliches Handeln durch Bürger:innen gibt, sondern man grundsätzlich geltend machen muss, **selbst** und **unmittelbar** durch staatliches Handeln in seiner **eigenen Rechtsposition** (einem subjektiven Recht)[14] betroffen zu sein.[15] Die Rechtmäßigkeitskontrolle von staatlichem Handeln geschieht hier also nur einzelfallbezogen. Insofern spricht man auch von der „**Unzulässigkeit von Popularklagen**".

Bei Rechtsnormen ist das eigene Betroffensein in einem subjektiven Recht typischerweise nicht gegeben, denn diese richten sich an einen unbestimmten Personenkreis (die Allgemeinheit der Rechtsunterworfenen) und nicht an Einzelne. Daher kann man nur **indirekt** vorgehen, indem man den Erlass eines VA, der

---

9 Vgl. Kap. 3.5.2.
10 S. Kap. 3.5.3; vgl. auch Trenczek/Tammen/Behlert/v. Boetticher/Beetz, Grundzüge, III-1.1, S. 423.
11 S. Kap. 1.3.
12 S. Kap. 2.1 u. 2.2.
13 S. Kap. 1.4.3 u. 1.4.4.
14 Einzelheiten s. Kap. 11.3.4; vgl. auch Maurer/Waldhoff, Verwaltungsrecht, § 8 Rn. 4f.
15 Vgl. Art. 19 Abs. 4 GG; § 54 Abs. 1 S. 2 SGG; § 42 Abs. 2 VwGO.

auf der strittigen Rechtsnorm beruht, abwartet und diesen mit Widerspruch und Klage vor den Sozial- oder Verwaltungsgerichten angreift. Erst in diesem, auf den persönlichen Einzelfall bezogenen Zusammenhang lässt sich dann geltend machen, die Rechtsnorm selbst sei rechtswidrig und verstoße gegen höherrangiges Recht, z. B. gegen ein Gesetz oder die Verfassung. Das angerufene Gericht prüft daraufhin die Rechtmäßigkeit der Rechtsverordnung oder Satzung im Rahmen des konkreten Anwendungsfalls. Dies nennt man „Inzidentkontrolle".[16]

> **Beispiel:** Im Sozialhilferecht ist gemäß § 96 Abs. 1 SGB XII geregelt, dass die Anrechnung von Einkommen, das man zusätzlich zur Sozialhilfe haben darf,[17] per Rechtsverordnung der Bundesregierung näher ausgestaltet werden kann. Herr B, der seine Sozialhilfe mit dem Verkauf von selbst angebautem Obst und Gemüse aus seinem Garten ein wenig aufbessert, erfährt über die Medien, dass eine Rechtsverordnung erlassen wurde, die die Einkommens-Freibeträge erheblich absenkt. Er kann nicht direkt gegen diese Rechtsverordnung Klage beim Sozialgericht erheben, sondern muss warten, bis er einen Sozialhilfebewilligungsbescheid erhält, der ihm auf der Grundlage der neuen Rechtsverordnung die Freibeträge kürzt. Dagegen kann er dann mit Widerspruch und Klage vorgehen und geltend machen, die Rechtsverordnung verstoße gegen das Gesetz oder die Verfassung.

Von der Beschränkung auf die Inzidentkontrolle gibt es gesetzlich geregelte **Ausnahmen,** in denen Bürger:innen ausnahmsweise direkt die Rechtmäßigkeit von Normen gerichtlich prüfen lassen können. Diese sind für das **Verfassungsrecht** die Verfassungsbeschwerde zum Bundesverfassungsgericht gemäß § 90 BVerfGG.[18] Im **Verwaltungsrecht** sind es Normenkontrollverfahren nach § 47 VwGO für den Bereich des Baurechts und das Klagerecht der Verbände im Naturschutzrecht (z. B. § 61 BNatSchG). Im **Sozialrecht** gibt es nach § 55a SGG die Möglichkeit, im Bereich des SGB II direkt gegen Landes-Rechtsverordnungen oder kommunale Satzungen zu klagen, die die Höhe der zulässigen Unterkunftskosten festlegen.[19]

---

16 Maurer/Waldhoff, Verwaltungsrecht, § 13 Rn. 19.
17 Vgl. § 82 Abs. 3 SGB XII.
18 Einzelheiten vgl. Ipsen, Staatsrecht I, § 18, Rn. 77 ff.
19 Vgl. §§ 22, 22a SGB II; vgl. auch Kap. 13.

4.3 Öffentlich-rechtlicher Vertrag

▶ Obwohl ein Vertrag das typische Handlungsinstrument aus dem Bereich des Privatrechts ist, gibt es auch öffentlich-rechtliche Verträge, geregelt in §§ 53 ff. SGB X bzw. §§ 54 ff. VwVfG. Die Abgrenzung zum privatrechtlichen Vertrag richtet sich nach dem **Vertragsgegenstand**.[20] Lässt sich der Vertragsgegenstand den **Rechtsnormen des öffentlichen Rechts zuordnen**, liegt ein öffentlich-rechtlicher und kein privatrechtlicher Vertrag vor.

Beispiel: Die Arbeitsagenturen schließen gemäß § 37 SGB III mit Arbeits- oder Ausbildungssuchenden sogenannte „Eingliederungsvereinbarungen", in denen z. B. festgelegt wird, welche Vermittlungsleistungen sie von den Arbeitsagenturen bekommen und welche Bewerbungsbemühungen sie ihrerseits unternehmen müssen. Dies sind öffentlich-rechtliche Verträge,[21] da das SGB III-Recht zum öffentlichen Recht gehört (denn als eines der sozialen Leistungsgesetze wird durch das SGB III der Staat einseitig berechtigt und verpflichtet).

Als Handlungsform der Sozialverwaltung ist der öffentlich-rechtliche Vertrag **zulässig**, „soweit Rechtsvorschriften nicht entgegenstehen."[22] Soweit sich also aus den Gesetzen, die das Rechtsgebiet regeln, auf dem der Vertrag geschlossen werden soll, nichts Gegenteiliges ergibt, ist ein **Vertragsschluss anstelle eines VA** möglich.[23] Für das Sozialrecht ist allerdings § 53 Abs. 2 SGB X zu beachten: Danach sind **Verträge über Sozialleistungen** nur zulässig, soweit auf die Sozialleistung kein gesetzlicher Anspruch besteht, sondern sie im Ermessen[24] des Sozialleistungsträgers steht (d. h. die Behörde einen Spielraum für ihre Entscheidung hat).

Beispiel: S. o. die Eingliederungsvereinbarung nach § 37 SGB III: Eine Eingliederungsvereinbarung über die Gewährung des Arbeitslosengelds wäre unzulässig, da auf diese Leistung ein gesetzlicher Anspruch besteht (d. h. bei Vorliegen der Leistungsvoraussetzungen *muss* die Leistung erbracht werden). Dieser Anspruch ist nicht in Form eines Vertrages verhandelbar. Zulässig sind jedoch Verträge mit einem Arbeitssuchenden z. B. über Leistungen aus dem Vermittlungsbudget, da sog. aktivierende

---

20 Maurer/Waldhoff, Verwaltungsrecht, § 14 Rn. 8.
21 So auch BSG, Urteil vom 04. 04. 2017 – B 11 AL 5/16 R.
22 Vgl. § 53 Abs. 1 Satz 1 SGB X, § 54 Satz 1 VwVfG.
23 Vgl. § 53 Abs. 1 Satz 2 SGB X, § 54 Satz 2 VwVfG.
24 Hierzu: Kap. 5.4; vgl. auch Muckel/Ogorek/Rixen, Sozialrecht, § 17, Rn. 12.

Leistungen nach §§ 44 ff. SGB III im Ermessen der Verwaltung stehen (d. h. erbracht werden „*können*").

Genau wie der privatrechtliche Vertrag kommt der öffentlich-rechtliche Vertrag durch eine Einigung der Vertragspartner, d. h. durch **zwei übereinstimmende Willenserklärungen** (Angebot und Annahme) zustande. Anders als im Privatrecht, welches auch mündliche Verträge akzeptiert, kann der öffentlich-rechtliche Vertrag nur **schriftlich** geschlossen werden.[25]

Vertragspartner des öffentlich-rechtlichen Vertrags sind entweder zwei Verwaltungsträger oder ein Verwaltungsträger und eine Privatperson. Ferner wird zwischen **koordinationsrechtlichen** (Verträge zwischen gleichrangigen Vertragspartnern) und **subordinationsrechtlichen** Verträgen (Verträge zwischen Vertragspartnern, bei denen ein Über-Unterordnungsverhältnis besteht) unterschieden.[26]

Beispiele:
Koordinationsrechtliche Verträge zwischen zwei Verwaltungsträgern: z. B. Verträge zwischen zwei Sozialleistungsträgern über die Erstattung und Verrechnung von Sozialleistungen nach §§ 102 ff. SGB X.

Koordinationsrechtliche Verträge zwischen Verwaltungsträger und Privatperson: Diese Verträge sind typisch für das Leistungserbringungsrecht in der Kranken- und Pflegeversicherung, so beispielsweise die Verträge nach §§ 109 ff. SGB V, §§ 72 ff. SGB XI, die die Kranken- und Pflegeversicherungen mit Krankenhäusern oder Pflegeeinrichtungen abschließen. Aufgrund dieser Verträge dürfen die so zur Versorgung der gesetzlich kranken- oder pflegeversicherten Personen zugelassenen „Leistungserbringer" ihre Leistungen (Heilbehandlung, Pflege) an die Versicherten erbringen und mit den Kassen abrechnen. Auch die Verträge über die Zulassung von freien Trägern der Jugendhilfe, z. B. nach § 78a ff. SGB VIII, sind koordinationsrechtliche Verträge.

Subordinationsrechtliche Verträge zwischen Verwaltungsträger und Privatperson: Vertrag über Stundung oder Ratenzahlungen von rückständigen Sozialversicherungsbeiträgen mit der Krankenversicherung nach § 76 SGB IV.

Es gilt auch bei dem öffentlich-rechtlichen Vertrag der prinzipielle privatrechtliche Grundsatz, dass einmal geschlossene Verträge einzuhalten sind. Es besteht allerdings ein **Recht auf Anpassung** des Vertrags bei **wesentlicher Änderung der Verhältnisse**. Dies gilt, wenn sich die Verhältnisse, die für die Festsetzung des

---

25 Vgl. § 56 SGB X, § 57 VwVfG.
26 Maurer/Waldhoff, Verwaltungsrecht, § 14 Rn. 14 f.

Vertragsinhalts maßgebend waren, seit Abschluss des Vertrags so entscheidend geändert, dass einer Vertragspartei das Festhalten an dem ursprünglichen Vertrag nicht mehr zuzumuten ist. Eine Einigung über die Anpassung ist erforderlich. Eine **Kündigung** des Vertrags kommt nur in Betracht, wenn eine Anpassung nicht möglich ist.[27]

Die **Rechtschutzmöglichkeiten** bei einem öffentlich-rechtlichen Vertrag sind die Klagen vor den Sozial- oder Verwaltungsgerichten. Einschlägige Klageart ist die Leistungsklage,[28] mit der z. B. Ansprüche auf Vertragsleistungen, Schadensersatz wegen Nicht- oder Schlechterfüllung des Vertrages oder auch auf Vertragsanpassung durchgesetzt werden können.

4.4 Schlichtes Verwaltungshandeln

▶ Schlichtes Verwaltungshandeln gibt es in zwei Varianten: **Nicht-regelndes Verwaltungshandeln** und **verwaltungsinternes Handeln.**

Nicht-regelndes Verwaltungshandeln ist Handeln der Verwaltung, welches nicht auf eine bestimmte Rechtsfolge oder die (Neu-)Gestaltung eines Rechtsverhältnisses gerichtet ist. Beispiele sind rein tatsächliche Handlungen („**Realakte**") wie die Auszahlung eines Geldbetrags oder die Auskunftserteilung, Beratung, und Information; ferner Maßnahmen, die der **Vorbereitung eines VA** dienen (z. B. Gutachten, Untersuchungsberichte, Pläne).

Verwaltungsinternes Handeln sind Maßnahmen der Verwaltung, die zwar Regelungscharakter haben, dies jedoch **ohne Außenwirkung** zu besitzen. Das heißt, sie sind gerichtet an Mitarbeiter:innen der Verwaltung und beanspruchen nur innerhalb der Verwaltung Gültigkeit. Beispiele sind Dienst- und Geschäftsanweisungen, Vorschriften zu Organisation, Aktenführung oder Dienstzeiten, Rundschreiben etc.

Ein weiteres, wichtiges Beispiel für verwaltungsinternes Handeln ist die **Verwaltungsvorschrift** (die in der Praxis unterschiedlich bezeichnet sein kann, z. B. als „Anweisung", „Dienstanweisung", „Richtlinie", „Runderlass" oder „Rundverfügung").

---

27 Maurer/Waldhoff, Verwaltungsrecht, § 14 Rn. 57 f.
28 S. Kap. 13.2,

> ▶ Die Verwaltungsvorschrift ist eine Regelung oder Anordnung der vorgesetzten Behörde gegenüber der nachgeordneten. Verwaltungsvorschriften bilden für die **Verwaltungsmitarbeiter:innen Leitfäden zur Rechtsanwendung**, ohne dabei selbst Rechtsnorm zu sein.

In der Verwaltungsvorschrift wird z. B. festgelegt, wie Rechtsnormen anzuwenden sind, wie die in den Rechtsnormen verwendeten Begriffe zu verwenden sind oder wie in bestimmten Fallgestaltungen das Ermessen der Verwaltung auszuüben ist. Damit dient die Verwaltungsvorschrift der **Vereinfachung** und **zügigeren Abwicklung** der Rechtsanwendung, aber auch dem **allgemeinen Gleichheitsgrundsatz (Art. 3 Abs. 1 GG)**, denn auf der Basis von Verwaltungsvorschriften sollen vergleichbare Sachverhalte gleichbehandelt werden.[29]

Vom Inhalt her ist die Verwaltungsvorschrift der Rechtsverordnung vergleichbar. Auch die Verwaltungsvorschrift regelt **Details der abstrakt gefassten Rechtsnormen** mit einer größeren Nähe zum Einzelfall und **konkretisiert** damit die Regelungen für die Rechtsanwendung. Die Verwaltungsvorschriften weisen dabei regelmäßig einen noch höheren Detaillierungsgrad auf als Rechtsverordnungen. Anders als die Rechtsverordnung hat die Verwaltungsvorschrift aber **keine allgemeine Gültigkeit,** sondern richtet sich nur an die Mitarbeiter:innen der Verwaltung. Verwaltungsvorschriften sind daher auch **keine Rechtsnormen.**[30] Gerichte sind an sie nicht gebunden und auch Bürger:innen können sich nur ausnahmsweise auf sie berufen, wenn nämlich die Verwaltung in einem Fall ohne erkennbaren Grund von ihnen abweicht und die Bürger:innen somit in ihrem Gleichbehandlungsanspruch aus Art. 3 Abs. 1 GG verletzt.[31] Gleichwohl haben Verwaltungsvorschriften häufig ganz erhebliche praktische **Auswirkungen auf die Rechtsstellung der Bürger:innen,** denn gerade auf ihrer Basis werden ja viele konkrete Fälle in der Praxis entschieden.[32]

Ausreichend ist in diesen Fällen aber nicht, dass die Einzelfallentscheidung mit der Verwaltungsvorschrift übereinstimmt. Es darf darüber hinaus nicht zu einem Verstoß gegen Rechtsvorschriften kommen, also gegen Satzung, Rechtsverordnung, Gesetz oder Verfassung. Dies folgt aus dem Prinzip der strikten (und gerichtlich kontrollierbaren) **Rechtsbindung der Verwaltung** aus Art. 20 Abs. 3 GG gilt.[33]

---

29 Zu Verwaltungsvorschriften vgl. Bull/Mehde, Verwaltungsrecht, Rn. 231 ff.; Maurer/Waldhoff, Verwaltungsrecht, § 24 Rn. 1 ff.
30 So auch Ipsen, Verwaltungsrecht, Rn. 150 ff.
31 Trenczek/Tammen/Behlert/v. Boetticher/Beetz, Grundzüge, I-1.1.3.6, S. 60.
32 Ähnlich: Maurer/Waldhoff, Verwaltungsrecht, § 24 Rn. 26.
33 S. Kap. 5.1.

Beispiel: Im Pflegeversicherungsrecht richtet sich der Pflegegrad und damit die Höhe der Zahlungen, die Pflegebedürftige von der Pflegeversicherung für ihre Pflege erhalten, nach dem zeitlichen Umfang, der für die Erfüllung ihrer körperlichen Grundbedürfnisse anfällt (vgl. §§ 14, 15 SGB XI). In einer Verwaltungsvorschrift („Begutachtungs-Richtlinien") haben die Pflegekassen Zeitspannen festgelegt, wie viel Zeit bestimmte Pflegetätigkeiten üblicherweise dauern, z. B. Waschen 20–25 Min., Kämmen 1–3 Min. usw. Anhand dieser Zeittabelle errechnen die Pflegekassen, wie viel Pflegebedarf jemand hat und wie viel Geld er demzufolge für die Pflege von der Pflegeversicherung bekommt.

Das Gesetz benennt als Ziel der Pflegeversicherung u. a.: „Die Leistungen der Pflegeversicherung sollen den Pflegebedürftigen helfen, trotz ihres Hilfebedarfs ein möglichst selbstständiges und selbstbestimmtes Leben zu führen, das der Würde des Menschen entspricht." (vgl. § 2 Abs. 1 S. 1 SGB XI). Damit verbietet sich eine schematische Anwendung der Zeittabelle aus der Verwaltungsvorschrift. Faktoren, die im Einzelfall einen höheren Zeitaufwand rechtfertigen als den in der Zeittabelle festgelegten (z. B. hochgradige Spastik), müssen berücksichtigt werden, denn nur so ist eine menschenwürdige Pflege gewährleistet. Ausnahmeregelungen bzw. ein Abweichen in Einzelfällen von einem festgelegten Schema muss daher bei jeder Verwaltungsvorschrift möglich sein.

Die **Rechtsschutzmöglichkeiten** gegenüber schlichtem Verwaltungshandeln sind: Bei nicht-regelndem Verwaltungshandeln die **allgemeine Leistungsklage** vor den Verwaltungs- oder Sozialgerichten[34] und gegenüber Verwaltungsvorschriften oder sonstigem verwaltungsinternen Handeln **indirekter Rechtschutz** (Inzidentkontrolle), d. h. Rechtsschutz ähnlich wie gegenüber Rechtsnormen.[35]

4.5 Verwaltungsakt (VA)

Der VA ist die **typische Handlungsform** der Verwaltung und stellt praktisch das **Leitbild** des Verwaltungshandelns dar. Ein VA ist die Handlungsform, mit der man als Bürger:in am allerhäufigsten konfrontiert wird. Für die Soziale Arbeit ist daher der Umgang mit VAen von größter Bedeutung, so dass der VA auch in den folgenden Kapiteln den meisten Raum einnehmen wird.

---

34 S. Kap. 13.2.
35 S. Kap 4.2.

▶ Durch den VA verschafft die Verwaltung der abstrakt-generellen Regelung einer Rechtsnorm eine **individuelle, für einen Einzelfall geltende Wirkung**. Mit dem VA wird ein **Rechtsverhältnis konkretisiert**, d. h. das **Gesetz vollzogen**.[36] Im VA wird ausgesprochen, wie eine konkrete Situation gestaltet wird, d. h. was aus Sicht der Behörde im Fall einer konkreten Person X gelten soll.

Beispiele: Die Erteilung einer befristeten Aufenthaltserlaubnis als Fachkraft mit Berufsausbildung für Frau A auf Basis von § 18a AufenthG, die Erteilung einer Gewerbeerlaubnis für eine bestimmte Betätigung an Herrn B auf der Basis von § 14 GewO, die Bewilligung von Bürgergeld an Frau C für die nächsten 6 Monate auf der Basis von §§ 19 Abs. 1 Satz 1, 41 Abs. 1 Satz 4 SGB II usw.

VAe lassen sich einteilen nach der **Wirkung**, die sie für ihren **Adressaten** (Person, an die der VA gerichtet ist) haben: Es gibt **begünstigende** oder **belastende** VAe. Begünstigende VAe verschaffen ihrem Adressaten einen unmittelbaren Vorteil, belastende bilden einen Nachteil bzw. erlegen ihm eine Verpflichtung auf. Diese Unterscheidung ist bedeutsam u. a. für die **Rechtsschutzmöglichkeiten**[37] und für die Möglichkeiten von **Rücknahme und Widerruf**[38] eines VA.

Typische Erscheinungsform des VA ist der **schriftliche Bescheid**. Gleichwohl ist zu beachten, dass ein VA i. d. R. (d. h. soweit gesetzlich nicht anders vorgesehen) **nicht an eine bestimmte Form gebunden ist,** sondern auch mündlich, elektronisch oder in anderer Art und Weise ergehen kann.[39] Für die Einordnung kommt es allein darauf an, ob die Verwaltungsmaßnahme die unten dargestellten **Merkmale der gesetzlichen Definition** für den VA erfüllt oder nicht.

Als Ausdruck von hoheitlichem Handeln beansprucht der VA Verbindlichkeit, d. h. **sofortige rechtliche Gültigkeit im Zeitpunkt seiner Bekanntgabe**. Dies bedeutet, die mit dem VA geschaffene Regelung ist grundsätzlich sofort durchsetzbar und bildet die rechtliche Grundlage für konkrete Leistungen bzw. für Vollstreckungsmaßnahmen.[40]

Rechtsschutzmöglichkeiten gegenüber VAen sind das **behördliche Widerspruchsverfahren** und die **Klage** vor den Sozial- oder Verwaltungsgerichten.[41]

---

36 Einzelheiten vgl. Ipsen, Verwaltungsrecht, Rn. 308 ff.; Maurer/Waldhoff, Verwaltungsrecht, § 9 Rn. 1 ff.
37 S. Kap. 13.1 u. 13.2
38 S. Kap. 9
39 Vgl. § 33 Abs. 2 SGB X, § 37 Abs. 2 VwVfG; s. auch Kap. 6.3.2 sowie Bull/Mehde, Verwaltungsrecht, Rn. 730 f.
40 Einzelheiten: Kap. 6.4; s. auch Bull/Mehde, Verwaltungsrecht, Rn. 693 f.
41 Einzelheiten: Kap. 11–14.

Ob eine Maßnahme der Verwaltung ein Verwaltungsakt ist oder nicht wird, definieren § 31 SGB X und § 35 VwVfG für das Sozial- bzw. das sonstige Verwaltungsrecht.

> ▶ Ausgehend von der gesetzlichen Definition lässt sich der VA beschreiben als **Maßnahme einer Behörde auf dem Gebiet des öffentlichen Rechts zur Regelung eines Einzelfalls mit Außenwirkung.**[42] Somit bestimmen **fünf wesentliche Elemente** das Vorliegen eines VA und grenzen ihn von den anderen Handlungsformen der Verwaltung ab: 1. Maßnahme auf dem Gebiet des öffentlichen Rechts, 2. Behörde, 3. Regelung, 4. Einzelfall, 5. Außenwirkung.

Aufgrund der Allgemeinverbindlichkeit gesetzlicher Definitionen gilt, dass ein VA vorliegt, wenn eine Handlung der Verwaltung die entsprechenden Definitionselemente erfüllt, unabhängig davon, wie die Verwaltung diese Handlung selbst bezeichnet oder qualifizieren möchte.[43]

4.5.1 Maßnahme auf dem Gebiet des öffentlichen Rechts

Wesentlich ist hier die schon in Kap. 1.1 und 4.1 dargestellte Abgrenzung von privatrechtlichem und öffentlich-rechtlichem Handeln, so dass auf diese Ausführungen verwiesen wird.

4.5.2 Behörde

Eine Behörde ist das **handelnde Organ eines Verwaltungsträgers.**[44] Nach § 1 Abs. 2 SGB X bzw. § 1 Abs. 4 VwVfG ist eine Behörde jede Stelle, die Aufgaben der öffentlichen Verwaltung wahrnimmt. Zu beachten ist, dass juristische Personen des Privatrechts (z. B. Organisationen der freien Wohlfahrtsverbände) zwar öffentliche Aufgaben wahrnehmen (z. B. Übernahme der Schuldnerberatung gemäß § 16a Abs. 1 Nr. 2 SGB II), sie dabei jedoch keine hoheitlichen Befugnisse haben; seltene Ausnahme hiervon ist die Beleihung.[45]

---

42 Ähnlich Maurer/Waldhoff, Verwaltungsrecht, § 9 Rn. 5.
43 S. Kap. 6.3.2.
44 S. Kap. 2.3.
45 S. Kap. 3.4.2, 3.4.3 u. 3.5.3.

4.5.3 Regelung

Eines der entscheidenden Elemente des VA ist sein Regelungscharakter.

> ▶ Eine Regelung (nach § 31 SGB X bzw. § 35 VwVfG auch „**unmittelbare Rechts-**
> **wirkung**" genannt), liegt vor, wenn mit der Handlung der Behörde eine **einsei-**
> **tig verbindliche Anordnung** an den Adressaten ergeht, die seine **Rechtsstel-**
> **lung unmittelbar berührt,** z. B. ihm ein Recht zuerkennt, ihm eine Pflicht
> auferlegt, eine Leistung oder Verpflichtung aufhebt oder verändert.[46]

Auch durch einen VA ausgesprochene Feststellungen können Regelungscharakter
aufweisen, wenn die Feststellung für den Adressaten rechtlich erhebliche Folgen
hat (z. B. die Feststellung des Grades der Behinderung gemäß § 152 SGB IX). Mit
der Regelung spricht der VA aus, was zukünftig für den Adressaten des VA gelten
soll und **gestaltet** damit dessen Lebenssituation **unmittelbar neu.** Vorbereiten-
dem Verwaltungshandeln fehlt diese Unmittelbarkeit. So hat z. B. das Ergebnis
eines medizinischen Gutachtens, das für die Zuerkennung einer Sozialleistung
ausschlaggebend ist, noch keine unmittelbare Rechtswirkung. Erst die auf dem
Gutachten beruhende Entscheidung der Behörde gegenüber der betroffenen Person hat diese Wirkung.

Einseitige Verbindlichkeit und **unmittelbare rechtliche Wirkung** sind entscheidende Kriterien für die **Abgrenzung** des VA zu anderen Handlungsformen,
wie z. B. Realakten oder dem öffentlich-rechtlichen Vertrag. Realakte gestalten
keine Rechtsverhältnisse neu und der öffentlich-rechtliche Vertrag hat zwar eine
verbindliche, rechtliche Wirkung, er ist jedoch zweiseitig und nicht einseitig.

4.5.4 Einzelfall

> ▶ Ein Einzelfall liegt vor, wenn sich die Handlung der Verwaltung an einen **indivi-**
> **duell bestimmbaren Adressaten** richtet und auf eine **konkrete Situation** be-
> zieht.[47]

---

46 Einzelheiten vgl. Maurer/Waldhoff, Verwaltungsrecht, § 9 Rn. 6–11.
47 Einzelheiten vgl. Maurer/Waldhoff, Verwaltungsrecht, § 9 Rn. 15–22.

Damit unterscheidet sich der VA von Rechtsverordnungen und Satzungen sowie von der unten dargestellten Allgemeinverfügung.[48] Zu beachten ist, dass auch sogenannte „Massenverwaltungsakte" Einzelfallregelungen sind, z. B. die Erhebung eines gesonderten Krankenkassenbeitrags, bei dem ein gleichlautender Bescheid an jedes einzelne von vielen tausend Mitgliedern ergeht.

4.5.5 Außenwirkung

> ▶ Außenwirkung liegt vor, wenn die unmittelbare Rechtswirkung der Maßnahme gegenüber jemandem entsteht, der sich **außerhalb der öffentlichen Verwaltung** befindet, d. h. Außenwirkung hat eine Regelung gegenüber **Bürger:innen oder juristischen Personen des Privatrechts.**

Dienstanweisungen gegenüber Verwaltungsmitarbeiter:innen, Mitwirkungshandlungen anderer Behörden beim Zustandekommen eines VA[49], oder auch Verwaltungsvorschriften haben diese Außenwirkung grundsätzlich nicht. Sie sind verwaltungsinterne Maßnahmen und fallen in den Bereich des schlichten Verwaltungshandelns.[50]

4.6 Allgemeinverfügung

> ▶ Eine Allgemeinverfügung ist eine Maßnahme der Verwaltung, die **kraft gesetzlicher Regelung als VA gilt** (§ 31 S. 2 SGB X, § 35 S. 2 VwVfG), obwohl sie die Kriterien des VA eigentlich nicht erfüllt.

Oben wurde dargestellt, dass die Verwaltung entweder **abstrakt-generell** durch den Erlass von Rechtsnormen oder **konkret-individuell** durch den Erlass eines VA handeln kann. Die Allgemeinverfügung stellt eine – im Sozialrecht allerdings sehr seltene – Zwischenform dieser beiden Handlungsvarianten dar. Sie ist

---

48 S. Kap. 4.6.
49 Z. B. Zustimmung der Bundesagentur für Arbeit gegenüber der Ausländerbehörde zur Erteilung einer Aufenthaltserlaubnis zum Zweck der Arbeitsaufnahme gemäß §§ 18, 39 AufenthG.
50 Einzelheiten: Maurer/Waldhoff, Verwaltungsrecht, § 9 Rn. 24–29.

konkret-generell.[51] Das heißt, die Maßnahme wendet sich in einer bestimmten (= konkreten) Situation an eine unbestimmte Vielzahl von Adressaten (= generelle Regelung). Typisch ist die Allgemeinverfügung im Verkehrsrecht, im Polizei- und Ordnungs- oder im Versammlungsrecht (z. B. Verkehrsschild oder Ampelsignal, Platzverweis bei einer Demonstration, Räumungsaufforderung an die Bewohner eines besetzten Hauses, Anordnung zum Tragen eines Mund-Nasen-Schutzes zum Infektionsschutz). Im Sozialrecht gilt beispielsweise als Allgemeinverfügung eine Regelung der Krankenkasse, mit der sie einen Festbetrag für ein bestimmtes Medikament festlegt.[52]

Weitere Varianten der Allgemeinverfügung betreffen die **öffentlich-rechtliche Eigenschaft** einer Sache (auch „Widmung" genannt) oder die **Benutzung** einer Sache durch die Allgemeinheit.[53] Typische Beispiele sind die Benennung von Straßen, die Festlegung, dass eine Freifläche ein Spielplatz werden soll, die Öffnungszeiten eines staatlichen Museums, die Anordnung, einen Badesee wegen Gesundheitsgefahren nicht mehr zu benutzen etc.

4.7   Nebenbestimmung

▶ Die Regelung eines VA kann für Betroffene begünstigend oder belastend sein. Häufig spricht ein VA gar nicht 100 Prozent von dem zu, was eine Person erreichen wollte, sondern **begrenzt** oder **modifiziert** eine begünstigende Haupt-Regelung. Diese Modifikationen der Haupt-Regelung nennt man „Nebenbestimmungen" und sie sind in § 32 SGB X sowie § 36 VwVfG geregelt.

Beispiel: Einer Elterninitiative wird von der Kommune die Erlaubnis zum Betrieb eines Kinderladens unter der Bedingung erteilt, dass sie die zu diesem Zweck angemieteten Räume mit einem zusätzlichen Schallschutz versieht. Positiv ist die Erlaubnis, negativ die Verpflichtung, für Schallschutzmaßnahmen zu sorgen.

Die Möglichkeit, VAe mit Nebenbestimmungen zu versehen, ist wesentlich für die **Flexibilität** der Verwaltung bei ihren Entscheidungen. Ein VA, der mit einer

---

51 Einzelheiten: Bull/Mehde, Verwaltungsrecht, Rn. 713–718; Maurer/Waldhoff, Verwaltungsrecht, § 9 Rn. 30 ff.
52 Vgl. § 35 SGB V; hierzu: BSG, Urteil v. 03. 05. 2018 – B 3 KR 7/17 R; vgl. auch Trenczek/Tammen/Behlert/v. Boetticher/Beetz, Grundzüge, I-4.1.1.3, S. 178.
53 Einzelheiten: Bull/Mehde, Verwaltungsrecht, Rn. 715.

modifizierenden Nebenbestimmung versehen wurde, ist für die Betroffen auch grundsätzlich **vorteilhafter** als eine komplette Ablehnung.

Fraglich ist, in welchem Rahmen Nebenbestimmungen gesetzlich **zulässig** sind. Hierbei gilt, dass Nebenbestimmungen nur erlaubt sind bei VAen, die nach **Ermessen**[54] ergehen, d. h. bei denen von vornherein ein behördlicher Spielraum für die Rechtsfolgenentscheidung besteht. Soweit es sich um VAe handelt auf die ein **Anspruch** besteht, ist eine Nebenbestimmung nur dann erlaubt, wenn dies durch eine **gesetzliche Vorschrift zugelassen** wurde.[55]

> **Beispiele:** Nach § 60a Abs. 2 AufenthG hat ein Ausländer, der eigentlich ausreise-
> pflichtig ist (und daher keine Aufenthaltserlaubnis mehr erhält), Anspruch auf eine
> sogenannte „Duldung", wenn seine Abschiebung aus tatsächlichen oder rechtlichen
> Gründen unmöglich ist. Der Aufenthalt des Duldungsinhabers ist gemäß § 61 Abs. 1
> Satz 1 AufenthG räumlich beschränkt. Gemäß § 61 Abs. 1f AufenthG ist die Behörde
> berechtigt, gegebenenfalls „weitere Bedingungen und Auflagen" (= Nebenbestimmun-
> gen) anzuordnen.
>
> Nach § 43 Abs. 2 SGB VIII besteht ein Anspruch auf die Erlaubnis, Tages-Pflege-
> kinder in seinen Haushalt aufzunehmen und zu betreuen, wenn jemand dies tun
> möchte und die entsprechende „Eignung" vorliegt. Die Behörde kann die Eignung
> überprüfen und gegebenenfalls die Erlaubniserteilung von der Einhaltung von Neben-
> bestimmungen abhängig machen (vgl. § 43 Abs. 3 S. 5 SGB VIII), beispielsweise vom
> Besuch bestimmter pädagogischer Lehrgänge oder einer kindgerechten Ausstattung
> der Wohnung.
>
> Nach § 91 SGB XII soll Sozialhilfe als Darlehen gewährt werden (= Ermessen),
> wenn einem Hilfesuchenden der Verbrauch seines Vermögens nicht sofort möglich ist
> (z. B. eine Immobilie erst verkauft werden muss). Der Ermessensspielraum bewirkt,
> dass das Darlehen unter allen denkbaren Bedingungen, Befristungen oder Festlegung
> von Rückzahlungsmodalitäten bewilligt werden kann.

Umstritten war lange Zeit die Frage, ob man eine Nebenbestimmung **isoliert** mit Widerspruch und Klage anfechten kann. Das heißt, ob der positive Teil des VA bestehen bleiben kann und nur die Nebenbestimmung angegriffen wird, oder man stets gegen den VA insgesamt vorgehen muss. Als herrschende Meinung gilt inzwischen, dass alle Nebenbestimmungen selbstständig angefochten werden können.[56]

---

54 Zum Begriff: Kap. 5.4.
55 So bereits § 32 Abs. 1 F. 1 SGB X sowie § 36 Abs. 1 F. 1 VwVfG; Einzelheiten: Bull/Mehde,
    Verwaltungsrecht, Rn. 732 ff.
56 Einzelheiten vgl. Bull/Mehde, Verwaltungsrecht, Rn. 740.

▶ Im Gesetz werden **fünf** verschiedene **Arten von Nebenbestimmungen** benannt: Befristung, Bedingung, Widerrufsvorbehalt, Auflage, Auflagenvorbehalt.[57]

1. Mit der **Befristung** wird eine Regelung getroffen, die nur für einen bestimmten Zeitraum Gültigkeit hat. Läuft der Zeitraum ab, endet die Regelung, ohne dass hierzu eine weitere Entscheidung der Verwaltung getroffen werden müsste.

Beispiel: Bewilligung einer Rente für einen bestimmten Zeitraum, vgl. § 102 SGB VI.

2. Die **Bedingung** macht die Wirksamkeit des VA von einem zukünftigen ungewissen Ereignis abhängig. Der Bedingungseintritt lässt die im VA vorgesehene Regelung ohne Weiteres entstehen oder erlöschen, ohne dass es eines weiteren Zutuns seitens der Behörde bedürfte.

Beispiel: Nach § 12 Abs. 2 AufenthG kann einem Ausländer ein Visum oder eine Aufenthaltserlaubnis unter der Bedingung erteilt werden, dass eine Verpflichtungserklärung (§ 68 AufenthG) eines Inländers vorliegt, wonach dieser die Kosten des Aufenthalts übernimmt.

3. Mit einem **Widerrufsvorbehalt** behält sich die Verwaltung die Möglichkeit der späteren, nachträglichen Rückgängigmachung eines einmal erlassenen VA vor. Der Begünstigte des VA kann insoweit nicht auf den unbegrenzten Bestand dieses VA vertrauen.[58]

Beispiel: Der Gründungszuschuss, den die Bundesagentur für Arbeit einer arbeitssuchenden Person für die Aufnahme einer selbstständigen Tätigkeit gemäß §§ 93, 94 SGB III gewährt, ist eine Ermessensleistung, d.h. kann mit allen Arten von Nebenbestimmungen versehen werden. So kann der Widerrufsvorbehalt der Rückforderung angeordnet werden für den Fall, dass jemand die selbstständige Tätigkeit innerhalb des Bewilligungszeitraums wieder aufgegeben hat. Geschieht dies, wird die Bewilligung rückwirkend aufgehoben mit der Folge, dass bereits geflossene Leistungen zu erstatten sind.

4. Ähnlich wie bei der Bedingung, wird die **Auflage** von einem zukünftigen Ereignis abhängig gemacht. Es ist aber ein Ereignis, welches eine **eigenständige**

---

57 § 32 Abs. 2 SGB X und § 36 Abs. 2 VwVfG.
58 Einzelheiten s. Kap. 9.4.

Verpflichtung des VA-Adressaten bildet. Diesem wird ein „Tun, Dulden oder Unterlassen" vorgeschrieben.

> **Beispiel:** A bekommt seine Fahrerlaubnis wieder, ist allerdings verpflichtet, in regelmäßigen Abständen der Straßenverkehrsbehörde seine Alkoholabstinenz nachzuweisen.

5. Beim **Auflagenvorbehalt** ergeht der VA mit der Ankündigung, dass die Behörde berechtigt ist, nachträglich noch eine Auflage zu erlassen, d. h. die Behörde hält sich die Option offen, eine Begünstigung nachträglich noch an eine Gegenleistung zu knüpfen, die im Auflagenvorbehalt näher beschrieben wurde.

> **Beispiel:** Eine Genehmigung zum Betrieb eines Kinderheims nach § 45 Abs. 2 SGB VIII wird erteilt mit dem Auflagenvorbehalt, dass der Einbau von zusätzlichen Sanitärräumen angeordnet ist, sollte sich die Anzahl der Kinder dauerhaft auf eine bestimmte Zahl erhöhen.

4.8 Zusicherung

▶ Die Zusicherung ist die **rechtlich verbindliche Willenserklärung** einer Behörde, einen **VA mit einer bestimmten Regelung** zu einem **späteren Zeitpunkt** zu erlassen, vgl. § 34 SGB X und § 38 Abs. 1 VwVfG.[59] Sie dient dazu, Betroffenen bereits vorab **Gewissheit über das zukünftige Handeln** der Behörde zu verschaffen, so dass sie in die Lage versetzt werden, schon zu einem frühen Zeitpunkt ihre Dispositionen zu treffen.

> **Beispiel:** Ein gesetzlich geregeltes Beispiel einer Zusicherung findet sich in § 22 Abs. 4 S. 1 SGB II. Wenn Personen, die Bürgergeld beziehen, umziehen möchten, müssen sie vorher die Zusicherung desjenigen Leistungsträgers einholen, der nach erfolgtem Umzug örtlich für sie zuständig sein wird. Damit wird sichergestellt, dass sie nicht einen Mietvertrag unterschreiben (und entsprechende Zahlungspflichten begründen) ehe geklärt ist, dass und wie viel SGB II-Leistungen sie vom neuen Leistungsträger an ihrem neuen Wohnort erhalten werden.

Die Zusicherung selbst ist bereits ein VA, da sie alle **Elemente der VA-Definition** erfüllt. Insbesondere der Regelungscharakter ist gegeben, da sich die Behörde

---

59 Einzelheiten vgl. Ipsen, Verwaltungsrecht, Rn. 433–437.

zum Erlass des späteren VA verbindlich verpflichtet. Die Adressaten können also auf der **Einhaltung** der Zusicherung bestehen. Lediglich wenn sich **nachträglich** die konkrete Situation so grundlegend **ändert,** dass eine Zusicherung in dieser Weise nicht hätte abgegeben werden können, entfällt die Verbindlichkeit.[60] Wegen der Verbindlichkeit der Zusicherung ist für ihre Wirksamkeit stets die **Schriftform**[61] ausdrücklich vorgesehen. Damit ist die Zusicherung für den Adressaten unmissverständlich erkennbar und lässt sich von bloßen Auskünften, Erklärungen, Empfehlungen oder Sachstandsmitteilungen (mit eingeschränkter Verbindlichkeit) abgrenzen.[62]

4.9 Übersichten

Übersicht 1: Handlungsformen der Exekutive

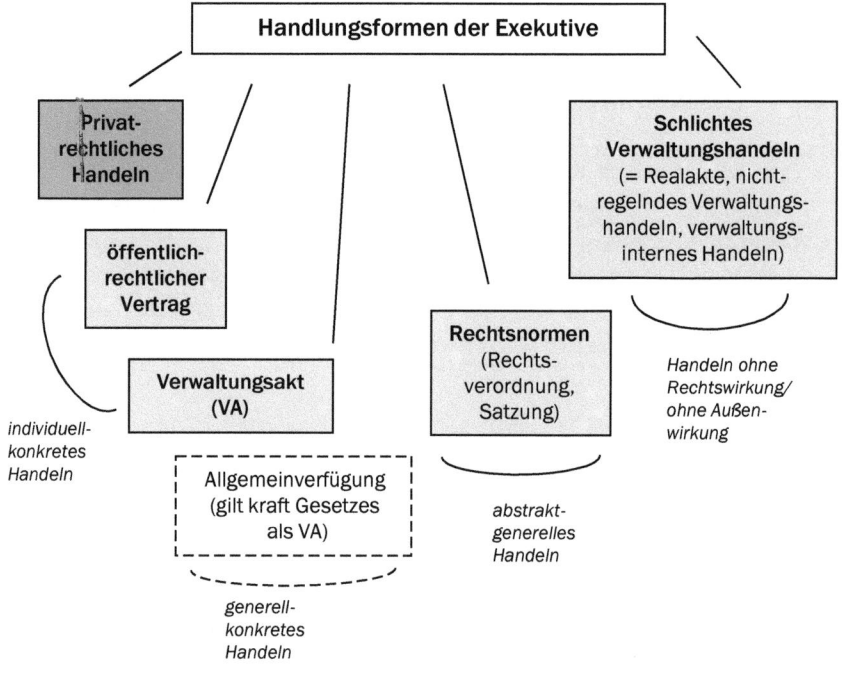

---

60 Vgl. § 34 Abs. 3 SGB X; § 38 Abs. 3 VwVfG.
61 Gemäß § 36a Abs. 2 SGB I und § 3a Abs. 2 VwVfG wird das Schriftformerfordernis auch durch die elektronische Form erfüllt.
62 Vgl. Maurer/Waldhoff, Verwaltungsrecht, § 9 Rn. 60 ff.

Übersicht 2: Elemente des VA

Definition	Elemente des VA	Abgrenzung
Handeln im Über-/ Unterordnungsverhältnis bzw. aufgrund einer Rechtsnorm, die einen Träger öffentlicher Gewalt einseitig berechtigt oder verpflichtet	**Maßnahme auf dem Gebiet des öffentlichen Rechts**	privatrechtliches Handeln der Verwaltung, Handeln eines Verwaltungsträgers in Privatrechtsform
Organe einer juristischen Person des öffentlichen Rechts; jede Stelle, die staatliche Aufgaben wahrnimmt	**Behörde**	Privatrechtssubjekte, d. h. natürliche Personen und juristische Personen des Privatrechts
einseitig verbindliche Anordnung mit unmittelbarer rechtlicher Wirkung, die die Rechtsposition einer Person neu gestaltet	**zur Regelung/unmittelbare Rechtswirkung**	schlichtes Verwaltungshandeln (Realakte, nichtregelndes Verwaltungshandeln, z. B. Beratung, Informationen, vorbereitende Maßnahmen); öffentlich-rechtlicher Vertrag
Regelung betrifft einen konkreten Sachverhalt, richtet sich an eine bestimmte individualisierbare Person	**Einzelfall**	abstrakt-generelle Regelungen (z. B. Rechtsverordnung, Satzung); konkret-generelle Regelungen: Allgemeinverfügung
Rechtswirkung der Maßnahme entsteht gegenüber Personen, die außerhalb der öffentlichen Verwaltung stehen	**Außenwirkung**	verwaltungsinternes Handeln (z. B. Verwaltungsvorschriften, Richtlinien, dienstliche Anweisungen)

4.10   Übungsfragen

4.10.1
Wofür ist die Abgrenzung der einzelnen Handlungsformen der Verwaltung von Bedeutung?

4.10.2
Welche Art von Handeln liegt vor und welche Rechtsschutzmöglichkeiten bestehen für die Betroffenen in folgenden Situationen:

a) *Frau K ist gesetzlich krankenversichert bei der S-Krankenkasse. Sie leidet an Neurodermitis. Ihr Hausarzt empfiehlt Akupunktur als eine alternative Behandlungsmöglichkeit. S lehnt es jedoch ab, die Kosten dafür zu übernehmen.*
b) *Herr L ist ebenfalls bei der S-Krankenkasse gesetzlich krankenversichert. Er wurde wegen eines Bandscheibenvorfalls in der V-Klinik (Träger ist die V-Klinik GmbH) operiert. Dabei wurden von den Ärzten jedoch Fehler gemacht und jetzt sind die Wirbelsäulenbeschwerden und Schmerzen schlimmer als zuvor. L möchte Schadensersatz haben.*
c) *Bei der S-Krankenkasse ist auch die S-Pflegekasse errichtet (vgl. § 1 Abs. 3 SGB XI). Dort beantragen Herr R und Herr T, die zusammen einen ambulanten Pflegedienst gegründet haben, die Zulassung als anerkannte Pflegeeinrichtung (vgl. § 72 SGB XI), um in Zukunft die gesetzlich versicherten Mitglieder von S versorgen und mit S abrechnen zu dürfen. Doch R und T können sich nicht mit S einigen, welchen Stundenlohn sie ihren Angestellten gemäß § 72 Abs. 3 Nr. 2 SGB XI als sogenannte „ortsübliche Vergütung" zahlen müssen.*

4.10.3
Was sind die Unterschiede und Gemeinsamkeiten zwischen einer Satzung, einer Verwaltungsvorschrift und einer Allgemeinverfügung?

4.10.4
Herr E hat familiäre Probleme mit seinem Sohn J. Er wendet sich an das zuständige Jugendamt. Mit der dortigen Sozialpädagogin führt er ein längeres Beratungsgespräch. Einige Tage später erhält E eine mit „Bescheid" überschriebene schriftliche Mitteilung, in der er aufgefordert wird, am 25. des Monats zusammen mit J beim Jugendamt zu erscheinen. VA oder nicht?

4.10.5
Frau A lebt allein und ist pflegebedürftig. Damit sie und ihre Pflegehilfe in Zukunft besser zurechtkommen, sollen einige Umbauten in der Wohnung erfolgen. Gemäß

§ 40 Abs. 4 SGB XI können die Pflegekassen nach Ermessen für solche Maßnahmen Zuschüsse in Höhe von bis zu 4 000 EUR bewilligen. A beantragt den Zuschuss und reicht Kostenvoranschläge bei der Pflegekasse ein.

a) *Sie erhält einen Bewilligungsbescheid über 4 000 EUR. Zusätzlich heißt es in dem Bescheid: „Sie sind verpflichtet, den Zuschuss ausschließlich für den Austausch der Badewanne durch eine ebenerdige Dusche zu verwenden. Die bestimmungsgemäße Verwendung ist uns bis zum 31. 12. des Jahres nachzuweisen. Erfolgt der Nachweis nicht, behalten wir uns das Recht vor, den Zuschuss zurückzufordern." A möchte wissen, ob diese Nebenbestimmungen überhaupt zulässig sind und um welche Arten von Nebenbestimmungen es sich handelt.*

b) *Variante: Einige Tage nach Abgabe der Kostenvoranschläge telefoniert A mit ihrer Sachbearbeiterin bei der Pflegekasse. Die erklärt, es sähe alles sehr gut aus und A könne wohl mit einer Bewilligung in den nächsten Tagen rechnen. Zu ihrer Überraschung erhält A dann einige Tage später einen Ablehnungsbescheid. Kann A aufgrund der Aussage der Sachbearbeiterin trotzdem den Zuschuss verlangen?*

(Lösungen unter www.lehrbuch-sozialverwaltungsrecht.de)

Weiterführende Literatur

Handlungsformen allgemein, Privatrecht, Rechtsnorm, schlichtes Verwaltungshandeln Verwaltungsvorschrift, Verwaltungsakt, Allgemeinverfügung, Nebenbestimmung, Zusicherung

Ehlers, Dirk/Pünder, Hermann (Hrsg.), Allgemeines Verwaltungsrecht, 16. Aufl., Heidelberg 2022, §§ 3, 17, 19–21, 23, 36.

Öffentlich-rechtlicher Vertrag

Maurer, Hartmut/Waldhoff, Christian, Allgemeines Verwaltungsrecht, 21. Aufl., München 2024, § 14.

5. Kapitel
Rechtmäßigkeit des Verwaltungshandelns

Die rechtsstaatliche Pflicht zu rechtmäßigem Verwaltungshandeln wird anhand der verfassungsrechtlichen Begriffe Vorrang und Vorbehalt des Gesetzes erläutert. Weitere Themen sind der Umgang mit Rechtsgrundlagen, unbestimmten Rechtsbegriffen und Ermessensspielräumen. In Grundzügen werden Methoden und Technik der Rechtsanwendung (Subsumtion) erklärt sowie ihre Darstellung in juristischen Gutachten. Den Abschluss bilden die Begriffe formelles und materielles Recht und die Rechtmäßigkeitsprüfung eines VA.

5.1 Rechtsstaatsprinzip

Art. 20 Abs. 3 GG regelt das **Rechtsstaatsprinzip**, d. h. ein weiteres, für das Sozialverwaltungsrecht bedeutsames Staatsstrukturprinzip.

> ▶ Nach dem Rechtsstaatsprinzip ist die gesamte Staatsgewalt, also auch die Verwaltung „**an Gesetz und Recht gebunden**".[63] Für die Verwaltung besteht damit das verfassungsrechtliche Gebot, stets **rechtmäßig** zu handeln, d. h. bei ihren Handlungen **alle Rechtsnormen** (Verfassung, Gesetze, Rechtsverordnungen, Satzungen) zu beachten.

Die Verwaltung kann nicht selbst über Voraussetzungen und Umfang ihrer Handlungen bestimmen, sondern ist, genauso wie Bürger:innen, an die allgemeinverbindlichen Regelungen unserer Rechtsordnung gebunden. Der Grund für die strikte Gesetzesbindung der Verwaltung ergibt sich aus dem **Prinzip des demokratischen Rechtsstaats:** Nur die Legislative, d. h. die Parlamente, die die Gesetze erlassen, sind durch Wahlen vom Volk **unmittelbar demokratisch legitimiert.** Um die Handlungen der anderen Staatsgewalten an diese demokratische Legitimation zurückzubinden, müssen sie den Gesetzen unterworfen sein.

---

63 Art. 20 Abs. 3 GG.

Die Einhaltung des Rechtsstaatsprinzips durch die Verwaltung unterliegt **der gerichtlichen Kontrolle.** Nach Art. 19 Abs. 4 GG steht „jedermann der Rechtsweg offen". Dies bezeichnet die Möglichkeit, bei einem Gericht um Rechtsschutz nachzusuchen, wenn man geltend machen kann, durch eine Handlung „der öffentlichen Gewalt in eigenen Rechten verletzt zu sein".[64] Die letztverbindliche und damit maßgebende Entscheidung darüber, ob eine konkrete Handlung der Verwaltung rechtmäßig ist oder nicht, steht den Gerichten zu.[65]

Für die Verwaltung setzt sich das Rechtsstaatsprinzip aus zwei Geboten zusammen: **Vorrang und Vorbehalt des Gesetzes.**[66]

5.1.1 Vorrang des Gesetzes

▶ Gesetzesvorrang bedeutet, dass die Verwaltung nicht gegen bestehende Rechtsnormen verstoßen darf (**„Kein Handeln gegen das Gesetz"**). Das Gesetz geht der Verwaltung vor. Jedes Handeln der Verwaltung muss **im Einklang mit der geltenden Rechtsordnung** stehen. Das Handeln der Verwaltung darf nicht gegen Satzungen, Rechtsverordnungen, Gesetze oder die Verfassung verstoßen. Jeder Einzelakt (z. B. VA oder öffentlich-rechtlicher Vertrag) muss die bestehenden Gesetze einhalten.

Gesetze, auf denen einen Einzelakt beruht, müssen ihrerseits mit der Verfassung übereinstimmen. Ebenso unterliegen Satzungen oder Rechtsverordnungen der **Normenhierarchie**[67], d. h. sie müssen mit dem höherrangigen Recht übereinstimmen. Auch **schlichtes Verwaltungshandeln**[68] unterliegt der Bindung durch den Gesetzesvorrang: Z. B. müssen Verwaltungsvorschriften im Einklang mit übergeordnetem Recht stehen, Realakte oder Vorbereitungshandeln, z. B. Maßnahmen im Verwaltungsverfahren zur Beweiserhebung, dürfen die Rechte der Bürger:innen nicht verletzen.

Liegt ein Verstoß gegen den Gesetzesvorrang vor, so sind Einzelakte (VAe oder öffentlich-rechtliche Verträge) und das schlichte Verwaltungshandeln **rechtswidrig** und **anfechtbar** (in Ausnahmefällen sogar nichtig), Rechtsverord-

---

64 Einzelheiten s. Kap. 11.3.4.
65 S. Kap. 2.1 u. Kap. 10–13.
66 S. dazu Trenczek/Tammen/Behlert/v. Boetticher/Beetz, Grundzüge, I-2.1.2.1, S. 108 f.
67 Zum Begriff: Kap. 1.4.6.
68 Zum Begriff: Kap. 4.4.

nungen und Satzungen **ungültig.**[69] Für Parlamentsgesetze besitzt das Bundesverfassungsgericht ein Verwerfungsmonopol.[70]

5.1.2 Vorbehalt des Gesetzes

▶ Der Vorbehalt des Gesetzes[71] geht noch weiter als der Vorrang des Gesetzes. Nicht nur, dass die Verwaltung nicht gegen bestehende Rechtsnormen verstoßen darf, grundsätzlich muss sich jegliches **Handeln der Verwaltung** auf ein Gesetz zurückführen lassen, d. h. es bedarf einer **Rechtsgrundlage ("Kein Handeln ohne Gesetz").**

Das Fehlen einer gesetzlichen Grundlage schließt demnach das Tätigwerden der Verwaltung aus. Dies gilt grundsätzlich für **alle Handlungsformen** und für **alle Sachgebieten** der Verwaltung, sowohl für die **Eingriffs-** als auch die **Leistungsverwaltung.**[72] Für das **Sozialrecht** wird der Vorbehalt des Gesetzes noch einmal ausdrücklich formuliert in § 31 SGB I, wonach "Rechte und Pflichten in den Sozialleistungsbereichen nur begründet, festgestellt, geändert oder aufgehoben werden dürfen, soweit ein Gesetz es vorschreibt oder zulässt".

Grundsätzlich genügt zur Wahrung des Vorbehalts des Gesetzes dabei ein Gesetz im materiellen Sinn, also auch eine **Satzung oder Rechtsverordnung.** Dabei sind aber die durch die sog. **"Wesentlichkeitstheorie"**[73] gesetzten Grenzen zu beachten. Hiernach muss der Gesetzgeber zur Wahrung des Demokratieprinzips alle "grundlegenden" Entscheidungen selbst durch ein Gesetz im formellen Sinn (**Parlamentsgesetz**) regeln und verantworten und darf diese nicht auf den Verordnungsgeber delegieren. Doch was gilt als "grundlegend" oder "wesentlich"? Je intensiver eine Materie die Grundrechte Einzelner Bürger, je gewichtiger die Auswirkungen für die Allgemeinheit sind und je umstrittener eine Frage in der Öffentlichkeit ist, desto präziser und enger muss die gesetzliche Regelung sein.[74]

---

69 Einzelheiten vgl. Kap 7; vgl. auch Maurer/Waldhoff, Verwaltungsrecht, § 6 Rn. 2.
70 Vgl. § 78 S. 1, § 95 Abs. 3 S. 1 BVerfGG.
71 Der „Vorbehalt des Gesetzes" ist zu unterscheiden von dem „Gesetzesvorbehalt". Letzterer bezeichnet die im GG häufig vorgesehene Möglichkeit, Grundrechte per Gesetz einzuschränken.
72 Einzelheiten vgl. Ipsen, Verwaltungsrecht, Rn. 612–620; Maurer/Waldhoff, Verwaltungsrecht, § 6 Rn. 3–9.
73 Ständige Rechtsprechung des BVerfG seit BVerfGE 40, 237 (249).
74 Maurer/Waldhoff, Verwaltungsrecht, § 6 Rn. 14.

Hieraus ergeben sich Unterschiede hinsichtlich der Anforderungen an die Bestimmtheit der Rechtsgrundlage.

▶ Es gilt der Grundsatz: **Je stärker** sich das Handeln der Verwaltung **auf die Rechtsstellung der Bürger:innen** auswirkt, **desto präziser** muss die gesetzliche Grundlage sein.

Damit ergeben sich folgende **Kriterien für die unterschiedlichen Handlungsformen der Verwaltung:**

* Mit einem **VA** wird für Bürger:innen **einseitig verbindlich ein Rechtsverhältnis neu gestaltet.**[75] Das hat erhebliche Auswirkungen auf deren Rechtsstellung und erfordert eine entsprechend präzise rechtliche Grundlage. Voraussetzungen für den Erlass des VA und gesetzliche Zulässigkeit der ausgesprochenen Regelung müssen sich daher aus dem Gesetz (oder aus einer auf einem Gesetz beruhenden Rechtsverordnung oder Satzung) ergeben. Dies ist im Folgenden unter Ziff. 5.2 dargestellt.
* **Schlichtes Verwaltungshandeln**[76], welches weniger oder keine **unmittelbaren** Auswirkungen auf die Rechtsstellung der Bürger:innen hat, erfordert keine so deutliche rechtliche Grundlage. Sie ist i. d. R. bereits in der **gesetzlichen Aufgabenzuweisung** an die Verwaltung enthalten. Es gilt, dass das Gesetz, welches der Verwaltung eine bestimmte Aufgabe überträgt, sie damit auch ermächtigt, alles zu tun, was notwendig ist, um die zugewiesene Aufgabe zu erfüllen.[77] Zu beachten ist jedoch auch hier das Wechselspiel zwischen präziser gesetzlicher Regelung und Auswirkung des Verwaltungshandelns auf die Rechtsstellung der Bürger:innen. Im Einzelfall kann daher auch eine präzise gesetzliche Regelung für schlichtes Verwaltungshandeln zu fordern sein.

Beispiel: Nach § 7 Abs. 3 u. 3a SGB II gehören Partner von Bürgergeld-Empfängern zur sogenannten „Bedarfsgemeinschaft", d. h. das Einkommen wird bei der Berechnung der Leistungen mit angerechnet. Ob bei Personen, die in einer Wohnung zusammenleben tatsächlich eine Bedarfsgemeinschaft vorliegt oder nur eine Wohngemeinschaft, muss die Verwaltung für die Bewilligung und Berechnung von SGB II-Leistungen überprüfen können. Die Überprüfung, z. B. durch einen Haus-

---

75 S. Kap. 4.5.
76 S. Kap. 4.4.
77 S. Ipsen, Verwaltungsrecht, Rn. 831–834.

besuch, ist vorbereitendes (= schlichtes) Verwaltungshandeln. In § 21 SGB X ist die allgemeine Befugnis der Behörde geregelt, alle Arten von Beweisen zu erheben, die sie für ihre Entscheidung braucht (z. B. Anhörung von Zeugen, Sachverständigen, Anforderung von Urkunden und Inaugenscheinnahme tatsächlicher Verhältnisse). Somit bildet diese Regelung die Rechtsgrundlage für Hausbesuche.[78]

- Für das **generell-abstrakte Handeln** der Verwaltung (Erlass von Rechtsverordnungen und Satzungen) gelten als Rechtsgrundlagen die **Ermächtigungsnormen**, die der Verwaltung das Tätigwerden in dieser Handlungsform gestatten.

Beispiele: Art. 80 GG ist die allgemeine, verfassungsrechtliche Befugnisnorm für den Erlass von Rechtsverordnungen. Einfachgesetzlich geregelt ist die Befugnis der Verwaltung zum Erlass von Rechtsverordnungen dann jeweils in einer Vorschrift des entsprechenden Spezialgesetzes. So z.B. in § 13 SGB II für die Befugnis des Bundesministeriums für Arbeit und Soziales, bestimmte Details des SGB II-Rechts per Rechtsverordnungen zu regeln oder in § 99 AufenthG für das Bundesministerium des Innern und für Heimat im Aufenthaltsrecht.

Die Befugnis für die Kommunen zum Erlass von Satzungen befindet sich typischerweise in den Gemeindeordnungen der Bundesländer, so z.B. in § 7 der Gemeindeordnung Nordrhein-Westfalen.

Die Befugnis für sonstige Selbstverwaltungskörperschaften zum Erlass von Satzungen ergibt sich ebenfalls aus den ihnen zugrundeliegenden Gesetzen., so etwa für die gesetzliche Krankenversicherung aus § 194 SGB V oder für die Ärztekammern aus den Heilberufegesetzen der Bundesländer, z.B. aus §§ 9, 10 Heilberufe-Kammergesetz Baden-Württemberg.

- Für **öffentlich-rechtliche Verträge** bilden die §§ 53 ff. SGB X bzw. §§ 54 ff. VwVfG sowie die Regelungen über Verträge in den jeweiligen Spezialgesetzen (z.B. §§ 108 ff. SGB V, §§ 78a SGB VIII, §§ 72 ff. SGB XI) die Rechtsgrundlagen. Ergänzend gelten die Grundsätze des Vertragsrechts aus dem Privatrecht.[79]

---

78 Da es sich bei der Wohnung um einen gemäß Art. 13 GG verfassungsrechtlich geschützten Privatbereich handelt, ist ein Betreten allerdings nur mit Zustimmung der Bewohner zulässig.

79 Vgl. § 61 SGB X, § 62 VwVfG.

5.2 Rechtsgrundlagen

Der **Vorbehalt des Gesetzes** verlangt, dass das Handeln der Verwaltung **auf der Basis von Rechtsnormen**[80] erfolgt. Je intensiver das Verwaltungshandeln auf die Rechtsstellung der Einzelnen einwirkt, desto bestimmter muss diese Rechtsnorm sein. Mit einem VA beeinflusst die Verwaltung beispielsweise die Rechtsstellung der Bürger:innen unmittelbar.[81] Damit muss jeder VA auf einer präzisen Rechtsnorm beruhen. In diesem Zusammenhang nennt man die für das Verwaltungshandeln maßgeblichen Rechtsnormen auch „Rechtsgrundlagen" oder „Ermächtigungsgrundlagen".

5.2.1 Arten von Rechtsgrundlagen

▶ Eine Rechtsgrundlage drückt eine **Regel, d. h. ein Handlungsgebot oder -verbot** aus und ist typischerweise als ein **Bedingungssatz** („Wenn-dann-Satz") formuliert. Der Satz besteht aus zwei Teilen: **Tatbestandsvoraussetzungen** und **Rechtsfolge**. Die Tatbestandsvoraussetzungen sind die Bedingung. Verwirklicht ein Sachverhalt die mit den Tatbestandsvoraussetzungen beschriebene Bedingung, dann tritt die in der Rechtsnorm vorgesehene Rechtsfolge (Regel) ein.[82]

Beispiel: In § 7 Abs. 1 Satz 1 SGB II heißt es: „Leistungen nach diesem Buch erhalten Personen, die 1. das 15. Lebensjahr vollendet und die Altersgrenze nach § 7a noch nicht erreicht haben (= noch nicht zwischen 65 und 67 Jahre alt sind), 2. erwerbsfähig sind, 3. hilfebedürftig sind, 4. ihren gewöhnlichen Aufenthalt in der Bundesrepublik Deutschland haben". Herr D ist 35 Jahre alt, er ist gesund, er ist alleinstehend, er hat keine Ersparnisse mehr, er ist arbeitslos und er wohnt in Dortmund. Damit erfüllt er alle Bedingungen (= Tatbestandsvoraussetzungen) der Rechtsnorm. Die Regel (= Rechtsfolge) kann eintreten, nämlich, dass D die nach dem SGB II vorgesehenen Leistungen (z. B. die monatliche Geldleistung Bürgergeld als Grundsicherung für Arbeitsuchende) erhält.

---

80 Zum Begriff der Rechtsnorm: Kap. 1.4.
81 S. Kap. 4.5.
82 Einzelheiten vgl. Trenczek/Tammen/Behlert/v. Boetticher/Beetz, Grundzüge, I-3.2.1, S. 149 ff.

Die Tatbestandsvoraussetzungen können auch alternativ formuliert sein:

> **Beispiel:** In § 27 Abs. 1 Satz 1 SGB V heißt es: „Versicherte haben Anspruch auf Krankenbehandlung, wenn sie notwendig ist, um eine Krankheit zu erkennen, zu heilen, ihre Verschlimmerung zu verhüten oder Krankheitsbeschwerden zu lindern." Tatbestandsvoraussetzung ist zum einen die Versicherteneigenschaft zum anderen die Notwendigkeit zu einer der vier Tatbestandsalternativen, also z. B. zur Heilung einer Krankheit. Im Krankheitsfall haben damit gesetzlich Krankenversicherte einen Anspruch auf die notwendige Heilbehandlung, denn die Rechtsfolge, „Anspruch auf Krankenbehandlung", sieht die Übernahme der Heilbehandlungskosten durch die Krankenkasse vor.

Rechtsgrundlagen sind nicht nur Grundlagen für Leistungen, sondern auch Grundlage für belastende Maßnahmen (Eingriffe), z. B. für die Auferlegung von Pflichten:

> **Beispiel:** In § 309 Abs. 1 SGB III heißt es: „Arbeitslose haben sich während der Zeit, für die sie einen Anspruch auf Arbeitslosengeld erheben, bei der Agentur für Arbeit oder einer sonstigen Dienststelle der Bundesagentur persönlich zu melden oder zu einem ärztlichen oder psychologischen Untersuchungstermin zu erscheinen, wenn die Agentur für Arbeit sie dazu auffordert." Tatbestandsvoraussetzung ist das Bestehen von Arbeitslosigkeit und das Beanspruchen von Arbeitslosengeld. Rechtsfolge sind die verschiedenen Meldepflichten, je nachdem wozu die Agentur für Arbeit den Arbeitslosen (per VA) auffordert.

Eine Rechtsgrundlage kann sich auch aus mehreren Vorschriften zusammensetzen:

> **Beispiel:** In § 21 Abs. 3 SGB II sind Mehrbedarfe für Alleinerziehende geregelt, d. h. sie bekommen zum Bürgergeld-Regelsatz einen Zuschlag. Die Vorschrift lautet: „Bei Personen, die mit einem oder mehreren minderjährigen Kindern zusammenleben und allein für deren Pflege und Erziehung sorgen, ist ein Mehrbedarf anzuerkennen". Diese Regelung ist zu verbinden mit der grundsätzlichen Berechtigung, überhaupt Leistungen nach dem SGB II beanspruchen zu können, also mit § 7 Abs. 1 Satz 1 SGB II (s. o.).

Nicht jede Rechtsnorm ist gleichzeitig auch eine Rechtsgrundlage.

▶ Abzugrenzen sind die Rechtsgrundlagen von Rechtsnormen, die **generelle Rechtsprinzipien** ausdrücken, von **Legaldefinitionen** und von **rechtsvernichtenden Bestimmungen**.[83]

Rechtsprinzipien

Häufig finden sich am Anfang eines Gesetzes oder Gesetzesabschnitts Rechtsnormen, mit denen ganz allgemein **Zielvorstellungen** und **Grundsätze** beschrieben werden, die den **Leitgedanken** eines Gesetzes ausdrücken sollen. Auch viele Artikel des GG enthalten diese generellen Prinzipien.

> **Beispiele:** § 1 Abs. 1 S. 1 SGB I: „Das Recht des Sozialgesetzbuchs soll zur Verwirklichung sozialer Gerechtigkeit und sozialer Sicherheit Sozialleistungen einschließlich sozialer und erzieherischer Hilfen gestalten"; der Schutz von Ehe und Familie aus Art. 6 Abs. 1 GG, das Sozialstaatsprinzip aus Art. Art. 20 Abs. 1 GG.

Diese Art von Rechtsnormen enthalten keine konkreten Handlungsgebote oder -verbote, aus denen sich Rechte oder Pflichten ergeben, sondern sie werden als eine Art **Leitfaden bei der Rechtsanwendung** herangezogen, z. B. wenn Tatbestandsvoraussetzungen aus einer Rechtsgrundlage für einen Einzelfall konkretisiert, werden müssen.[84]

> **Beispiel:** In § 73 SGB XII sind die Leistungen „in sonstigen Lebenslagen" geregelt. Das heißt, die Vorschrift enthält für Betroffene eine Möglichkeit, staatliche Geldleistungen zu bekommen, wenn ihre Situation „den Einsatz öffentlicher Mittel rechtfertigt" und ihr benötigter Bedarf nicht bereits durch andere, konkrete gesetzliche Regelungen aufgefangen wird. § 73 SGB XII sagt nicht, wann und in welchen Situationen dies der Fall ist, die Vorschrift ist offen. Aus Art. 6 Abs. 1 GG, dem Schutz von Ehe und Familie, ergibt sich, dass solch eine gerechtfertigte, „sonstige Lebenslage" vorliegt, wenn ein Sozialhilfeempfänger sein Umgangsrecht (vgl. § 1684 BGB) mit seinen, in einer anderen Stadt oder einem anderen Bundesland lebenden Kindern ausüben möchte, das Geld, dorthin zu fahren, wegen seiner Sozialhilfebedürftigkeit aber nicht hat.

Allgemeine Rechtsprinzipien können sich mitunter auch zur Rechtsgrundlage entwickeln, wenn eine präzise Rechtsgrundlage für einen ansonsten gerechtfertigten Anspruch **fehlt**.

---

83 Ähnlich: Muthorst, Rechtswissenschaft, § 5, Rn. 28 ff.
84 S. Kap. 5.4; vgl. auch Muthorst, Rechtswissenschaft, § 5, Rn. 35–39.

> ▶ Zwar gilt der Grundsatz, dass immer **die speziellere Rechtsnorm der allgemeineren vorgeht.**[85] Fehlt jedoch eine präzise Rechtsgrundlage für einen ansonsten gerechtfertigten Anspruch, kann auf die nächstallgemeinere Vorschrift zurückgegriffen werden.

Beispiele:
Rückgriff auf nächstallgemeinere Vorschrift: In den speziellen Mitwirkungspflichten des SGB II, den §§ 56 ff., ist nichts geregelt über die Befugnis der Jobcenter, die Hilfesuchenden zu einer amtsärztlichen Untersuchung zu verpflichten. Die Befugnis ergibt sich jedoch aus den allgemeinen Mitwirkungspflichten des SGB I, d.h. aus § 62 SGB I.

Allgemeines Rechtsprinzip als Rechtsgrundlage: Bis 2011 fehlte es im SGB II an einer Regelung, die den speziellen Bedarf für Bildung und Teilhabe von Kindern und Jugendlichen berücksichtigte (z.B. für Schulmaterialien, Nachhilfeunterricht). Mangels präziser Rechtsgrundlage wurde der Anspruch bis dahin direkt auf Art. 1 Abs. 1 i.V.m. Art. 20 Abs. 1 GG gestützt. (Seit 2011 gibt es eine präzise Rechtsgrundlage, vgl. §§ 28–30 SGB II).

Legaldefinitionen

Hierbei handelt es sich um Rechtsnormen, in denen **Begriffe erklärt** werden, die an anderer Stelle im Gesetz, d.h. in den eigentlichen Rechtsgrundlagen, vorkommen.[86]

Beispiel: § 138 Abs. 1 Nr. 1–3 SGB III: „Arbeitslos ist, wer Arbeitnehmerin oder Arbeitnehmer ist und 1. nicht in einem Beschäftigungsverhältnis steht, 2. sich bemüht, die eigene Beschäftigungslosigkeit zu beenden, 3. den Vermittlungsbemühungen der Agentur für Arbeit zur Verfügung steht." Welche Leistungen ein Arbeitsloser von der Agentur für Arbeit bekommen kann oder welche Pflichten er hat, sagt die Vorschrift nicht. Dies ist in anderen Bestimmungen des SGB III geregelt, die das Vorliegen von Arbeitslosigkeit i.S.d. § 138 Abs. 1 S. 1 SGB III voraussetzen.

rechtsvernichtende Bestimmungen

Abzugrenzen sind die Rechtsgrundlagen auch von den **rechtsvernichtenden Bestimmungen.** Diese sind das Gegenteil einer Rechtsgrundlage.

---

85 S. Kap. 5.2.2.
86 Rüthers/Fischer/Birk, Rechtstheorie, Rn. 131a; Muthorst, Rechtswissenschaft, § 5, Rn. 41–45.

▶ Durch Eintritt einer rechtsvernichtenden Bestimmung wird eine Rechtsgrundlage, die eigentlich verwirklicht ist, wieder **aufgehoben** bzw. der Eintritt der
Rechtsfolge von vornherein **verhindert.**[87]

Beispiel: § 27 Abs. 1 AufenthG verleiht Ausländern das Recht, eine Aufenthaltserlaubnis aus familiären Gründen zu erhalten (z. B. als Ehegatten deutscher Staatsangehöri-
ger). In § 27 Abs. 1a Nr. 1 AufenthG heißt es: „Ein Familiennachzug wird nicht zugelassen, wenn feststeht, dass die Ehe oder das Verwandtschaftsverhältnis ausschließlich
zu dem Zweck geschlossen oder begründet wurde, dem Nachziehenden die Einreise
in das und den Aufenthalt im Bundesgebiet zu ermöglichen". Damit wird bei Vorliegen dieser Voraussetzungen einer sog. Scheinehe die Entstehung eines Rechts auf
eine Aufenthaltserlaubnis verhindert.

5.2.2 Finden von Rechtsgrundlagen

Bei der Suche nach der Rechtsgrundlage ist zuerst der **Lebenssachverhalt,** mit
dem man konfrontiert ist, in die für die Rechtsanwendung **entscheidende Fragestellung** zu „zerlegen".

▶ Bekannt ist diese Art der Herangehensweise unter dem Stichwort der „**vier
W-Fragen**", d. h. der Fragestellung: **Wer** will **was**, von **wem, woraus?**[88]

Geklärt werden muss, wer **Anspruchsteller** und wer **Anspruchsgegner** ist und
was genau beansprucht wird. Geht es um eine Leistung (welche?), die ein Bürger
von der Verwaltung haben möchte? Geht es um Pflichten/belastendes Verwaltungshandeln, mit denen eine Bürgerin konfrontiert ist und was genau wird da
verlangt? Dann wendet man sich der Frage „**woraus?**" zu, d. h. der **Rechtsgrundlage, die die Leistung oder das geforderte Handeln als Rechtsfolge vorsieht.**
Im Studium wird der maßgebliche Lebenssachverhalt, aus dem sich die Frage
„Wer will was von wem?", entnehmen lässt, vorgegeben.[89] Es ist dann eines der

---

87 Rüthers/Fischer/Birk, Rechtstheorie, Rn. 135.
88 S. Trenczek/Tammen/Behlert/v. Boetticher/Beetz, Grundzüge, I-3.6, S. 171.
89 Dagegen bedeutet die Ermittlung des relevanten Sachverhaltes in der Praxis oft viel Arbeit,
   z. B. längere Gespräche mit Betroffenen, Zusammensuchen und Durchsicht einer Vielzahl
   von Unterlagen etc.

typischen Probleme in einer Klausur oder Hausarbeit, die entscheidende Rechtsgrundlage herauszufinden. Grundsätzlich führt auch für Soziale Arbeit, kein Weg daran vorbei, sich zumindest in groben Zügen in den maßgeblichen Gesetzen auszukennen und eine generelle Orientierung zu haben. Ausreichend ist jedoch meistens, zu wissen, **„wo etwas steht"** bzw. stehen könnte und nicht das (ohnehin unmögliche) Auswendigwissen von jeder einzelnen Rechtsnorm.

Eine Orientierung bei der Suche von Rechtsgrundlagen bieten z. B. die **Stichwortverzeichnisse** in den meisten gängigen Textausgaben von Gesetzestexten. Führt dies nicht zum Erfolg, kann man **systematisch vorgehen:** In welchem Gesetz und dort unter welchem Kapitel könnte die Rechtsgrundlage zu finden sein? Jedes Gesetz ist zumindest so strukturiert, dass sich anhand der **Kapitel- oder Abschnittsüberschriften** eine Zuordnung möglicher Rechtsgrundlagen vornehmen lässt. Die meisten Rechtsnormen haben eine Überschrift, anhand derer man sich gleichfalls orientieren kann. Maßgebend bei der systematischen Suche ist auch die **Grundregel des Vorrangs des spezielleren Gesetzes vor dem allgemeineren.**[90] Konkret bedeutet dies:

> ▶ Einschlägige Rechtsgrundlage ist in aller Regel die Rechtsnorm, die den zu beurteilenden Lebenssachverhalt **so genau wie irgend möglich** trifft.

Beispiel: Aufrechnungsnormen (d. h. Rechtsnormen, die die Berechtigung eines Sozialleistungsträgers aussprechen, einem Leistungsberechtigten Leistungen zu kürzen, um damit eigene Forderungen gegenüber diesem zu tilgen) finden sich sowohl in § 43 SGB II als auch in § 51 SGB I. Wenn ein SGB II-Leistungsempfänger verpflichtet ist, dem Jobcenter Geld zu erstatten und dieses zur Tilgung seiner Forderungen „aufrechnet", d. h. ihm die SGB II-Leistungen zur Forderungstilgung kürzt, so ist § 43 SGB II das speziellere Gesetz gegenüber § 51 SGB I (und damit die Rechtsgrundlage).

Bei der Suche nach einer Rechtsgrundlage bietet selbstverständlich auch das **Internet** mit seiner Fülle von allgemeinen oder juristischen Suchmaschinen gute Möglichkeiten für eine Orientierung.[91]

Schließlich lässt sich die Rechtsgrundlage auch durch **Nachfragen bei der Verwaltung** herausbekommen: Gemäß § 35 SGB X ist die Verwaltung verpflichtet, schriftliche VAe zu begründen. Hierzu gehört auch die Angabe der Rechts-

---

90 Muthorst, Rechtswissenschaft, § 5, Rn. 50.
91 Zur juristischen Recherche im Internet vgl. Möllers, Juristische Arbeitstechnik, § 4, Rn. 21 ff.; Rn. 95 ff.

grundlagen. Typischerweise sind die Rechtsgrundlagen also in den schriftlichen Bescheiden bereits benannt. Ist dies nicht der Fall, so besteht jedoch gemäß §§ 14–15 SGB I ein **Anspruch auf Beratung und Auskunft.** Das heißt auf Nachfrage hin, muss die Verwaltung die maßgeblichen Rechtsgrundlagen für eine Entscheidung benennen.

5.3 Schritte der Rechtsanwendung/Subsumtion

Ausgangspunkt jeglicher Rechtsanwendung ist ein konkreter Einzelfall (Sachverhalt), der eine rechtliche Überprüfung erforderlich macht. Der nächste Schritt ist das Herausfinden der für die Beurteilung des Falles maßgeblichen Rechtsnorm/-en (Rechtsgrundlage). Hat man diese gefunden, so besteht die eigentliche Rechtsanwendung in dem **Vergleich,** ob der Sachverhalt die in der Rechtsnorm festgesetzten Tatbestandsvoraussetzungen erfüllt und die entsprechende Rechtsfolge eintreten kann.

▶ Diesen Vorgang nennt man „**Subsumtion**". Subsumtion wird definiert als die **Unterordnung** eines **Sachverhaltes** unter eine **Rechtsnorm**.[92] Der Subsumtionsvorgang besteht aus **vier Schritten:** Bildung eines Obersatzes, Definition, Bildung eines Untersatzes und Feststellung des Ergebnisses.[93]

5.3.1 Technik

Zunächst wird in einem **Obersatz** die Rechtsgrundlage benannt und vorangestellt, denn sie stellt den Ausgangspunkt der folgenden Prüfung dar. Die Stufe der **Definition** bedeutet die Benennung und gegebenenfalls die Definition der **einzelnen Tatbestandsvoraussetzungen.** Dabei „**zerlegt**" man die Rechtsnorm in ihre **einzelnen Bestandteile** und geht diese Schritt für Schritt durch. Im **Untersatz,** der eigentlichen Subsumtion wird der konkrete Sachverhalt **unter die einzelnen Tatbestandsmerkmale gefasst,** d. h. geprüft, ob die einzeln herausgearbeiteten, abstrakten Tatbestandsmerkmale in dem konkreten Sachver-

---

92 Bringewat, Juristische Methodik, Rn. 133.
93 Einzelheiten vgl. Bringewat, Juristische Methodik, Rn. 133–182; Rüthers/Fischer/Birk, Rechtstheorie, Rn. 655 ff.; Trenczek/Tammen/Behlert/v. Boetticher/Beetz, Grundzüge, I-3.6, S. 1169 ff.

halt verwirklicht sind. Liegt ein unbestimmter Rechtsbegriff[94] vor, so ist dieser – bezogen auf den Lebenssachverhalt – zu konkretisieren. Im Ergebnis wird festgestellt, **welche Rechtsfolge** eintritt.

Beispiel: Herr W bekommt Rente von der Deutschen Rentenversicherung wegen Erwerbsminderung. Nach einer von der Deutschen Rentenversicherung durchgeführten Gesundheitsprüfung erhält W ein Schreiben, in dem ihm mitgeteilt wird, dass die Gesundheitsprüfung ergeben habe, dass er wieder erwerbsfähig sei, seine Rente also in allernächster Zeit eingestellt werden wird. W ist damit nicht einverstanden, er hält das Ergebnis der Gesundheitsprüfung für falsch. Vor allem möchte er wissen, was in dem Bericht seiner Gesundheitsprüfung überhaupt steht, um sich dagegen wehren zu können.

Sachverhalt (wer will was von wem?): W möchte Einsicht in den Gesundheitsprüfungs-Bericht der Deutschen Rentenversicherung haben.

Rechtsgrundlage (woraus?): § 25 Abs. 1 S. 1 SGB X; die Rechtsnorm sieht vor, dass Betroffenen ein Akteneinsichtsrecht gegenüber den Sozialbehörden zusteht.

Subsumtion:
Obersatz: Rechtsgrundlage für das Begehren des W ist § 25 Abs. 1 S. 1 SGB X.

Definition: Die Tatbestandsvoraussetzungen dafür, dass W die Akteneinsicht zu gewähren ist, sind

(1) dass W ein „Beteiligter" ist,
(2) dass die Aktenkenntnis zur Geltendmachung oder Verteidigung seiner rechtlichen Interessen erforderlich ist.[95]

Untersatz: W ist mit der Einstellung seiner Erwerbsminderungsrente konfrontiert. Der Begriff Beteiligter ist definiert in § 12 SGB X. Beteiligte sind gemäß § 12 Abs. 1 Nr. 2 SGB X „diejenigen, an die die Behörde den Verwaltungsakt richten will oder gerichtet hat". Die Deutsche Rentenversicherung möchte die Rente des W aufheben; W ist also ein Beteiligter.

---

94 S. Kap. 5.4.
95 Ebenfalls vertretbar wäre es, die Tatbestandsvoraussetzungen der Rechtsnorm auch noch weiter zu zerlegen in die Bestandteile „erforderlich", „Geltendmachung/Verteidigung rechtlicher Interessen" vgl. dazu Kap. 5.3.2.

W möchte wissen, was in dem Gesundheitsprüfungs-Bericht steht, um sich gegen die angekündigte Aufhebung seiner Rente zur Wehr setzen zu können. Also möchte W sein rechtliches Interesse verteidigen, die Rente weiterhin zu bekommen. Die Gründe für die Rentenaufhebung sind in dem Gesundheitsprüfungs-Bericht enthalten, z. B. eine ärztliche Stellungnahme darüber, wie sich der Gesundheitszustand des W entwickelt hat. Damit muss sich W (gegebenenfalls zusammen mit seinen behandelnden Ärzten) auseinandersetzen können, um nachzuvollziehen, ob der Gesundheitsprüfungs-Bericht korrekt ist oder nicht. Also ist die Einsichtnahme für die Verteidigung der rechtlichen Interessen erforderlich.

Ergebnis: W erfüllt die Tatbestandsvoraussetzungen des § 25 Abs. 1 S. 1 SGB X, denn er ist Beteiligter und die Kenntnis des Gesundheitsprüfungs-Berichts ist für die Verteidigung seiner rechtlichen Interessen erforderlich. Die Rechtsfolge muss eintreten, d. h. die Akteneinsicht ist ihm zu gestatten.

5.3.2 Darstellung

Im Studium der Rechtswissenschaft, aber z. T. auch im Rahmen der Sozialen Arbeit, ist in einer Klausur oder Hausarbeit typischerweise die Rechtmäßigkeit einer staatlichen Maßnahme (i. d. R. eines VA) zu prüfen. Dabei soll ein konkreter Einzelfall in Form eines **juristischen Gutachtens** gelöst werden. Das Ziel ist ein klar gegliedertes, vollständiges Gutachten, welches **alle Aspekte** des Falls erfasst. Als Grundsatz gilt, dass **sämtliche in Betracht kommenden Rechtsnormen und Rechtmäßigkeitsanforderungen** Schritt für Schritt durchzuprüfen sind. Der Grund hierfür liegt auf der Hand: Auch in der Praxis wird man sich bemühen, z. B. bei der Beantragung einer Sozialleistung, alle denkbaren Pro-Argumente anzubringen und mögliche Contra-Argumente zu entkräften. Bei einem Widerspruch gegen einen belastenden oder ablehnenden VA wird man so viele Gründe wie möglich für die Rechtswidrigkeit der Maßnahme anführen. Auch die Verwaltung muss, z. B. vor Erlass eines VA, alle denkbaren Fehlerquellen ermitteln, um sie so weit wie möglich auszuschalten.

Für die Struktur einer Rechtmäßigkeitsprüfung haben sich daher **Aufbau- und Prüfungsschemata** etabliert, die die **Vollständigkeit** eines Gutachtens gewährleisten.[96] Nahezu alle juristischen Texte orientieren sich an diesen gängigen Schemata. Auch in der Sozialen Arbeit ist man mit juristischen Texten konfrontiert (z. B. Gerichtsurteilen, Behördenentscheidungen) und erstellt selbst welche

---

96 Aufbauschema für die Rechtmäßigkeitsprüfung eines VA vgl. Kap. 5.7 Übersicht 2; vgl. auch Trenczek/Tammen/Behlert/v. Boetticher/Beetz, Grundzüge, Angang 4, S. 883 ff.

(z. B. Anspruchsschreiben oder Widersprüche für Klient:innen). Folglich sollte man die Struktur der Aufbauschemata in juristischen Texten sowohl erkennen als auch verwenden können.

Mit einem Gutachten soll der Leser schrittweise – über **Zwischenergebnisse** – an das Endergebnis herangeführt werden.

> ► Die Subsumtion gibt den Schreibstil, den sogenannten „**Gutachtenstil**", vor, der durch die **vierstufige Gedankenfolge** (Obersatz, Definition, Untersatz, Ergebnis) gekennzeichnet ist.

Im Gutachten wird der Obersatz in Form einer **Hypothese** (typischerweise formuliert im **Konjunktiv**) vorangestellt.

Beispiel (Fall s. o.): Obersatz/Hypothese: W könnte einen Anspruch auf Akteneinsicht haben. Als Rechtsgrundlage für das Begehren des W kommt § 25 Abs. 1, S. 1 SGB X in Betracht.

Die vierstufige Gedankenfolge des Gutachtenstils gilt sowohl für den großen **Rahmen der gesamten Prüfung** als auch für die kleinteilige Prüfung von **einzelnen Tatbestandsmerkmalen**. Jedes Tatbestandsmerkmal ist mit einem Zwischenergebnis abzuschließen.

Beispiel: (Fall s. o.)
Definition: Die Tatbestandsvoraussetzungen dafür, dass W die Akteneinsicht zu gestatten ist, sind

(1) dass W ein „Beteiligter" ist,
(2) dass es sich um einen Fall von Geltendmachung oder Verteidigung rechtlicher Interessen handelt,
(3) dass die Aktenkenntnis erforderlich dafür ist.

Neuer Obersatz/Hypothese zu Tatbestandsvoraussetzung (1): W müsste Beteiligter sein.
Definition zu Tatbestandsvoraussetzung (1): Beteiligte sind gemäß § 12 Abs. 1 Nr. 2 SGB X „diejenigen, an die die Behörde den Verwaltungsakt richten will oder gerichtet hat".
Untersatz zu Tatbestandsvoraussetzung (1): Die Deutsche Rentenversicherung möchte die Rente von W aufheben. Also möchte sie einen Aufhebungs-VA an W richten.

Ergebnis zu Tatbestandsvoraussetzung (1): Damit ist W ein Beteiligter.

Neuer Obersatz/Hypothese zu Tatbestandsvoraussetzung (2): Es müsste ein Fall von Geltendmachung oder Verteidigung rechtlicher Interessen vorliegen.

Definition zu Tatbestandsvoraussetzung (2): Rechtliche Interessen einer Person sind z. B. dann betroffen, wenn sich eine Maßnahme der Verwaltung direkt auf deren konkrete Lebenssituation auswirkt, denn dann stellt sich die Frage, ob diese Auswirkungen rechtmäßig, d. h. dem Gesetz nach gerechtfertigt sind oder nicht.

Untersatz: Hier soll die Rente von W aufgehoben werden, so dass er seinen Lebensunterhalt in Zukunft anderweitig bestreiten muss. Dies wirkt sich unmittelbar auf seine künftige Lebenssituation aus und ist nur bei rechtmäßigem Verwaltungshandeln gerechtfertigt.

Ergebnis zu Tatbestandsvoraussetzung (2): Damit sind rechtliche Interessen des W betroffen.

Neuer Obersatz/Hypothese zu Tatbestandsvoraussetzung (3): Die Einsichtnahme in den Gesundheitsprüfungs-Bericht müsste erforderlich sein.

Definition zu Tatbestandsvoraussetzung (3): Erforderlichkeit bedeutet, dass die Kenntnis des Gesundheitsprüfungs-Berichts für W notwendig ist, um seine rechtlichen Interessen zu verteidigen.

Untersatz zu Tatbestandsvoraussetzung (3): Die Gründe für die Rentenaufhebung sind in dem Gesundheitsprüfungs-Bericht enthalten, z. B. eine ärztliche Stellungnahme darüber, wie sich der Gesundheitszustand des W entwickelt hat und warum er wieder arbeiten gehen kann. Damit muss sich W (gegebenenfalls zusammen mit seinen behandelnden Ärzten) auseinandersetzen können, um nachzuvollziehen, ob der Gesundheitsprüfungs-Bericht korrekt ist oder nicht.

Ergebnis zu Tatbestandsvoraussetzung (3): Also ist die Einsichtnahme für die Verteidigung der rechtlichen Interessen erforderlich.

Der Gutachtenstil ist häufig **sehr aufwendig** und wirkt gerade bei der Prüfung von selbstverständlich vorliegenden Tatbestandsvoraussetzungen **befremdlich**. Häufig wird der Gutachtenstil daher in solchen Fällen abgekürzt, indem mehrere Schritte in einem Satz zusammengefasst werden. In juristischen Texten findet sich daneben noch eine zweite Stilart, der „**Urteilsstil**". Hier ist der Aufbau umgekehrt: Das **Ergebnis** steht am Anfang und es folgt sodann eine schrittweise **Begründung** dieses Ergebnisses. Der Urteilsstil wird in juristischen Texten verwendet, wenn das Ergebnis aus Sicht des Verfassers feststeht und den Lesern erläutert werden soll, z. B. in **Bescheiden** oder **Urteilen**. Zu beachten ist jedoch, dass der Gutachtenstil für die juristische Fallbearbeitung bzw. jede Rechtsanwendung insofern prägend ist, als er der **analytischen juristischen Denk- und Arbeitsweise** entspricht. Denn jeder juristischen Entscheidung sollte zumindest gedanklich das – zunächst ergebnisoffene – vierstufige Gutachten vorausgehen. In Klausuren oder Hausarbeiten wird oft eine **Mischung beider Stilarten** verwendet: Der Rahmen orientiert sich am Gutachtenstil i. V. m. mit einem Aufbauschema. Selbstverständlichkeiten oder Randfragen werden im abgekürzten Gutachtenstil oder sogar im Urteilsstil knapp abgehandelt. Für die strittigen und fallentscheidenden Rechtsprobleme wird der kleinteilige Gutachtenstil verwendet.[97]

5.4 Tatbestandsvoraussetzungen und unbestimmte Rechtsbegriffe

Rechtsnormen, die die Rechtsgrundlagen für die Entscheidung über konkrete Einzelfälle bilden, sind **generell-abstrakt** formuliert.[98] Der Grund hierfür ist klar:

> ▶ Rechtsnormen richten sich an einen **unbestimmten Personenkreis** und sollen eine sachgerechte Regelung für eine **unbestimmte Vielzahl von Fällen** und **Lebenssituationen** ermöglichen. Damit dies ohne permanente Gesetzesänderungen möglich ist und damit die Verwaltung in der Lage ist, die Tatbestandsvoraussetzungen einer Rechtsnorm auf zahllose, sich **immer wieder neu ergebende Fallkonstellationen** anzuwenden, ist ein sehr hoher **Abstraktionsgrad** der Rechtsnormen erforderlich.

Da sprachliche Äußerungen ganz grundsätzlich interpersonal verschieden verstanden werden können, Begriffe also für zwei Menschen unterschiedliche Bedeutungen haben können, ist ihre jeweilige Bedeutung im konkreten rechtlichen Kontext durch **Auslegung** zu ermitteln. Dies gilt in besonderem Maß für sehr weit gefasste Begriffe, die man **unbestimmte Rechtsbegriffe** nennt.[99]

Beispiele:
„angemessen", vgl. § 22 Abs. 1 Satz 1 SGB II; § 12 Abs. 3 Nr. 1 – 5 SGB II; § 92a Abs. 2 SGB XII

---

97 S. die Falllösungen in Kap. 5.7.4, 7.4.3, 9.7.2, 11.6.3; vgl. auch Bringewat, Juristische Methodik, Rn. 201 – 215.
98 S. Kap. 4.2.
99 Einzelheiten vgl. Ipsen, Verwaltungsrecht, Rn. 462 ff.

„besondere Härte", vgl. § 12 Abs. 3 Nr. 6 SGB II; § 48 Abs. 2 SGB XII; § 31 Abs. 2 AufenthG

„unabweisbar", vgl. § 24 Abs. 1 Satz 1 SGB II; § 24 Abs. 1 SGB XII; § 1 a AsylbLG

„wichtiger Grund", vgl. § 159 Abs. 1 Satz 1 SGB III

„schwerwiegende Gründe", vgl. § 15 Abs. 3 Nr. 1 BAföG

„Wohl des Kindes", vgl. § 27 Abs. 1 SGB VIII

„dringende Gefahr", vgl. § 42 Abs. 1 Nr. 2 SGB VIII

„die erforderliche Leistung", vgl. § 15 Abs. 1 Satz 2 SGB IX

„unverhältnismäßige Mehrkosten", vgl. § 9 Abs. 2 Satz 3 SGB XII

Die Verwaltung muss bei der Rechtsanwendung eine Entscheidung treffen: Verwirklicht der von ihr zu beurteilende Fall die in den gesetzlichen Tatbestandsvoraussetzungen verwendeten Begriffe oder nicht? Es gibt zwar Situationen, bei denen dies recht klar zu sein scheint, jedoch auch sehr viele **Grenzfälle,** bei denen die Verwirklichung des Merkmals, zumal des unbestimmten Rechtsbegriffs, zweifelhaft ist. Die Auslegung bzw. die Anwendung der unbestimmten Rechtsbegriffe auf den Einzelfall erfordert meist eine **Wertung** und eine **Abwägung von unterschiedlichen Gesichtspunkten.** Obwohl eigentlich mehrere Lösungen gleichermaßen denkbar sind, gilt gleichwohl die regulative Idee (die für Rechtsanwender Orientierung gebende Idealvorstellung), dass **nur eine Entscheidung richtig** – d. h. gültig und verbindlich – sein kann.[100]

Die Auslegung unbestimmter Rechtsbegriffe durch die Verwaltung ist – bis auf wenige Ausnahmen[101] – **gerichtlich voll überprüfbar.** Dies bedeutet, die Sozial- oder Verwaltungsgerichte sind berechtigt, im Rahmen eines gerichtlichen Verfahrens die Auslegung der unbestimmten Rechtsbegriffe durch die Verwaltung zu überprüfen und ggf. **durch eigene Wertungen/Abwägungen zu ersetzen.** Damit kommt den **Gerichten** bei der Frage der (richtigen oder falschen) Auslegung eines unbestimmten Rechtsbegriffes die **Letztentscheidungskompetenz**[102] zu.

---

100 Innerhalb des Studiums gilt allerdings, dass jede vertretbare Lösung zu akzeptieren ist, sofern sie korrekt und überzeugend begründet wird.

101 Ausnahmen werden zusammengefasst unter dem Begriff „**Beurteilungsspielraum** der Verwaltung". Dieser besteht z. B. bei Prüfungsentscheidungen (Schul- oder Hochschulnoten), dienstlichen Beurteilungen im Beamtenrecht oder prognostisch-planerischen Entscheidungen; Einzelheiten vgl. Ipsen, Verwaltungsrecht, Rn. 478–510; Trenczek/Tammen/Behlert/v. Boetticher/Beetz, Grundzüge, I-3.3.3, S. 158–161.

102 S. Kap. 2.1.

▶ Unter **Auslegung** versteht man die **Klarstellung, Konkretisierung** oder **Interpretation** eines rechtlichen Begriffs (oder einer Rechtsnorm). Ziel einer jeden Auslegung soll sein, den im Text der Rechtsnorm abstrakt dargestellten **Willen des Gesetzgebers** bezogen auf den konkreten Einzelfall zu verwirklichen.[103]

Bei der Auslegung stehen verschiedene Hilfsmittel zur Verfügung. Zum einen bieten die Gesetze oder Rechtsverordnungen selbst Hilfestellung, indem durch **Legaldefinitionen** (unbestimmte) Rechtsbegriffe konkretisiert werden.

Beispiel: „Zumutbarkeit" in § 10 SGB II. Es heißt dort: „Einer erwerbsfähigen leistungsberechtigten Person ist jede Arbeit zumutbar, es sei denn, dass ...", und es folgt eine Aufzählung von Regelbeispielen (z. B. Unvereinbarkeit mit Pflege eines Angehörigen), die den Begriff der Zumutbarkeit genauer umschreiben und eine Einordnung vieler Fallgruppen ermöglichen.

Verwaltungsvorschriften werden oft zu dem Zweck erlassen, Rechtsbegriffe zu konkretisieren und die Rechtsanwendung zu vereinfachen und zu vereinheitlichen. Sie bieten eine gute Hilfestellung bei der Auslegung. Zu beachten ist jedoch, dass sie als verwaltungsinternes Handeln nicht die Geltungskraft einer Legaldefinition besitzen. Die Verwaltungsvorschrift kann daher nicht das Auffinden und Begründen einer eigenständigen Lösung ersetzen.[104]

Ein wichtiges praktisches Hilfsmittel bei der Rechtsanwendung ist die Verwendung von **Kommentarliteratur,** in denen Einzelfälle der Auslegung von Rechtsnormen, die von der Praxis bereits entschieden wurden sowie weitere Auslegungsvorschläge aus der Rechtswissenschaft dargestellt werden. Durch den Vergleich des „eigenen" Falls mit bereits entschiedenen, kommt man oft zu einem gut begründbaren Ergebnis. Solche **Präjudizien,** also frühere Gerichtsentscheidungen, lassen sich oft auch über **juristische Datenbanken** (z. B. juris oder Beck-Online) auffinden, einige sind auch über das **Internet** frei zugänglich und über Suchmaschinen auffindbar. Allerdings ist bei Online-Quellen eine besonders sorgfältige Überprüfung der Vertrauenswürdigkeit der Quellen angezeigt.[105]

---

103 Muthorst Rechtswissenschaft, § 7, Rn. 4–6; Rüthers/Fischer/Birk, Rechtstheorie, Rn. 730a.
104 S. Kap. 4.4; vgl. auch Ehlers/Pünder, Verwaltungsrecht, § 20 Rn. 32 ff.
105 Vgl. Möllers, Juristische Arbeitstechnik, § 4, Rn. 99.

▶ Sämtliche im juristischen Diskurs anschlussfähigen Vorschläge zur Interpretationen von Rechtsnomen, ob es z. B. die Darstellung in einem Kommentar, die autoritative Setzung in einem Gerichtsurteil oder die Auslegung durch Mitarbeiter:innen einer Behörde oder einer Sozialrechtsberatung stützen sich auf die **vier** „klassischen", d. h. anerkannten **juristischen Auslegungsmethoden.**[106] Sie sind auch deshalb von zentraler Bedeutung, da sich mit ihnen der Sinn auch bislang unbekannter Rechtsnormen erschließen lässt.

Diese sind:

- **Grammatische Auslegung** (Auslegung nach dem **Wortlaut**): Sie ist der Ausgangspunkt jeder Auslegung und stellt ab auf die Bedeutung der verwendeten Worte, sowohl im allgemeinen als auch im fachspezifischen Sprachgebrauch. Die Sinnermittlung eines Wortes/Begriffs kann z. B. durch die Heranziehung von Sprach- oder Rechtswörterbüchern geschehen. Häufig wird in Gerichtsentscheidungen auch ein bestimmtes Alltagsverständnis eines auszulegenden Ausdrucks unterstellt.
- **Systematische Auslegung** (Auslegung im Kontext des Gesetzes und der Rechtsordnung): Bei dieser Auslegung wird abgestellt auf den Gedanken der **Einheit** und der **Widerspruchsfreiheit der Rechtsordnung** sowie darauf, dass sich die Bedeutung einer Rechtsnorm oder eines Begriffes erst durch den **Kontext,** in dem er steht, erschließen lässt.[107] Heranzuziehen sind andere Vorschriften des Abschnitts oder des Gesetzes (z. B. Rechtsnormen, in denen die Zielvorstellungen oder Leitgedanken des Gesetzes festgelegt werden), in dem die auszulegende Norm steht sowie andere, vergleichbare Gesetze oder auch die Verfassung oder das Unionsrecht. Der auszulegende Begriff ist hiermit in Einklang zu bringen. Als bedeutsame Kategorien der systematischen Auslegung haben sich die **verfassungskonforme** und die **europarechtskonforme Auslegung** etabliert.[108]

Beispiel: In § 90 SGB XII ist der Einsatz des Vermögens in der Sozialhilfe geregelt. Nach § 90 Abs. 1 SGB XII ist das gesamte verwertbare Vermögen für den Lebensunterhalt einzusetzen. Bestimmte, einzeln geregelte Ausnahmen davon enthält § 90

---

106 Einzelheiten: Muthorst, Rechtswissenschaft, § 7, Rn. 7–18; Trenczek/Tammen/Behlert/v. Boetticher/Beetz, Grundzüge, I-3.3.2, S. 153–158.
107 Einzelheiten: Rüthers/Fischer/Birk, Rechtstheorie, Rn. 744–749.
108 Einzelheiten: Rüthers/Fischer/Birk, Rechtstheorie, Rn. 763–769d.

Abs. 2 SGB XII. § 90 Abs. 3 SGB XII enthält eine Auffangregel, wonach Vermögensgegenstände nicht eingesetzt werden müssen, wenn dies eine „Härte" bedeuten würde.

Frau T, 70 Jahre alt, bekommt nur so wenig Rente, dass sie ergänzend Sozialhilfe („Grundsicherung im Alter", §§ 41 ff. SGB XII) in Anspruch nehmen muss. Sie hat Geld (7 000 EUR) in einer Bestattungsversicherung angespart, da es für sie enorm wichtig ist, einmal ein würdiges Begräbnis und ein anständiges Grab zu erhalten. Kann das Sozialamt von ihr verlangen, die Bestattungsversicherung aufzulösen und das Geld erst einmal für ihren Lebensunterhalt zu verwenden oder würde dies eine Härte bedeuten?

Der Begriff „Härte" bedeutet nach dem Wortsinn einen atypischen, die Betroffenen über die Maßen belastenden Ausnahmefall. Grundsätzlich sind Sozialhilfeempfänger gehalten, vorrangig ihre eigenen Mittel zur Deckung des Lebensunterhalts einzusetzen, ehe staatliche Hilfe in Anspruch genommen wird. Eine „Härte" ist dies nur, wenn jemand mehr als der durchschnittliche Sozialhilfeempfänger von der Verpflichtung zur Auflösung von Vermögensgegenständen betroffen würde.

Ist T in dieser Weise betroffen? Würde sie der Verlust ihrer Bestattungsversicherung mehr treffen als die durchschnittlichen Sozialhilfeempfänger, die auch ihre angesparten Vermögenswerte nicht behalten dürfen? Für T ist die Bestattungsversicherung wichtig, aber reichen ihre ganz persönlichen Vorstellungen, um anzunehmen, sie sei durch die Verpflichtung zum Vermögenseinsatz wesentlich stärker belastet als andere?

Allein der Wortsinn des Begriffs „Härte" führt hier nicht weiter, aber im Rahmen der systematischen Auslegung ist „Härte" auch im Zusammenhang mit anderen Rechtsnormen des Sozialhilferechts auslegen. In Betracht kommt z. B. ein Abgleich mit § 1 SGB XII.

§ 1 SGB XII regelt die Leitgedanken des Sozialhilferechts. Diese sind neben der sparsamen Verwendung öffentlicher Mittel und der primären Verpflichtung zur Selbsthilfe auch die Wahrung der Menschenwürde. Dies entspricht auch dem Grundrecht aus Art. 1 Abs. 1 GG. Also sind im Fall von T auch Verfassungsprinzipien betroffen, die bei der Auslegung des unbestimmten Rechtsbegriffs beachtet werden müssen (verfassungskonforme Auslegung). Der Umgang mit der eigenen Sterblichkeit und der Endlichkeit des Lebens betreffen in höchstem Maße die Identität eines Menschen. Der Staat muss aus Achtung vor der Menschenwürde solche höchstpersönlichen Entscheidungen von Menschen respektieren. Nach Art. 1 Abs. 1 GG ist daher der Anspruch einer würdigen Bestattung verfassungsrechtlich fundiert. Hieraus folgt, dass eine Bestattungsversicherung zu respektieren ist. Die Verpflichtung, ihre Bestattungsversicherung aufzulösen, würde für T eine Härte i. S. v. § 90 Abs. 3 SGB XII bedeuten.

- Die **historische Auslegung** fragt nach der geschichtlichen Entwicklung des Begriffs/der Rechtsnorm. Was war die geistige, gesellschaftliche oder politische **Ausgangslage im Zeitpunkt der Entstehung?** Hat sich die Norm z. B. aus einem bereits früher bestehenden Gesetz oder Rechtsgrundsatz entwickelt? Auch lassen sich über die Entstehungsgeschichte eines Gesetzes Rückschlüsse auf die Motive der gesetzgebenden Organe ziehen – also die bei Entwurf und den Beratungen geäußerten Meinungen und Absichten.[109] Herangezogen werden für die historische Auslegung häufig die **Gesetzesentwürfe,** aber auch andere Materialien wie beispielsweise Protokolle der Debatten im Gesetzgebungsverfahren und fachliche Stellungnahmen zu Gesetzesvorhaben.[110]
- **Teleologische Auslegung** (Auslegung nach Sinn und Zweck des Gesetzes): Bei dieser Auslegung wird nach dem Sinn und Zweck der zu interpretierenden Rechtsnorm gefragt. Welche **Interessen** oder **Rechtsgüter** sollen **geschützt** werden, welche sollen **zurücktreten?** Welche erwünschten oder nicht erwünschten Konsequenzen hat die Auslegung der Rechtsnorm in der einen oder anderen Weise? Das gesetzgeberische Ziel enthält hierbei häufig einen Ausgleich oder eine Bewertung der sich einander gegenüberstehenden Interessenlagen und Rechtsgüter.[111]

Beispiel: In § 159 Abs. 1 S. 1 SGB III ist geregelt, dass Arbeitslose eine Sperrzeit durchlaufen müssen (d. h. innerhalb eines bestimmten Zeitraums kein Arbeitslosengeld von der Arbeitsagentur erhalten) wenn sie sich „versicherungswidrig" verhalten haben, ohne dass dafür ein „wichtiger Grund" vorlag. In § 159 Abs. 1 S. 2 Nrn. 1–7 SGB III ist im Einzelnen geregelt, was alles „versicherungswidriges" Verhalten ist. Dieses liegt nach Nr. 1 z. B. dann vor, wenn „die oder der Arbeitslose das Beschäftigungsverhältnis gelöst … hat".

Frau M möchte ihre Arbeitsstelle aus folgenden Gründen kündigen: Sie ist in ihrem Job unterfordert, denn sie ist eigentlich deutlich besser qualifiziert. Aufstiegsmöglichkeiten hat sie jedoch nicht, dies wurde ihr auf Nachfrage so von ihrem Arbeitgeber zwar mit Bedauern jedoch unmissverständlich mitgeteilt. Ebenso wurden ihre mehrfachen Anfragen nach einer Gehaltserhöhung abgelehnt.

Liegt ein „wichtiger Grund" vor?

Das Arbeitslosengeld gehört zur wirtschaftlichen Sicherung eines Arbeitslosen und wird u. a. durch die Sozialversicherungsbeiträge der Gemeinschaft der Versicherten aufgebracht. Diese hat ein Interesse daran, dass das Arbeitslosengeld nur dann an

---

109 Einzelheiten s. Rüthers/Fischer/Birk, Rechtstheorie, Rn. 778–795.
110 Bundestagsdrucksachen sind über das digitale Parlamentsarchiv abrufbar: https://dip.bundestag.de.
111 Muthorst, Rechtswissenschaft, § 7, Rn. 16.

jemanden geleistet wird, wenn der Eintritt von Arbeitslosigkeit nicht zu vermeiden war oder das weitere Aufrechterhalten des Arbeitsverhältnisses eine unzumutbare Belastung bedeuten würde. Demgegenüber steht die persönliche Handlungsfreiheit des Einzelnen, im Fall von Frau M also ihre persönliche Freiheit, ihr berufliches Leben nach freien Stücken so zu gestalten, dass sie eine sie unterfordernde und zu schlecht bezahlte Tätigkeit nicht mehr ausüben muss.

Würde eine Rechtsgüter-Abwägung zwischen den Interessen der Versichertengemeinschaft und den Interessen von Frau M ergeben, dass ihre Interessen überwiegen?

Hierbei kommt es darauf an, ob es Frau M zugemutet werden kann, ihre Arbeitsstelle erst dann aufzugeben, wenn sie bereits ein anderes Beschäftigungsverhältnis gefunden hat (und nicht auf Kosten der Versichertengemeinschaft Arbeitslosengeld beanspruchen muss). Die (Un-)Zumutbarkeit muss objektiv gegeben sein und ist nicht aus der subjektiven Sicht der betroffenen Frau M zu beurteilen. Hier ist keine Unzumutbarkeit ersichtlich, mit dem Wechsel der Arbeitsstelle so lange zu warten, bis eine neue Arbeitsstelle gefunden wurde (anders als z. B. in Mobbing-Situationen). Das Streben nach Selbstverwirklichung der M muss gegenüber den Interessen der Versichertengemeinschaft zurücktreten. Es liegt kein wichtiger Grund vor.

Die vier Auslegungsmethoden stehen nicht in einem hierarchischen Verhältnis zueinander, sondern können **nebeneinander verwendet** werden und sind **gleichrangig**. Sie dienen sämtlich dazu, **argumentatives Potential** zu erschließen.[112] Häufig lassen sich daher auch zwei entgegengesetzte Auslegungsmethoden gut vertreten.

5.5   Rechtsfolge/Ermessen

Eine Rechtsnorm besteht aus zwei Teilen, Tatbestandsvoraussetzungen und Rechtsfolge. Liegen die Tatbestandsvoraussetzungen vor, so tritt die Rechtsfolge ein. Eine Rechtsfolge kann darin bestehen, dass der Verwaltung eine **Wahlmöglichkeit** zwischen verschiedenen Entscheidungen eingeräumt wird.

▶ Rechtsgrundlagen können **zwei grundsätzliche Arten von Rechtsfolgen** vorsehen: **Gebundene** Rechtsfolge und **Ermessen**. Eine Rechtsfolge ist gebunden, wenn die Verwaltung **zwingend nur eine einzige Entscheidungsmöglich-**

---

112 Muthorst, Rechtswissenschaft, § 7, Rn. 17.

keit hat, nämlich, dass die gesetzlich vorgesehene Rechtsfolge automatisch eintreten muss. Ist diese für Bürger:innen günstig, spricht man von einer **Anspruchsnorm**. **Ermessen** bedeutet die Eröffnung von **Entscheidungsspielräumen**. In diesem Fall hat die Verwaltung auch bei Vorliegen der Tatbestandsvoraussetzungen die Wahl unter mehreren Möglichkeiten, z. B. welche Art von Rechtsfolge eintreten soll oder ob sie überhaupt tätig wird oder nicht.[113]

Welche Art von Rechtsfolge vorliegt, ist anhand der **Formulierung** zu erkennen, mit der in der Rechtsgrundlage Tatbestandsvoraussetzungen und Rechtsfolge verbunden werden. Heißt es: „**ist**", „**hat zu**", „**muss**", „**hat Anspruch auf**", „**werden gewährt**", besteht eine gebundene Rechtsfolge. Werden Formulierungen wie, „**kann**", „**soll**", „**darf**", „**in der Regel**" verwendet, besteht für die Verwaltung ein Ermessensspielraum.

> **Beispiel:** § 22 Abs. 1 S. 1 SGB II: „Bedarfe für Unterkunft und Heizung **werden** in Höhe der tatsächlichen Aufwendungen anerkannt …" (= gebundene Rechtsfolge).
> § 22 Abs. 6 S. 1 SGB II: „Wohnungsbeschaffungskosten und Umzugskosten **können** bei vorheriger Zusicherung durch den bis zum Umzug örtlich zuständigen kommunalen Träger als Bedarf anerkannt werden …" (= Ermessen).

Zweck der Ermessensspielräume ist es, der Verwaltung eigene Gestaltungsmöglichkeiten einzuräumen. Sie soll nach Zweckmäßigkeitsgesichtspunkten zwischen verschiedenen Rechtsfolgen wählen sowie **flexibel** und lebensnah auf die Vielgestaltigkeit von Sachverhalten reagieren können. Ermessen dient damit der **Einzelfallgerechtigkeit**.[114]

Ermessen bedeutet allerdings **nicht Willkür**. Die Grenzen des Ermessens sind für das Sozialrecht in § 39 Abs. 1 SGB I festgelegt.[115] Die Einhaltung der gesetzlichen Grenzen des Ermessens bedeutet, dass ein Anspruch auf Ausübung des „**pflichtgemäßen**" Ermessens besteht. Beachtet die Verwaltung die Grenzen des Ermessens bei ihrer Entscheidung nicht, liegt ein **Ermessensfehler**[116] vor. Dieser macht einen VA rechtswidrig und anfechtbar.[117] Nur auf solche Ermessensfehler hin können die Sozial- und Verwaltungsgerichte die behördliche Beurteilung des Falls überprüfen. Das Gericht darf dagegen nicht über diese Ermessenfehler

---

113 Einzelheiten vgl. Ipsen, Verwaltungsrecht, Rn. 511–526; Trenczek/Tammen/Behlert/v. Boetticher/Beetz, Grundzüge, I-3.4.1, S. 161 ff.
114 Siegel, Allgemeines Verwaltungsrecht, Rn. 207.
115 Die Parallelvorschrift für das übrige Verwaltungsrecht ist § 40 VwVfG.
116 S. Kap. 5.5.2.
117 S. Kap. 7.2.

hinaus die eigene Zweckmäßigkeitserwägung an die Stelle der Verwaltung setzen. Ermessen eröffnet also einen gewissen behördlichen Entscheidungsspielraum, der gegenüber **gerichtlicher Kontrolle** abgesichert ist. Hier liegt ein wesentlicher Unterscheid zur Auslegung (unbestimmter) Rechtsbegriffe auf Tatbestandsseite, die grundsätzlich gerichtlich vollständig überprüfbar ist.[118]

5.5.1   Arten des Ermessens

► Es lassen sich verschiedene Arten von Ermessen unterscheiden. Zum einen besteht eine Unterscheidung hinsichtlich der **Art und Weise** des Entscheidungsspielraums. Zum anderen lässt sich das Ermessen nach dem **Umfang** des Entscheidungsspielraums einteilen.

Hinsichtlich Art und Weise des Entscheidungsspielraums gibt es Rechtsnormen, die der Behörde die Möglichkeit eröffnen zu entscheiden, **ob sie tätig wird oder nicht.** Dies nennt man „**Entschließungsermessen**". Zum anderen gibt es Rechtsnormen, welche die Möglichkeit eröffnen, zwischen mehreren Entscheidungsvarianten zu wählen, d. h. zu entscheiden, **wie die Behörde tätig wird.** Dies nennt man „**Auswahlermessen**". Dieselbe Regelung kann auch sowohl Entschließungs- als auch Auswahlermessen eröffnen.

> **Beispiel:** § 73 S. 1 SGB XII: „Leistungen können auch in sonstigen Lebenslagen erbracht werden, wenn sie den Einsatz öffentlicher Mittel rechtfertigen" (= Entschließungsermessen, d. h. Entscheidung besteht zwischen ja oder nein)
> § 73 S. 2 SGB XII: „Geldleistungen können als Beihilfe oder als Darlehen erbracht werden (= Auswahlermessen, d. h. welche Variante wird gewählt?).

Bedeutsam ist die Unterscheidung von Ermessen auch hinsichtlich des Umfangs: Es werden sogenannte „**Kann**"- und „**Soll**"-Vorschriften unterschieden. Bei den Kann-Vorschriften ist der Entscheidungsspielraum größer, die Behörde ist in keine bestimmte Richtung gebunden. Bei den Soll-Vorschriften ist der Entscheidungsspielraum kleiner. Im **Regelfall** ist hier die im Gesetz festgelegte Rechtsfolge **verbindlich,** nur in begründeten Ausnahmefällen (bei Vorliegen besonderer Umstände) ist die Behörde berechtigt, davon abzuweichen. Dies wird auch als

---

118 S. Kap. 5.4.

„intendiertes Ermessen" bezeichnet. Die Soll-Vorschrift steht damit zwischen Ermessen und gebundener Rechtsfolge.

Beispiele:

§ 36 Abs. 1 S. 1 SGB XII: „Schulden **können** nur übernommen werden, wenn dies zur Sicherung der Unterkunft oder zur Behebung einer vergleichbaren Notlage gerechtfertigt ist."

§ 36 Abs. 1 S. 2 SGB XII: „Sie **sollen** übernommen, wenn dies gerechtfertigt und notwendig ist und sonst Wohnungslosigkeit einzutreten droht."

§ 62 Abs. 2 S. 1 AufenthG: „Ein Ausländer **ist** zur Vorbereitung der Ausweisung (…) auf richterliche Anordnung in Haft zu nehmen, wenn über Ausweisung (…) nicht sofort entschieden werden kann und die Abschiebung ohne die Inhaftnahme wesentlich erschwert oder vereitelt würde (Vorbereitungshaft)."

§ 62 Abs. 2 S. 2 AufenthG: „Die Dauer der Vorbereitungshaft **soll** sechs Wochen nicht überschreiten."

Zuweilen findet man Rechtsgrundlagen, die auf der Tatbestandsseite einen unbestimmten Rechtsbegriff enthalten und auf der Rechtsfolgenseite Ermessen einräumen. Diese Rechtsnormen nennt man „**Koppelungsvorschriften**".[119] Grundsätzlich sind hier **beide Seiten nach den für sie geltenden Regeln zu beurteilen**, d. h. die Auslegung des unbestimmten Rechtsbegriffs ist grundsätzlich gerichtlich voll überprüfbar, die Rechtsfolge aber nur auf Ermessensfehler hin.[120]

Allerdings ist jeweils zu prüfen, welche Gesichtspunkte für Ermessenserwägungen noch übrig bleiben, wenn man den unbestimmten Rechtsbegriff bereits ausgelegt hat und zu dem Ergebnis gelangt ist, der Tatbestand sei erfüllt. Dann kann die **Auslegung des unbestimmten Rechtsbegriffs das Ermessen „verbraucht"** haben. Das heißt, kommt man durch Auslegung eines unbestimmten Rechtsbegriffs zu dem Ergebnis, der Tatbestand einer Rechtsnorm sei erfüllt, schließt dies eigentlich Ermessenserwägungen aus, die zu einer Verneinung der Rechtsfolge führen. Dies gilt insbesondere dann, wenn für unbestimmten Rechtsbegriff und Ermessen dieselben Argumente verwendet werden.[121]

Beispiel: In § 22 Abs. 6 S. 2 SGB II ist die Zusicherung des kommunalen Trägers bei einem Umzug von Bürgergeldbezieher:innen geregelt. Es heißt: „Die Zusicherung soll erteilt werden, wenn der Umzug durch den kommunalen Träger veranlasst oder aus anderen Gründen notwendig ist …". Kommt die Verwaltung bei der Prüfung eines be-

---

119 vgl. Maurer/Waldhoff, Verwaltungsrecht, § 7 Rn. 49.
120 So z. B. auch BVerwGE 46, 175 (176 f.).
121 Einzelheiten s. Maurer/Waldhoff, Verwaltungsrecht, § 7 Rn. 49–51.

absichtigten Umzugs zu dem Ergebnis, der unbestimmte Rechtsbegriff „notwendig" sei erfüllt, ist eigentlich kaum eine Situation denkbar, in der gleichzeitig das – pflichtgemäße – Ermessen dahingehend ausgeübt werden kann, dass die Zusicherung gleichwohl nicht erteilt wird.

5.5.2 Ermessensfehler

Die Verwaltung darf im Rahmen ihres Ermessensspielraums eine zweckmäßige Rechtsfolge für die Entscheidung eines Falls wählen, ohne dass das Gericht diese Entscheidung durch eine eigene Bewertung der Zweckmäßigkeit abändern darf.

> ▶ Gerichtlich überprüfbar ist, ob die Verwaltung das Ermessen **fehlerfrei** ausgeübt hat. Fehlerfrei heißt gemäß **§ 39 Abs. 1 SGB I**[122] entsprechend dem „**Zweck der Ermächtigung**" und unter Beachtung der „**gesetzlichen Grenzen**". Ein Verstoß hiergegen macht die Ermessensentscheidung rechtswidrig und anfechtbar.[123] Unterscheiden lassen sich **drei** Arten von Ermessensfehlern: **Ermessensfehlgebrauch, Ermessensunterschreitung** und **Ermessensüberschreitung**.[124]

Ermessensfehlgebrauch: Dieser Fehler liegt vor, wenn die Verwaltung nicht alles, was für die Entscheidung des Falls wesentlich und berücksichtigungsbedürftig ist, in die Entscheidungsfindung einbezieht oder wenn sie sich von Gesichtspunkten leiten lässt, die keinen Einfluss auf die Entscheidung haben dürften (z. B. Gesichtspunkte, die mit dem betreffenden Rechts- und Sachgebiet nichts zu tun haben (dürfen) oder Fälle von Befangenheit oder persönlichem/politischem Opportunismus, etwa parteipolitische Rücksichtnahme). Hier liegen „**sachfremde Erwägungen**" vor.[125]

Wird eine Ermessensentscheidung durch einen VA in Form eines schriftlichen Bescheides getroffen, ist die Verwaltung verpflichtet, alle ihre Überlegungen, die sie zu der Entscheidung bewogen haben, **in der Begründung des VA darzulegen**.[126] Tut sie dies nicht, d. h. ist die Begründung unvollständig oder falsch,

---

122 Parallelvorschrift: § 40 VwVfG.
123 S. Kap. 7.2.
124 Einzelheiten vgl. Trenczek/Tammen/Behlert/v. Boetticher/Beetz, Grundzüge, I-3.4.2, S. 164 ff.
125 Bull/Mehde, Verwaltungsrecht, Rn. 607; Maurer/Waldhoff, Verwaltungsrecht, § 7 Rn. 22.
126 Vgl. § 35 SGB X, § 39 VwVfG; Einzelheiten s. Kap. 6.3.3 u. Kap. 7.

wird angenommen, sie habe die richtigen und erforderlichen Überlegungen auch nicht angestellt und der VA ist damit ermessensfehlerhaft und rechtswidrig.

Ermessensunterschreitung: Dieser Fehler (auch bezeichnet als „Ermessensnichtgebrauch" oder „Ermessensausfall") liegt vor, wenn die Verwaltung trotz eingeräumten Ermessensspielraums davon keinen Gebrauch macht. Die pflichtgemäße Ermessensausübung erfordert, dass der **Einzelfall beachtet** und nicht rein schematisch verfahren wird. Die Verwaltung muss sich der **in Betracht kommenden Entscheidungsalternativen** bewusst sein. Der Zweck der Einräumung von Verwaltungsermessen besteht gerade in der individualisierenden Gesetzeshandhabung. Demgemäß stellt eine rein **schematische** Handhabung von Ermessensvorschriften einen Ermessensfehler dar.[127]

> **Beispiel:** Eine pflegebedürftige Person erhält Leistungen aus der Pflegeversicherung (z. B. Pflegesachleistungen gemäß § 36 SGB XI für die Bezahlung eines ambulanten Pflegedienstes). Da die Pauschalbeträge der Pflegeversicherung nicht ausreichen, muss sie zusätzlich „Hilfe zur Pflege" aus der Sozialhilfe (§§ 61 ff. SGB XII) in Anspruch nehmen, um die benötigte Pflege abzudecken. Gemäß § 63b Abs. 5 SGB XII, „kann" der Sozialhilfeträger in diesen Fällen das Pflegegeld „um bis zu zwei Dritteln" gekürzt auszahlen. Eine Ermessensunterschreitung wäre es, wenn die Sozialämter jeder pflegebedürftigen Person das Pflegegeld automatisch um 2/3 gekürzt auszahlen würden, ohne im Einzelfall zu prüfen, ob nicht auch weniger Kürzungen angemessen und gerechtfertigt wären.

Ermessensüberschreitung: Dieser Fehler liegt vor, wenn die Behörde eine Rechtsfolge wählt, die gar nicht vom Ermessensspielraum umfasst ist bzw. die das Gesetz überhaupt nicht vorsieht.[128]

> **Beispiele:** Die Rentenversicherung bewilligt jemandem ohne Weiteres den Aufenthalt in einer Rehabilitationseinrichtung für zwei Monate, obwohl § 15 Abs. 2 S. 3 SGB VI nur einen Zeitraum von „längstens 3 Wochen" vorsieht.
> Eine sozialleistungsberechtigte Person kommt ihren Mitwirkungspflichten (z. B. Erscheinen zu Terminen) nicht nach. Die Verwaltung streicht ihr unverzüglich die Leistung, obwohl § 66 Abs. 3 SGB I vorsieht, dass Betroffene vorher schriftlich auf die Folgen der fehlenden Mitwirkung hingewiesen werden sollen.

---

127 Bull/Mehde, Verwaltungsrecht, Rn. 608; Maurer/Waldhoff, Verwaltungsrecht, § 7 Rn. 21.
128 Bull/Mehde, Verwaltungsrecht, Rn. 606; Maurer/Waldhoff, Verwaltungsrecht, § 7, Rn. 20.

Ein weiterer (häufigerer) Fall einer Ermessensüberschreitung liegt vor, wenn die Verwaltung bei ihrem Entscheidungen gegen **höherrangiges Recht**, z. B. gegen Grundrechte oder gegen die Beachtung von Verfassungsprinzipien verstößt. In Betracht kommen hierbei insbesondere der **Verhältnismäßigkeitsgrundsatz**, der **Gleichbehandlungsgrundsatz** sowie sonstige **Grundrechte**. Diese bilden i. S. d. § 39 SGB I/§ 40 VwVfG die „Grenzen" des Ermessens.

5.5.3 Verhältnismäßigkeitsgrundsatz

Der **Verhältnismäßigkeitsgrundsatz** spielt bei der Frage nach der korrekten Ermessensausübung eine bedeutsame Rolle.

> ▶ Der Verhältnismäßigkeitsgrundsatz ist eine Ausformung des Rechtsstaatsprinzips aus Art. 20 Abs. 3 GG und gilt für **alle Rechtsbeziehungen zwischen Staat und Bürger:innen.** Er besagt – grob zusammengefasst – Folgendes: Hat die Verwaltung, die Wahl unter mehreren Mitteln zur Erreichung eines legitimen Zwecks, ist stets jenes Mittel zu wählen, welches **für die Einzelnen am wenigsten belastend** ist. Bei jeder Maßnahme ist zudem die Belastung der Bürger:innen dem Verwaltungszweck gegenüber zu stellen und **abzuwägen,** was in Anbetracht der Umstände gerechtfertigt ist.[129] Es darf nicht „mit Kanonen auf Spatzen geschossen" werden.

Die Prüfung, ob eine Maßnahme der Verwaltung verhältnismäßig ist, erfolgt in **vier Stufen:**

1. **Legitimer Zweck:** Wird mit der staatlichen Maßnahme ein durch Gesetz und **Grundgesetz** gedeckter, zumindest nicht gegen diese verstoßender, Zweck verfolgt?
2. **Geeignetheit:** Fördert die konkrete Entscheidung der Verwaltung die Erreichung des legitimen Zwecks, ist sie also **effektiv?**
3. **Erforderlichkeit:** Handelt es sich bei der gewählten Maßnahme um das unter mehreren gleich effektiven Alternativen **mildeste** Mittel zur Erreichung des Zweckes?

---

129 Einzelheiten: Bull/Mehde, Verwaltungsrecht, Rn. 151–155; Maurer/Waldhoff, Verwaltungsrecht, § 10 Rn. 50 f.

4. **Angemessenheit (Verhältnismäßigkeit im engeren Sinn):** Steht der Einsatz des Mittels unter umfassender **Abwägung** aller betroffenen (auch öffentlichen) Interessen und Rechtspositionen, insbesondere Grundrechte, in einem angemessenen (proportionalen) Verhältnis zu dem angestrebten Zweck?

Beispiel: Frau E ist arbeitslos und lebt von Bürgergeld-Leistungen des Jobcenters. Sie hat anrechenbares Einkommen verschwiegen, dadurch dass sie es versäumte, dem Jobcenter mitzuteilen, dass sie sowohl von ihrem Vermieter ein Guthaben aus der Nebenkostenabrechnung erstattet als auch von ihrem ehemaligen Arbeitgeber rückständigen Lohn ausgezahlt bekam. Nun muss sie insgesamt 3 500 EUR zurückzahlen. Nach § 43 Abs. 1, Abs. 2, Abs. 4 SGB II „kann" das Jobcenter bis zu drei Jahre lang Bürgergeld-Leistungen um bis zu 30 % kürzen, um seine Erstattungsforderungen zu tilgen.

E bekommt nun schon seit ca. 1½ Jahren nur um 30 % gekürzte Leistungen. Sie hat inzwischen ein Baby bekommen und bittet das Jobcenter darum, ihr wieder die gesamten Leistungen auszuzahlen und den Rest der Forderung zu stunden oder zu erlassen. Zur Begründung schildert sie, dass ihr Baby häufig krank ist und unter diversen Allergien leidet. Ärztlich empfohlen ist Bio-Nahrung sowie Medikamente, die leider nicht von der Krankenkasse finanziert werden, sondern die sie aus ihrem (gekürzten) Regelsatz bezahlen muss.

Bei der Entscheidung über die weitere Kürzung muss das Jobcenter die Verhältnismäßigkeit beachten. Im Rahmen der 4-Stufen-Prüfung wären folgende Überlegungen anzustellen: Die Eintreibung einer überzahlten Sozialleistung ist ein **legitimer Zweck,** da sie dem Prinzip sparsamen Umgangs mit steuerfinanzierten Mitteln entspricht. Die Eintreibung durch Aufrechnung, d. h. durch Kürzung der auszuzahlenden Leistungen ist auch ein effektives, d. h. **geeignetes Mittel,** um diesen Zweck zu erreichen und im Falle der F auch das mildeste, denkbare Mittel (z. B. gegenüber einer Pfändung), also **erforderlich.** Fraglich ist, ob es bei einer umfassenden Rechtsgüterabwägung in der jetzigen Situation noch **angemessen** ist. Auf der einen Seite steht die grundsätzlich berechtigte Rückforderung der restlichen Summe, auf der anderen Seite jedoch die gesundheitlichen Belastungen für das Baby der E, die sich durch die finanziellen Einschränkungen noch verstärken. Der Grundsatz sparsamer Verwendung von Steuergeldern ist hier abzuwägen mit dem grundrechtlich verbürgten Gesundheits- sowie Mutterschutz aus Art. 2 Abs. 1 S. 1 GG, Art. 6 Abs. 4 GG. Ein Teil der Forderung ist hier zudem bereits getilgt und ohne Zweifel benötigt F jeden Cent aus ihrem Regelsatz um die Aufwendungen für die Gesundheit ihres Babys bestreiten zu können. Im Rahmen des Ermessensspielraums verhältnismäßig wären daher Stundung, Erlass oder Reduzierung der (Rest-)Forderung.

5.5.4　Gleichbehandlungsgrundsatz

▶ Der **Gleichbehandlungsgrundsatz** ergibt sich aus Art. 3 Abs. 1 GG und verpflichtet die öffentliche Gewalt dazu, wesentlich **gleiche Sachverhalte nicht ungleich** und **wesentlich ungleiche Sachverhalte nicht gleich** zu behandeln.[130]

Im Rahmen des Ermessens spielt der Gleichbehandlungsgrundsatz häufig dann eine Rolle, wenn bei den Ermessensspielräumen bereits eine **Selbsbindung** der Verwaltung infolge **ständiger Übung** und/oder durch die Geltung von **Verwaltungsvorschriften**[131] stattgefunden hat. Ermessensfehlerhaft und ein Verstoß gegen die Grenzen des Ermessens wäre es, wenn die Verwaltung bei der Beurteilung eines Sachverhalts und der Auswahl der Rechtsfolge ohne Grund von der Praxis der ständigen Übung oder der Verwaltungsvorschrift abweichen würde.

5.5.5　Ermessensreduzierung auf Null

Die Geltung der **Grundrechte** kann ausnahmsweise zu einer „Ermessensreduzierung auf Null" führen und damit die Grenze des Ermessensspielraums bilden.[132]

▶ **Ermessensreduzierung auf Null** bedeutet, dass bei einem VA trotz des durch die Rechtsnorm eingeräumten Ermessensspielraumes ausnahmsweise nur **eine einzige Entscheidung** möglich ist, um rechtmäßig zu handeln, da andernfalls **Grundrechte** verletzt werden würden.

Beispiel: Herr H lebt in Saarbrücken und ist obdachlos. In einer Nacht im Januar fallen die Temperaturen auf unter −15 Grad Celsius. Eine Polizeistreife trifft auf den schlafenden und stark alkoholisierten H, der auf einer Parkbank liegend zu erfrieren droht. Eigentlich sieht die polizeiliche Generalklausel in § 8 Abs. 1 Saarländisches Polizeigesetz eine Ermessensentscheidung der Polizei zur Gefahrenabwehr vor. Zum Schutz der Rechte des H aus Art. 2 Abs. 2 S. 1 GG (Recht auf Leben und körperliche Unversehrtheit) kommt hier aber nur ein Einschreiten der Polizei durch Verbringen

---

130 Einzelheiten: Sodan/Ziekow, Öffentliches Recht, § 30, Rn. 3–17.
131 S. Kap. 4.4.
132 Einzelheiten: Bull/Mehde, Verwaltungsrecht, Rn. 609–610.

des H an einen warmen Ort in Betracht. Das Entschließungsermessen ist hier auf Null reduziert.

5.6 Formelle und materielle Rechtmäßigkeit eines VA

Das Rechtsstaatsprinzip aus Art. 20 Abs. 3 GG gebietet, dass das Handeln der Verwaltung, um rechtmäßig zu sein, eine **gesetzliche Grundlage** haben und die **korrekte Umsetzung** dieser Rechtsgrundlage ausdrücken muss. Bezogen auf einen VA bedeutet dies, er muss eine Rechtsgrundlage haben und der Einzelfall, den er regelt, muss den gesetzlichen Tatbestandsvoraussetzungen und der Rechtsfolge aus der Rechtsgrundlage entsprechen. Die Rechtsgrundlage ihrerseits darf nicht gegen höherrangiges Recht verstoßen.[133]

Die Anforderungen aus dem Rechtsstaatsprinzip gehen jedoch noch darüber hinaus:

> ▶ Die Verwaltung hat, um rechtmäßig zu handeln, nicht nur die Pflicht, Maßnahmen zu erlassen, die **inhaltlich** mit dem geltenden Recht übereinstimmen, sondern schon das dazu **hinführende Verfahren** muss rechtsstaatlich sein, d. h. bestimmten, gesetzlich festgelegten Anforderungen genügen.

Anknüpfungspunkt hierfür ist die Untergliederung der Rechtsordnung in „materielles" und in „formelles" Recht.

> ▶ Unter **materiellem Recht** versteht man diejenigen Rechtsnormen, welche den **Inhalt** der Rechtsordnung als solche regeln. **Formelles Recht** umfasst diejenigen Rechtsnormen, welche der Art und Weise von Verwirklichung und Durchsetzung der Rechtsordnung dienen, insbesondere also **verfahrensrechtliche** und **prozessuale Vorschriften**.[134]

Recht ist überwiegend materielles Recht. Es besteht aus Rechtsnormen, die **Ansprüche** und **Verpflichtungen** aus allen denkbaren Lebensbereichen regeln. Das formelle Recht regelt demgegenüber **Zuständigkeiten, Organisation, Verfahren**

---

133 S. Kap. 5.1 u. 5.2.
134 Muthorst, Rechtswissenschaft, § 13, Rn. 53–59.

oder die **äußere Form von Rechtsakten** (z. B. Schriftform oder Begründungs-erfordernis eines VA).[135]

> **Beispiel:** § 7 SGB II regelt wer, wann, in welchen Lebensumständen einen Anspruch auf Bürgergeld-Leistungen hat. Dies ist materielles Recht. §§ 33 ff. SGB X regeln, wie eine Sozialbehörde einen Verwaltungsakt auszustellen und zu erlassen hat (also wie das Jobcenter einen Bescheid erstellen muss). Dies ist formelles Recht.

Es leuchtet ein, dass eine materielle Rechtsposition entscheidend davon abhängt, ob sie in einem **fairen Verfahren** erworben und **durchgesetzt** werden kann. Das formelle Recht ist daher ebenso entscheidend für rechtmäßiges Handeln der öffentlichen Gewalt wie das materielle.[136] Fehler im Verfahren können daher, ebenso wie materielle Rechtsfehler, einen Anspruch auf Rückgängigmachung des fehlerhaften Rechtsaktes begründen.[137]

Die formellen Regelungen im Bereich des Sozialrechts finden sich im SGB X, SGB I und im SGG.[138] Daneben enthalten die spezifischen Gesetze für die einzel-nen Sozialleistungsbereiche neben dem materiellen Recht ebenfalls Verfahrens-regeln (= formelles Recht). Dieses Prinzip gilt auch im übrigen Verwaltungsrecht: Formelles Recht enthalten die allgemeinen Verwaltungsverfahrensgesetze, die für alle Sachgebiete gelten (VwVfG, VwVG, VwZG, die jeweiligen Landes-Ver-waltungsverfahrensgesetze sowie die VwGO). Daneben enthalten die Gesetze der jeweiligen Verwaltungsmaterien ebenfalls Verfahrensvorschriften.

Stellt sich die Frage nach der **Rechtmäßigkeit eines VA,** ergibt sich, ausge-hend von diesen Überlegungen, ein bestimmtes **Prüfungsschema.** Dieses teilt die Rechtmäßigkeitsprüfung ein in einen formellen und einen materiellen Teil.

▶ Bei der Prüfung der **formellen Rechtmäßigkeit** wird festgestellt, ob die Vor-schriften des formellen Rechts aus den Bereichen **Zuständigkeit, Verfahren** und **Form** eingehalten wurden. Bei der Prüfung der **materiellen Rechtmäßig-keit** wird festgestellt, auf welcher **Rechtsgrundlage** der VA beruht (ggf. ob diese Rechtsgrundlage mit höherrangigem Recht übereinstimmt), ob der mit dem VA geregelte Fall die **Tatbestandsvoraussetzungen** der Rechtsgrundlage erfüllt und ob die **Rechtsfolge** korrekt in dem VA umgesetzt wurde.[139]

---

135 S. Kap. 6.3.2.
136 Bull/Mehde, Verwaltungsrecht, Rn. 621 ff.; Maurer/Waldhoff, Verwaltungsrecht, § 19 Rn. 15–17.
137 Einzelheiten s. Kap. 7.
138 Für die Sozialversicherung zusätzlich noch im SGB IV.
139 Ausführlicher zur rechtlichen Prüfung von VAs: Ipsen, Verwaltungsrecht, Rn. 612–661.

5.7 Übersichten

Übersicht 1: Rechtmäßiges Verwaltungshandeln

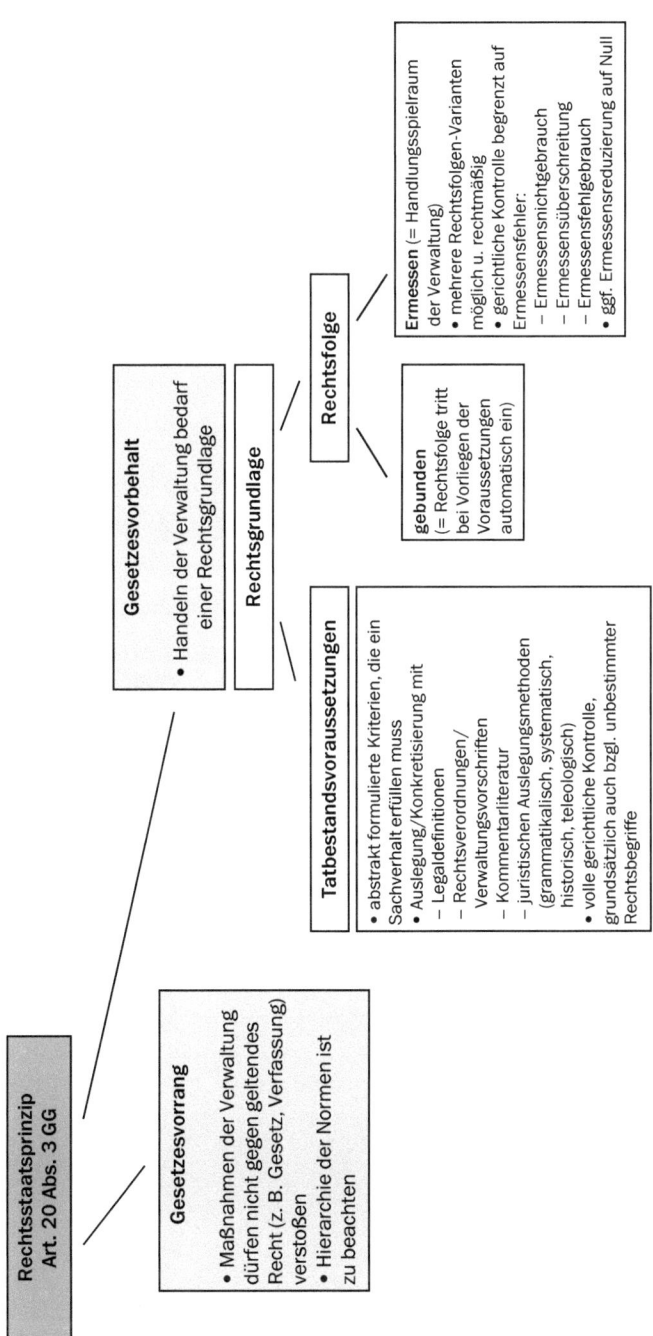

Übersicht 2: Prüfungsschema Rechtmäßigkeit eines VA

Formelle Rechtmäßigkeit

- **Zuständigkeit** der handelnden Behörde?
- Durchführung eines ordnungsgemäßen **Verwaltungsverfahrens?**
  (gemäß Vorschriften des SGB I und SGB X)
- **Formvorschriften** eingehalten?
  (z. B. Schriftform oder Begründung)

Materielle Rechtmäßigkeit

- **Rechtsgrundlage**
  - Ausgehend von der getroffenen Regelung des VA oder der gewünschten
    Begünstigung: Sieht eine Rechtsnorm diese Regelung/Begünstigung als Rechtsfolge
    vor?
  - Gegebenenfalls Vereinbarkeit der Rechtsgrundlage mit höherrangigem Recht?
- **Tatbestandsvoraussetzungen**
  - Welche einzelnen Tatbestandsvoraussetzungen enthält die Rechtsgrundlage?
  - Erfüllen die konkreten Gegebenheiten des Sachverhalts die in der Rechtsgrundlage
    genannten Tatbestandsvoraussetzungen?
  - Auslegung/Konkretisierung (insbesondere bei unbestimmten Rechtsbegriffen)
- **Rechtsfolge**
  - Gebundene Rechtsfolge? Sie hat bei Vorliegen der Tatbestandsvoraussetzungen
    ohne Weiteres einzutreten
  - Wenn Ermessen: Wurde es fehlerfrei ausgeübt? Keine Ermessensfehler?
    Gegebenenfalls Ermessensreduzierung auf Null

5.8 Übungsfragen

5.8.1
Was bedeutet „rechtmäßiges Handeln der Verwaltung"?

5.8.2
Was ist eine Rechtsgrundlage?

5.8.3
Was bedeuten „unbestimmter Rechtsbegriff" und „Ermessen" und was ist der Unterschied zwischen beiden?

5.8.4
Übungsfall:
Frau F, 43 Jahre alt, lebt in Magdeburg. Sie leidet an Multipler Sklerose und in der Folge zusätzlich an Depressionen. Ihre Beweglichkeit ist bereits eingeschränkt. Ihre Arbeit hat sie verloren. Sozialmedizinisch gilt sie aber noch als fähig, halbtags, d. h. 4 Stunden täglich, zu arbeiten. Es gelingt ihr jedoch nicht, eine andere Arbeit zu finden und ihre Ersparnisse sind inzwischen aufgebraucht. Einen Anspruch auf Arbeitslosengeld bei der Agentur für Arbeit hat sie nicht, also beantragt F beim Jobcenter Bürgergeld.

a) Was wäre die Rechtsgrundlage dafür, dass F Bürgergeld erhalten kann?
b) Welche Tatbestandsvoraussetzungen und welche Rechtsfolge enthält die Rechtsgrundlage?
c) Enthält die Rechtsgrundlage unbestimmte Rechtsbegriffe oder Ermessensspielräume?
d) Prüfen Sie in der Form eines juristischen Gutachtens, ob F die Voraussetzungen für den Erhalt von Bürgergeld erfüllt.

5.8.5 (Fall s. o.)
Die Kosten für die Wohnung der F betragen 800 EUR. Damit liegen sie über den i. S. v. § 22 Abs. 1 S. 1 SGB II als „angemessen" anerkannten Kosten für die Wohnung einer alleinstehenden Person. Grund für die teure Wohnung ist, dass E, der Freund der F, sich von ihr getrennt hat und ausgezogen ist. F ist alleine in der Wohnung zurückgeblieben. F, die nun seit über einem Jahr Bürgergeld bezieht, erhält vom Jobcenter die Mitteilung, dass ihre Wohnkosten nicht angemessen sind und sie umziehen oder untervermieten soll. In ihrer schweren Lebenssituation möchte F jedoch ihre vertraute Wohnung und Nachbarschaft nicht verlassen. Außerdem fühlt sie sich krankheitsbedingt mit der Organisation und Durchführung eines Umzuges

überfordert. Gleiches gilt für die Möglichkeit der Untervermietung eines Zimmers. Sie übersendet dem Jobcenter ärztliche Atteste, aus denen hervorgeht, dass F derzeit physisch und psychisch nicht belastbar ist und ein Umzug oder eine Untervermietung solchen Stress bedeuten würden, dass mit Sicherheit ein weiterer Krankheitsschub ausgelöst werden würde. F macht geltend, dass daher die vollen Wohnungskosten auch weiterhin zu übernehmen sind.

a) *Was wäre die Rechtsgrundlage dafür, dass auch weiterhin die vollen Wohnkosten vom Jobcenter übernommen werden?*
b) *Welche Tatbestandsvoraussetzungen und welche Rechtsfolge enthält die Rechtsgrundlage?*
c) *Enthält die Rechtsgrundlage unbestimmte Rechtsbegriffe oder Ermessensspielräume?*
d) *Prüfen Sie in der Form eines juristischen Gutachtens, ob F die Voraussetzungen für die Übernahme der Wohnkosten erfüllt.*

(Lösungen unter www.lehrbuch-sozialverwaltungsrecht.de)

Weiterführende Literatur

Vorrang/Vorbehalt des Gesetzes
Bull, Peter/Mehde, Veith, Allgemeines Verwaltungsrecht mit Verwaltungslehre, 10. Aufl., Heidelberg 2022, § 5.

Subsumtion
Rüthers, Bernd/Fischer, Christian/Birk, Axel, Rechtstheorie und Juristische Methodenlehre, 12. Aufl., München 2022, §§ 21 u. 22.

6. Kapitel
Verwaltungsverfahren

Im Kapitel wird das Verwaltungsverfahren in seinen einzelnen Abschnitten dargestellt (Verfahrenseinleitung, Rechte und Pflichten während des Verfahrens, Verfah-
rensabschluss, Vollstreckung). Dabei werden wesentliche Aspekte des Verwaltungsverfahrens wie z. B. die sozialrechtlichen Beratungspflichten, der Datenschutz,
die Pflicht zur Anhörung Beteiligter und die formalen Anforderungen an einen VA
thematisiert.

▶ Das Verfahrensrecht umfasst alle Rechtsnormen, die den **Entscheidungsweg**
der Verwaltung und die **Art** und **Form** der getroffenen Maßnahmen regeln.

Die Gegenstandsbereiche verfahrensrechtlicher Normen sind vielfältig und reichen von der **Vorbereitung** und dem **Beginn** des Verwaltungsverfahrens bis hin
zu der **Entscheidung** und deren **Durchsetzung,** ggf. im Wege der Vollstreckung.

Für das Sozialrecht finden sich die Regelungen über das Verwaltungsverfahren im SGB X und im SGB I; für die Sozialversicherung zusätzlich auch im
SGB IV. Daneben enthalten die spezifischen Gesetze für die einzelnen Sozialleistungsbereiche (z. B. das SGB II oder das SGB VIII für Bürgergeld bzw. Kinder-
und Jugendhilfe) ebenfalls Verfahrensregeln.[140] Für das übrige Verwaltungsrecht
gelten das VwVfG, VwVG, VwZG bzw. die jeweiligen Landes-Verwaltungsver-
fahrensgesetze sowie ebenfalls die Verfahrensregelungen in den bereichsspezifischen Gesetzen.

Das SGB X entspricht im Wesentlichen dem VwVfG. Modifiziert wird das sozialrechtliche Verwaltungsverfahren gegenüber anderen Verwaltungsverfahren
insbesondere durch das SGB I. Dessen Leitgedanke, nämlich die **Verwirklichung**
sozialer Rechte, steht im Vordergrund und führt zu einzelnen **bürgerfreundli-**
cheren Regelungen.[141] So sind z. B. die Beratungspflichten der Sozialleistungsträger oder der Datenschutz im SGB I/SGB X wesentlich umfassender ausgestaltet
als im allgemeinen Verwaltungsverfahrensrecht.

---

140 Vgl. § 37 SGB I.
141 Vgl. § 1 SGB I; s. auch Reinhardt, Sozialverwaltungsrecht, Kap. 5.4.2, S. 105.

▶ Nach § 8 SGB X[142] ist das Verwaltungsverfahren „die **nach außen wirkende Tätigkeit**" der Sozialverwaltung, die auf den Erlass eines VA oder den Abschluss eines öffentlich-rechtlichen Vertrags gerichtet ist.

Angesichts der Vielzahl von verfahrensrechtlichen Vorschriften wird zur **systematischen Erfassung** hier eine chronologische Gliederung in die einzelnen **Verfahrensabschnitte** vorgenommen: Verfahrensbeginn, Verfahrensablauf, Entscheidung und Vollstreckung.

6.1   Verfahrensbeginn

Wesentlich für den Verfahrensbeginn sind die Regelungen über die **Zuständigkeit,** die **Verfahrenseinleitung** sowie die Vorschriften über die **Informations-** und **Beratungspflichten** der Sozialleistungsträger.

6.1.1   Zuständigkeit der Leistungsträger

▶ Zuständigkeit ist die **rechtliche Zuordnung** von bestimmten Verwaltungsaufgaben an bestimmte Verwaltungsträger/Verwaltungsbehörden. Sie wird durch die Verfassung oder ein Gesetz übertragen. Wird ein bestimmter Verwaltungsträger oder eine bestimmte Verwaltungsbehörde für zuständig erklärt, hat sie nicht nur das **Recht,** sondern auch die **Pflicht,** die entsprechende Aufgabe zu erledigen.

Untergliedern lässt sich die Zuständigkeit in die **sachliche, örtliche** und **instanzielle Zuständigkeit.**

Die **sachliche Zuständigkeit** bestimmt, welcher Verwaltungsträger welches **Sachgebiet** als Aufgabe zu erfüllen hat.[143] Eine Orientierung findet sich in den zweiten Absätzen der **§§ 18–29 SGB I.** Dort sind je nach sozialer Aufgabe die einzelnen Sozialleistungsträger mit ihrem Zuständigkeitsbereich aufgeführt. Trotzdem ist die Bestimmung der sachlichen Zuständigkeit oftmals nicht einfach. So können z. B. verschiedene Sozialleistungsträger für dieselbe Art von Leistung zuständig

---

142 Parallelvorschrift: § 9 VwVfG.
143 Einzelheiten: Frings/Schweigler, Sozialrecht, Kap. 2.1.2, S. 51 ff.

sein. Der zuständige Leistungsträger kann dann jedoch nicht einfach beliebig ausgewählt werden. Stattdessen richtet sich die konkrete Zuständigkeit für den einzelnen Fall **zusätzlich zum SGB I nach den Bestimmungen des jeweiligen Leistungsgesetzes sowie z. T. nach landesrechtlichen Festlegungen.**

Beispiel: Mehrere Sozialleistungsträger sind zuständig für Eingliederungshilfeleistungen für Menschen mit Behinderung, vgl. z. B. §§ 19 Abs. 1 Nr. 3f, 23 Abs. 1 Nr. 1a SGB I. In den jeweiligen Leistungsgesetzen sind jedoch die Leistungsvoraussetzungen und die Leistungskataloge bezüglich der Eingliederungshilfe unterschiedlich ausgestaltet. Ob dann z. B. für eine Eingliederungsmaßnahme zur Berufsausbildung die Rentenversicherung oder die Arbeitsagenturen zuständig sind, muss je nach Einzelfall festgestellt werden. Die Zuständigkeit z. B. der Rentenversicherung oder der Arbeitsagenturen richtet sich jeweils nach dem mit der Eingliederungsmaßnahme verfolgten und erreichbaren Zweck, der in verschiedenen Gesetzen (z. B. SGB III, SGB IX) unterschiedlich definiert wird.

Damit die Verwirklichung der sozialen Ansprüche nicht durch die Aufsplittung auf die verschiedenen Sozialleistungsträger verhindert wird, verpflichtet das SGB I jeden Sozialleistungsträger zur umfassenden **Information** und **Beratung**.[144] Besteht in einem Fall – unbestritten – ein Anspruch auf Sozialleistungen, ist aber zwischen mehreren Leistungsträgern streitig, welcher Leistungsträger eigentlich zuständig ist, so hat gemäß § 43 SGB I der zuerst in Anspruch genommene Leistungsträger **vorläufige Leistungen** zu erbringen.[145]

Die **örtliche Zuständigkeit** bestimmt, welcher sachlich zuständige Sozialleistungsträger nach den **räumlichen Gegebenheiten** für die Erfüllung der Verwaltungsaufgabe ermächtigt und verantwortlich ist. Grundsätzlich richtet sich die örtliche Zuständigkeit nach dem **Wohnsitz** bzw. nach dem **„gewöhnlichen Aufenthalt"**[146] der Betroffenen. Geregelt ist die örtliche Zuständigkeit i. d. R. in den jeweiligen Sozialleistungsgesetzen, vgl. z. B. § 36 SGB II, § 327 SGB III, § 86 SGB VIII, § 98 SGB XII, § 45 BAföG. Kollisionsregeln, welche z. B. die Frage beantworten, was in dem Fall gilt, wenn sich der Wohnsitz im Laufe eines Verwaltungsverfahrens ändert, findet man in § 2 SGB X.[147]

---

144 Einzelheiten s. Kap. 6.1.3.
145 Einzelheiten s. Kap. 6.2.9.
146 Vgl. § 30 SGB I; s. auch Trenczek/Tammen/Behlert/v. Boetticher/Beetz, Grundzüge, III-1.2.1, S. 429.
147 Parallelvorschrift: § 3 VwVfG.

Für die **instanzielle Zuständigkeit** gilt das bereits bekannte Verwaltungsprinzip der Verwaltungshierarchie, d. h. dass die (nach Landesrecht festgelegte) **untere Ebene** des Verwaltungsträgers typischerweise **erstzuständig** ist.[148] Erst im Widerspruchsverfahren oder bei Aufsichtsmaßnahmen wird die Zuständigkeit der nächsthöheren Verwaltungsebene begründet.[149] Daneben gibt es in einzelnen Sozialleistungsgesetzen besondere Vorschriften, die für bestimmte Gegenstände eine Erstzuständigkeit der höheren Verwaltungsebene begründen, z. b. die Zuständigkeit des „überörtlichen Trägers" der Jugendhilfe für die Planung von Modellprojekten (§ 85 Abs. 2 NR. 4 SGB VIII) oder des „überörtlichen Trägers" der Sozialhilfe z. B. für die sog. Blindenhilfe (§ 97 Abs. 3 Nr. 4 SGB XII).

6.1.2   Einleitung des Verfahrens

Ob und wann die Behörde das Verwaltungsverfahren i. S. d. § 8 SGB X beginnt, richtet sich nach § 18 SGB X.[150]

> ▶ Es gibt **drei** verschiedene Anlässe, die zur Einleitung eines Verwaltungsverfahrens führen: Einleitung des Verfahrens aufgrund eines **Antrages,** von **Amts wegen** oder nach **Ermessen.**

1. Geht es um die Gewährung von Sozialleistungen, insbesondere um die Gewährung von Geldleistungen, ist für die **allermeisten Verfahren ein Antrag erforderlich.**[151] Ohne Antrag wird die Verwaltung in diesen Fällen nicht tätig und darf dies auch gar nicht. Der Antrag ist grundsätzlich nicht an eine **Form** gebunden, kann also schriftlich, per Fax, per E-Mail oder auch mündlich gestellt werden.[152] Zu beachten ist jedoch, dass man als Antragsteller für den Antrag **beweispflichtig** ist, also ist die Stellung eines **nachweisbaren** Antrages dringend anzuraten. Soweit von den Leistungsträgern **Formulare/Vordrucke** für die Antragstellung

---

148 Ipsen, Verwaltungsrecht, Rn. 232.
149 Vgl. Kap. 3.5 u. 11.2.
150 Parallelvorschrift: § 22 VwVfG.
151 Ausnahme: Sozialhilferecht § 18 SGB XII. Ansonsten gilt das Antragsprinzip vgl. z. B. für die Grundsicherung für Arbeitsuchende/Bürgergeld: § 37 SGB II; für die Arbeitsförderung/Arbeitslosengeld: § 323 SGB III; für die Kranken-, Renten- und Pflegeversicherung: § 19 SGB IV; für die Bundesausbildungsförderung: § 46 BAföG, für das Kindergeld: § 67 EstG; für das Elterngeld: § 7 BEEG.
152 Vgl. § 9 SGB X; § 10 VwVfG.

vorgesehen sind, ist man gemäß § 60 Abs. 2 SGB I im Rahmen der **Mitwirkungs-pflichten**[153] gehalten, diese zu verwenden.

> ▶ Weitere Voraussetzung für einen **wirksamen** Antrag ist die **Beteiligtenfähig-keit**[154] und die **sozialrechtliche Handlungsfähigkeit** gemäß §§ 10–12 SGB X[155].

Die **Beteiligtenfähigkeit** lässt sich zunächst mit der **Rechtsfähigkeit,** d.h. der Fähigkeit, **Träger von Rechten und Pflichten** zu sein, gleichsetzen.[156] Beteiligte eines sozialrechtlichen Verwaltungsverfahrens können daher alle natürlichen und juristischen Personen sein. Darüber hinaus werden vom Gesetz auch sonstige „Vereinigungen" (beispielsweise eine Elterninitiative als nichtrechtfähiger Verein) sowie rechtlich unselbstständige Behörden als beteiligungsfähig für das Verwaltungsverfahren anerkannt.[157]

Die **Handlungsfähigkeit** lässt sich zunächst gleichsetzen mit der **Geschäfts-fähigkeit** ab Vollendung des 18. Lebensjahrs.[158] Im Sozialrecht gilt darüber hinaus die Besonderheit, dass eine Person hier gemäß § 36 SGB I bereits ab **Vollendung des 15. Lebensjahrs** handlungsfähig ist. Das heißt, dass auf dem Gebiet des Sozialrechts auch Minderjährige verfahrens- und materiell-rechtliche Anträge stellen können, die wirksam sind – so wie von voll Geschäftsfähigen.[159] Juristische Personen werden, um handlungsfähig zu sein, durch ihre Organe (z.B. Behörden, Ämter, Vorstände) vertreten.

Anträge sind nicht nur formale Akte, sondern entfalten erhebliche **materiell-rechtliche Wirkungen:**

> ▶ Die **Fälligkeit** der Sozialleistung setzt erst mit der Antragstellung ein, d.h. für Zeiträume, die vor der Antragstellung liegen, können i.d.R. **rückwirkend keine Leistungen** mehr beansprucht werden.[160]

---

153 S. Kap. 6.2.3.
154 S. dazu auch Kap. 6.2.1.
155 Parallelvorschriften: §§ 11–13 VwVfG.
156 S. Kap. 2.3 u. 12.1.2.
157 Hierzu: Reinhardt, Sozialverwaltungsrecht, Kap. 5.3.2, S. 99.
158 S. Kap. 2.3 u. 12.1.2.
159 Einzelheiten: Frings/Schweigler, Sozialrecht, Kap. 2.1.4, S. 54 ff.
160 So z.B. § 37 Abs. 2 S. 1 SGB II. Allerdings wirkt der Antrag auf den ersten des Monats zurück (§ 37 Abs. 2 S. 2 SGB II), d.h. man kann Bürgergeld für den gesamten laufenden

Davon sind gesetzlich **zwei Ausnahmen** geregelt:

Zum einen kann unter den Voraussetzungen des § 16 Abs. 2 SGB I auch ein Antrag, der bei einem **unzuständigen Leistungsträger** gestellt wurde, seine Wirkung entfalten.[161] Grundsätzlich ist ein Antrag auf Sozialleistungen beim zuständigen Leistungsträger zu stellen (§ 16 Abs. 1 SGB I). Dies ist angesichts der Vielfalt von verschiedenen Leistungsträgern und der komplizierten Zuständigkeitsvorschriften jedoch nicht immer einfach. Daher gilt § 16 Abs. 2 SGB I: Wird ein Antrag bei einem unzuständigen Leistungsträger gestellt, muss dieser den Antrag **unverzüglich an den Zuständigen weiterleiten.** Der Antrag gilt in diesem Fall bereits zu dem Zeitpunkt als gestellt, in dem er bei der unzuständigen Stelle eingegangen ist. Somit kann es zu einer Rückwirkung des Antrags kommen.

Zum anderen regelt § 28 SGB X den Fall der **wiederholten Antragstellung,** der zu einer Rückwirkung führen kann.[162] Hier besteht die Situation, dass eine leistungsberechtigte Person zunächst von der **Antragstellung beim eigentlich zuständigen Leistungsträger abgesehen hat,** weil sie eine Sozialleistung eines anderen Leistungsträgers geltend gemacht hat. Wird diese Leistung vom Unzuständigen – korrekterweise – abgelehnt, kann sie innerhalb von sechs Monaten die Sozialleistung beim „richtigen" Leistungsträger beantragen. Der neue Antrag wirkt dann bis zu einem Jahr zurück.[163]

> **Beispiel:** Frau F hält sich seit ca. 2 Jahren mit befristeten Jobs oder Gelegenheitsarbeiten über Wasser. Dazwischen liegen immer wieder Zeiten der Arbeitslosigkeit. Ihre letzte Stelle hatte F für vier Monate, aber jetzt ist sie wieder arbeitslos. Am 05.03. meldet sie sich bei ihrer örtlich zuständigen Agentur für Arbeit arbeitslos und beantragt Arbeitslosengeld. Voraussetzung für den Bezug von Arbeitslosengeld ist u. a., dass F die sogenannte „Rahmenfrist" erfüllt hat, d. h. innerhalb der letzten zwei Jahre mindestens zwölf Monate sozialversicherungspflichtig erwerbstätig war (vgl. §§ 137, 142, 143 SGB III). Dies ist bei F schwierig zu rekonstruieren und dauert einige Zeit. Schließlich kommt die Agentur für Arbeit zu dem Ergebnis, dass F die Rahmenfrist nicht erfüllt und lehnt ihren Antrag auf Arbeitslosengeld daher am 05.04. ab. F kann nun, im Rahmen des § 28 SGB X, beim Jobcenter einen Antrag auf Bürgergeld stellen und rückwirkend SGB II-Leistungen ab dem 05.03. erhalten.

Monat der Antragstellung erhalten, auch wenn man den Antrag erst am Ende des Monats gestellt hat.

161 Einzelheiten: Frings/Schweigler, Sozialrecht, Kap. 2.1.5, S. 56 f.

162 Reinhardt, Sozialverwaltungsrecht, Kap. 5.4.2, S. 106.

163 Für das SGB II gilt allerdings keine 6-Monatsfrist, sondern der neue Antrag muss unverzüglich nach Ablauf des Monats, in dem die Ablehnung des anderen Leistungsträgers bindend geworden ist, gestellt werden, vgl. § 40 Abs. 7 SGB II.

2. **Von Amts wegen** muss das Verfahren eingeleitet und durchgeführt werden, wenn Rechtsvorschriften dies so vorsehen, z. B. im Sozialhilferecht nach § 18 SGB XII. Ausgangspunkt für die Pflicht zum Tätigwerden ist regelmäßig das „Bekanntwerden" entsprechender Tatsachen, im Sozialhilferecht z. B. das Vorliegen einer sozialen Notlage.

> **Beispiel:** Die Polizei greift einen psychisch kranken Obdachlosen auf und bringt ihn in eine Klinik. Die dortige Sozialarbeiterin informiert das Sozialamt, dass der Obdachlose offensichtlich nicht über eine Krankenversicherung verfügt. Das Sozialamt muss mit Hilfeleistungen (Hilfe bei Krankheit nach §§ 47 ff. SGB XII) auch ohne jeglichen Antrag tätig werden.

3. Kann die Verwaltung nach **Ermessen** entscheiden, ob und wann sie ein Verwaltungsverfahren durchführt, liegt die Entscheidung über den Beginn eines Verfahrens bei ihr. Die Verfahrenseinleitung nach Ermessen ist eine **Auffangregel**, d. h. kommt immer dann zum Tragen, wenn weder ein Antragserfordernis besteht noch ein Tätigwerden von Amts wegen vorgeschrieben ist. Typisches Beispiel für die Verfahrenseinleitung nach Ermessen sind Verwaltungsverfahren über Rücknahme und Widerruf von Verwaltungsakten[164]. Bei der Verfahrenseinleitung nach Ermessen haben Bürger:innen nur einen Anspruch auf **pflichtgemäße Ausübung des Ermessens,** können aber **kein Tätigwerden erzwingen.**

6.1.3 Informations- und Beratungspflichten

Das sozialrechtliche Leistungssystem, welches in zahlreichen Gesetzen, Rechtsverordnungen, Satzungen etc. geregelt und auf diverse Verwaltungsträger verteilt ist, ist für die meisten Bürger:innen undurchschaubar. In den §§ 13–15 SGB I[165] sind daher umfassende Informations- und Beratungspflichten der Sozialbehörden geregelt, um die Verwirklichung sozialer Rechte zu fördern.[166]

> ▶ Jeder in der Sozialverwaltung Tätige ist verpflichtet, die bei ihm erscheinenden Personen richtig, umfassend, klar und unmissverständlich über ihre Rechte und Pflichten zu informieren und ihnen bei der Erlangung und Wahrung der

---

164 §§ 44–48 SGB X; s. auch Kap. 9.
165 Entsprechend weitgehende Regelungen gibt es im sonstigen Verwaltungsrecht nicht, vgl. § 25 VwVfG.
166 Zum Überblick: Schaumberg, Sozialrecht, Rn. 111 ff.

ihnen gesetzlich zustehenden sozialen Rechte nach Kräften beizustehen. Die
§§ 13–15 SGB I regeln sowohl **allgemeine Aufklärungs- und Informations-
pflichten** als auch **individuelle Auskunfts- und Beratungspflichten.**[167]

Aufklärung/Information

Nach § **13 SGB** I sind die Sozialleistungsträger verpflichtet, im Rahmen ihrer
Zuständigkeit die Bevölkerung über die Rechte und Pflichten nach dem SGB
aufzuklären und darüber zu informieren.[168] Dies erfolgt durch allgemeine Informationen, d. h. die Sozialleistungsträger erfüllen ihre Aufklärungspflicht durch
die Erstellung meist **kostenloser Broschüren,** die z. B. bei den Leistungsträgern,
Kommunen, Ministerien, Bundes- und Landeszentralen für politische Bildung
etc. bezogen werden können (oder im **Internet** zu finden sind). Die allgemeine
Aufklärung sollte so erfolgen, dass Bürger:innen selbst schon möglichst konkret
ihre Rechte und Pflichten aus den allgemeinen Information ableiten können.

Es besteht kein generelles **subjektives-öffentliches Recht**[169] auf Aufklärung,
d. h. man kann nicht von den Sozialleistungsträgern verlangen, dass und welche
Informationen sie zu einem bestimmten Thema veröffentlichen. Ein subjektives-
öffentliches Recht vermitteln erst die §§ 14, 15 SGB I, die auf einzelfallbezogene
Auskunft und Beratung gerichtet sind.

Auskunft

Zwischen der allgemeinen Aufklärung und der individuellen Beratung steht die
Auskunft nach § **15 SGB I**[170]. Für die Sozialleistungsträger besteht **die Verpflichtung zur Benennung des für eine Sozialleistung zuständigen Sozialleistungsträgers** sowie zur Auskunft über alle sozialen Angelegenheiten nach dem SGB,
soweit sie für den Auskunftssuchenden von Bedeutung sind und der Sozialleistungsträger zur Beantwortung in der Lage ist. Die Auskunft ist gedacht für den
ersten Kontakt zwischen Bürger:innen und Sozialverwaltung und soll damit eine
„Wegweiserfunktion" erfüllen.[171]

Beratung

Von wesentlich größerer Bedeutung ist die Beratung nach § **14 SGB I:** Hier besteht die Pflicht des Sozialleistungsträgers zur **individuellen Unterrichtung** Rat-

---

167 Frings/Schweigler, Sozialrecht, Kap. 2.2, S. 60 ff.
168 Einzelheiten: Frings/Schweigler, Sozialrecht, Kap. 2.2.1, S. 61 f.
169 Zum Begriff: s. Kap. 11.3.4.
170 Einzelheiten: Frings/Schweigler, Sozialrecht, Kap. 2.2.3, S. 64 f.
171 Reinhardt, Sozialverwaltungsrecht, Kap. 5.6.2, S. 116.

suchender über alle tatsächlichen und rechtlichen Voraussetzungen, die für die Erlangung konkreter Sozialleistungen von Bedeutung sind.[172] Neben der **Beantwortung konkret gestellter Fragen,** umfasst die Beratung auch die **Pflicht zu Hinweisen** auf naheliegende Gestaltungsmöglichkeiten, z. b. zu Hinweisen, wie ein vorzeitiges Ausscheiden aus dem Erwerbsleben mit so wenig Rentenverlust wie möglich durchzuführen wäre.

Eine falsche Auskunft nach § 15 SGB I oder eine falsche oder unvollständige Beratung nach § 14 SGB I kann zu **Haftungsansprüchen**[173] der Sozialleistungsträger führen, denn sie haben für die Richtigkeit und Vollständigkeit der Beratung einzustehen. Auch die Verpflichtung zur Hilfe bei der Antragstellung nach § 16 SGB I gehört zur Beratung.

Grundsätzlich sind Erklärungen, die Behörden im Rahmen der Aufklärung, Auskunft und Beratung abgeben, keine Verwaltungsakte, sondern schlichtes Verwaltungshandeln.[174]

6.2 Rechte und Pflichten im Verfahrensablauf

6.2.1 Beteiligte

Im SGB X wird der Begriff „Beteiligter" häufig verwendet, z. B. in §§ 24, 25 SGB X, wonach nur Beteiligten ein Anhörungs- oder Akteneinsichtsrecht zusteht. Definiert wird der Begriff in § 12 SGB X[175].

> ▶ Beteiligte sind Personen, denen im Verfahren entweder eine **Funktion** zukommt oder deren **Rechte** durch das Verfahren berührt werden. Es muss sich um **selbst Betroffene** handeln, aber nicht z. B. um Zeugen oder Sachverständige. Kraft Gesetzes sind Beteiligte der Antragsteller und Antragsgegner oder derjenige, an den die Verwaltung einen VA richten möchte.

Andere Personen, deren „Interessen durch den Ausgang des Verfahrens berührt werden können", kann die Verwaltung als Beteiligte hinzuziehen.[176] Weitere Vor-

---

172 Einzelheiten: Frings/Schweigler, Sozialrecht, Kap. 2.2.2, S. 62 ff.
173 S. Kap. 8.2.
174 S. Kap. 4.4.
175 Parallelvorschrift: § 13 VwVfG.
176 § 12 Abs. 1 Nr. 4, Abs. 2 SGB I.

aussetzungen dafür, Beteiligter an einem Verwaltungsverfahren zu sein, sind die **Beteiligtenfähigkeit** und die **sozialrechtliche Handlungsfähigkeit**.[177]

6.2.2 Bevollmächtigte

Beteiligte können ihr Verwaltungsverfahren entweder selbst durchführen oder durch **Stellvertreter.**

> ▶ Stellvertretung bedeutet **„Handeln in fremdem Namen"**, d. h. eine Person tritt für eine andere Person im Rechtsverkehr auf und gibt für diese Erklärungen ab oder nimmt Handlungen vor. Die **rechtlichen Wirkungen** dieser Aktionen treffen nicht die ausführende Person, sondern die von ihr vertretene. Ein Stellvertretungs-Verhältnis entsteht **kraft Gesetzes** oder durch ein privates Rechtsgeschäft, eine **Bevollmächtigung.**[178]

Die **gesetzliche Stellvertretung** tritt unabhängig vom Willen der Betroffenen ein. Typische Fälle sind z. B. die **gesetzliche Vertretung Minderjähriger** durch die Eltern oder die Vertretung psychisch kranker Volljähriger durch gerichtlich bestellte **Betreuer.** Für das Sozialleistungsrecht außerdem bedeutsam die kraft Gesetzes festgelegte Vertretung der **SGB II-Bedarfsgemeinschaft** nach § 38 SGB II.[179]

> ▶ **Bevollmächtigte** sind Stellvertreter bzw. Interessenvertreter, die man sich selbst ausgesucht hat. Voraussetzung für deren Legitimation ist eine **wirksame Vollmachtserteilung,**[180] in der Regel durch eine einfache schriftliche Erklärung.

Auf Verlangen ist diese Vollmachtserteilung gegenüber der Verwaltung nachzuweisen. Grundsätzlich hat jedermann das Recht, sich im privaten oder öffentli-

---

177 S. Kap. 6.1.2.
178 Einzelheiten vgl. Trenczek/Tammen/Behlert/v. Boetticher/Beetz, Grundzüge, II-1.2.6, S. 272 ff.
179 Einzelheiten: Ruland/Becker/Axer, SRH, § 24 Rn. 45.
180 Vgl. §§ 164 BGB ff.; Finkenbusch, Sozialverwaltungsverfahren, Kap. 2.8.1.3.

chen Rechtsverkehr **durch Bevollmächtigte vertreten zu lassen** – dies gilt selbstverständlich auch für die Beteiligten sozialrechtlicher Verwaltungsverfahren.[181]

6.2.3 Amtsermittlungsgrundsatz

Die Durchführung des Verwaltungsverfahrens wird gemäß §§ 20, 21 SGB X[182] vom Amtsermittlungsgrundsatz (auch: „**Untersuchungsgrundsatz**") geprägt.

> ▶ Der Amtsermittlungsgrundsatz bedeutet für die Behörde die **Pflicht zur vollständigen Sachverhaltsaufklärung.** Amtsermittlung bedeutet auch, dass die Art und Weise der Sachverhaltsermittlung, die Feststellung der für die Entscheidung maßgeblichen Tatsachen, wie und in welchem Umfang sie überhaupt tätig wird, allein Sache der Behörde ist und sie dafür die **alleinige Verantwortung** trägt. Die Ermittlung liegt im **pflichtgemäßen Ermessen** der Behörde. Dabei muss sie alle für den Einzelfall bedeutsamen Umstände – seien sie für Betroffene **günstig oder ungünstig** – erforschen und berücksichtigen.[183]

Das **Gegenteil** des Amtsermittlungsgrundsatzes ist der **Beibringungsgrundsatz,** der in Zivilverfahren gilt.[184] Hierbei ist die Sammlung und die Präsentation der für die Entscheidung wesentlichen Tatsachen sowie die Beweisführung **allein Sache der Beteiligten.** Im öffentlichen Recht besteht wegen der strikten Gesetzesbindung der Verwaltung ein öffentliches Interesse an der Ermittlung des „wahren" Sachverhalts. Dies soll durch die Pflicht der Behörde zur objektiven, unparteiischen Sachverhaltsaufklärung verwirklicht werden.

Die Verwaltung bestimmt nach ihrem pflichtgemäßen Ermessen, welche **Beweismittel** sie verwenden will. Hierzu kann sie sich u. a. der „klassischen" Beweismittel[185] bedienen, die in § 21 SGB X genannt werden, wobei die dortige Aufzählung nicht abschließend ist:

---

181 Vgl. § 13 SGB X; § 14 VwVfG.
182 Parallelvorschriften: §§ 24, 26 VwVfG.
183 Einzelheiten: Ruland/Becker/Axer, SRH, § 12, Rn. 92 ff.; vgl. auch Patjens/Patjens, Sozialverwaltungsrecht, Rn. 239 ff.
184 S. Kap. 12.2.1.
185 Diese sind typisch auch in anderen Verfahren, z. B. im Zivil- oder im Strafprozess, wo sie in der ZPO bzw. StPO vorgesehen sind.

- Einholung von **Auskünften** aller Art von **Behörden** oder **Privaten,** z. B. Auskünfte von Ärzten oder Psychologen (Voraussetzung: Entbindung von der Schweigepflicht, vgl. § 100 SGB X), gemäß § 21 Abs. 1 Nr. 1 SGB X: Daneben gibt es im SGB I, SGB X und auch in Spezialgesetzen diverse Vorschriften, die Behörden oder Privatpersonen (so z. B. auch freie Träger) verpflichten, Auskünfte zu erteilen, z. B. §§ 3–7 SGB X über die Amtshilfe zwischen Sozialleistungsträgern, § 21 Abs. 4 SGB X über Auskunftspflichten der Finanzbehörden oder § 98 SGB X über Auskunftspflichten von Arbeitgebern gegenüber der Bundesagentur für Arbeit.[186] Die **Pflicht zur Auskunftserteilung** besteht grundsätzlich nur, wenn eine **gesetzliche Befugnis** dafür vorhanden ist. Grenzen sind diesem Beweismittel häufig durch den weiter unten dargestellten **Sozialdatenschutz** gesetzt.[187]

- **Befragung der Beteiligten** gemäß § 21 Abs. 1 Nr. 2 SGB X: Beteiligte haben bei der Feststellung des Sachverhalts **mitzuwirken,** d. h. Fragen der Verwaltung vollständig und wahrheitsgemäß zu beantworten.[188] Im Einzelnen sind die Mitwirkungspflichten in den §§ 60–67 SGB I geregelt und werden im folgenden Abschnitt dargestellt.

- Befragung von **Zeugen:** Zeugen sind an dem Verfahren unbeteiligte Dritte, die verfahrenserhebliche Tatsachen selbst wahrgenommen haben und mitteilen können. Als Zeuge ist gemäß § 21 Abs. 3 SGB X **zur Aussage verpflichtet,** wenn dies **durch Rechtsvorschriften vorgesehen** ist und keine Schweigepflicht (z. B. gemäß § 203 StGB) oder ein Zeugnisverweigerungsrecht (z. B. gemäß §§ 383, 384 ZPO) entgegenstehen.[189]

- Aussagen von **Sachverständigen:** Sachverständige sind natürliche Personen, die aufgrund **besonderer Sachkunde** (z. B. der beruflichen Ausbildung) besonders dazu qualifiziert sind, Schlussfolgerungen aus bestimmten Tatsachen abzuleiten. Sie sind so wie Zeugen gemäß § 21 Abs. 3 SGB X zur Aussage verpflichtet, wenn Rechtsvorschriften dies vorsehen. Dies ist z. B. typischerweise dann der Fall, wenn die Auskunft für die Entscheidung der Behörde „unabweisbar" ist, d. h. andere Ermittlungsmöglichkeiten nicht zur Verfügung stehen.[190]

- Beiziehung von **Urkunden** und **Akten** gemäß § 21 Abs. 1 Nr. 3 SGB X: Gemeint ist die Einsichtnahme oder Heranziehung von Schriftstücken aller Art, z. B. ärztlichen Attesten, Gehaltsbescheinigungen, Verträgen usw.[191] Die

---

186 Einzelheiten: Ruland/Becker/Axer, SRH, § 12, Rn. 99.
187 S. Kap. 6.2.8.
188 Ruland/Becker/Axer, SRH, § 12 Rn. 95.
189 Einzelheiten: Trenczek/Tammen/Behlert/v. Boetticher/Beetz, Grundzüge, III-1.2.3, S. 443 f.
190 So die gesetzlichen Voraussetzungen in § 21 Abs. 3 S. 2 SGB X.
191 Ruland/Becker/Axer, SRH, § 12, Rn. 99.

Befugnisse und der Umfang der Nutzung dieser Beweismittel werden konkretisiert durch die Vorschriften über die Auskunftspflichten von Behörden und Privaten, die Amtshilfe, die Mitwirkungspflichten und den Sozialdatenschutz.

- „Augenschein" gemäß § 21 Abs. 1 Nr. 4 SGB X: Dies ist die **unmittelbare Überprüfung** (bzw. Wahrnehmung) von Tatsachen **an Ort und Stelle**, z. B. die Feststellung des Jugendamts über den kindgerechten Zustand einer Wohnung bei der Erteilung der Pflegeerlaubnis.[192] Auch **Hausbesuche** zur Überprüfung von Leistungsvoraussetzungen und zur Bekämpfung von Leistungsmissbrauch im Grundsicherungs- und Sozialhilferecht werden auf § 21 Abs. 1 Nr. 4 SGB X gestützt. Wegen der verfassungsrechtlich geschützten Unverletzlichkeit der eigenen Wohnung gemäß Art. 13 GG ist ein Betreten nur mit Einverständnis der Betroffenen möglich. Wird allerdings das Betreten der Wohnung verweigert, hat die Behörde das Recht, die Sozialleistung wegen fehlender Mitwirkung zu verweigern (vgl. § 66 SGB I).[193]
- Nach § 23 SGB X[194] kommt als ein besonderes Mittel der **Glaubhaftmachung** einer Erklärung die **Versicherung an Eides statt** zu den Beweismitteln hinzu. Die Versicherung an Eides statt soll die Richtigkeitsgewähr einer Erklärung erhöhen, weil die Abgabe falscher eidesstattlicher Versicherungen eine Straftat (§§ 156, 163 StGB) ist. Mit einer Versicherung an Eides statt wird in einer besonders formalisierten Art und Weise die Richtigkeit und Vollständigkeit einer bestimmten Erklärung bekräftigt.[195]

▶ Nach Abschluss der Ermittlungen bewertet die Behörde die vorliegenden Beweismittel nach dem **Grundsatz der freien Beweiswürdigung** (der im SGB X/ VwVfG allerdings nicht explizit genannt wird).[196]

Dabei entscheidet die Behörde je nach **Überzeugungskraft der Beweismittel**, ob die verfahrenserheblichen Tatsachen erwiesen sind oder nicht. I. d. R. wird ein **hoher Grad an Wahrscheinlichkeit** verlangt, d. h. die gegenteilige Sachlage muss bei vernünftiger Überlegung als praktisch ausgeschlossen erscheinen.[197] Ist

---

192 Vgl. § 44 Abs. 3 SGB VIII.
193 Einzelheiten vgl. Trenczek/Tammen/Behlert/v. Boetticher/Beetz, Grundzüge, III-4.1.4, S. 562 f.
194 Parallelvorschrift: § 27 VwVfG.
195 Ruland/Becker/Axer, SRH, § 12 Rn. 98.
196 vgl. Dörr/Francke, Sozialverwaltungsrecht, Kap. 11 Rn. 36.
197 Einzelheiten: Ruland/Becker/Axer, SRH, § 12, Rn. 100 f.

eine Tatsache nicht erwiesen, kommt das innerhalb der gesamten Rechtsordnung gültige Prinzip der Beweislastverteilung zur Anwendung:

> ▶ Das **Prinzip der Beweislastverteilung** besagt, dass derjenige, der ein Recht für sich in Anspruch nimmt (z. B. die Antragsteller ihr Recht auf Sozialleistungen), die Verantwortung dafür trägt, wenn das Vorliegen der rechtsbegründenden Tatsachen nicht festgestellt werden kann.[198]

Dies bedeutet bei der **Eingriffsverwaltung** (z. B. der Belastung von Bürger:innen mit einer Zahlungspflicht), dass die Behörde beweisen muss, dass die gesetzlichen Voraussetzungen für die Auferlegung der Pflicht erfüllt sind. Sozialverwaltung ist schwerpunktmäßig **Leistungsverwaltung**, d. h. hier begehren Bürger:innen etwas von der Verwaltung. Also müssen sie beweisen, dass die Voraussetzungen für die Leistung im Einzelfall erfüllt sind. Anders ist es bei der Frage, ob eine **rechtsvernichtende Einwendung**, d. h. eine Tatsache, die einem Anspruch entgegensteht, vorliegt. Hier trägt die Behörde die Beweislast, da sie hieraus die für den Leistungsträger günstige Rechtsfolge – Nichtverpflichtung zur Leistung – herleiten möchte.

Beispiel: Gemäß § 23 Abs. 1 S. 1 SGB XII ist Ausländern, die sich in der Bundesrepublik Deutschland aufhalten, bei Vorliegen der entsprechenden Hilfebedürftigkeit (vgl. § 19 Abs. SGB XII) Sozialhilfe zu leisten. Die psychisch kranke und stark verwirrte österreichische Staatsangehörige Frau P wird in Berlin obdachlos auf der Straße aufgegriffen. Das zuständige Sozialamt muss entscheiden, ob ihr Sozialhilfeleistungen, z. B. für das betreute Wohnen, bewilligt werden können. Gemäß § 23 Abs. 3 S. 1 SGB XII haben „Ausländer, die eingereist sind, um Sozialhilfe zu erlangen" keinerlei Anspruch auf Sozialhilfe. Um die Leistungspflicht gemäß der Vorschrift abzulehnen, muss das Sozialamt nachweisen können, dass P die Bedingungen für den Leistungsausschluss erfüllt, also mit dem entsprechenden Motiv eingereist ist.

Zu beachten ist ferner, dass die Gesetze auch Beweiserleichterungen in Form von **gesetzlichen Vermutungen** vorsehen können. Das Gesetz formuliert dabei bestimmte Kriterien, bei deren Vorliegen eine Tatbestandsvoraussetzung als gegeben angenommen wird (unabhängig von der eigentlichen Beweislage). Ist man

---

198 Trenczek/Tammen/Behlert/v. Boetticher/Beetz, Grundzüge, I-3.1, S. 147.

von einer gesetzlichen Vermutung betroffen, muss man sie widerlegen und kann sich nicht einfach auf die Beweislastverteilung verlassen.

Beispiel: Frau S teilt sich seit drei Jahren mit ihrer Freundin Frau T eine Wohnung. T hat ein Baby bekommen und keine Arbeit mehr, so dass sie beim Jobcenter Bürgergeld beantragen muss. Nach § 9 Abs. 2 S. 1 SGB II richtet sich die Hilfebedürftigkeit einer Person, die mit einer anderen zusammen in einer Wohnung lebt, auch nach dem anzurechnenden Einkommen der anderen. Voraussetzung ist, dass die beiden Personen eine „Bedarfsgemeinschaft" bilden. Eigentlich wäre das Vorliegen einer Bedarfsgemeinschaft vom Jobcenter zu beweisen, da die Bedarfsgemeinschaft eine den Leistungsanspruch mindernde oder gar ausschließende Bedingung darstellt. Das Gesetz stellt jedoch in § 7 Abs. 3, 3a SGB II gesetzliche Vermutungsregeln auf, wann vom Vorliegen einer Bedarfsgemeinschaft ausgegangen werden kann.

Im Fall von S und T besteht nach § 7 Abs. 3 Nr. 3c und Abs. 3a Nrn. 1 und 3 SGB II die gesetzliche Vermutung für eine Bedarfsgemeinschaft. Das heißt, das Einkommen von S würde bei T mit angerechnet werden. Damit dies nicht geschieht, müssen S und T die gesetzliche Vermutung widerlegen, z. B. mit entsprechenden eidesstattlichen Erklärungen.

6.2.4 Mitwirkungspflichten

Eng verbunden mit dem Amtsermittlungsgrundsatz sind die Mitwirkungspflichten nach den §§ 60–67 SGB I.[199]

▶ Die **Mitwirkungspflichten** legen fest, in welchem Umfang Leistungsempfänger oder Personen, die Sozialleistungen beantragt haben, **aktiv etwas zum Verfahren beitragen müssen**. Die Mitwirkungspflichten sind umfassend – zu ihnen gehören z. B. die Angabe relevanter Daten, die Vorlage relevanter Urkunden, die Zustimmung zur Einholung von Auskünften Dritter, die (unaufgeforderte) Mitteilung von Änderungen in den persönlichen Lebensverhältnissen oder beim Gesundheitszustand, das persönliche Erscheinen bei der Behörde, die Wahrnehmung von ärztlichen Untersuchungen oder Heilbehandlungsmaßnahmen u. v. m.[200]

---

199 Im übrigen Verwaltungsrecht sind die Mitwirkungspflichten weit weniger umfassend geregelt, vgl. § 26 Abs. 2 VwVfG.
200 Einzelheiten: Dörr/Francke, Sozialverwaltungsrecht, Kap. 11 Rn. 68–71.

Auch außerhalb des SGB I finden sich Mitwirkungspflichten. Diese werden auch als „Obliegenheiten" bezeichnet.

> **Beispiele:** § 31 SGB II (u. a. Pflicht zur Aufnahme einer zumutbaren Arbeit, zur Absolvierung einer Eingliederungsmaßnahme), § 138 SGB III (Pflicht zu Eigenbemühungen, um die Arbeitslosigkeit zu beenden), § 13 Abs. 2 SGB V (Pflicht der Krankenversicherten, die Krankenkasse vor Inanspruchnahme einer ärztlichen Dienstleistung zu informieren, wenn sie statt der üblichen Sachleistung lieber einen Kostenerstattungsanspruch geltend machen wollen), § 18 Abs. 2 SGB XI (Pflicht Pflegebedürftiger, eine häusliche Untersuchung durch den Medizinischen Dienst zu dulden) u. v. m.

Die Folgen unterbliebener Mitwirkung sind **Sanktionen** oder ein vollständiges **Leistungsverweigerungsrecht** des Sozialleistungsträgers gemäß § 66 SGB I. Auf die Folgen fehlender Mitwirkung muss **vor der Leistungsverweigerung schriftlich hingewiesen** werden. Wird die Mitwirkung nachgeholt und liegen die Leistungsvoraussetzungen vor, kann der Leistungsträger Sozialleistungen ganz oder teilweise auch rückwirkend wieder erbringen.[201]

Problematisch ist oftmals die Frage, welche **Grenzen** für die Mitwirkungspflichten gelten. So ist ein Leistungsverweigerungsrecht aufgrund fehlender Mitwirkung z. B. dann nicht gerechtfertigt, wenn sich der Sozialleistungsträger die maßgeblichen Informationen auch **problemlos anderweitig** hätte beschaffen können. Nach § 65 SGB I bestehen zudem auch dann keine Mitwirkungspflichten, wenn ihre Erfüllung nicht in einem „**angemessenen**" Verhältnis zu der in Anspruch genommenen Sozialleistung steht oder ihre Erfüllung den Betroffenen aus einem „**wichtigen Grund**" nicht zugemutet werden kann. Hierbei handelt es sich um unbestimmte Rechtsbegriffe, bei deren Konkretisierung insbesondere der **Verhältnismäßigkeitsgrundsatz** von Bedeutung ist.[202] Letztlich riskieren es jedoch die Betroffenen, soweit sie eine ihrer Auffassung nach nicht gerechtfertigte Mitwirkungshandlung verweigern, dass der Leistungsträger die Sozialleistung nach § 66 SGB I einbehält. Sie können dann nur versuchen, ihre Rechtsauffassung mithilfe der Gerichte durchzusetzen.

---

201 Einzelheiten: Ruland/Becker/Axer, SRH, § 6 Rn. 310 ff.
202 Einzelheiten: Frings/Schweigler, Sozialrecht, Kap. 2.3.3, S. 67 ff.; Becker/Axer, SRH, § 6 Rn. 89–95.

6.2.5 Anhörung

▶ Das **Anhörungsrecht** gemäß **§ 24 SGB X**[203] besagt, dass die Verwaltung verpflichtet ist, **bevor** sie einen VA erlässt, der in **Rechte Beteiligter eingreift**, diesen die für die **Entscheidung erheblichen Tatsachen mitzuteilen.** Gleichzeitig muss sie den Beteiligten die Gelegenheit geben, sich zu den Tatsachen – i. d. R. binnen einer bestimmten Frist – **zu äußern.**

Damit sollen die von einem VA Betroffenen vor **Überraschungsentscheidungen** geschützt werden und die Möglichkeit erhalten, durch eine Stellungnahme die Entscheidung der Verwaltung noch in positivem Sinne zu beeinflussen. Die Verpflichtung zur Anhörung entspricht damit einem der rechtsstaatlichen Grundsätze, nämlich dem in Art. 103 Abs. 1 GG geschützten **Anspruch auf rechtliches Gehör.** Dieser Grundsatz gilt auch in jedem Gerichtsverfahren.[204]

Voraussetzung für die Anhörungspflicht ist ein beabsichtigter **Eingriff in die Rechte** der betroffenen Person. Dies ist jedoch nicht bei jedem belastenden VA der Fall. So ist zwar ein VA, mit dem **eine Begünstigung erstmalig abgelehnt wird,** ein belastender VA. Trotzdem ist keine Anhörung erforderlich, denn die vom VA betroffene Person hat ja gerade **noch keine Rechtsposition erworben,** in die man eingreifen könnte. Erforderlich ist die Anhörung immer nur dann, wenn die Betroffenen mit einer Pflicht belegt werden (z. B. Erstattungs- oder Beitragspflicht) oder eine laufende Sozialleistung herabgesetzt oder entzogen werden soll.[205]

Beispiele: Frau C ist chronisch krank und beantragt bei der Deutschen Rentenversicherung eine Rente wegen Erwerbsminderung. Es wird eine Gesundheitsprüfung durchgeführt. Diese kommt zu dem Ergebnis, dass Frau C (noch) nicht die Voraussetzungen für den Bezug einer Erwerbsminderungsrente erfüllt, weil sie trotz Krankheit noch in der Lage ist, täglich mehr als drei Stunden zu den Bedingungen des allgemeinen Arbeitsmarkts erwerbstätig zu sein (vgl. § 43 SGB VI). Ihr Antrag wird mit VA abgelehnt. Eine vorherige Anhörung ist nicht erforderlich, denn die bisherige Rechtsposition der C wird durch die Ablehnung nicht verändert.

Herr S arbeitet freiberuflich als Sprachlehrer. Die Deutsche Rentenversicherung stellt fest, dass er gemäß § 2 S. 1 Nr. 1 SGB VI Rentenversicherungsbeiträge zahlen

---

203 Parallelvorschrift: § 28 VwVfG.
204 S. Kap. 12.2.3.
205 In der Literatur wird allerdings auch vertreten, dass auch die Ablehnung eines begünstigenden VA die Anhörungspflicht begründe, so etwa Becker/Axer, SRH, § 12, Rn. 107 f.

muss. Bevor sie einen Beitragsbescheid erlässt, muss sie S anhören, d.h. Gelegenheit zur Stellungnahme geben, denn er soll mit einer Zahlungspflicht belastet werden, was seine bisherige Rechtsposition nachteilig verändern würde.

Herr E bekommt seit drei Jahren wegen diverser Krankheiten eine Erwerbsminderungsrente. Eine von der Deutschen Rentenversicherung veranlasste Überprüfung seines Gesundheitszustandes hat ergeben, dass er inzwischen wieder genesen ist und die Tatbestandsvoraussetzungen für eine Erwerbsminderung (vgl. § 43 SGB VI) nicht mehr vorliegen. Bevor ein VA erlassen wird, der die Einstellung der Rente festlegt, muss E angehört werden. Seine bisherige Rechtsposition würde nämlich nachteilig verändert, da ihm eine laufende Sozialleistung entzogen werden soll.

Ob man die Gelegenheit zur Anhörung wahrnimmt oder nicht, kann man frei entscheiden. Die Anhörung selbst ist kein VA, sondern **schlichtes Verwaltungshandeln**. Es besteht keinerlei Pflicht, sich auf eine Aufforderung zur Anhörung zu äußern. Entscheidet man sich jedoch dazu, im Rahmen der Anhörung eine Stellungnahme abzugeben, muss die Verwaltung das Vorbringen entgegennehmen und **im Rahmen ihrer Entscheidung in ihre Erwägungen einbeziehen.** Dies muss auch aus der Begründung des späteren VA hervorgehen.[206] Die Entscheidung und Bewertung der Stellungnahme trifft die Verwaltung im Rahmen des Amtsermittlungsgrundsatzes und der Beweiswürdigung.[207]

Eine nicht oder nicht korrekt durchgeführte Anhörung macht den VA grundsätzlich **rechtswidrig** und anfechtbar. Allerdings besteht gemäß § 41 Abs. 1 SGB X die Möglichkeit, eine **Anhörung auch noch nachzuholen** und die Rechtswidrigkeit des VA damit zu **heilen**.[208] Auch regelt § 24 Abs. 2 SGB X eine Reihe von **Ausnahmen,** bei der **von einer Anhörung abgesehen** werden kann, z.B. wenn Maßnahmen der Verwaltungsvollstreckung[209] getroffen werden oder wenn eine Vielzahl gleichartiger VAe in größerer Zahl erlassen werden sollen.

---

206 S. Kap. 6.3.2; vgl. auch § 35 SGB X.
207 S. Kap. 6.2.
208 Einzelheiten: Kap. 7.3.
209 Einzelheiten: Kap. 6.4.

6.2.6 Akteneinsicht

▶ Die Verwaltung hat den Beteiligten gemäß § 25 SGB X[210] **Akteneinsicht** in die das **Verfahren betreffenden Akten** zu gestatten, wenn deren Kenntnis zur **Geltendmachung** oder **Verteidigung** ihrer **rechtlichen Interessen** erforderlich ist.[211]

Dies dürfte bei jemandem, der bereits Beteiligter des Verwaltungsverfahrens ist, regelmäßig gegeben sein. Denn es liegt auf der Hand, dass die Kenntnis der behördlichen Aktenvorgänge für die effektive Wahrnehmung der eigenen sozialen Rechte unverzichtbar ist.

Mehr und mehr Raum gewinnt jedoch das **Prinzip einer generellen Öffentlichkeit/Transparenz von Verwaltungsvorgängen,** welches durch die Informationsfreiheitsgesetze des Bundes und der Länder (IFG) verwirklicht werden soll. Danach haben auch Personen außerhalb eines konkreten Verwaltungsverfahrens, also **jedermann** und **gleichgültig aufgrund welcher Interessenlage,** grundsätzlich einen Anspruch auf „Zugang zu amtlichen Informationen" sowie Auskunfts- und Akteneinsichtsrechte nach Ermessen.[212] Eingeschränkt werden die umfassenden Auskunftsrechte allerdings durch den Datenschutz, für die Fälle laufender Ermittlungen in Strafsachen, durch den Staatsschutz, durch Rechte Betroffener und Dritter, durch Geschäftsgeheimnisse u. ä.[213]

Für Beteiligte eines Verwaltungsverfahrens richtet sich das Akteneinsichtsrecht nach dem SGB X/VwVfG, als den insoweit spezielleren Rechtsnormen. Auch hier kann das Akteneinsichtsrecht **begrenzt** werden, wenn **berechtigte Interessen** anderer Beteiligter oder dritter Personen betroffen sind, z. B. zum Schutz der Identität von Informanten. Berechtigte Interessen anderer sind insbesondere dann anzuerkennen, wenn sie durch das **Sozialdatengeheimnis** der §§ 35 SGB I, 67d–77 SGB X[214] geschützt sind; ferner hat die Behörde eine Abwägung nach dem **Verhältnismäßigkeitsgrundsatz** zu treffen.[215]

Praktisch erfolgt die Akteneinsicht entweder **vor Ort,** in den Räumen der Behörde oder durch die **Versendung von Kopien, Ausdrucken oder Scans.** Es ist zulässig, dass die Behörde dafür Kosten von den Beteiligten gemäß § 25 Abs. 5 SGB X erheben kann.

---

210 Parallelvorschrift: § 29 VwVfG.
211 Einzelheiten: Ruland/Becker/Axer, SRH, § 12 Rn. 116 ff.
212 Vgl. § 1 Abs. 1 u. 2 IFG.
213 Vgl. §§ 3–6 IFG.
214 S. Kap. 6.2.8.
215 Ruland/Becker/Axer, SRH, § 12, Rn. 121.

Die Gewährung oder Versagung der Akteneinsicht ist ein **VA**, den ein Beteiligter allerdings nur **zusammen mit dem Haupt-VA anfechten** kann. Dies entspricht dem allgemein im Verwaltungsrecht geltenden Gedanken, dass einzelne behördliche Verfahrenshandlungen nicht isoliert angefochten werden sollen, da sich hierdurch der Abschluss des Verfahrens nur unnötig in die Länge ziehen würde.[216] Eine nicht gerechtfertigte Versagung der Akteneinsicht macht den (Haupt-)VA grundsätzlich **rechtswidrig** und anfechtbar. Allerdings ist in solchen Fällen auch an die Möglichkeit der **Unbeachtlichkeit von Verfahrensfehlern** gemäß § 42 SGB X zu denken.[217]

6.2.7 Befangenheit

▶ Jedes Verwaltungsverfahren muss von der Behörde sachlich und unvoreingenommen abgewickelt werden. Bereits der Anschein einer unredlichen Amtsführung (= **Befangenheit**) – gleichgültig ob begründet oder nicht – soll vermieden werden. Das Verfahrensrecht regelt **zwei Fallgruppen** von Befangenheit: Die **institutionalisierte Befangenheit** nach **§ 16 SGB X** und die **Besorgnis der Befangenheit** nach **§ 17 SGB X**.[218]

Institutionalisierte Befangenheit liegt vor, wenn ein bestimmtes **Näheverhältnis** zwischen dem Verwaltungsmitarbeiter:innen und den Beteiligten besteht. Dies sind zum einen **verwandtschaftliche Verhältnisse,** die in § 16 Abs. 5 SGB X abschließend aufgezählt sind. Darüber hinaus sind es anders gelagerte Näheverhältnisse, z. B. aufgrund **wirtschaftlicher Anhängigkeit,** wenn beispielsweise der Verwaltungsmitarbeiter gleichzeitig gegen Entgelt bei einem der Beteiligten tätig ist. Bestehen derartige Näheverhältnisse, wird ein **Interessenkonflikt** des Verwaltungsmitarbeiters **gesetzlich vermutet** mit der Folge, dass er die Bearbeitung der Sache nicht durchführen darf. Seinen Ausschluss von der Bearbeitung der Angelegenheit muss der Verwaltungsmitarbeiter selbst betreiben – VAe, die trotz des Mitwirkungsverbotes ergehen, sind grundsätzlich **rechtswidrig** und anfechtbar.

---

216 Ruland/Becker/Axer, SRH, § 12 Rn. 123.
217 Einzelheiten: Kap. 7.3.
218 Parallelvorschriften: §§ 20, 21 VwVfG.

Besorgnis der Befangenheit liegt vor bei einer Situation, die „geeignet ist, **Misstrauen gegen eine unparteiische Amtsführung** zu rechtfertigen". Gründe dieser Art sind z. B. Freundschaft oder Feindschaft zu Beteiligten, unsachliche oder verletzende Äußerungen im Verfahren, Äußerungen, die für eine einseitige Festlegung in der Sache, noch ehe der Sachverhalt hinreichend geklärt ist, sprechen und dergleichen.[219] Liegt eine solche Situation vor, besteht die Pflicht, die Vorgesetze darüber zu informieren („**Unterrichtungspflicht**"). Diese entscheidet darüber, ob ein Fall der Befangenheit vorliegt oder nicht (anders als bei § 16 SGB X tritt die Befangenheit nicht automatisch kraft Gesetzes ein). Stellt die Vorgesetzte Befangenheit fest, muss sie anordnen, dass sich der betroffene Verwaltungsmitarbeiter von der Bearbeitung der Angelegenheit fernzuhalten hat und die Sache jemand anderem zuweisen.

Die Unterrichtung von der Besorgnis der Befangenheit muss erfolgen, wenn

* sich der Verwaltungsmitarbeiter selbst für befangen hält oder
* wenn Beteiligte **einen Befangenheitsgrund behaupten.**

Die Entscheidung des Vorgesetzten über das Vorliegen oder Nichtvorliegen von Befangenheit ist kein VA, sondern **schlichtes Verwaltungshandeln.** Die Entscheidung kann daher nicht isoliert angegriffen werden, sondern nur in Verbindung mit dem Haupt-VA. Ein VA, der unter Mitwirkung eines befangenen Verwaltungsmitarbeiters ergeht, ist grundsätzlich **rechtswidrig** und anfechtbar. Dies tritt ebenfalls ein, wenn gegen die **Unterrichtungspflicht** gegenüber der Vorgesetzten **verstoßen** wurde.

Bei der Frage der Rechtswidrigkeit von VAen, die gegen die §§ 16, 17 SGB X verstoßen, ist jeweils § 42 SGB X zu beachten, wonach Verfahrensfehler **unbeachtlich** sein können, wenn sie sich nicht auf die Rechtmäßigkeit des Inhalts der Entscheidung ausgewirkt haben.[220]

6.2.8 Umgang mit Sozialdaten

Der Datenschutz hat im Sozialrecht erhebliche Bedeutung, da Bürger:innen für den Erhalt von Sozialleistungen oftmals sensible Daten und ihre allerpersönlichsten Verhältnisse offenlegen müssen.

---

219 Einzelheiten: Finkenbusch, Sozialverwaltungsverfahren Kap. 2.9.2; Maurer/Waldhoff, Verwaltungsrecht, § 19, Rn. 23.
220 Einzelheiten: Kap. 7.3.

▶ Der Datenschutz konkretisiert das für jedermann gemäß Art. 2 Abs. 1 i. V. m. Art. 1 Abs. 1 GG garantierte Recht auf **informationelle Selbstbestimmung** als Ausprägung des allgemeinen Persönlichkeitsrechts. Im Sozialverwaltungsrecht ist der Datenschutz in **§§ 35 SGB I, 67–85 a SGB X** geregelt.[221] In der zentralen Norm § 35 SGB I wird das **Sozialgeheimnis** festgelegt, wonach jeder einen Anspruch darauf hat, dass die ihn betreffenden **Sozialdaten** von der Verwaltung **nicht unbefugt erhoben, verarbeitet** oder **genutzt** werden.[222]

Ergänzend zum Datenschutz im SGB I, SGB X gibt es in den spezifischen Sozialgesetzen auch noch **eigenständige Regelungen** zum Datenschutz, z. B. im Krankenversicherungsrecht gemäß §§ 284–305 b SGB V oder im Kinder- und Jugendhilferecht gemäß §§ 61–68 SGB VIII.[223] Die Verpflichtung zum Datenschutz ist **ausdrücklich nur an die öffentlich-rechtlichen Verwaltungsträger** gerichtet. Es gilt jedoch, dass auch die **freien** oder **kirchlichen Träger** in gleichem Maße **zum Datenschutz verpflichtet** sind, wenn sie Daten einer staatlichen Stelle erhalten (verlängerter Sozialdatenschutz) oder sie im Rahmen der Wahrnehmung öffentlicher sozialer Aufgaben hierzu verpflichtet wurden, vgl. z. B. § 78 SGB X oder § 61 Abs. 3 SGB VIII.[224]

Sozialdaten werden definiert in § 67 SGB X als „**Einzelangaben** über **persönliche** oder **sachliche Verhältnisse** einer bestimmten oder bestimmbaren Person". Das heißt, neben Name, Geburtsdatum, Anschrift usw. sind Sozialdaten auch Angaben über persönliche Lebensverhältnisse, den körperlichen oder psychischen Gesundheitszustand, Berufsausbildung, Erwerbsbiografie usw. sowie auch **Betriebs- und Geschäftsgeheimnisse**.[225]

Gemäß § 35 Abs. 1 SGB I darf das **Erheben, Verarbeiten** und **Nutzen** von Sozialdaten nicht **unbefugt** geschehen. Daher werden in den §§ 67 ff. SGB X die drei Handlungsalternativen zunächst definiert und konkretisiert, um dann jeweils Umfang und Grenzen der „befugten" Handlungen festzulegen.

---

221 Für das übrige Verwaltungsrecht gelten neben der Datenschutz-Grundverordnung der EU, das Bundesdatenschutzgesetz (BDSG) und die einzelnen Datenschutzgesetze der Bundesländer.

222 Einzelheiten: Dörr/Francke, Sozialverwaltungsrecht, Kap. 11 Rn. 125–134; Frings/Schweigler, Sozialrecht, Kap. 2.9, S. 100 ff.; Trenczek/Tammen/Behlert/v. Boetticher/Beetz, Grundzüge, III-1.2.3, S. 435 ff.

223 Weitere Beispiele: Trenczek/Tammen/Behlert/v. Boetticher/Beetz, Grundzüge, III-1.2.3, S. 435 ff.

224 Einzelheiten: Falterbaum, Rechtliche Grundlagen, Kap. XI.4, S. 280 ff.; Trenczek/Tammen/Behlert/v. Boetticher/Beetz, Grundzüge, III-1.2.3, S. 435 ff.

225 Ruland/Becker/Axer, SRH, § 11 Rn. 31–33.

Das **Erheben** von Daten ist gemäß § 67 Abs. 5 SGB X die **gezielte Beschaffung** von Informationen über Betroffene.[226] Für die Befugnis zur Erhebung müssen die Daten gemäß § 67a SGB X zur Erledigung einer Aufgabe nach dem SGB **erforderlich** sein.

> **Beispiel:** Für die Entscheidung über einen Anspruch auf Arbeitslosengeld ist es erforderlich, dass die Agentur für Arbeit Informationen über die letzte Arbeitsstelle erhält, d. h. über den letzten Verdienst und die Dauer der Beschäftigung. Nicht erforderlich wäre die Vorlage des Zeugnisses des letzten Arbeitgebers.

Das Kriterium der „Erforderlichkeit" gilt außer bei der Datenerhebung durchgängig im gesamten Datenschutzrecht. Darüber hinaus müssen die Daten **vorrangig** bei den **Betroffenen selbst** erhoben werden, denn sie sollen wissen und darüber entscheiden können, welche Daten sie von sich preisgeben. Eine **Datenerhebung bei Dritten** ist nur möglich, wenn die betroffene Person **eingewilligt** hat oder wenn **Rechtsvorschriften** dies zulassen.

> **Beispiel:** Nach § 118 SGB XII kann das Sozialamt regelmäßig die Daten von Leistungsempfängern mit denen anderer Behörden, z. B. den Finanzämtern, abgleichen.

Das **Verarbeiten** von Daten umfasst gemäß § 67 Abs. 6 SGB X fünf verschiedene Verwendungsformen, nämlich das **Speichern, Verändern, Übermitteln, Sperren und Löschen.** Jede Verwendungsform ist nur zulässig, wenn die betroffene Person eingewilligt hat und vorher auf den Zweck der vorgesehenen Verwendung hingewiesen wurde oder wenn eine gesetzliche Bestimmung der §§ 67b–77 SGB X die vorgesehene Verwendung für zulässig erklärt.

Die **Übermittlung** (= Weitergabe) von Daten ist die sensibelste Form des Verarbeitens und daher sehr detailliert in den §§ 67d–77 SGB X geregelt. Die Zulässigkeit der Übermittlung von Daten setzt einen von den gesetzlichen Bestimmungen genannten **Übermittlungszweck** voraus. Liegt dieser nicht vor, ist die Datenweitergabe unzulässig und kann nicht verlangt werden. Zulässige Übermittlungszwecke sind z. B.:[227]

- die Übermittlung von Daten an Polizei, Staatsanwaltschaft und Gerichte im Rahmen der Amtshilfe gemäß §§ 68, 73 SGB X;

---

226 Dörr/Francke, Sozialverwaltungsrecht, Kap. 11 Rn. 131; Ruland/Becker/Axer, SRH, § 11 Rn. 29.
227 Einzelheiten: Ruland/Becker/Axer, SRH, § 11 Rn. 79 ff.

- die Übermittlung zur Erfüllung sozialer Aufgaben gemäß § 69 SGB X, z. B. die Weitergabe gesundheitlicher Daten durch die Krankenversicherung an die Bundesagentur für Arbeit, bei der der Betroffene eine Rehabilitationsmaßnahme zur Wiedereingliederung in das Erwerbsleben beantragt hat;
- die Übermittlung zur Erfüllung besonderer gesetzlicher Mitteilungspflichten gemäß § 71 SGB X, z. B. Mitteilung an das Gesundheitsamt, falls bei der betroffenen Person der Verdacht auf eine gefährliche Infektionskrankheit i. S. d. Infektionsschutzgesetzes besteht;
- die Übermittlung zum Schutz der inneren und äußeren Sicherheit gemäß § 72 SGB X;
- die Übermittlung bei Verletzung der Unterhaltspflicht gemäß § 74 SGB X.

Der jeweilige Empfänger der Daten ist gemäß § 78 SGB X verpflichtet, die Daten nur zu dem Zweck, zu dem sie ihm übermittelt wurden, zu verwenden.

Das **Nutzen** von Daten gemäß § 67 Abs. 7 SGB X ist eine **Auffangregelung** und erfasst die Verwendungsformen von Daten, die nicht bereits durch die Begriffe Erheben oder Verarbeiten abgedeckt wurden. Hierzu gehört z. B. die Weitergabe von Daten innerhalb desselben Verwaltungsträgers. Die Zulässigkeit der Nutzung ist in den §§ 67b, 67c SGB X geregelt.

Abgeschlossen werden die Regelungen des Datenschutzes durch Bestimmungen über die **Rechte des Einzelnen**. Neben dem Recht, sich jederzeit an den **Datenschutzbeauftragten** des Landes oder des Bundes wenden zu können, besteht das Recht auf **Auskunft** darüber, ob und welche Daten zur eigenen Person gespeichert wurden, sowie das Recht auf **Berichtigung, Löschung** oder **Sperrung** von Daten. Diese Rechte vermitteln die §§ 81, 83, 84 SGB X. Eine besondere Löschungsfrist gibt es nicht,[228] die Leistungsträger sind jedoch verpflichtet, die Daten zu löschen, wenn ihre Kenntnis nicht mehr erforderlich ist.

Wird gegen Datenschutzbestimmungen verstoßen, können Betroffene **Schadensersatzansprüche** gemäß § 82 SGB X geltend machen. Daneben gibt es in §§ 85, 86 SGB X **Bußgeld-** und **Strafvorschriften**.

---

228 Fristen können sich aber bereichsspezifisch ergeben, z. B. für bei den Krankenkassen gespeicherte (Gesundheits-)Daten, vgl. § 304 SGB V.

6.2.9 Vorschüsse/vorläufige Leistungen

Sozialrechtliche Verwaltungsverfahren können – trotz der Pflicht zur „zügigen" Leistungsgewährung gemäß § 17 Abs. 1 Nr. 1 SGB I – viel Zeit in Anspruch nehmen. Gleichzeitig besteht insbesondere bei den existenzsichernden Sozialleistungen häufig das Bedürfnis nach schnellem Handeln. Um dieses Spannungsverhältnis abzumildern, vermitteln die §§ 42, 43 SGB I[229] Ansprüche auf **einstweilige Leistungen**, d. h. Ansprüche auf **Vorschüsse** bzw. auf **vorläufige Leistungen.**

> ▶ Einen Anspruch auf Zahlung eines **Vorschusses** nach **§ 42 SGB I** hat man, wenn unstreitig oder nach dem bisherigen Ermittlungsstand äußerst wahrscheinlich ist, dass der **Anspruch** auf die begehrte Sozialleistung **dem Grunde nach** besteht und nur die genaue Berechnung über deren **Höhe** (d. h. die konkrete Bezifferung) noch aussteht und weiter ermittelt werden muss.[230]

Da ein **Anspruch** auf die begehrte Sozialleistung bestehen muss, ist die Gewährung von Vorschüssen bei **Ermessensleistungen** nicht möglich.

Beispiel: Nach § 65 Abs. 1 S. 1, 1. HS SGB XII *„sind"* Pflegebedürftigen die angemessenen Aufwendungen der Pflegeperson zu erstatten. Es besteht ein Anspruch auf die Leistung, also können Vorschüsse gefordert werden. Nach § 65 Abs. 1 S. 1, 2. HS SGB XII *„können"* Pflegebedürftigen angemessene Beihilfen geleistet werden. Es handelt sich um eine Ermessensleistung, also können keine Vorschüsse gefordert werden.

Die Vorschussleistung wird i. d. R. auf den Betrag beschränkt, der **mindestens** zu zahlen wäre und später auf die endgültige Leistung angerechnet.[231]

Beispiel: Frau H hat derzeit nur einen Minijob mit monatlich wechselndem Einkommen, jedoch nie mehr als maximal 500 EUR. Die Arbeitgeberin der H braucht immer mindestens sechs Wochen, bis sie das genaue Einkommen abgerechnet hat. Der Bedarf zur Deckung des Existenzminimums der H nach SGB II beträgt 950 EUR. Also kann H mit ihrem Minijob-Einkommen ihren Bedarf nicht vollständig decken, so dass sie gemäß § 7 Abs. 1 i. V. m. 19 Abs. 1 SGB II Anspruch auf aufstockende Bürgergeld-

---

229 Vergleichbare Regelungen gibt es im VwVfG nicht.
230 Einzelheiten: Frings/Schweiger, Sozialrecht, Kap. 2.5.1, S. 72 f.
231 Dörr/Francke, Sozialverwaltungsrecht, Kap. 8 Rn. 57–59.

Leistungen hat. Sie kann bis zum vollständigen Nachweis ihres genauen monatlichen Einkommens Vorschüsse vom Jobcenter verlangen. Ihr Bedarf ist unstreitig in einer die 500 EUR übersteigenden Höhe nicht gedeckt, so dass das Jobcenter Bürgergeld in Höhe von 450 EUR auf jeden Fall leisten müsste. Also kann H auch Vorschüsse in dieser Höhe verlangen.

Stellt sich im Nachhinein heraus, dass der Anspruch auf die Leistung doch nicht bestand, bzw. geringer ist als der gezahlte Vorschuss, muss dieser **zurückgezahlt** werden. Es besteht kein **Vertrauensschutz**[232], den Vorschuss auf jeden Fall behalten zu dürfen.

Die Gewährung von Vorschüssen steht im **Ermessen** des Leistungsträgers, wird jedoch zur **Pflichtleistung,** wenn Betroffene die Zahlung eines Vorschusses **beantragen,** vgl. § 42 Abs. 1 S. 2 SGB I. Zudem haben die Leistungsträger gemäß § 14 SGB I die Pflicht, auf die Möglichkeit von Vorschüssen hinzuweisen.

Regelungen über Vorschüsse finden sich auch in den spezifischen Sozialgesetzen, z. B. in § 328 SGB III, § 51 Abs. 2 BAföG.

> ▶ **Vorläufige Leistungen** gemäß **§ 43 SGB I** können gewährt werden, wenn bei einer Sozialleistung ein **Zuständigkeitsstreit** zwischen mehreren in Betracht kommenden Leistungsträgern besteht. Dieser soll nicht auf dem Rücken der Betroffenen ausgetragen werden. Die Regelung legt fest, dass der **„zuerst angegangene"** Leistungsträger zunächst leisten muss, bis die Zuständigkeit geklärt ist.[233] Sollte sich dieser im Endergebnis als nicht zuständig erweisen, regulieren die Leistungsträger die **Kostenerstattung** der erbrachten Leistungen untereinander nach den §§ 102 ff. SGB X.

Voraussetzung für die vorläufigen Leistungen ist ebenfalls, dass ein **Anspruch dem Grunde nach** besteht. Damit gilt bei **Ermessensleistungen,** dass vorläufige Leistungen (erst) dann möglich sind, wenn sich das Ermessen auf Null reduziert[234] hat. Für die in der Praxis häufig vorkommenden Zuständigkeitskonflikte im Bereich der Förderleistungen für Menschen mit Behinderung wurde mit § 14 SGB IX eine bedeutsame Sonderregelung geschaffen.

Es gilt ebenso wie bei den Vorschüssen, dass Betroffene die vorläufige Leistung zu erstatten haben, sollte sich im Nachhinein herausstellen, dass ein An-

---

232 Hierzu: Kap. 9.2.
233 Einzelheiten: Frings/Schweigler, Sozialrecht, Kap. 2.5.3, S. 74.
234 Zu dieser Konstellation: Kap. 5.5.5.

spruch auf die Leistung gar nicht oder nicht in der entsprechenden Höhe bestand. Ebenso wie bei den Vorschüssen, steht die Gewährung vorläufiger Leistungen zunächst im Ermessen des Leistungsträgers, wird jedoch zur Pflichtleistung, wenn die betreffende Person die Zahlung eines Vorschusses beantragt, vgl. § 43 Abs. 1 S. 2 SGB I.

6.3 Entscheidung/Ende des Verfahrens

Nach § 8 SGB X[235] endet das Verwaltungsverfahren typischerweise mit einer **Sachentscheidung** (VA oder Abschluss eines öffentlich-rechtlichen Vertrags), d. h. mit einer Regelung, die der Zweck des Verwaltungsverfahrens war und mit der das Rechtsverhältnis zwischen Bürger:in und Verwaltung neu gestaltet wird. Selbstverständlich sind auch andere Beendigungsgründe denkbar, z. B. die Rücknahme des Antrages, die Erledigung oder die Einstellung des Verfahrens.[236] Ein **VA** ist **verbindlich** und hat für die Verwaltung die Wirkung eines **Vollstreckungstitels**[237]. Daher sind hinsichtlich seines Erlasses und seiner Form diverse gesetzliche Vorgaben zu beachten.

6.3.1 Bekanntgabe des VA

Nach § 39 SGB X[238] wird ein VA einer Person gegenüber zu dem Zeitpunkt wirksam, zu dem er ihr bekannt gegeben wurde.

▶ Die **Bekanntgabe** ist gleichzusetzen mit dem **Erlass** eines VA. Erst zu diesem Zeitpunkt wird der VA als solcher existent, entfaltet **rechtliche Wirkung** und wird für den VA-Adressaten **verbindlich**.[239] So können z. B. Maßnahmen der **Verwaltungsvollstreckung** frühestens ab dem Zeitpunkt der Bekanntgabe beginnen. Genauso wesentlich ist der **Zeitpunkt** der Bekanntgabe für den Lauf von **Fristen:** So beginnt z. B. die einmonatige Widerspruchsfrist ab Bekanntgabe.

---

235 Parallelvorschrift: § 9 VwVfG.
236 Dörr/Francke, Sozialverwaltungsrecht, § 11, Rn. 39–41.
237 S. Kap. 4.5.
238 Parallelvorschrift: § 43 VwVfG.
239 Einzelheiten: Finkenbusch, Sozialverwaltungsverfahren, Kap. 2.10.3.

Der VA ist gemäß § 37 SGB X[240] demjenigen bekannt zu geben, für den er bestimmt ist oder der von ihm betroffen wird. Zwischen Anwesenden bedeutet dies, dass der VA mündlich mitgeteilt oder als Schriftstück übergeben wird. Zwischen Abwesenden bedeutet Bekanntgabe, dass der VA so in den **Machtbereich des VA-Adressaten** gelangt, dass dieser von ihm **Kenntnis** nehmen kann (= **Zugang**)[241]. Keine Voraussetzung für einen wirksamen Zugang/wirksame Bekanntgabe ist es, dass der VA-Adressat tatsächlich von dem Inhalt Kenntnis nimmt. I. d. R. werden VAe mit der **Post** verschickt. Hierbei erfolgt der Zugang, d. h. das Gelangen in den Machtbereich und die Möglichkeit zur Kenntnisnahme, durch **Einwurf in den Briefkasten.** Maßgebliche Bestimmung dafür, wann ein schriftlicher VA in den Briefkasten des Empfängers gelangt, ist § 37 Abs. 2 S. 2 SGB X: Danach gilt der VA als zugegangen 3 Tage nachdem er von der Behörde abgesendet wurde – unabhängig davon, ob der Zugang tatsächlich früher erfolgte. Erfolgte der Zugang später – oder beruft sich der VA-Adressat darauf, er habe den VA erst zu einem späteren Zeitpunkt erhalten (oder gar nicht erhalten) – so liegt die **Beweislast**[242] für den Zugang und den Zugangszeitpunkt bei der Behörde.[243] Will sie also sicherstellen, dass der Zugang zu einem bestimmten Datum **nachweisbar** feststeht, muss sie eine entsprechende Versendungsform wählen, z. B. **Einschreibebriefe** oder förmliche Zustellung.[244] Weigert sich jemand, Zustellungen möglich zu machen, z. B. durch Entfernen von Namensschildern, des Briefkastens oder durch „Verschwinden", ohne eine Meldeanschrift zu hinterlassen, bleibt als letztes Mittel der Zustellung die **öffentliche Bekanntmachung** gemäß § 37 Abs. 3 u. 4 SGB X, z. B. durch Veröffentlichung des VA im Amtsblatt der Verwaltung oder in öffentlichen Aushangkästen, die sich häufig an den Eingängen von Behördengebäuden befinden.

6.3.2 Bestimmtheit und Form des VA

Die §§ 33–36 SGB X[245] regeln die Anforderungen an die inhaltliche **Bestimmtheit** und die **Form** (d. h. die äußere Gestalt) eines VA. Zentrales Element eines

---

240 Parallelvorschrift: § 41 VwVfG.
241 Einzelheiten: Trenczek/Tammen/Behlert/v. Boetticher/Beetz, Grundzüge, III-1.3.1.2, S. 449 f.
242 Hierzu: Kap. 6.2.3.
243 Vgl. § 37 Abs. 2 S. 2, 2. HS SGB X: „…im Zweifel hat die Behörde den Zugang des Verwaltungsakts und den Zeitpunkt des Zugangs nachzuweisen"; s. auch Dörr/Francke, Sozialverwaltungsrecht, Kap. 6, Rn. 119.
244 Zu den Zustellungsformen: Dörr/Francke, Sozialverwaltungsrecht, Kap. 6 Rn. 121/122.
245 Parallelvorschriften: §§ 37–39 VwVfG.

VA ist seine **Regelung.** Diese, auch „Verfügungssatz" oder „Tenor" des VA genannt, enthält die **behördliche Entscheidung,** also die Anordnung über das, was nunmehr zwischen den Beteiligten gelten soll, häufig ein Ge- oder Verbot oder eine Erlaubnis.

> ▶ Die Regelung muss gemäß § 33 Abs. 1 SGB X **„inhaltlich hinreichend bestimmt sein".** Das heißt unabhängig davon, ob man die Regelung für rechtmäßig oder rechtswidrig, ihre Begründung für rechtlich korrekt oder falsch hält – aus der Regelung muss für den VA-Adressaten **unmissverständlich** hervorgehen, was gelten soll.[246] Etwaige **Unklarheiten gehen zu Lasten der Behörde.** Eine unbestimmte, widersprüchliche oder unverständliche Regelung macht den VA **rechtswidrig** und anfechtbar, in seltenen Fällen sogar nichtig.[247]

Ein VA ist grundsätzlich **formfrei, d. h.** kann sowohl schriftlich als auch mündlich, elektronisch oder in anderer Weise erlassen werden, vgl. § 33 Abs. 2 S. 1 SGB X. Die Formfreiheit ergibt sich auch aus § 9 SGB X[248] und dem darin festgelegten Grundsatz über die **Nichtförmlichkeit des Verwaltungsverfahrens.** Oft ist im Sozialrecht allerdings von der **Erforderlichkeit der Schriftform** auszugehen. Sei es, weil sie **gesetzlich vorgeschrieben** ist,[249] sei es, weil Sozialleistungen häufig nur **auf Antrag** gewährt werden, über den dann regelmäßig auch nur mit einem schriftlichen Bescheid entschieden werden kann.[250]

Für die Frage, ob ein VA vorliegt, kommt es nicht auf dessen **äußere Erscheinungsform** an, sondern lediglich darauf, ob die gesetzlichen **Merkmale des VA** verwirklicht wurden.[251] Es kommt auch nicht darauf an, ob die Verwaltung einen VA erlassen wollte oder sich dessen bewusst war. Gleichwohl kommt dies nicht selten vor, z. B. dann, wenn eine Verwaltungsmitarbeiterin einem Bürger, der bei ihr erscheint, mündlich erklärt, er habe keinen Anspruch auf die begehrte Sozialleistung. Stellt dies aus Sicht des Betroffenen eine definitive Ablehnung seines konkreten Begehrens dar, hat die Erklärung **Regelungscharakter** und ist ein mündlicher VA.[252]

---

246 Einzelheiten: Finkenbusch, Sozialverwaltungsverfahren, Kap. 2.10.1.1.
247 S. Kap. 7.1 u. 7.2.
248 Parallelvorschrift: § 10 VwVfG.
249 So z. B. für alle Arten von Erstattungs-VAen, vgl. § 50 Abs. 3 SGB X, § 49a Abs. 1 VwVfG.
250 Einzelheiten: Dörr/Francke, Sozialverwaltungsrecht, Kap. 6 Rn. 25–30.
251 Vgl. § 31 SGB X, § 35 VwVfG; s. auch Kap. 4.5.
252 Frings/Schweigler, Sozialrecht, Kap. 2.4, S. 71 f.

Mündliche VAe sind zwar grundsätzlich gültig und wirksam, sie bergen jedoch stets die Gefahr der **mangelnden Beweisbarkeit** – und auch der mangelnden Sorgfalt der Behörde bei der Sachbearbeitung.

> ▶ Ist man daher als Betroffene:r mit einem mündlichen VA konfrontiert, besteht gemäß § 33 Abs. 2 S. 2 SGB X ein **Anspruch** auf die Erteilung eines **schriftlichen, rechtsbehelfsfähigen Bescheids.**

Diese sind aus Sicht Betroffener erheblich vorteilhafter, Zum einen, weil die **Anforderungen an schriftliche VAe gelten,** z. B. die Entscheidung eine schriftliche Begründung enthalten muss. Zum anderen besteht erheblich **größere Rechtssicherheit:** Das Rechtsverhältnis zwischen den Beteiligten ist mit dem Bescheid klar und nachweisbar definiert worden und Betroffene haben für ein eventuelles Widerspruchs- oder Klageverfahren einen schriftlich verkörperten Ausgangs-VA als Grundlage.

> ▶ Voraussetzung für die Bestätigung des mündlichen VA ist, dass hieran ein „**berechtigtes Interesse**" besteht und die betroffene Person dies „**unverzüglich**" verlangt.

Für das berechtigte Interesse ist jeder rechtliche, wirtschaftliche oder ideelle Grund ausreichend – es wird also in den allermeisten Fällen gegeben sein.[253] „Unverzüglich" ist ein häufig verwendeter rechtlicher Begriff innerhalb der gesamten Rechtsordnung, der üblicherweise definiert wird als „ohne schuldhaftes Zögern".[254] Dies ist nicht gleichzusetzen mit „sofort", sondern beinhaltet eine angemessene Überlegungsfrist, ggf. die vorherige Einholung einer rechtlichen Beratung.

Eine von der Behörde vor dem Erlass des VA mündlich in Aussicht gestellte Leistung ist – einmal abgesehen von den Beweisproblemen – nicht wirksam. Solche Erklärungen können Rechtsverbindlichkeit gemäß § 34 SGB X[255] nur als **schriftliche Zusicherung** erlangen.[256]

---

253 Trenczek/Tammen/Behlert/v. Boetticher/Beetz, Grundzüge, III 1.3.1.1, S. 448.
254 Vgl. die Legaldefinition in § 121 Abs. 1 S. 1 BGB.
255 Parallelvorschrift: § 38 VwVfG
256 S. Kap. 4.8.

▶ Schriftliche VAe müssen die **Behörde, von der sie stammen,** klar zu erkennen geben – was i. d. R. durch die Verwendung des entsprechend vorgefertigten Briefpapiers geschieht. Sie müssen aus Gründen der Rechtssicherheit grundsätzlich die **Unterschrift** oder **Namenswiedergabe** des Bearbeiters enthalten. Hiervon kann, als Zugeständnis an die moderne, digitalisierte Massenverwaltung, nach § 33 Abs. 5 SGB X abgesehen werden, wenn die VAe „**mit Hilfe automatischer Einrichtungen erlassen wurden**".[257]

Die Folgen von **Verstößen gegen Formerfordernisse** sind unterschiedlich: Ist die erlassende Behörde nicht erkennbar, ist der VA **nichtig** gemäß § 40 Abs. 2 Nr. 1 SGB X. Ein Verstoß gegen andere Formalien kann den VA unter Umständen **rechtswidrig** und anfechtbar machen, jedoch ist auch eine **Unbeachtlichkeit** nach § 42 SGB X möglich.[258]

6.3.3 Begründung des VA

Eine der wichtigsten Anforderungen an schriftliche (oder elektronische) VAe ist das Erfordernis der **Begründung** gemäß § 35 SGB X[259].

▶ In der Begründung sind die **wesentlichen „tatsächlichen und rechtlichen"** Gründe, d. h. sowohl der von der Behörde ermittelte und zugrunde gelegte **Sachverhalt** als auch die **Rechtsgrundlage** und die von der Behörde durchgeführte **Subsumtion** anzugeben.[260] Auch mit den Argumenten Betroffener, die z. B. im Rahmen einer Anhörung nach § 24 SGB X vorgebracht wurden, muss sich die Behörde in der Begründung des VA konkret auseinandersetzen. Eine bloß schematische Verwendung von Textbausteinen genügt dem nicht.

Betroffene haben aufgrund des Rechtsstaatsprinzips einen Anspruch darauf, die wesentlichen, die Entscheidung des jeweiligen Einzelfalls tragenden Gründe zu erfahren. Dies zwingt die Behörde zur **sorgfältigen Prüfung** ihrer Entscheidun-

---

257 Einzelheiten: Finkenbusch, Sozialverwaltungsverfahren, Kap. 2.10.1.2 u. 2.10.2.
258 Einzelheiten: Kap. 7.
259 Parallelvorschrift: § 39 VwVfG.
260 Einzelheiten: Finkenbusch, Sozialverwaltungsverfahren, Kap. 2.10.1.3.

gen, erhöht die **Akzeptanz** bei Betroffenen und ermöglicht die **Überprüfung der Rechtmäßigkeit.**

§ 35 Abs. 2 SGB X regelt verschiedene Situationen, wann eine Begründung nicht erforderlich ist. So kann davon z. B. abgesehen werden, wenn die Verwaltung vollumfänglich (zu 100 %) dem Antrag einer Person entspricht, wenn den Betroffenen die tatsächlichen und rechtlichen Gründe bereits bekannt sind oder wenn spezielle gesetzliche Vorschriften eine Ausnahme der Begründungspflicht vorsehen.

Besonders wichtig ist die Begründung bei **Ermessensentscheidungen** (insbesondere bei einer für die Einzelnen negativen Ermessensentscheidung). Die Begründung muss klar erkennen lassen, von welchem Sachverhalt die Behörde ausging, ob sie die Tatbestandsvoraussetzungen der Rechtsgrundlage als erfüllt ansah oder nicht und ob sie bei der Rechtsfolge ihren Ermessensspielraum erkannte und warum sie ihn wie ausgeübt hat. **Nicht oder unzulänglich begründete Ermessens-VAe** sind **rechtswidrig** und anfechtbar. Nach der gesetzlichen Wertung des § 35 Abs. 1 S. 2 SGB X wird unterstellt, dass die Verwaltung im Falle einer unvollständigen oder fehlerhaften Begründung das eingeräumte Ermessen tatsächlich nicht betätigt bzw. zweckwidrig ausgeübt hat.[261]

Grundsätzlich kann die Behörde **Verstöße** gegen das Begründungserfordernis noch im Widerspruchs- oder im gerichtlichen Verfahren durch **Nachholung einer korrekten Begründung** heilen, vgl. § 41 Abs. 1 Nr. 2 SGB X.[262] Ist bei einer Ermessensentscheidung das Ermessen aber gar nicht erst ausgeübt worden, ist eine Nachholung nur noch im Widerspruchsverfahren, nicht mehr jedoch in einem Gerichtsverfahren möglich.[263]

6.3.4 Rechtsbehelfsbelehrung

▶ Schriftliche VAe sind mit einer **Rechtsbehelfsbelehrung** zu versehen, vgl. **§ 36 SGB X**[264]. Darin müssen Betroffene genau darüber aufgeklärt werden, welche Art von Rechtsbehelf (zumeist einen Widerspruch)[265] diese wo, innerhalb welcher Frist und in welcher Art und Weise einlegen können.

---

261 Dörr/Francke, Sozialverwaltungsrecht, Kap. 3 Rn. 52.
262 S. Kap. 7.3.1.
263 Dörr/Francke, Sozialverwaltungsrecht, Kap. 3, Rn. 52.
264 Parallelvorschrift: § 37 Abs. 6 VwVfG.
265 Einzelheiten: Kap. 10.3.2 u. 11.

Die Rechtsbehelfsbelehrung muss all diese Punkte vollständig enthalten, d. h. es ist nicht ausreichend, wenn die Behörde z. B. lediglich schreibt: „Gegen diesen Bescheid können Sie Widerspruch einlegen."[266] Eine **fehlende** oder **unvollständige** Rechtsbehelfsbelehrung macht den VA an sich nicht rechtswidrig. Sie bewirkt jedoch, dass sich die **Frist** zur Einlegung des Rechtsbehelfs (Widerspruch) von einem Monat **auf ein Jahr verlängert**, vgl. § 66 SGG.[267]

6.4 Verwaltungsvollstreckung

VAe werden gemäß § 39 Abs. 1 SGB X[268] mit ihrer Bekanntgabe **wirksam**. Wirksamkeit heißt, dass die getroffene Regelung ab diesem Zeitpunkt **verbindlich** und, für den Fall, dass der VA-Adressat die Regelung nicht befolgt, auch **durchsetzbar** ist, nötigenfalls mit Zwang. Die zwangsweise Durchsetzung rechtlicher Entscheidungen nennt man **Vollstreckung**.

> ▶ Anders als im Privatrecht ist für die Verwaltungsvollstreckung **kein vorgelagertes Gerichtsverfahren** notwendig. Inhaber privatrechlicher Ansprüche müssen regelmäßig erst vor Gericht klagen, wenn ihre Ansprüche nicht freiwillig erfüllt werden. Erst das gerichtliche Verfahren verschafft ihnen einen „**Titel**" (z. B. Urteil, Vollstreckungsbescheid), aus dem heraus in einem sich anschließenden besonderen Verfahren vollstreckt werden kann (z. B. per Gerichtsvollzieher). Erlässt die Verwaltung einen VA, handelt sie hoheitlich, d. h. in Ausübung von **Staatsgewalt**. Dies bedeutet, sie kann ihre **VAe selbst vollstrecken,** ohne dass zuvor ein Gerichtsverfahren durchzuführen wäre. Anders ausgedrückt: „Die Verwaltung schafft sich durch die VAe ihre Titel selbst".[269]

Für den umgekehrten Fall gilt dies nicht. Das heißt, wenn eine Bürgerin einen begünstigenden VA erhalten hat, die Behörde freiwillig aber trotzdem nicht die nach dem VA geschuldete Leistung erbringt, muss sie vor dem Sozial- oder Verwaltungsgericht Klage erheben und kann erst aus dem Urteil (= Titel) vollstrecken.[270]

---

266 Einzelheiten: Finkenbusch, Sozialverwaltungsverfahren, Kap. 2.10.1.4.
267 Parallelvorschrift: § 58 VwGO; s. auch Kap. 11.3.3.
268 Parallelvorschrift: § 43 VwVfG.
269 Maurer/Waldhoff, Verwaltungsrecht, § 20 Rn. 1–3; Trenczek/Tammen/Behlert/v. Boetticher/Beetz, Grundzüge, III-1.5, S. 460 f.
270 S. Kap. 13.2.5.

Die Einlegung von **Rechtsbehelfen** wie z. B. **Widerspruch** und **Klage** entfaltet **aufschiebende Wirkung**[271], d. h. sie verhindern, solange sie noch nicht abgeschlossen sind, die Vollstreckung – so der Grundsatz gemäß § 86a Abs. 1 SGG (mit diversen Ausnahmen, vgl. § 86a Abs. 2 SGG[272]).

Nach § 66 SGB X haben die Sozialleistungsträger mehrere Möglichkeiten zur **Auswahl**, wie sie ihre VAe vollstrecken wollen. Entweder sie vollstrecken selbst (d. h. durch **eigenes Vollstreckungspersonal**) oder durch besondere, von ihnen **beauftragte Vollstreckungsbehörden** (z. B. Polizei, Ordnungsbehörde, Finanzamt, Hauptzollamt). Grundlage für die Vollstreckung, sowohl für die Sozialleistungsträger als auch für die sonstige Verwaltung, sind das **Bundes-** oder die **Landesverwaltungsvollstreckungsgesetze** (VwVG) – je nachdem ob es sich um Bundes- oder Landesverwaltung handelt. Eine weitere Vollstreckungsmöglichkeit ist die Vollstreckung in entsprechender Anwendung der **Zivilprozessordnung** (ZPO) durch **Gerichtsvollzieher**.[273]

Bei den Vollstreckungsmaßnahmen ist zu unterscheiden, ob die Verwaltung **Geldforderungen** vollstreckt oder ob sie Personen **bestimmte Pflichten (Handlungen, Dulden, Unterlassen)** auferlegt hat und diese vollstrecken möchte.

6.4.1   Vollstreckung von Geldforderungen

Ist eine Geldforderung durch VA festgesetzt worden und zahlt der Verpflichtete nicht, gibt es drei verschiedene Möglichkeiten, wie die Verwaltung vorgehen kann: **Aufrechnung** nach § 51 SGB I, **Verrechnung** nach § 52 SGB I oder **Vollstreckung** nach §§ 1–5 VwVG. Die Auf- oder Verrechnung ist aus Sicht der Verwaltung deutlich einfacher durchzuführen als die VwVG-Vollstreckung.

▶ **Auf-** oder **Verrechnung** ist die **Tilgung** der eigenen Forderung durch die **Nicht-Zahlung einer Gegenforderung** des Schuldners.[274] Bei der **Aufrechnung gemäß § 51 SGB I** sind die beiden Forderungen **gegenseitig**: Ein Sozialleistungsträger hat eine Forderung gegenüber einer Privatperson, diese hat gegenüber demselben Sozialleistungsträger Ansprüche auf Sozialleistungen. Bei der **Verrechnung gemäß § 52 SGB I** stehen sich **drei Personen/Stellen gegenüber**: Ein Sozialleistungsträger hat eine Forderung gegenüber einer Pri-

---

271 Zum Begriff: Kap. 14.1.
272 Parallelvorschrift: § 80 VwGO.
273 Einzelheiten: Ruland/Becker/Axer, SRH, § 12 Rn. 242 f.
274 Einzelheiten vgl. Frings/Schweigler, Sozialrecht, Kap. 2.6.2, S. 75 ff.

vatperson, diese hat Sozialleistungsansprüche gegenüber einem anderen Sozialleistungsträger.

Beispiele:

Aufrechnung: Die Rentenversicherung hat eine Erstattungsforderung gegenüber dem Rentner Herrn D aus einer vorherigen Überzahlung. D hat Anspruch auf monatliche Zahlung seiner laufenden Rente. Die Rentenversicherung kann aufrechnen, d.h. der Rentenanspruch des D so lange kürzen, bis ihre Erstattungsforderung getilgt ist.

Verrechnung: Das Jobcenter hat eine Erstattungsforderung gegenüber Herrn E aus einer früheren Überzahlung. E hat inzwischen die Altersgrenze des § 7a SGB II erreicht, d.h. er bezieht nun seine Altersrente und meldet sich beim Jobcenter ab und bei der Deutschen Rentenversicherung an. Das Jobcenter kann bei der Rentenversicherung seine Erstattungsforderung geltend machen und erreichen, dass die Rente des E so lange gekürzt wird, bis die Forderung getilgt ist.

Bei der Vollstreckung wegen Geldforderungen muss die Verwaltung – so wie Privatpersonen auch – die im Zivilrecht festgelegten **Pfändungsgrenzen** und den **Pfändungs- und Schuldnerschutz** der §§ 811, 850ff. ZPO beachten. Diese Vorschriften enthalten detaillierte Schutzbestimmungen für Schuldner, so sind z.B. bestimmte Sozialleistungen unpfändbar,[275] ein Mindestbetrag zur Bestreitung des Lebensunterhalts muss Schuldnern verbleiben, ein Girokonto kann in der Form eines Pfändungsschutzkontos geschützt sein, bestimmte (Haushalts- oder Arbeits-)Geräte und andere Gegenstände dürfen nicht gepfändet werden.[276]

Der Schuldnerschutz, insbesondere die Pfändungsgrenzen, würden die Realisierung von Forderungen (z.B. Rückforderungen für zu Unrecht bezogene Sozialleistungen) für die Sozialleistungsträger im **SGB II-** oder im **Sozialhilferecht** in vielen Fällen unmöglich machen. Daher finden sich in diesen Leistungsgesetzen spezielle, weitergehende Aufrechnungsregelungen:

- Nach § 43 SGB II kann das laufende Bürgergeld monatlich um 10–30 % abgesenkt werden, um damit Rückzahlungsansprüche des Jobcenters zu tilgen.
- Nach § 26 Abs. 2 SGB XII können laufende Sozialhilfeleistungen bis auf das „Unerlässliche" gekürzt werden, um damit Erstattungsforderungen des Sozialhilfeträgers zu tilgen, die durch vormals zu Unrecht bezogene Sozialhilfeleistungen entstanden sind.

---

275 Vgl. dazu auch § 54 SGB I.
276 Einzelheiten vgl. Falterbaum, Rechtliche Grundlagen, X.5.5, S. 260 f.; Trenczek/Tammen/ Behlert/v. Boetticher/Beetz, Grundzüge, I-5.3.1, S. 223 f.

Ist eine Realisierung der Forderung durch Auf- oder Verrechnung nicht möglich (z. B. weil eine Person gar keine Sozialleistungen (mehr) erhält), ist die **Vollstreckung nach dem VwVG** (§ 3 VwVG) nach folgendem Ablauf durchzuführen:[277]

- Dem Schuldner wird ein **VA mit der Aufforderung zur Zahlung** einer Geldleistung (Leistungsbescheid) zugestellt;
- die Leistung ist **seit über einer Woche fällig**, d. h. der im Leistungsbescheid genannte Termin für die Zahlung ist seit einer Woche verstrichen, ohne dass freiwillig gezahlt wurde;
- der Schuldner wird noch einmal mit einer weiteren **Zahlungsfrist von einer Woche** gemahnt;
- wurde wiederum nicht gezahlt, ergeht die **Vollstreckungsanordnung** – entweder an das eigene Vollstreckungspersonal oder an die mit der Vollstreckung beauftragte Behörde. Diese, die sogenannte „**Vollstreckungsbehörde**",[278] führt dann die eigentliche Vollstreckung durch, d. h. pfändet z. B. das Arbeitseinkommen beim Arbeitgeber, das Konto bei der Bank, Gegenstände aus der Wohnung (die zu diesem Zweck betreten werden darf), ein Grundstück durch die Einleitung der Zwangsversteigerung etc.[279] Die gleichen Schuldner-Schutzbestimmungen wie bei der Auf- und Verrechnung sind auch bei der Vollstreckung nach dem VwVG zu beachten.

Eine Forderung der Sozialverwaltung (und gleichermaßen auch ein Sozialleistungsanspruch) **verjährt** i. d. R. innerhalb von **vier Jahren** nach Ablauf des Kalenderjahres, in der sie entstanden ist, vgl. § 45 SGB I. Bei noch nicht verjährten Geldforderungen kann die Behörde die Zahlung auch **stunden** (d. h. die Rückzahlung zeitlich aufschieben) oder ganz oder teilweise **erlassen**. Maßgebliche Vorschrift hierfür ist § 76 SGB IV.

6.4.2 Vollstreckung von Handlungen, Dulden, Unterlassen

Ist die Regelung eines VA auf eine **bestimmte Pflicht** einer Person ausgerichtet, die nichts mit der Zahlung von Geld zu tun hat (**Handlungen, Dulden, Unterlassen**) so gelten auch hier zunächst speziellere Vorschriften, die die Durchset-

---

277 Einzelheiten: Dörr/Francke, Sozialverwaltungsrecht, Kap. 11, Rn. 119–122; Maurer/Waldhoff, Verwaltungsrecht, § 20, Rn. 9–12.
278 Bei Forderungen der Sozialverwaltung (z. B. Jobcenter, Arbeitsagentur, Krankenkassen) sind Vollstreckungsbehörden oftmals die Hauptzollämter der Finanzverwaltung.
279 Einzelheiten: Bull/Mehde, Verwaltungsrecht, Rn. 984 ff.

zung der Verpflichtung ermöglichen, bevor die Vollstreckung nach dem VwVG in Betracht kommt:

- So werden z. B. alle Arten von **Mitwirkungspflichten** nicht vollstreckt, sondern mit Hilfe des Leistungsverweigerungsrechts nach § 66 SGB I durchgesetzt.[280]
- Im **Grundsicherungs-** und **Arbeitslosenrecht** werden Pflichten (Annahme einer zumutbaren Arbeit, Nachweis von Eigenbemühungen etc.) ebenfalls vorrangig durch spezialgesetzlich geregelte **Leistungskürzungen** oder **Sperrzeiten** durchgesetzt. So z. B. die stufenweisen Leistungskürzungen nach § 31a SGB II[281] oder die Sperrzeiten nach § 159 SGB III.

Kommen diese Möglichkeiten der Durchsetzung von Pflichten nach den Gesetzen nicht in Betracht, kann nach den §§ 6–16 VwVG mit Mitteln des Verwaltungszwangs vollstreckt werden. Diese Mittel sind: **Zwangsgeld, unmittelbarer Zwang** und **Ersatzvornahme**.[282]

> ▶ **Zwangsgeld** ist die **Festsetzung einer Geldstrafe**, die sodann wie eine Geldforderung oder auch mit der Verhängung von Ersatzhaft vollstreckt werden kann. **Unmittelbarer Zwang** ist der **Einsatz von Gewalt** zur Durchsetzung einer Verpflichtung. **Ersatzvornahme** ist die **Ausführung einer Verpflichtung durch andere,** aber auf Kosten des Verpflichteten.[283]

Beim Einsatz der Zwangsmittel ist stets der **Grundsatz der Verhältnismäßigkeit** zu beachten, insbesondere ist immer das jeweils **mildeste** in Betracht kommende Zwangsmittel zu wählen.

Grundlage für die Anwendung des Verwaltungszwangs ist der vorher erlassene VA, der die entsprechende Verpflichtung enthält (**Anordnung**) und der nicht mehr mit Rechtsbehelfen oder in anderer Weise „aufgeschoben" werden kann.[284] Bei nicht freiwilliger Erfüllung der Verpflichtung erfolgt die vorherige **Androhung** des Zwangsmittels, vgl. § 13 VwVG. Die Festsetzung und die An-

---

280 S. Kap. 6.2.3.
281 Hierzu: Beetz/v. Harbou, Sanktionen.
282 Einzelheiten Maurer/Waldhoff, Verwaltungsrecht, § 20 Rn. 13 ff.
283 Letztere ist im Sozialrecht selten, sondern typisch für andere Rechtsgebiete, so z. B. im Verkehrs- oder Baurecht das Abschleppen eines Fahrzeugs oder der Abriss eines Schwarzbaus.
284 S. Kap. 14.1.

wendung des Zwangsmittels erfolgt, wenn trotz Androhung die Verpflichtung nicht erfüllt wurde und auch eine eventuelle Frist ergebnislos abgelaufen ist.[285]

Beispiel: Aufgrund einer desolaten Familiensituation einschließlich des Verdachts häuslicher Gewalt, soll nach Anordnung des Jugendamtes das Kind K gemäß § 42 SGB VIII aus der Familie herausgenommen und in eine Pflegefamilie gegeben werden. Mit VA wurde den Eltern aufgegeben, das Kind am 15. des Monats an die Mitarbeiter:innen des Jugendamtes herauszugeben. Dies geschieht jedoch nicht. Nunmehr können Zwangsmittel angedroht werden: Es kann ein Zwangsgeld angedroht werden, falls das Kind am 20. des Monats wiederum nicht herausgegeben werden sollte. Verstreicht der 20. des Monats, ohne dass die Verpflichtung erfüllt wurde, wird das Zwangsmittel festgesetzt. Das heißt, das Zwangsgeld ist fällig und kann im Wege der Vollstreckung von Geldforderungen oder sogar durch die Verhängung von Ersatzhaft eingetrieben werden.

Unter Beachtung des Grundsatzes der Verhältnismäßigkeit kann auch unmittelbarer Zwang (d.h. Herausnahme des Kindes mit Gewalt, z.B. durch den Einsatz der Polizei) angedroht werden, falls das Kind am 20. des Monats nicht freiwillig herausgegeben werden sollte. In diesem Fall wird bei Verstreichen des 20. des Monats ohne Erfüllung der Verpflichtung der unmittelbare Zwang angewendet, d.h. die Polizei wird beauftragt, das Kind notfalls mit Gewalt aus der Wohnung zu holen.

Besteht eine entsprechend dringliche Situation, d.h. **Gefahr im Verzug,** so kann auf die Androhung und unter Umständen sogar auf die Anordnung, d.h. den vorherigen VA, verzichtet werden, vgl. § 6 Abs. 2 VwVG.

Beispiel (Fall s.o.): Erfährt das Jugendamt, dass sich das Kind bereits in einer konkreten Leibes- oder Lebensgefahr befindet, so kann es ohne vorherigen VA und ohne vorherige Androhung von Zwangsmitteln direkt aus der Familie herausgeholt werden.

Neben dem VwVG enthalten die Gesetze anderer Sachgebiete ebenfalls Vorschriften, die den Einsatz von Zwang regeln. Zu nennen wären z.B. die **Landes-Polizeigesetze,** die **Landes-Unterbringungsgesetze** für psychisch Kranke, das **Strafvollzugsgesetz** oder die **Abschiebevorschriften** des Aufenthaltsgesetzes.

---

285 Einzelheiten: Maurer/Waldhoff, Verwaltungsrecht, § 20 Rn. 20 ff.

6.5 Übersicht

Übersicht: Verwaltungsverfahren

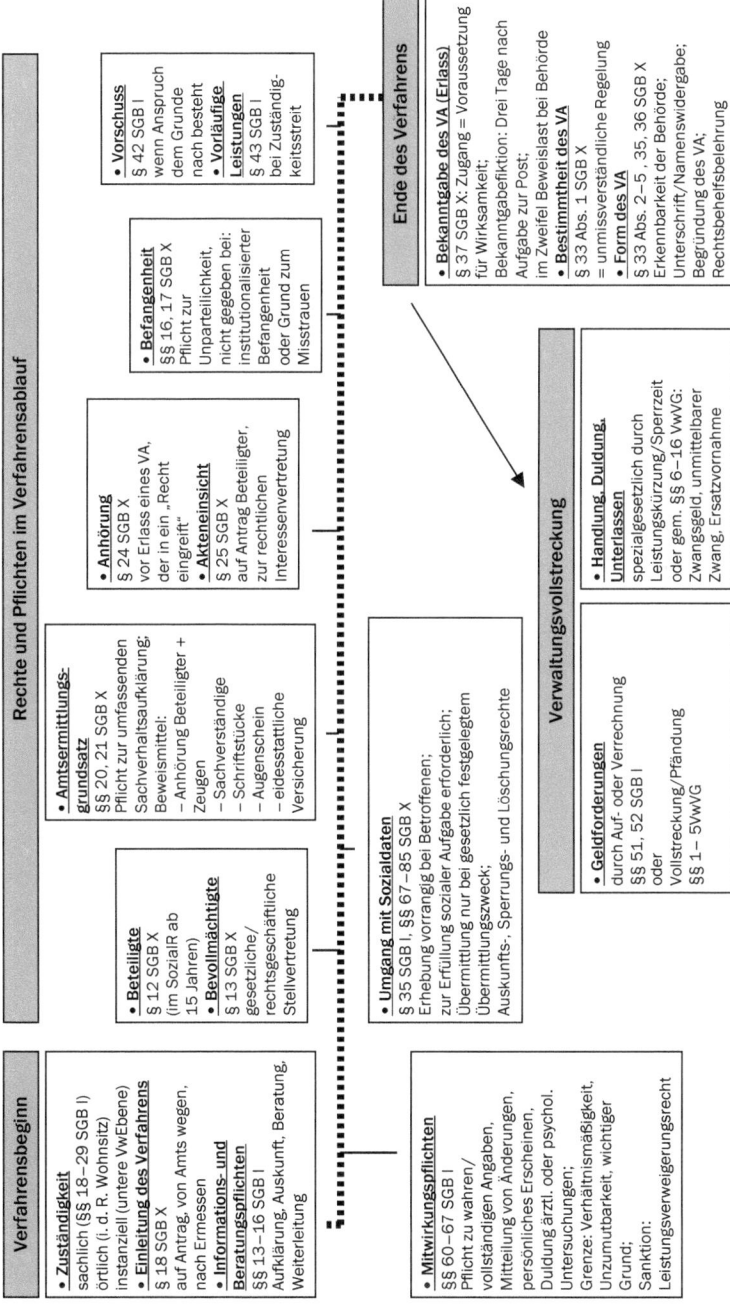

Verfahrensbeginn

- **Zuständigkeit**
sachlich (§§ 18–29 SGB I)
örtlich (i. d. R. Wohnsitz)
instanziell (untere VwEbene)
- **Einleitung des Verfahrens**
§ 18 SGB X
auf Antrag, von Amts wegen,
nach Ermessen
- **Informations- und**
Beratungspflichten
§§ 13–16 SGB I
Aufklärung, Auskunft, Beratung,
Weiterleitung

- **Mitwirkungspflichten**
§§ 60–67 SGB I
Pflicht zu wahren /
vollständigen Angaben,
Mitteilung von Änderungen,
persönliches Erscheinen,
Duldung ärztl. oder psychol.
Untersuchungen;
Grenze: Verhältnismäßigkeit,
Unzumutbarkeit, wichtiger
Grund;
Sanktion:
Leistungsverweigerungsrecht

Rechte und Pflichten im Verfahrensablauf

- **Beteiligte**
§ 12 SGB X
(im SozialR ab
15 Jahren)
- **Bevollmächtigte**
§ 13 SGB X
gesetzliche /
rechtsgeschäftliche
Stellvertretung

- **Umgang mit Sozialdaten**
§§ 35 SGB I, §§ 67–85 SGB X
Erhebung vorrangig bei Betroffenen;
zur Erfüllung sozialer Aufgabe erforderlich;
Übermittlung nur bei gesetzlich festgelegtem
Übermittlungszweck;
Auskunfts-, Sperrungs- und Löschungsrechte

- **Amtsermittlungs-**
grundsatz
§§ 20, 21 SGB X
Pflicht zur umfassenden
Sachverhaltsaufklärung;
Beweismittel:
– Anhörung Beteiligter +
Zeugen
– Sachverständige
– Schriftstücke
– Augenschein
– eidesstattliche
Versicherung

- **Anhörung**
§ 24 SGB X
vor Erlass eines VA,
der in ein „Recht
eingreift"
- **Akteneinsicht**
§ 25 SGB X
auf Antrag Beteiligter,
zur rechtlichen
Interessenvertretung

- **Befangenheit**
§§ 16, 17 SGB X
Pflicht zur
Unparteilichkeit,
nicht gegeben bei:
institutionalisierter
Befangenheit
oder Grund zum
Misstrauen

- **Vorschuss**
§ 42 SGB I
wenn Anspruch
dem Grunde
nach besteht
- **Vorläufige**
Leistungen
§ 43 SGB I
bei Zuständig-
keitsstreit

Ende des Verfahrens

- **Bekanntgabe des VA (Erlass)**
§ 37 SGB X: Zugang = Voraussetzung
für Wirksamkeit;
Bekanntgabefiktion: Drei Tage nach
Aufgabe zur Post;
im Zweifel Beweislast bei Behörde
- **Bestimmtheit des VA**
§ 33 Abs. 1 SGB X
= unmissverständliche Regelung
- **Form des VA**
§ 33 Abs. 2–5 , 35, 36 SGB X
Erkennbarkeit der Behörde;
Unterschrift/Namenswiedergabe;
Begründung des VA;
Rechtsbehelfsbelehrung

Verwaltungsvollstreckung

- **Geldforderungen**
durch Auf- oder Verrechnung
§§ 51, 52 SGB I
oder
Vollstreckung/Pfändung
§§ 1–5 VwVG

- **Handlung, Duldung,**
Unterlassen
spezialgesetzlich durch
Leistungskürzung/Sperrzeit
oder gem. §§ 6–16 VwVG:
Zwangsgeld, unmittelbarer
Zwang, Ersatzvornahme

6.6   Übungsfragen

6.6.1

Frau N, 85 Jahre alt, hat wegen Altersdemenz einen Betreuer, Herrn B. N bekommt vom Sozialamt Hilfe zur Pflege nach §§ 61 ff. SGB XII, da sie die kompletten Kosten für ihre Pflege nicht mit ihrer Rente und den Zahlungen aus der Pflegeversicherung abdecken kann. Bisher konnte N noch ambulant in ihrer Wohnung gepflegt werden, jetzt muss sie in ein Heim. Im Monat September findet der Umzug in das Heim statt. B, der als Betreuer den Umzug organisiert, informiert das Sozialamt über den Umzug der N in ein Pflegeheim und über ihre neue Adresse. Er versäumt es jedoch, beim Sozialamt einen formal korrekten Antrag auf Hilfe für die (nun kostspieligere) Heimpflege zu stellen. Das schafft er erst im Oktober. Ab wann muss das Sozialamt die Hilfe für die Heimpflege leisten?

6.6.2

Herr H ist seit einem Unfall auf den Rollstuhl angewiesen. Er möchte seine Wohnung rollstuhlgerecht ausbauen lassen. Weil er gehört hat, dass man dafür von den Sozialleistungsträgern Zuschüsse bekommen könne, wendet er sich an seine Krankenkasse. Die dortige Sachbearbeiterin, Frau I, erklärt ihm, dass die Krankenkasse für diese Leistung nicht zuständig sei. Wer stattdessen zuständig sei, könne sie H leider auch nicht so genau sagen. Sie „glaube" jedoch, dass es das Sozialamt sein müsste. Also sollte H besser dort sein Begehren vortragen. Hat I damit ihre Pflichten ausreichend erfüllt?

6.6.3

Die Ausländerbehörde übersendet Herrn Z ein Schreiben, in dem es heißt, dass man beabsichtige, seine Aufenthaltserlaubnis aufzuheben, da die Gründe für seinen Aufenthalt entfallen seien. Er hätte hiermit Gelegenheit, bis zum 30. des Monats dazu Stellung zu nehmen. Muss Z (der mit der Aufhebung der Aufenthaltserlaubnis nicht einverstanden ist) jetzt sofort Widerspruch einlegen?

6.6.4

Firma A ist der Arbeitgeber von Frau U. Da U unverhältnismäßig häufig krankgeschrieben ist, würde A für ihre Personalplanung gerne wissen, wie sich der Gesundheitszustand von U langfristig weiterentwickeln wird. Insbesondere würde A gerne wissen, ob nun dauerhaft ein Ersatz für U eingestellt werden muss und ob man der U eventuell aus personenbedingten Gründen kündigen muss. Zu diesem Zweck fragt der A bei der Krankenkasse von U nach den näheren Umständen der Erkrankung der U. Darf die Krankenkasse Auskunft erteilen?

6.6.5
*Herr K ist Student und war 3 Monate zum Praktikum im Ausland. Am 01. 10.
kommt er zurück, öffnet seinen Briefkasten und findet ein Schreiben des BAföG-
Amtes, Datum 01. 08., in dem seine BAföG-Bewilligung für das kommende Semester abgelehnt wird. Zu welchem Datum ist die Bekanntgabe erfolgt?*

6.6.6
*Herr D erhält einen VA, mit dem er zur Nachzahlung von Krankenkassenbeiträgen
aufgefordert wird, da man sein jährliches Einkommen noch einmal nachberechnet
habe. Eine gesetzliche Vorschrift, die das Nachzahlungsverlangen stützen würde,
enthält der VA nicht. D ruft bei der Krankenkasse an, um die gesetzliche Bestimmung zu erfragen. Der Sachbearbeiter, Herr S, meint, da müsse sich D schon an
einen Rechtsanwalt wenden. Ist das korrekt oder muss S die gesetzlichen Bestimmungen mitteilen?*

6.6.7
*Herr V bezieht Bürgergeld, das Jobcenter übernimmt auch die Kosten für Un-
terkunft und Heizung. Enthalten sind darin auch monatliche Vorschüsse für die
Nebenkosten. Nach einem Jahr bekommt V die Jahresabrechnung über die Neben-
kosten-Vorschüsse. Daraus geht hervor, dass ein Guthaben von 150 EUR besteht,
welches der Vermieter auf das Konto des V überweist. Das Geld gibt V sofort aus.
Als das Jobcenter von dem Guthaben erfährt, schickt es V einen VA mit der Aufforderung, die 150 EUR, die ihm gemäß § 22 Abs. 3 S. 1 SGB II nicht zustehen, bis
zum 30. des Monats zurückzuzahlen. V ist nicht weiter beunruhigt, da er aus dem
Internet erfahren hat, dass die Pfändungsgrenzen den Betrag übersteigen, den er
monatlich an Bürgergeld erhält. Daher sei bei ihm „nichts zu holen". Stimmt das?*

(Lösungen unter www.lehrbuch-sozialverwaltungsrecht.de)

Weiterführende Literatur

Verwaltungsverfahren
Ruland, Franz/Becker, Ulrich/Axer, Peter (Hrsg.), Sozialrechtshandbuch (SRH), 7. Aufl. Baden-
Baden 2022, §§ 6, 7 u. 11, 12.

Verwaltungsvollstreckung
Maurer, Hartmut/Waldhoff, Christian, Allgemeines Verwaltungsrecht, 21. Aufl., München
2024, § 20.

7. Kapitel
Fehler und Fehlerfolgen eines VA

Im Kapitel werden die rechtlichen Konsequenzen fehlerhafter Verwaltungsakte behandelt. Dazu gehören die unterschiedlichen Begriffe der Wirksamkeit, der Anfechtbarkeit und der Bestandskraft eines VA sowie die einzelnen Fehlerfolgen, nämlich Nichtigkeit, Rechtswidrigkeit, Heilung und Unbeachtlichkeit.

Nach Art. 20 Abs. 3 GG ist die Verwaltung zu rechtmäßigem Handeln verpflichtet. Entspricht ein VA nicht den gesetzlichen Anforderungen, so ist er **rechtswidrig**.

▶ Die gesetzlichen Anforderungen an einen VA werden bestimmt durch die Vorgaben des **materiellen** und **formellen Rechts**.[286] Ein VA muss materiell rechtmäßig sein, d.h. auf einer Rechtsgrundlage beruhen und deren Vorgaben bezogen auf den Einzelfall korrekt umsetzen. Ein VA muss auch formell rechtmäßig sein, d.h. den gesetzlichen Zuständigkeits-, Verfahrens- und Formanforderungen genügen.

7.1 Wirksamkeit, Anfechtbarkeit und Bestandskraft

Tagtäglich werden tausende von VAen erlassen. Da in der Verwaltung auch nur Menschen arbeiten, die Fehler machen, kommt es selbstverständlich vor, dass VAe erlassen werden, die den gesetzlichen Vorgaben nicht entsprechen, d.h. fehlerhaft (= rechtswidrig) sind. Hierbei stellt sich die grundlegende Frage, wie mit diesen VAen umzugehen ist.

▶ Das Spannungsfeld besteht zwischen strikter **Rechtsstaatlichkeit** und dem Funktionieren von Verwaltung, d.h. dem Bestehen von **Rechtssicherheit**.

---

286 Zu den Begriffen: Kap. 5.6.

Es ist klar, dass es die Verwaltung praktisch handlungsunfähig machen würde, wenn bei jedem VA zunächst in einem längeren Verfahren durch ein Gericht geklärt werden müsste, ob er rechtswidrig ist oder nicht, ehe der VA seine Wirkung entfalten kann. Niemand wüsste während dieser Zeit, was eigentlich gilt. Andererseits würde das Rechtsstaatsprinzip leerlaufen, wenn rechtswidriges Handeln der Verwaltung ohne jegliche Folgen bliebe.

> ▶ Die Lösung des Konflikts ist für die Handlungsform VA grundsätzlich **zugunsten der Rechtssicherheit** entschieden worden. Maßgebliche Vorschrift ist **§ 39 SGB X**.[287] Die Vorschrift enthält ein je nach Schwere der Rechtswidrigkeit **abgestuftes System**, wie mit fehlerhaften VAen umzugehen ist.

Zunächst gilt § 39 Abs. 1 SGB X: **Ein VA wird mit seiner Bekanntgabe**[288] **wirksam.**

Die Wirksamkeit eines Verwaltungsakts bedeutet dessen rechtliche Existenz. Ab der Bekanntgabe ist die in dem VA getroffene Regelung für den Rechtsverkehr, insbesondere für die VA-Adressaten, beachtlich.[289] Die in dem VA getroffene Regelung bestimmt fortan die konkrete Rechtsbeziehung zwischen Bürger:in und Verwaltung, unabhängig von ihrer Rechtmäßig- oder Rechtswidrigkeit.

Es stellt sich sodann die Frage nach der **Dauer der Wirksamkeit.** Wie lange soll die Wirkung eines ggf. rechtswidrigen Verwaltungsakts andauern? Hierzu bestimmt **§ 39 Abs. 2 SGB X** – gleichermaßen für rechtmäßige wie für rechtswidrige VAe – dass sie wirksam bleiben, solange nicht einer der **vier** in der Vorschrift aufgeführten **Erledigungsgründe** zutrifft.[290] Diese sind:

- **Rücknahme** oder **Widerruf** (d.h. Aufhebung des VA durch die Behörde nach den §§ 44–48 SGB X[291]),
- anderweitige Aufhebung (Aufhebung durch die Behörde oder ein Gericht aufgrund von **Anfechtung des VA mit Rechtsbehelfen**, d.h. Widerspruch und Klage[292]),
- Zeitablauf (z.B. der Fristablauf von befristeten VAen[293]),

---

287 Parallelvorschrift: § 43 VwVfG.
288 Vgl. § 37 SGB bzw. § 41 VwVfG; s. Kap. 6.3.1.
289 Einzelheiten: Finkenbusch, Sozialverwaltungsverfahren, Kap. 3.2.1.
290 Einzelheiten: Finkenbusch, Sozialverwaltungsverfahren, Kap. 3.2.3.
291 Parallelvorschriften: §§ 48–49 VwVfG; Einzelheiten: Kap. 9.
292 S. Kap. 10.3.2, 11 u. 13.
293 S. Kap. 4.7.

- Erledigung auf andere Weise (z. B. durch vollständige Zweckerreichung, beispielsweise durch die vollständige Erfüllung einer Zahlungs- oder Mitwirkungspflicht).

Bedeutsam ist im Zusammenhang mit der Aufhebung eines VA aufgrund von eingelegten Rechtsbehelfen die Frage der **Anfechtbarkeit** dieses VA.

▶ **Anfechtbar** ist ein VA – gleichgültig ob er sich später als rechtmäßig oder rechtswidrig erweist – immer dann, wenn er noch **nicht bestandskräftig** ist. „**Bestandskraft**" bzw. Unanfechtbarkeit erlangt ein VA, wenn er nicht mehr mit einem **förmlichen Rechtsbehelf** (Widerspruch oder Klage) angefochten werden kann. Dies geschieht, wenn entweder die **Frist**[294] für die Einlegung des Rechtsbehelfs ungenutzt verstrichen ist oder wenn ein Rechtsbehelfsverfahren zwar fristgemäß durchgeführt wurde, jedoch endgültig – ggf. nach Durchlaufen des Instanzenzugs – **erfolglos** geblieben ist.[295]

Aus **Sicht der Bürger:innen**, die einen an sie gerichteten VA für rechtswidrig halten, gilt daher Folgendes: Man muss **aktiv** werden und den **VA mit Rechtsbehelfen angreifen**. Ansonsten wird der VA bestandskräftig und damit endgültig verbindlich. Dann hat nur noch die Verwaltung die Möglichkeit, den VA **von sich aus aufzuheben**.[296] Bürger:innen haben jedoch kein Recht mehr, dies von ihr zu verlangen. Man spricht dann auch von „**formeller**" und „**materieller**" **Bestandskraft des VA**: Der VA kann formal nicht mehr mit Rechtsbehelfen angefochten werden, ist also formell bestandskräftig. Ebenfalls tritt dann die materielle (= inhaltliche) Bestandskraft ein. Auch der Inhalt des VA, die mit ihm getroffene Regelung, ist endgültig verbindlich und rechtsbeständig. Verwaltung und Bürger:innen sind gleichermaßen an die im VA getroffenen Reglungen gebunden.[297]

Wird der VA mit Rechtsbehelfen angegriffen, so gilt er trotzdem noch bis zu seiner Aufhebung durch die Behörde (im Widerspruchsverfahren) oder durch das Gericht (im Klageverfahren) als wirksam. Die Anfechtung des VA mit Rechtsbehelfen kann jedoch Auswirkungen auf dessen Vollstreckbarkeit entfalten, nämlich dessen Vollstreckung hemmen.[298]

---

294 Die Rechtsbehelfsfrist beträgt grundsätzlich einen Monat, s. Kap. 10.3.2.
295 S. Kap. 10.3.2; Dörr/Francke, Sozialverwaltungsrecht, Kap. 6, Rn. 115.
296 Nach den Bestimmungen über Rücknahme und Widerruf, s. Kap. 9.
297 Einzelheiten: Maurer/Waldhoff, Verwaltungsrecht, § 11, Rn. 4–7.
298 Einzelheiten: Kap. 10.3.2 und Kap. 14.1.

Schließlich regelt § 39 Abs. 3 SGB X eine weitere Kategorie des Umgangs mit fehlerhaften VAen: Als **von Anfang an unwirksam** gelten nur VAe, die **nichtig** sind. Nur der nichtige VA ist von vornherein unbeachtlich, muss von niemandem befolgt werden und löst keinerlei rechtliche Wirkungen aus. Der nichtige VA gilt als nicht existent. Die Nichtigkeit ist eine qualifizierte Form der Rechtswidrigkeit und bedeutet einen **besonders schweren** und **offensichtlichen Fehler.** In welchen Fällen dies vorliegt, wird im folgenden Abschnitt thematisiert.

Im Unterschied zu den VAen gilt für die **übrigen Handlungsformen** der Verwaltung Folgendes:

- Rechtswidrige Rechtsnormen der Verwaltung, d. h. **Rechtsverordnungen** und **Satzungen** sind i. d. R. nichtig.[299]
- Weisen **öffentlich-rechtliche Verträge** Fehler auf, so kommen entweder Nichtigkeit, Kündigung oder Anpassung in Betracht. § 58 SGB X[300] benennt verschiedene Nichtigkeitsgründe, die sich sowohl an den Nichtigkeitsgründen für Verträge nach dem BGB[301] als auch nach denen für VAe orientieren. Liegt der Fehler außerhalb der Nichtigkeitsgründe, besteht nach § 59 SGB X[302] die Möglichkeit der Kündigung oder Anpassung des Vertrags.
- Bei rechtswidrigem **schlichtem Verwaltungshandeln** wird die Frage nach dessen Wirksamkeit für die Betroffenen i. d. R. erst dann relevant, wenn aufgrund des schlichten Verwaltungshandelns eine Regelung mit Außenwirkung ergeht (für die dann wiederum die Grundsätze des VA oder der Rechtsnormen gelten).

7.2 Nichtigkeit

§ 40 SGB X[303] regelt die Voraussetzungen, unter denen ein VA nichtig, d. h. von Anfang an unwirksam ist.

▶ Nichtigkeit wird in § 40 Abs. 1 SGB X definiert als ein „**besonders schwerwiegender Fehler,** der bei verständiger Würdigung aller in Betracht kommenden Umstände **offensichtlich** ist". Ein Fehler ist dann als besonders schwerwie-

---

299 Einzelheiten: Maurer/Waldhoff, Verwaltungsrecht, § 13, Rn. 16 f., § 4, Rn. 56.
300 Parallelvorschrift: § 59 VwVfG.
301 Vgl. §§ 105, 116–120, 125, 138 BGB.
302 Parallelvorschrift: § 60 VwVfG.
303 Parallelvorschrift: § 44 VwVfG.

gend anzusehen, wenn er so grundlegend gegen die geltende Rechtsordnung verstößt, dass der weitere Bestand des VA **schlechthin unerträglich** wäre. Offensichtlich ist der Fehler, wenn ein gedachter, **objektiver Durchschnittsbetrachter** den VA unter allen in Betracht kommenden Gesichtspunkten als nicht bestandsfähig ansehen müsste.[304]

Beispiele hierfür sind die völlige **Unbestimmtheit** und **Unverständlichkeit** der Regelung des VA (vgl. § 33 Abs. 1 SGB X), die **sachliche Unzuständigkeit** der Behörde (d. h. Handeln außerhalb ihres Hoheitsbereiches), VAe, die durch Zwang oder Bestechung zustande gekommen sind oder reine **Willkürmaßnahmen**.[305]

Etwas mehr Klarheit gewinnt der sehr unbestimmte Begriff der Nichtigkeit durch die **positiven** und **negativen Beispiele** in § 40 Abs. 2 und Abs. 3 SGB X. Diese benennen konkrete Fehler, die einen VA nichtig machen (Positivkatalog) oder dies gerade nicht tun (Negativkatalog).

§ 40 Abs. 2 SGB X (Positivkatalog) regelt die sogenannten „absoluten" **Nichtigkeitsgründe.** Liegt einer der dort genannten Tatbestände vor, ist der VA nichtig, und zwar ohne weitere Prüfung, ob ein besonders schwerwiegender und offensichtlicher Fehler i. S. d. § 40 Abs. 1 SGB X vorliegt. Die absoluten Nichtigkeitsgründe sind:

- § 40 Abs. 2 Nr. 1 SGB X: Es fehlt bei einem schriftlichen oder elektronischen VA die **Angabe der erlassenden Behörde,** so dass der Adressat nicht weiß, mit welcher Behörde eigentlich ein Rechtsverhältnis bestehen soll.
- § 40 Abs. 2 Nr. 2 SGB X: Es fehlt die gesetzlich vorgesehene Aushändigung einer **Urkunde** (z. B. die fehlende Aushändigung der Einbürgerungsurkunde nach § 16 StAG).
- § 40 Abs. 2 Nr. 3 SGB X: Den VA kann aus tatsächlichen Gründen niemand ausführen. Gemeint ist damit **objektive Unmöglichkeit.** Dies ist zu trennen von rein subjektivem Unvermögen. So liegt z. B. bei einem VA mit einer Zahlungsaufforderung, der von dem Betroffenen aus Geldmangel nicht erfüllt werden kann, nur subjektives Unvermögen vor. Objektive Unmöglichkeit liegt z. B. vor bei der Beitragsaufforderung an einen bereits Toten.
- § 40 Abs. 2 Nr. 4 SGB X: Ein VA, der die **Begehung einer rechtswidrigen Tat** verlangt, z. B. die Aufforderung der Betreuungsbehörde an einen Betreuer, gegen den Willen des Betreuten und ohne richterliche Erlaubnis in dessen

---

304 Finkenbusch, Sozialverwaltungsverfahren, Kap. 3.3; Ruland/Becker/Axer, SRH, § 12, Rn. 207–210.
305 Weitere Beispiele: Bull/Mehde, Verwaltungsrecht, Rn. 774 f.

Wohnung zu gehen (was den Straftatbestand des Hausfriedensbruchs erfüllen würde).

- § 40 Abs. 2 Nr. 5 SGB X: Ein Verwaltungsakt, der gegen die **„guten Sitten"** verstößt. Hierbei handelt es sich um einen innerhalb der Rechtsordnung häufiger verwendeten, allerdings unbestimmten Rechtsbegriff.[306] Die guten Sitten werden durch das in der Gesellschaft herrschende, sozial-ethische Wertesystem (z. B. das Wertesystem des GG) bestimmt und werden nach einer vom Reichsgericht 1901 entwickelten und noch heute gebräuchlichen Formel definiert als „das Anstandsgefühl aller billig und gerecht Denkenden".[307] Ein sittenwidriger VA wäre eine Regelung, die in eklatanter Weise diesem herrschenden gesellschaftlichen Wertesystem widersprechen würde, z. B. die Schließung einer Zwangsheirat durch das Standesamt oder die polizeiliche Anordnung, bei einem Beschuldigtenverhör Mittel der Folter anzuwenden, wobei häufig zugleich eine Nichtigkeit wegen Rechtswidrigkeit vorliegen dürfte.[308]

§ 40 Abs. 3 SGB X (Negativkatalog) enthält eine Auflistung von Fehlern, die VAe **nicht nichtig** machen – selbst wenn man die Fehler als besonders schwerwiegend und offensichtlich i. S. d. § 40 Abs. 1 SGB X ansehen könnte. Die VAe sind können jedoch aus diesen Gründen stets **nur rechtswidrig** sein. Der Negativkatalog betrifft:

- § 40 Abs. 3 Nr. 1 SGB X: VAe, die von einer **örtlich unzuständigen Behörde** erlassen wurden.
- § 40 Abs. 3 Nr. 2 SGB X: VAe, die unter Mitwirkung einer nach § 16 SGB X **ausgeschlossenen Person** zustande gekommen sind.
- § 40 Abs. 3 Nr. 3 u. 4 SGB X: VAe, die unter **mangelhafter oder fehlender Mitwirkung** (die eigentlich erforderlich gewesen wäre) von **Ausschüssen** (z. B. Widerspruchsausschuss der Deutschen Rentenversicherung o. ä.) oder **anderen Behörden** zustande gekommen sind.

Wie sich aus den Positiv- und Negativkatalogen der Nichtigkeitsgründe unschwer feststellen lässt, ist die Nichtigkeit eines VA die Ausnahme. Typischerweise sind fehlerhafte VAe nicht nichtig, sondern „nur" rechtswidrig.

Ist man mit einem fehlerhaften VA konfrontiert, dessen Fehler sich nicht ohne Weiteres dem § 40 Abs. 2 oder Abs. 3 SGB X zuordnen lässt, so kann die Frage der Nichtigkeit nur nach § 40 Abs. 1 SGB X beurteilt werden. Um als schwerer

---

306 Vgl. § 138 BGB.
307 RGZ 48, S. 114 (124).
308 Vgl. auch das Fallbeispiel bei Ipsen, Verwaltungsrecht, Rn. 605, 689 ff.

und offensichtlicher Fehler i. S. d. § 40 Abs. 1 SGB X zu gelten, müsste der Fehler **mindestens so gravierend** sein, wie einer der **absoluten Nichtigkeitsgründe.** Ist ein eindeutiges Ergebnis nicht feststellbar, ist es ratsam, von der Rechtswidrigkeit auszugehen und den VA mit **Rechtsbehelfen** anzugreifen anstatt auf die Ausnahme Nichtigkeit zu vertrauen und nichts zu tun. Grundsätzlich kann man auch bei einem nichtigen VA – obwohl er ja eigentlich als nicht existent gilt und keine Rechtswirkungen entfaltet – von der Behörde dessen **Aufhebung** bzw. die formale **Feststellung der Nichtigkeit** verlangen.[309] Grund hierfür ist das Bedürfnis nach Klarstellung und Rechtssicherheit.

7.3   Rechtswidrigkeit

Der weitaus überwiegende Teil der Fehler führt zur bloßen **Rechtswidrigkeit** des VA.

> ▶ Rechtswidrigkeit bedeutet für den VA dessen **Aufhebbarkeit** nach § 39 Abs. 2 SGB X. Die Aufhebung des VA kann entweder von der Behörde selbst vorgenommen oder durch Betroffene mittels Widerspruch und Klage erzwungen werden. Der rechtswidrige VA bleibt wirksam; seine Wirksamkeit endet erst mit seiner Aufhebung. Eine **Legaldefinition** von **Rechtswidrigkeit** enthält **§ 44 Abs. 1 S. 1 SGB X**[310]: Danach ist ein VA rechtswidrig, wenn sich ergibt, dass **bei seinem Erlass das Recht unrichtig angewandt** oder von einem **Sachverhalt** ausgegangen wurde, der sich als **unrichtig** erweist.

Die Definition ist umfassend: Unrichtige Rechtsanwendung oder unrichtige Sachverhaltsfeststellung erfasst sowohl die formelle als auch die materielle Rechtmäßigkeit des VA. Aufgrund der zahlreichen gesetzlichen Anforderungen in diesen beiden Bereichen der Rechtmäßigkeit sind ebenso viele verschiedene Fehler denkbar:[311]

---

309 Einzelheiten: Maurer/Waldhoff, Verwaltungsrecht, § 10, Rn. 93.
310 Eine vergleichbare Vorschrift gibt es im VwVfG nicht.
311 Beispiele verschiedener Fehler vgl. Bull/Mehde, Verwaltungsrecht, Rn. 782–786; vgl. auch die Übersicht in Kap. 7.5.1.

Beispiele:

Fehler im Bereich der formellen Rechtmäßigkeit: eine unzuständige Behörde hat gehandelt, ein befangener Amtsträger hat gehandelt, der Sachverhalt wurde mangelhaft aufgeklärt, die Betroffene wurde vor Erlass des VA nicht richtig beraten, eine erforderliche Anhörung wurde versäumt, der VA wurde mangelhaft begründet, u. v. m.

Fehler im Bereich der materiellen Rechtmäßigkeit: die Behörde legt ihrer Entscheidung einen falschen Sachverhalt zugrunde, bei der Auslegung der erforderlichen Tatbestandsvoraussetzungen weicht die Behörde von den anerkannten Auslegungsmethoden ab oder beachtet eine bereits gefestigte Rechtsprechung nicht, ein nach der Rechtsgrundlage vorgesehenes Ermessen wird von der Behörde nicht korrekt ausgeübt etc.

Jeder dieser Fehler macht den VA **rechtswidrig.** Allerdings macht nicht jeder Fehler den VA auch aufhebbar. Sind die Fehler nicht **gravierend,** können sie unter bestimmten Voraussetzungen **geheilt** werden oder **unbeachtlich** sein, vgl. den folgenden Abschnitt. Eine Aufhebung des VA allein aus diesem Grund kann dann nicht verlangt werden. Grundsätzlich betrifft dies jedoch nur Fehler aus dem Bereich der formellen Rechtmäßigkeit (= Verfahrens- und Formfehler).

7.4 Nicht erhebliche Verfahrens- und Formfehler

Form- und Verfahrensfehler, die den VA nicht nichtig machen, sind in bestimmten Fällen **heilbar,** vgl. § 41 SGB X[312], **unbeachtlich,** vgl. § 42 SGB X[313], oder sie können **berichtigt,** vgl. § 38 SGB X[314], oder **umgedeutet,** vgl. § 43 SGB X[315], werden.

7.4.1 Heilung

▶ **Heilung** bedeutet die **Nachholung** bestimmter **Handlungen** oder **Formalien,** die bei dem VA versäumt wurden. Erfolgt das Nachholen, so entfallen Fehler und die Rechtswidrigkeit des VA nachträglich. Der VA wird insoweit wieder rechtmäßig (= geheilt).

---

312 Parallelvorschrift: § 45 VwVfG.
313 Parallelvorschrift: § 46 VwVfG.
314 Parallelvorschrift: § 42 VwVfG.
315 Parallelvorschrift: § 47 VwVfG.

Das Prinzip der Heilbarkeit von Fehlern basiert auf dem Gedanken der **Verfahrensökonomie**[316]: VAe, die in der Sache, d. h. inhaltlich, rechtmäßig sein können, sollen nicht durch Rechtsbehelfe, die **allein** auf die Verletzung von Verfahrens- oder Formvorschriften gestützt werden, aufgehoben werden. Es wäre unökonomisch, wenn sodann ein **inhaltsgleicher VA** erneut erlassen werden müsste. Auch unter Beachtung der Erfordernisse eines rechtstaatlichen, fairen Verfahrens bleiben daher bestimmte Fehler der Behörde folgenlos, soweit sie die Versäumnisse rechtzeitig nachholt. § 41 Abs. 1 SGB X enthält einen Katalog von Verfahrenshandlungen und Formalien, die nachholbar sind. Es betrifft:

- § 41 Abs. 1 Nr. 1 SGB X: den rechtlich vorgeschriebenen Antrag;
- § 41 Abs. 1 Nr. 2 SGB X: die erforderliche Begründung;
- § 41 Abs. 1 Nr. 3 SGB X: die vorgeschriebene Anhörung eines Beteiligten;
- § 41 Abs. 1 Nr. 4 SGB X: die Mitwirkung eines Ausschusses;
- § 41 Abs. 1 Nr. 5 SGB X: die Mitwirkung einer anderen Behörde;
- § 41 Abs. 1 Nr. 6 SGB X: die erforderliche Hinzuziehung eines (weiteren) Beteiligten.

Alle Handlungen sind nach § 41 Abs. 2 SGB X **nachholbar bis zur Berufungsinstanz**[317] **in einem sozialgerichtlichen Verfahren,** im Fall der Nachholung eines vorgeschriebenen Antrags sogar zeitlich unbegrenzt.

Besonderheiten gelten bei der Nachholung der (nach § 35 SGB X[318] erforderlichen) **Begründung:** Hier muss differenziert werden zwischen dem **zulässigen** und **nicht mehr zulässigen Nachschieben von Gründen.** Ein zulässiges Nachschieben ist z. B. die Ergänzung einer unvollständigen Begründung oder die Richtigstellung einer fehlerhaften. Dies ist möglich auch bei Ermessensentscheidungen. Ein nicht mehr zulässiges Nachschieben liegt vor, wenn die Behörde die Begründung im Nachhinein praktisch komplett **austauscht** und dadurch die Regelung des VA **in ihrem Wesen** verändert oder gar im Gerichtsverfahren erstmals Ermessenserwägungen anstellt.[319]

Problematisch ist ebenfalls die Zulässigkeit der Nachholung der (nach § 24 SGB X[320] erforderlichen) **Anhörung:** So wird die **Funktion** einer Anhörung, die **Gewährung rechtlichen Gehörs vor einer Entscheidung,**[321] im Nachhinein ja gerade nicht mehr erreicht. Auch die Einlegung eines Rechtsbehelfs, z. B. eines

---

316 Ehlers/Pünder, Verwaltungsrecht, § 14, Rn. 81.
317 S. Kap. 10.3.2.
318 Parallelvorschrift: § 39 VwVfG.
319 Maurer/Waldhoff, Verwaltungsrecht, § 10, Rn. 64 ff.
320 Parallelvorschrift: § 28 VwVfG.
321 S. Kap. 6.2.5.

Widerspruchs, stellt keine Anhörung dar. Es gilt daher, dass die Heilung einer versäumten Anhörung nur dann als zulässig akzeptiert wird, wenn die Verwaltung den Fehler **nicht vorsätzlich rechtsmissbräuchlich** oder durch **Organisationsverschulden** begangen hat.[322]

Nach § 41 Abs. 3 SGB X gilt sowohl für die fehlende Begründung als auch für die fehlende Anhörung, dass wenn dadurch die **rechtzeitige Anfechtung** des VA versäumt worden ist, das Versäumnis der Rechtsbehelfsfrist als nicht verschuldet gilt und innerhalb von zwei Wochen nach der nachgeholten Anhörung/Begründung der Rechtsbehelf noch eingelegt werden kann.

7.4.2 Unbeachtlichkeit

> ► **Unbeachtlichkeit** bedeutet gemäß § 42 SGB X[323] dass die Aufhebung eines VA, der nicht nach § 40 SGB X nichtig ist, nicht allein deshalb beansprucht werden kann, weil er unter Verletzung von Vorschriften über das **Verfahren,** die **Form** oder die **örtliche Zuständigkeit** zustande gekommen ist, wenn **offensichtlich** ist, dass die Verletzung die **Entscheidung in der Sache nicht beeinflusst hat.**

§ 42 SGB X kommt immer dann in Betracht, wenn eine **Heilung** des Verfahrens- oder Formfehlers **nicht möglich** oder **nicht erfolgt** ist. Die Vorschrift dient ebenfalls dem Zweck der **Verfahrensökonomie** und basiert auf dem Gedanken, dass ein VA, der inhaltlich richtig ist und „nur" an formellen Mängeln leidet, die Rechte der Bürger:innen „nicht wirklich" verletzt und daher bestehen bleiben soll. Dies ist **verfassungsrechtlich bedenklich.** Denn durch die Norm bleibt die rechtsstaatliche Pflicht der Verwaltung zur **Beachtung wesentlicher Verfahrensgarantien** weitgehend **ohne Sanktionsmöglichkeiten.**[324] Das Vorliegen der Voraussetzungen für die Anwendung von § 42 SGB X sollte daher stets genau geprüft und im Zweifel eng ausgelegt werden.

Maßgebliche Voraussetzungen bei der Anwendung des § 42 SGB X sind:

* Der Verfahrens- oder Formfehler oder Fehler der örtlichen Zuständigkeit muss für die inhaltliche Entscheidung **ursächlich** (kausal) sein. Das heißt, der Fehler muss entscheidungserheblich gewesen sein. Fehlt es daran, d. h. wirkte

---

322 BSG, Urteil v. 31. 10. 2002 – B 4 RA 15/01 R, Rn. 44.
323 Parallelvorschrift: § 46 VwVfG.
324 Ehlers/Pünder, Verwaltungsrecht, § 14 Rn. 87 ff.

sich der Fehler in keiner Weise auf den Inhalt der Entscheidung und deren Rechtmäßigkeit aus, handelt es sich nicht um einen wesentlichen Fehler. Der Fehler bleibt dann unbeachtlich, insoweit der VA inhaltlich rechtmäßig ist.

- Es muss darüber hinaus **offensichtlich** sein, dass sich der Fehler **nicht** auf die Sachentscheidung ausgewirkt hat. Das heißt, ein Einfluss des Fehlers auf den Inhalt des VA muss **eindeutig** auszuschließen sein.[325]

Beispiele:

<u>Unbeachtliche Fehler:</u> Fehlen oder Fehler in der Rechtsbehelfsbelehrung (§ 36 SGB X). Es ist praktisch undenkbar, dass sich dieser Fehler in irgendeiner Weise auf den Inhalt des VA auswirkt, da die Formalie nichts mit der eigentlichen Regelung zu tun hat. Folge: Der Fehler ist nach § 42 SGB X unbeachtlich (die einzige Konsequenz des Fehlers besteht in der Verlängerung der Widerspruchsfrist[326] auf ein Jahr, vgl. § 66 Abs. 2 SGG/§ 58 Abs. 2 VwGO.

Örtliche Unzuständigkeit der den VA erlassenden Kommune. I. d. R. hat dies keine Auswirkungen auf den Inhalt des VA, denn jede Kommune muss die Gesetze gleichermaßen rechtmäßig umsetzen. Das heißt, die andere, örtlich zuständige Kommune hätte genau den gleichen VA erlassen. Folge: Der Fehler ist nach § 42 SGB X unbeachtlich. (Ein Unterschied könnte sich eventuell bei Ermessensentscheidungen ergeben, wenn sich z. B. feststellen lässt, dass die eigentlich zuständige Kommune ihr Ermessen stets in einer ganz bestimmten Weise ausübt, welches sich von der handelnden, aber unzuständigen Kommune unterscheidet. Dann hat der Verfahrensfehler der örtlichen Unzuständigkeit auch Konsequenzen für den Inhalt des VA und wäre beachtlich.)

<u>Beachtliche Fehler:</u> Falsche oder unvollständige Beratung (§§ 14, 15). Ein Antragsteller wurde im Vorfeld bei der Beantragung einer Sozialleistung falsch beraten, z. B. bezüglich der Frage, welche Unterlagen einzureichen sind. Wird der VA sodann wegen angeblich nicht vorliegender bzw. nicht nachgewiesener Leistungsvoraussetzungen abgelehnt, muss von einem Zusammenhang zwischen Verfahrensfehler und Inhalt der Entscheidung, d. h. von der Beachtlichkeit des Fehlers ausgegangen werden. (Das gleiche gilt auch bei dem Verfahrensfehler „mangelhafte Sachverhaltsaufklärung" nach § 20 SGB X.)

Sachbearbeitung einer nach §§ 16, 17 SGB I befangenen Person. Dieser Verfahrensfehler dürfte regelmäßig bei Ermessens-VAen beachtlich sein, da eine nicht objektive/nicht ausgewogene Ermessensentscheidung wahrscheinlich ist. In jedem Fall kann hier eine „offensichtliche" Unbeeinflusstheit bei der Entscheidung gerade nicht

---

325 Ipsen, Verwaltungsrecht, Rn. 707.
326 S. Kap. 11.3.3.

angenommen werden. Etwas anderes könnte nur gelten bei gebundenen VAen, bei denen von vornherein nur eine einzige Rechtsfolge möglich ist.

7.4.3 Umdeutung

In § 43 SGB X[327] ist die Möglichkeit der **Umdeutung** eines fehlerhaften/anfechtbaren VA in einen anderen – rechtmäßigen – VA geregelt. Der praktische Anwendungsbereich der Vorschrift ist **gering,** da eine zulässige Umdeutung an zahlreiche Voraussetzungen geknüpft ist[328]. So muss der neue VA

* auf das gleiche Ziel gerichtet sein wie der alte VA,
* alle gesetzlichen Voraussetzungen für seinen Erlass erfüllen,
* keine ungünstigeren Rechtsfolgen für die betroffene Person aufweisen als der alte VA,
* eine vorherige Anhörung der Betroffenen vorsehen,
* nicht entbehrlich sein, weil man den alten VA auch nach §§ 44, 45 SGB X hätte zurücknehmen dürfen.

Beispiel: Frau U möchte ein Seniorenheim betreiben doch der Betrieb wird ihr von der Heimaufsichtsbehörde gemäß § 19 HeimG untersagt. U legt Widerspruch ein, verpasst jedoch wegen einer sorgfältig ausgearbeiteten und ausführlichen Begründung die Widerspruchsfrist um mehrere Wochen. Die Heimaufsichtsbehörde übersieht dies – sie findet den Widerspruch der U begründet und erlässt einen Abhilfebescheid (vgl. § 85 SGG), mit dem die Untersagung aufgehoben wird. Der Abhilfebescheid wäre rechtswidrig (weil wegen des Fristversäumnisses kein zulässiger Widerspruch eingelegt wurde und Abhilfebescheide nur im Rahmen eines zulässigen Widerspruchsverfahrens ergehen können). Der VA kann jedoch umgedeutet werden in einen rechtmäßigen Rücknahmebescheid.

---

327 Parallelvorschrift: § 47 VwVfG.
328 vgl. Maurer/Waldhoff, Verwaltungsrecht, § 10 Rn. 95.

7.4.4   Berichtigung

▶ Bei der **Berichtigung** gemäß § 38 SGB X[329] geht es um **offensichtliche Schreib- oder Rechenfehler,** die die Verwaltung jederzeit korrigieren kann. Voraussetzung ist, dass der Regelungsinhalt des VA **unverändert** bleibt.[330]

Anhand des Textes des VA muss sich – ggf. durch Auslegung – unzweideutig feststellen lassen, was die Verwaltung tatsächlich gewollt hat. Etwaige Zweifel gehen zu Lasten der Verwaltung. Muss der ursprüngliche VA inhaltlich geändert werden, z. B. weil er sich als rechtswidrig erweist, kann die Korrektur nicht über die Berichtigung erfolgen, sondern nur durch Rücknahme und Widerruf gemäß §§ 44–48 SGB X.[331]

Beispiel: Das Jobcenter erlässt einen Bürgergeld-Bescheid. Darin heißt es: „Ihnen werden folgende, monatlichen Leistungen bewilligt: Leistungen zur Sicherung des Lebensunterhalts nach Regelbedarfsstufe 1: 563 EUR, Leistungen für Unterkunft und Heizung: 500 EUR. Summe: 10 630 EUR." Aus den vorangegangenen Positionen sowie i. V. m. den §§ des SGB II lässt sich eindeutig erkennen, dass nur ein Anspruch auf monatliche Leistungen i. H. v. 1 063 EUR besteht. Das Jobcenter kann dies jederzeit berichtigen.

---

329 Parallelvorschrift: § 42 VwVfG.
330 Einzelheiten: Dörr/Francke, Sozialverwaltungsrecht, Kap. 7, Rn. 25–29.
331 S. Kap. 9.

7.5 Übersichten

Übersicht 1: Fehler des VA

		VA	Fehler	Folge
Formelle Rechtmäßigkeit	**Zuständigkeit**	sachlich	sachlich unzuständige Behörde	Nichtigkeit
		örtlich/instanziell	örtlich/instanziell unzuständige Behörde	Rechtswidrigkeit + Möglichkeit der Unbeachtlichkeit
	Verfahren	Verfahrenseinleitung § 18 SGB X	kein Antrag	Rechtswidrigkeit + Möglichkeit der Heilung
		Amtsermittlung §§ 20, 21 SGB X	Sachverhalt falsch/ unvollständig ermittelt	Rechtswidrigkeit + Möglichkeit der Unbeachtlichkeit
		Befangenheit §§ 16, 17 SGB X	Verwaltungsmitarbeiter:in befangen	Rechtswidrigkeit + Möglichkeit der Unbeachtlichkeit
		Anhörung § 24 SGB X	versäumte Anhörung	Rechtswidrigkeit + Möglichkeit der Unbeachtlichkeit
		Bekanntgabe § 37 SGB X	keine Bekanntgabe erfolgt	VA nicht wirksam § 39 SGB X
	Form	Bestimmtheit § 33 Abs. 1 SGB X	Unbestimmtheit	Nichtigkeit
		Unterschriften § 33 Abs. 3–5 SGB X	Fehlende Unterschriften/ Namenswidergabe	Rechtswidrigkeit + Möglichkeit der Unbeachtlichkeit
		Begründung § 35 SGB X	Falsche/unvollständige Begründung	Rechtswidrigkeit + Möglichkeit der Heilung
		Rechtsbehelfsbelehrung § 36 SGB X	Falsche/unvollständige Rechtsbehelfsbelehrung	immer unbeachtlich, aber Verlängerung der Rechtsbehelfsfrist auf ein Jahr
Materielle Rechtmäßigkeit		**Rechtsgrundlage**	falsche/es gibt keine/sie stimmt nicht mit höherrangigem Recht überein	Rechtswidrigkeit oder Nichtigkeit
		Tatbestandsvoraussetzungen	unrichtige Tatsachenfeststellung	Rechtswidrigkeit oder Nichtigkeit
			Subsumtionsfehler, z. B. falsche Auslegung unbestimmter Rechtsbegriffe	Rechtswidrigkeit oder Nichtigkeit
		Rechtsfolge gebunden	falsche Rechtsfolge	Rechtswidrigkeit oder Nichtigkeit
		Ermessen	Ermessensfehler (Über-, Unterschreitung, Fehlgebrauch)	Rechtswidrigkeit oder Nichtigkeit

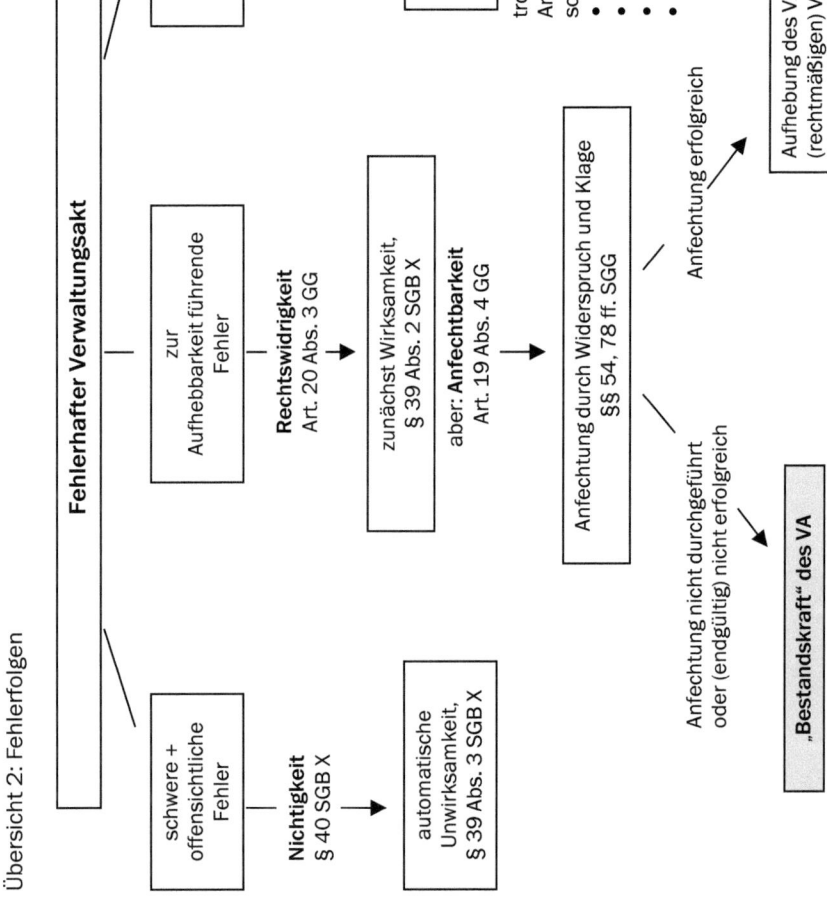

Übersicht 2: Fehlerfolgen

Fehlerhafter Verwaltungsakt

schwere + offensichtliche Fehler

Nichtigkeit § 40 SGB X

automatische Unwirksamkeit, § 39 Abs. 3 SGB X

zur Aufhebbarkeit führende Fehler

Rechtswidrigkeit Art. 20 Abs. 3 GG

zunächst Wirksamkeit, § 39 Abs. 2 SGB X

aber: **Anfechtbarkeit** Art. 19 Abs. 4 GG

Anfechtung durch Widerspruch und Klage §§ 54, 78 ff. SGG

Anfechtung nicht durchgeführt oder (endgültig) nicht erfolgreich

„Bestandskraft" des VA

Anfechtung erfolgreich

unbeachtliche oder heilbare Fehler

Rechtswidrigkeit Art. 20 Abs. 3 GG

zunächst Wirksamkeit, § 39 Abs. 2 SGB X

trotz des Fehlers keine Anfechtbarkeit/Aufhebbarkeit soweit:
• korrigierbar § 38 SGB X
• Heilung § 41 SGB X
• Unbeachtlichkeit § 42 SGB X
• Umdeutung § 43 SGB X

Aufhebung des VA/Erlass eines neuen (rechtmäßigen) VA

7.6 Übungsfragen

7.6.1
Was ist die Bedeutung der Begriffe Rechtswidrigkeit, Nichtigkeit, Wirksamkeit und Bestandskraft und welcher Zusammenhang besteht zwischen ihnen?

7.6.2
Herr V erhält – für ihn völlig überraschend – eine Rückzahlungsaufforderung über von ihm vor 15 Jahren bezogene Sozialleistungen. Diese soll er angeblich zu Unrecht erhalten haben. V hält das Rückzahlungsverlangen nach so langer Zeit einfach für absurd und geht davon aus, dass dieser VA nichtig sein. Er will den VA deswegen einfach ignorieren. Ist das empfehlenswert?

7.6.3
Übungsfall:
Herr M, 23 Jahre alt, hat gerade sein Studium abgebrochen. Dadurch hat er keinen Anspruch auf BAföG mehr, hat aber gerade auch keinen Job. Außerdem hat sich seine Freundin von ihm getrennt und er musste aus ihrer Wohnung ausziehen. Vorübergehend ist M wieder bei seiner Mutter untergekommen, will dort aber so schnell wie möglich weg, weil es mit ihr ständig Streit gibt. Er beantragt Bürgergeld-Leistungen beim zuständigen Jobcenter, welche ihm ohne Weiteres bewilligt werden. M möchte auch die notwendige Zusicherung vom Jobcenter haben, dass er als unter 25-Jähriger in eine eigene Wohnung umziehen darf (§ 22 Abs. 5 SGB II). Als M zum Jobcenter geht, um dies zu beantragen, erkennt er in seinem Sachbearbeiter, Herrn S, zu seinem Entsetzen einen alten Schulkameraden wieder, den er noch nie leiden konnte. S begrüßt ihn mit einem süffisanten „Ja, ja, so sieht man sich wieder!" M erklärt, er halte es für nicht korrekt, wenn S seinen Fall bearbeiten würde und wolle zu einem anderen Sachbearbeiter. S erklärt jedoch, an der Geschäftsverteilung könne man leider nichts ändern und M solle ihm erst einmal schildern, was er wolle. M beschreibt seine Situation und die Notwendigkeit, wegen der dauernden Streitigkeiten mit seiner Mutter, in eine eigene Wohnung umzuziehen. S nimmt das Gesetzbuch und liest M § 22 Abs. 5 Satz 2 Nr. 1–3 SGB II vor und meint, bei M würde ja wohl keiner der dort genannten Gründe zutreffen. „Andauernde Streitigkeiten sind keine schwerwiegenden Gründe, so wie es das Gesetz verlangt!" Also könne M sich seinen Antrag für die Zusicherung für den Umzug gleich sparen da dies keine Aussicht auf Erfolg habe.

M wendet ein, dass die Streitigkeiten mit seiner Mutter weit über einen üblichen Generationskonflikt hinausgingen. Seine Mutter sei alkoholkrank und leider unberechenbar. So habe sie im Zustand der Trunkenheit schon all seine persönlichen Sachen demoliert (ein abschließbares Zimmer habe er bei ihr nicht). Abgesehen da-

von müsste er die komplette Haushaltsführung übernehmen und der Mutter ständig als eine Art 24-Stunden-Betreuer zur Verfügung stehen. Er habe keinen Moment Ruhe, so dass eine Konzentration auf Bewerbungen um einen Job oder eine Berufsausbildung nicht möglich seien. Kontakt zu seinem Vater bestehe schon seit seiner frühen Kindheit nicht mehr, da seine Eltern sich getrennt hätten – also könne er auch nicht zu ihm. All dies könnten auch Nachbarn und Freunde bezeugen.

S zeigt sich hiervon nicht beeindruckt und erklärt, dass eine andere Entscheidung aufgrund der gesetzlichen Bestimmungen leider nicht möglich sei. Er fordert M auf, zu gehen, da auch noch andere Fälle warteten. M möchte sich nicht so einfach abspeisen lassen und besteht auf etwas Schriftlichem. S drückt M daraufhin einen der vorgedruckten, mit der Adresse des Jobcenters versehenen Terminzettel in die Hand, auf dem er handschriftlich Name, Adresse und Geburtsdatum von M vermerkt sowie den Zusatz „§ 22 Abs. 5 SGB II, keine Zusicherung für Umzug" und das Datum.

a) *Vergegenwärtigen Sie sich noch einmal das in Kap. 4 Gelernte und begründen Sie in Form einer Lösungsskizze, warum das Handeln des S ein VA ist.*

b) *Schauen Sie sich das Prüfungsschema „formelle und materielle Rechtmäßigkeit eines VA" in Kap. 5.7.2 an. Erstellen Sie anhand des Prüfungsschemas eine Lösungsskizze, in der Sie die in Betracht kommenden formellen Fehler des VA sammeln. Prüfen Sie, welche Konsequenzen jeder dieser Fehler haben könnte.*

c) *Machen Sie das Gleiche bezüglich der in Betracht kommenden materiellen Fehler des VA.*

d) *Formulieren Sie anhand der Lösungsskizzen ein juristisches Gutachten zu der Frage „Ist die Ablehnung der Zusicherung durch S rechtmäßig?"*

(Lösungen unter www.lehrbuch-sozialverwaltungsrecht.de)

Weiterführende Literatur

Ehlers, Dirk/Pünder, Hermann (Hrsg.), Allgemeines Verwaltungsrecht, 16. Auflage, Heidelberg 2022, §§ 14 V, E, I; § 22.

8. Kapitel
Staatshaftung

Das Kapitel widmet sich dem öffentlich-rechtlichen Haftungsrecht, d.h. der Frage, wann und inwieweit die Verwaltung Schadensersatz für Schäden, die Bürger:innen erlitten haben, leisten muss. Es werden die soziale Entschädigung und die für das Sozialrecht wesentlichen Anspruchsgrundlagen der Staatshaftung dargestellt und voneinander abgegrenzt: Amtshaftungsanspruch, Sozialrechtlicher Herstellungsanspruch und Folgenbeseitigungsanspruch.

▶ Staatshaftung befasst sich mit der Frage, inwieweit der Staat verpflichtet ist, **Kompensation, Schadensersatz,** die **Beseitigung von Nachteilen** oder die **Wiederherstellung des ursprünglichen Zustands** zu leisten, wenn Bürger:innen geschädigt wurden. Unterscheiden lassen sich staatliche Kompensation im Rahmen des **Rechts der sozialen Entschädigung**[332] und die **eigentliche Staatshaftung,** bei der es um die Entschädigung von **fehlerhaftem/rechtswidrigem** staatlichen Handeln geht.

Bei der Haftung geht es um die Frage der **Wiedergutmachung im Nachhinein.** Zwar stehen Bürger:innen Rechtsschutzmöglichkeiten (z.B. Widerspruch und Klage) zur Verfügung, um fehlerhaftes und rechtswidriges staatliches Handeln **korrigieren** zu lassen.[333] Damit erreicht man die Aufhebung eines rechtswidrigen und erforderlichenfalls den Erlass eines neuen, rechtmäßigen VA. **Bereits eingetretene nachteilige Auswirkungen** falschen staatlichen Handelns können damit jedoch nicht behoben werden. Dies geschieht durch ein staatliches Haftungs- und Entschädigungssystem.

Das Staatshaftungsrecht ist allerdings kein in sich geschlossenes System. Es setzt sich zusammen aus verschiedenen **gesetzlich normierten, richterrechtlich oder gewohnheitsrechtlich herausgebildeten Anspruchsgrundlagen,** die ver-

---

332 S. Kap. 1.2. Im übrigen Verwaltungsrecht wird das Rechtsinstitut der Verantwortungsübernahme der Allgemeinheit für Schäden einzelner Personen auch als „Aufopferungsanspruch" bezeichnet. Einzelheiten dazu: Bull/Mehde, Verwaltungsrecht, Rn. 1189 ff.
333 Einzelheiten: Kap. 10–13.

schiedene Fallkonstellationen regeln. Die für das Sozialrecht wesentlichen Staatshaftungsansprüche sind:[334]

- Amtshaftung
- Sozialrechtlicher Herstellungsanspruch
- Folgenbeseitigungsanspruch

8.1   Soziale Entschädigung

Bei der sozialen Entschädigung übernimmt der Staat die Kompensation für bestimmte Schäden (i. d. R. Gesundheitsschäden[335]), die ein Einzelner, indem er in eine besondere Opfersituation geraten ist, erlitten hat und für die die Allgemeinheit – **unabhängig von der Frage der individuellen Verantwortlichkeit** – aus Gerechtigkeits- und sozialen Gründen die Verantwortung übernimmt.[336] Bei der Ausgestaltung dieser Ansprüche nach Umfang und begünstigtem Personenkreis ist der Staat weitgehend frei.

Grundlage des sozialen Entschädigungsrechts war über lange Zeit hinweg das unmittelbar nach dem 2. Weltkrieg geschaffene Bundesversorgungsgesetz (BVG), welches die Versorgung von Personen regelte, die durch militärischen Dienst oder Kriegsauswirkungen geschädigt wurden. Viele der späteren sozialen Entschädigungsregelungen (z. B. des Infektionsschutzgesetzes bzgl. Impfschäden oder das Opferentschädigungsgesetz für Opfer von Gewalttaten) verwiesen auf das BVG.

Seit 2024 ist das Soziale Entschädigungsrecht im Wesentlichen in dem neu geschaffenen **SGB XIV** zusammengeführt worden. Dieses regelt gemäß § 1 Abs. 2 SGB XIV Entschädigungen für folgende Fälle:

- Entschädigung der **Opfer von Gewalttaten** (einschließlich Terroranschlägen),
- Kriegsauswirkungen beider **Weltkriege,**
- Schäden im Zusammenhang mit der Ableistung des **Zivildiensts,**
- **Impfschäden,** die durch vorgeschriebene oder empfohlene Impfungen entstanden sind.

---

334 Im übrigen Verwaltungsrecht ist als ein weiterer Bestandteil des Staatshaftungsrechts noch der Anspruch aus „Enteignung/enteignungsgleichem Eingriff" von Bedeutung; bei dem es um die Beschränkung von Eigentumsrechten aufgrund öffentlicher Interessen geht, dazu: Bull/Mehde, Verwaltungsrecht, Rn. 1208–1241.

335 S. § 5 SGB I.

336 Vgl. 1 Abs. 1 SGB XIV; Einzelheiten: Frings/Schweigler, Sozialrecht, Kap. 4.1 u. 4.2, S. 178–182; Luik, SGB XIV, S. 91 ff.; Waltermann/Schmidt/Chandra-Hoppe, Sozialrecht, § 13, S. 199 ff.

Daneben gibt es weiterhin einige Spezialgesetze der Sozialen Entschädigung: Für in der **ehemaligen DDR erlittenes staatliches Unrecht** (SED-Unrecht) regelt die Entschädigung weiterhin das Straf- und das Verwaltungsrechtliche Rehabilitierungsgesetz (StrRehaG, VwRehaG); Entschädigung für **rechtsstaatswidrige Inhaftierungen im Ausland** aus politischen Gründen erfolgt nach dem Häftlingshilfegesetz (HHG); **Soldaten,** die während der Ausübung ihres Dienstes Schäden erlitten haben, werden nach dem Soldatenversorgungsgesetz (SVG) entschädigt.

8.2   Amtshaftung

Einen **Kernbereich der Staatshaftung** bildet die Amtshaftung, d. h. die Haftung wegen schuldhafter Pflichtverletzung eines Amtsträgers gegenüber einer Privatperson und der Ersatz des daraus entstandenen Schadens. Aus dem Privatrecht ist der Grundsatz bekannt, dass derjenige, der anderen **einen Schaden zugefügt** hat, zum Schadensersatz, d. h. zur **Wiedergutmachung** verpflichtet ist.[337] Dieses Prinzip der **persönlichen Haftung des Schadensverursachers** gilt jedoch für das Amtshaftungsrecht gerade nicht. Hier haftet der Staat anstelle des direkten Schadensverursachers.[338]

▶ Grundsatz der Amtshaftung ist, dass der den Schaden verursachende Amtsträger **nicht persönlich haftet,** sondern die juristische Person des öffentlichen Rechts, in deren Dienst er steht („**Anstellungskörperschaft**"). Rechtsgrundlage für die Amtshaftung ist § 839 BGB i. V. m. Art. 34 GG. Die **Voraussetzungen** für den Amtshaftungsanspruch sind: 1. ein **Amtsträger,** 2. eine öffentlich-rechtliche, Bürger:innen gegenüber bestehende **Amtspflicht,** 3. die **schuldhafte Verletzung** dieser Pflicht und 4. ein **dadurch entstandener Schaden.**

Der Amtshaftungsanspruch ist vor den **Zivilgerichten** geltend zu machen, vgl. Art. 34 S. 3 GG, § 40 Abs. 2 VwGO. Zuständig sind die **Landgerichte** im Bezirk, in dem der Geschädigte seinen Wohnsitz hat.

---

337 Überblick zum privaten Haftungsrecht: Trenczek/Tammen/Behlert/v. Boetticher/Beetz, Grundzüge, II.1.4.3, S. 314.
338 Einzelheiten und Hintergründe: Ipsen, Verwaltungsrecht, Rn. 1244–1253; Maurer/Waldhoff, Verwaltungsrecht, § 26, Rn. 5–10.

8.2.1 Amtsträger

Amtsträger i. S. d. Amtshaftungsrechts sind nicht nur **Beamte,** sondern auch **Arbeiter oder Angestellte im öffentlichen Dienst.** In bestimmten Fallkonstellationen können sogar **Privatpersonen** Amtsträger sein, wenn sie öffentliche Aufgaben wahrnehmen. Hierbei ist wiederum die **Abgrenzung von öffentlich-rechtlichem oder privatrechtlichem Handeln** von Bedeutung.[339] Denn je nachdem, ob das schädigende Verhalten des Handelnden dem öffentlichen oder Bürgerlichen Recht zuzuordnen ist, kann der Staat für eine Kompensation in Anspruch genommen werden oder (nach Privatrecht) nur der Schädiger selbst.

Wenn für die Wahrnehmung sozialer Aufgaben (natürliche oder juristische) Personen des Privatrechts eingeschaltet werden (z. B. Wohlfahrtsverbände oder andere **freie Träger),** gelten – grob zusammengefasst – folgende Grundsätze:

Privatrechtliche Haftung gilt, wenn (natürliche oder juristische) Privatpersonen im Rahmen des **„sozialrechtlichen Dreiecksverhältnisses"**[340] handeln, d. h. im Auftrag öffentlicher Träger, aber auf der Basis privatrechtlicher Verträge, die mit einzelnen Bürger:innen abgeschlossen wurden.

Beispiele: Im SGB XI erbringen ambulante Pflegedienste Dienstleistungen für pflegebedürftige Menschen. Sie tun dies im Auftrag der Pflegeversicherung. Die Pflegeversicherung ist verantwortlich für die Erfüllung der sozialen Leistungsansprüche ihrer Versicherten und bezahlt ihnen deswegen die Leistungen der Pflegedienste. Die Pflegedienste schließen mit den Pflegebedürftigen jedoch privatrechtliche Dienstleistungsverträge.

Im Kinder- und Jugendhilferecht des SGB VIII besteht gemäß § 5 SGB VIII ein Wunsch- und Wahlrecht, welchen privaten Leistungserbringer jemand in Anspruch nehmen möchte. Mit diesem wird, u. U. auch stillschweigend oder durch rein tatsächliches Handeln, ein Vertrag über die Erbringung von Beratungs-, Unterstützungs-, Betreuungs-, Erziehungsleistungen usw. geschlossen. Dies ist ein privatrechtlicher Vertrag. Zu trennen ist dies von der Verantwortlichkeit der öffentlichen Träger für die Erfüllung der Kinder- und Jugendhilfeansprüche nach den §§ des SGB VIII und von den Verträgen, die die öffentliche Jugendhilfe mit den privaten Leistungserbringern abschließt.

In den genannten Fällen können sich im Fall einer Schädigung Geschädigte nur an die privaten Anbieter der Leistung (z. B. freie Träger) wenden, um Schadensersatz zu verlangen. Dies richtet sich nach den allgemeinen Regeln des Zivilrechts.

---

339 S. Kap. 4.1; Einzelheiten vgl. auch Ipsen, Verwaltungsrecht, Rn. 1256–1262.
340 S. Kap. 3.5.

Handeln (natürliche oder juristische) Privatpersonen als **Beliehene**[341], d. h. sind ihnen **staatliche Machtbefugnisse** übertragen worden, so gilt öffentliches Haftungsrecht. Insbesondere im Bereich der **Eingriffsverwaltung**[342] eingeschaltete Private sind stets als Amtsträger i. S. d. Amtshaftungsrechts anzusehen.[343]

> **Beispiele:** Ein freier Träger betreibt eine geschlossene Einrichtung für straffällig gewordene Jugendliche. Ein Arzt behandelt in einem psychiatrischen Landeskrankenhaus, einen psychisch kranken Menschen, der dort gegen seinen Willen auf der Grundlage des PsychKG untergebracht ist.
>
> Hier können Betroffene im Fall einer Schädigung Schadensersatz nach den Grundsätzen der Amtshaftung erlangen.

In Zweifelsfällen gilt, dass je stärker der **hoheitliche Charakter der Aufgabe** im Vordergrund steht, je enger die Verbindung zwischen der übertragenen Tätigkeit und der von der Verwaltung zu erfüllenden Aufgabe ist, je stärker die **Weisungsgebundenheit** und je begrenzter der Entscheidungsspielraum der Privaten ist, desto eher werden sie als Amtsträger im haftungsrechtlichen Sinne anzusehen sein.[344]

8.2.2 Amtspflicht

Eine Amtspflicht ist jede persönliche Verhaltenspflicht des Amtsträgers bezüglich seiner Amtsführung.

▶ Zu den **Amtspflichten** gehört die Pflicht zum **rechtmäßigen Verwaltungshandeln** (z. B. fehlerfreie Ermessensausübung, Beachtung von Gleichbehandlungs- und Verhältnismäßigkeitsgrundsatz, Entscheidungen ohne Verzögerung, korrekte und sachgerechte Bearbeitung von Anträgen, Erteilung von klaren, unmissverständlichen und richtigen Auskünften, usw.)[345], ferner die Pflicht, **keine unerlaubten Handlungen**[346], z. B. Amtsmissbrauch oder Aufsichtspflichtverletzungen, zu begehen.[347]

---

341 Zum Begriff: Kap. 3.4.3.
342 Zum Begriff: Kap. 2.2.
343 Maurer/Waldhoff, Verwaltungsrecht, § 26, Rn. 13.
344 Maurer/Waldhoff, Verwaltungsrecht, § 26, Rn. 14.
345 S. Kap. 5–6.
346 Vgl. § 823 BGB.
347 Einzelheiten: Bull/Mehde, Verwaltungsrecht, Rn. 1134 ff.

Geht es um die Amtspflicht zum rechtmäßigen Verwaltungshandeln, darf die konkret verletzte Pflicht nicht nur der öffentlichen Ordnung, dem Schutz der Allgemeinheit oder dem Interesse des Staates an einer ordentlichen Amtsführung dienen, sondern muss zumindest auch den **Interessen Einzelner** gelten.[348] Bezeichnet wird dies als **„drittbezogene Amtspflicht"** (damit sind Bürger:innen als außerhalb der Verwaltung stehende „Dritte" gemeint). Eine drittbezogene Amtspflicht liegt stets vor, wenn sie zugleich ein **subjektives öffentliches Recht**[349] betrifft. Dies ist dann der Fall, wenn die gesetzlich normierte Amtspflicht, um deren Verletzung es geht, zumindest auch den Schutz von Individuen bezweckt. **Sozialrechtliche Leistungsansprüche,** aber auch die allgemeinen Ansprüche auf **Beratung** und **Betreuung** (vgl. §§ 14, 15 SGB I), betreffen typischerweise subjektive öffentliche Rechte. Keine subjektiven öffentlichen Rechte bestehen jedoch i. d. R. bei Vorschriften, die lediglich **Ordnungs-** und **Kontrollbefugnisse** der Verwaltung regeln.

> **Beispiel:** Die Landesheimgesetze sehen regelmäßige Kontrollbesuche der Pflegeheime durch die Heimaufsichtsbehörden vor, vgl. z. B. § 17 Abs. 6 Wohnungs-, Teilhabe- u. Pflegegesetz (WTPG) Baden-Württemberg. Keine Verletzung einer drittbezogenen Amtspflicht liegt vor, wenn die Heimaufsichtsbehörde entgegen des gesetzlich vorgegebenen Turnus Kontrollbesuche versäumt und dadurch Missstände in einem bestimmten Heim erst zu spät entdeckt werden. Anders liegt der Fall, wenn die Heimaufsicht bereits durch Bewohner, Angehörige oder Pflegepersonal kontaktiert und über Mängel informiert wurde und dann trotzdem keine Kontrollbesuche vorgenommen hat.

8.2.3 Schuldhafte Pflichtverletzung

▶ Die Verletzung der Amtspflicht kann entweder in der **Vornahme einer fehlerhaften Handlung** oder in einem **Unterlassen** einer eigentlich gebotenen Handlung bestehen.[350] Die Verletzung der Amtspflicht muss **schuldhaft** (= vorwerfbar) gewesen sein, d. h. der Amtsträger muss **vorsätzlich** oder **fahrlässig** gehandelt haben. Vorsätzliches Handeln bedeutet, der Amtsträger weiß, dass er pflichtwidrig handelt, er setzt sich jedoch bewusst darüber hinweg. Fahrlässiges Handeln bedeutet die **Außerachtlassung der gebotenen Sorgfalt,** d. h.

---

348 Einzelheiten: Bull/Mehde, Verwaltungsrecht, Rn. 1138 ff.
349 Einzelheiten vgl. Kap. 11.3.4.
350 Dörr/Francke, Sozialverwaltungsrecht, Kap. 9, Rn. 17.

> der Amtsträger hätte wissen können und wissen müssen, dass er pflichtwidrig handelt.[351]

Für die Festlegung, was als „gebotene Sorgfalt" von dem handelnden Amtsträger erwartet wird, sind **objektive Kriterien** maßgeblich. Das heißt, es wird nicht auf die (subjektiven) Kenntnisse und Fähigkeiten des konkret handelnden Amtsträgers abgestellt, sondern auf Kenntnisse und Fähigkeiten des sogenannten „**pflichtgetreuen Durchschnittsbeamten**". Maßgebend für sorgfältiges Handeln ist also das, was im Durchschnitt für die Ausübung der jeweiligen Tätigkeit erforderlich ist bzw. von Mitarbeiter:innen mit durchschnittlicher Qualifikation erwartet werden kann. Für das Verwaltungspersonal bedeutet das z. B. die für die Ausübung ihrer Tätigkeit erforderlichen Rechts- und Verwaltungskenntnisse.[352]

Kommt es zu Pflichtverletzungen infolge behördeninterner Organisationsmängel (z. B. Personalknappheit, ungenügende Vertretungen), kann u. U. ein konkreter Verantwortlicher gar nicht festgestellt werden. Es gilt dann jedoch das sogenannte „**Organisationsverschulden**", d. h. die Pflichtverletzung trifft dann im Zweifel den Behördenleiter, der für die mangelhafte Ausstattung und Personalführung der Behörde verantwortlich ist.[353]

Die Frage, **in welchem Grad** die Amtspflichtverletzung als verschuldet angesehen wird, ist relevant für einen möglichen **Regress** des Staates gegenüber dem handelnden Amtsträger. Unterschieden wird zwischen Vorsatz, grober oder einfacher (auch „leichter") Fahrlässigkeit. Hat der Amtsträger bei seinem Pflichtenverstoß **vorsätzlich** oder **grob fahrlässig** gehandelt, muss der Staat zwar an seiner Stelle den Geschädigten kompensieren, kann sich diese Leistung jedoch von dem Amtsträger **erstatten** lassen.[354] Handelt es sich (wie in den meisten Fällen) nur um einfache Fahrlässigkeit, ist der Verantwortliche nicht regresspflichtig.[355]

Grobe Fahrlässigkeit liegt vor, wenn der Handelnde dasjenige außer Acht lässt, was jedem unter den gegebenen Umständen hätte einleuchten müssen, z. B. einfachste und naheliegendste Vorsichtsmaßnahmen missachtet. Der Handelnde rechnet mit einer Pflichtverletzung, vertraut jedoch in sorgfaltswidriger Weise darauf, dass sie sich nicht realisieren wird – nach dem Motto: „Es wird schon gut gehen." Erreicht die Fahrlässigkeit diesen Grad an Sorgfaltswidrigkeit nicht, liegt einfache Fahrlässigkeit vor.

---

351 Zu den Begriffen: Trenczek/Tammen/Behlert/v. Boetticher/Beetz, Grundzüge, II-1.4.1.2, S. 290.
352 Bull/Mehde, Verwaltungsrecht, Rn. 1150 ff.
353 Maurer/Waldhoff, Verwaltungsrecht, § 26, Rn. 24.
354 Vgl. Art. 34 S. 2 GG.
355 Maurer/Waldhoff, Verwaltungsrecht, § 26, Rn. 10.

Beispiel:

Grobe Fahrlässigkeit: Die verantwortliche Sozialpädagogin verlässt für einige Stunden die Jugend-Freizeiteinrichtung, in der sie die alleinige Aufsicht hat. Einem der älteren und aus ihrer Sicht verantwortungsvollen Jugendlichen vertraut sie für diese Zeit die Aufsicht an.

Leichte Fahrlässigkeit: Fall s. o., doch vertraut die Sozialpädagogin die Aufsicht stattdessen einer bereits seit einigen Wochen bei ihr im Praktikum ausgebildeten Studentin an.

8.2.4 Schaden

▶ Der Umfang des zu ersetzenden Schadens besteht grundsätzlich in einer **Wiedergutmachung in Form von Geldersatz** und richtet sich nach den BGB-Vorschriften, vgl. §§ 249 Abs. 2, 253 BGB.[356]

Nicht von der Amtshaftung erfasst sind die Vornahme oder Rückgängigmachung behördlicher Handlungen i. S. einer sogenannten „Naturalrestitution"[357] (= Wiederherstellung des Zustands, der ohne das schädigende Ereignis bestehen würde). Dies kann gegebenenfalls über den sozialrechtlichen Herstellungs- oder den Folgenbeseitigungsanspruch erreicht werden.[358]

Beispiel: Herr N kann seinen ursprünglichen Beruf als Krankenpfleger wegen Rückenproblemen nicht mehr ausüben. Die Deutsche Rentenversicherung gewährt ihm Leistungen zur beruflichen Rehabilitation, d. h. eine Umschulung. Bei der Beratung, welche Umschulung er machen soll, wird ihm die Umschulung zum Pflegedienstleiter empfohlen. Nach erfolgreich absolvierter Umschulung stellt sich jedoch heraus, dass N gar nicht als Pflegedienstleiter arbeiten kann, weil ihm dazu die erforderliche Voraussetzung von zwei Jahren leitender Tätigkeit (vgl. § 4 Abs. 2 i. V. m. § 2 Abs. 2 Nr. 2 HeimPersVO) fehlt. Die Deutsche Rentenversicherung, die N insoweit falsch beraten hat, kann keine Naturalrestitution leisten, d. h. sie kann ihm nicht den gewünschten Job verschaffen. Lediglich eine Geldleistung ist möglich.

Ein wesentlicher Aspekt im Schadensersatzrecht ist die Frage nach der **Kausalität**, d. h. nach dem **ursächlichen Zusammenhang** zwischen der verletzten Amts-

---

356 Maurer/Waldhoff, Verwaltungsrecht, § 26, Rn. 47.
357 Vgl. § 249 Abs. 1 BGB.
358 S. Kap. 8.3–8.4; Maurer/Waldhoff, Verwaltungsrecht, § 26, Rn. 47.

pflicht und dem Auftreten des Schadens. Gemäß § 839 BGB ist der „daraus ent-
stehende" Schaden zu ersetzen, d. h. nur der Schaden, der gerade aufgrund der
verletzten Amtspflicht entstanden ist.

Die Feststellung der Kausalität erfolgt nach der allgemein im Schadensersatzrecht geltenden Theorie des „adäquaten Kausalzusammenhangs". Danach ist
ein Schaden kausal, wenn die pflichtwidrige Handlung/Unterlassung des Amtsträgers **nicht hinweggedacht** werden kann, ohne dass der eingetretene Schaden
entfiele. Die pflichtwidrige Handlung/Unterlassung des Amtsträgers muss zudem
bei **gewöhnlichem Geschehensablauf** und **nach allgemeiner Lebenserfahrung**
geeignet sein, den eingetretenen Schaden herbeizuführen.[359] Damit besteht z. B.
kein Kausalzusammenhang bei Schäden, die aufgrund eines außergewöhnlichen,
nicht vorhersehbaren Geschehensablaufs eingetreten sind oder die auch dann
eingetreten wären, wenn sich der Amtsträger pflichtgemäß verhalten hätte.

Beispiele: Die verantwortliche Sozialpädagogin verlässt für einige Stunden die Jugend-
Freizeiteinrichtung, in der sie die alleinige Aufsicht hat und vertraut sie stattdessen
einer bereits seit einigen Wochen bei ihr im Praktikum ausgebildeten Studentin an.
Zwischen einigen Jugendlichen kommt es zu einer Schlägerei, wobei ein Jugendlicher
verletzt wird. = Vorhersehbarer Geschehensablauf, dass derartiges passiert, wenn die
„eigentliche Aufsichtsperson" abwesend ist.

In einem anderen Gebäudeteil kommt es zu einem plötzlichen Brandausbruch,
der auf die Räumlichkeiten der Jugend-Freizeiteinrichtung übergreift, dabei wird
ein Jugendlicher verletzt. = Keine vorhersehbarer Geschehensablauf, dies hätte auch
passieren können, wenn die verantwortliche Sozialpädagogin in der Einrichtung geblieben wäre.

Mit Geldersatz ausgeglichen werden **materielle** und **immaterielle Schäden.**

Materielle Schäden liegen vor, wenn Geschädigte einen in Geld bezifferbaren
Verlust erlitten haben, z. B. durch Verdienstausfall, Reparatur- oder Heilbehand-
lungskosten. Immaterielle Schäden liegen vor, wenn Geschädigte durch Verlet-
zung des Körpers, der Psyche oder der Persönlichkeitsrechte Schmerzen, Ängste,
Kummer, Beleidigungen etc. erfahren mussten. Die Entschädigung dafür wird als
„Schmerzensgeld" bezeichnet.[360]

---

359 Maurer/Waldhoff, Verwaltungsrecht, § 26, Rn. 26.
360 Vgl. § 253 BGB.

8.2.5 Einschränkungen und Ausschließungsgründe

▶ Eingeschränkt oder ausgeschlossen werden Amtshaftungsansprüche durch das **Mitverschulden** gemäß § 254 BGB, durch die Versäumung von **Rechtsbehelfen** gemäß § 839 Abs. 3 BGB und durch **Verjährung** gemäß §§ 195, 199 BGB.

Mitverschulden

Die Zurechnung von Mitverschulden gemäß § 254 BGB ist ein grundsätzliches Rechtsprinzip und besagt, dass derjenige, der entweder vorsätzlich **zum Schadenseintritt beigetragen** hat oder fahrlässig die Sorgfalt außer Acht gelassen hat, die nach Lage der Sache erforderlich war, um **sich selbst vor dem Schaden zu bewahren,** die Kürzung oder den Ausschluss seines Schadensersatzanspruchs hinnehmen muss.[361]

Beispiel (Fall s. o.): Kommt es zu einer Schlägerei und ist genau derjenige Jugendliche zu Schaden gekommen, der die Schlägerei begonnen hat, so muss er aufgrund seines Mitverschuldens eine Kürzung oder sogar einen vollständigen Ausschluss seines Schadensersatzanspruchs hinnehmen.

Versäumung von Rechtsbehelfen

Als ein Sonderfall des Mitverschuldens, welches den völligen Ausschluss des Amtshaftungsanspruchs bewirkt, gilt gemäß § 839 Abs. 3 BGB auch die **schuldhafte Versäumung der Einlegung eines Rechtsbehelfs.**

Rechtsbehelfe, die eine Beseitigung und Berichtigung des schädigenden Verwaltungshandelns und zugleich eine Abwendung des Schadens ermöglichen, sind insbesondere **Widerspruch** und **Klage,** aber auch **andere Rechtsbehelfe,** wie z. B. einstweiliger Rechtsschutz oder Beschwerden bei der Aufsichtsbehörde.[362] Die **schuldhafte Versäumung** bedeutet, dass dem Geschädigten die Nichteinlegung von Rechtsbehelfen als **vorsätzliches** oder **fahrlässiges Untätigbleiben** vorgeworfen werden kann.

Beispiel: Frau B ist arbeitslos geworden. Die Agentur für Arbeit berechnet das ihr zustehende Arbeitslosengeld auf Grundlage ihres letzten Arbeitseinkommens jedoch fehlerhaft zu niedrig. B muss ihre Lebensversicherung auflösen, um mit dem zu-

---

361 Trenczek/Tammen/Behlert/v. Boetticher/Beetz, Grundzüge, II-1.4.3.2, S. 315.
362 S. Kap. 10; vgl. auch Maurer/Waldhoff, Verwaltungsrecht, § 26, Rn. 32.

sätzlichen Geld ihre monatlichen Kosten decken zu können. Widerspruch gegen den Arbeitslosengeld-Bescheid legt sie nicht ein. Erst ein Jahr später schaut sie sich den Bescheid genauer an und ihr fällt der Fehler auf. B verlangt von der Agentur für Arbeit die Nachbewilligung des zu wenig gezahlten Arbeitslosengeld und Schadensersatz für den finanziellen Verlust, der ihr durch die Auflösung der Lebensversicherung entstanden ist. Die Nachbewilligung ist unter den Voraussetzungen des § 44 SGB X möglich. Der Schadensersatz für den Verlust der Lebensversicherung scheitert jedoch an § 839 Abs. 3 BGB, da man B vorwerfen kann, sie habe die Nachprüfung und die Einlegung des Widerspruchs fahrlässig unterlassen.

Grundsätzlich muss die Einlegung des Rechtsbehelfs **zumutbar** gewesen sein. Maßgeblich ist dabei auch, welcher **Umfang an Sorgfalt** von Betroffenen erwartet werden kann. Jedermann ist aber z. B. verpflichtet, sie bzw. ihn selbst betreffende VAe sorgfältig zu lesen und zu versuchen, die Begründung nachzuvollziehen. Bestehen Unklarheiten oder Rechtsunkenntnis, ist man verpflichtet, entsprechenden Rat einzuholen. Andererseits darf man auch grundsätzlich auf die Richtigkeit von Erklärungen von Amtsträger:innen vertrauen, sofern nicht gewichtige Anzeichen dagegen sprechen.[363] Regelmäßig kein schuldhaftes Versäumnis ist es, wenn man gegen einen rechtswidrigen VA bereits **geklagt** hat, jedoch nach einem klageabweisenden Urteil **keine Berufung** mehr einlegt, weil man sich auf die Richtigkeit des erstinstanzlichen Urteils verlässt.

Verjährung

Der Amtshaftungsanspruch verjährt gemäß §§ 195, 199 BGB – ebenso wie allgemein ein zivilrechtlicher Schadensersatzanspruch – innerhalb von drei Jahren ab Kenntnis von dem Schaden und der Person des Ersatzpflichtigen, ohne Rücksicht auf diese Kenntnis in 30 Jahren von dem Zeitpunkt der schädigenden Handlung an.[364]

---

363 Gegen überspannte Anforderungen: Maurer/Waldhoff, Verwaltungsrecht, § 26, Rn. 32, § 27, Rn. 99.
364 Maurer/Waldhoff, Verwaltungsrecht, § 26, Rn. 47.

8.3   Sozialrechtlicher Herstellungsanspruch

▶ Der sozialrechtliche Herstellungsanspruch beruht auf **Richterrecht** und wurde durch die Rechtsprechung des Bundessozialgerichts entwickelt.[365] Er gilt nur im **Sozialrecht, d. h.** im Geltungsbereich des § 51 SGG.[366] Geschützt durch den sozialrechtlichen Herstellungsanspruch sind Personen, die mit einem Sozialleistungsträger (§§ 18–29 SGB I) in Kontakt stehen, z. B. Versicherte, Beitragszahler, Leistungsempfänger, oder diejenigen, die erstmalig Leistungsanträge stellen oder sich beraten lassen wollen. Anders als der Amtshaftungsanspruch ist der sozialrechtliche Herstellungsanspruch nicht auf Kompensation durch Geldersatz gerichtet, sondern auf die **Beseitigung eines rechtswidrigen** und die **Herstellung eines rechtmäßigen Zustandes.**[367]

Typischer Anwendungsbereich für den sozialrechtlichen Herstellungsanspruch sind Fälle, in denen die **Pflichten zur Auskunft, Beratung und Betreuung der §§ 14, 15, 16 SGB I**[368] verletzt wurden. Die Mitarbeiter:innen der Sozialleistungsträger haben innerhalb der Auskunfts-, Beratungs- und Betreuungspflichten für die aktive und richtige Erteilung von Auskünften und Beratung einzustehen. Wird eine unrichtige oder unvollständige Beratung erteilt und Bürger:innen dadurch zu einer Fehldisposition veranlasst, z. B. erforderliche Anträge auf Sozialleistungen werden nicht (rechtzeitig) gestellt, hilft der auf Geldersatz gerichtete Amtshaftungsanspruch oft nicht weiter. Stattdessen ist im Wege einer **Naturalrestitution** Betroffenen diejenige Rechtsposition einzuräumen, die sie haben würden, wenn sie von Anfang an korrekt informiert und beraten worden wären.[369]

Beispiel: Frau T übernimmt die häusliche Pflege ihrer pflegebedürftigen Mutter, Frau M. Dafür bekommt sie Pflegegeld aus der Pflegeversicherung. Nach § 44 SGB XI hätte T zusätzlich einen Anspruch darauf, dass die Pflegeversicherung für sie Extra-Beiträge zur Rentenversicherung zahlt, damit T auch für die Zeit, in der sie M versorgt hat, Rentenanwartschaften erwirbt, die bei ihrer späteren Rente berücksichtigt werden. Fälschlicherweise wird T hierüber von der Pflegeversicherung nicht informiert, so dass T auch keinen Antrag stellt, für sie Beiträge nach § 44 SGB XI an die Rentenversicherung zu zahlen. Klärt sich das Versäumnis auf, ist T nicht mit Geld-

---

365 Schaumberg, Sozialrecht, Rn. 119.
366 S. Kap. 1.2; zur Frage einer Ausweitung auch auf andere Rechtsbereiche: Maurer/Waldhoff, Verwaltungsrecht, § 30, Rn. 25.
367 Einzelheiten: Dörr/Francke, Sozialverwaltungsrecht, Kap. 9, Rn. 59–63.
368 S. Kap. 6.1.3.
369 Reinhardt, Sozialverwaltungsrecht, Kap. 5.6.2, S. 117.

ersatz geholfen, sondern nur damit, dass sie so gestellt wird, als habe sie den Antrag auf die zusätzlichen Rentenbeiträge rechtzeitig gestellt und die Pflegeversicherung die Beiträge an die Deutsche Rentenversicherung nachzahlt.

Zuständig für die gerichtliche Verfolgung von Ansprüchen aus dem sozialrechtlichen Herstellungsanspruch sind die **Sozialgerichte**.[370]

8.3.1 Voraussetzungen und Rechtsfolge

▶ Die Voraussetzungen des sozialrechtlichen Herstellungsanspruchs sind das **rechtswidrige Handeln/Unterlassen** einer Behörde der **Sozialverwaltung,** eine dadurch verursachte **Fehldisposition** einer Person und ein dadurch entstandener Schaden in Form eines **sozialrechtlichen Nachteils.** „Dadurch" bedeutet, dass jeweils ein **ursächlicher Zusammenhang/Kausalität** gegeben sein muss. Als Rechtsfolge besteht die Verpflichtung, durch eine behördliche Handlung den **rechtmäßigen Zustand herzustellen.**[371]

Auf ein **Verschulden,** d. h. Vorsatz oder Fahrlässigkeit des handelnden Verwaltungsmitarbeiters, kommt es bei der Pflichtverletzung im Rahmen des Herstellungsanspruchs nicht an. Es geht nicht um die Entschädigung oder den Ausgleich von individuellem Fehlverhalten. Der Herstellungsanspruch soll allein den rechtmäßigen Zustand herstellen, mit dem die gesetzlichen, sozialen Rechte der Bürger:innen verwirklicht werden und der bestehen würde, wenn sich die Verwaltung rechtmäßig verhalten hätte.[372]

Behörde der Sozialverwaltung
Der Anspruch ist gerichtet an die in den §§ 18–29 SGB I aufgeführten Sozialleistungsträger (Kranken-, Pflege-, Renten-, Unfallversicherung, Bundesagentur für Arbeit, Jobcenter sowie die sonstigen öffentlich-rechtlichen Körperschaften Bund, Länder und Kommunen im Bereich ihrer sozialrechtlichen Verwaltungsaufgaben). Die für den sozialrechtlichen Herstellungsanspruch **haftende** und die **handelnde** (d. h. den Fehler verursachende) **Stelle** müssen nicht immer identisch sein. Es besteht jedoch eine **Einstandspflicht** zwischen den Sozialleistungsträgern, wenn entweder Aufgaben gemeinsam erfüllt werden oder wenn zwischen

---

370 Dörr/Francke, Sozialverwaltungsrecht, Kap. 9, Rn. 73/74.
371 Einzelheiten: Dörr/Francke, Sozialverwaltungsrecht, Kap. 9, Rn. 65–72, Rn. 75–77.
372 Ruland/Becker/Axer, SRH, § 6, Rn. 155.

der handelnden und der haftendenden Stelle eine **enge Arbeitsteilung** und **Aufgabenverbindung** im Sinne einer **Funktionseinheit** besteht.[373]

> **Beispiel:** Herr H möchte sich selbstständig machen. Bei seiner gesetzlichen Krankenkasse schildert er sein Vorhaben, lässt sich beraten und stellt den Antrag, dort zukünftig als „freiwilliges Mitglied" krankenversichert zu sein. Ein relevanter Beratungsfehler der Krankenkasse liegt vor, wenn sie H nicht darauf hinweist, dass er auch die Möglichkeit hat, sich auf Antrag in der Deutschen Rentenversicherung versichern zu lassen, um so im Krankheitsfall seinen Anspruch auf eine Erwerbsminderungsrente zu behalten. Klärt sich der Fehler auf, müsste die Deutsche Rentenversicherung H die Möglichkeit zur Nachentrichtung der Beiträge einräumen und die Rente zahlen (wenn H erwerbsunfähig werden sollte). Das heißt, die Deutsche Rentenversicherung hat zwar keinen Fehler begangen, sie übernimmt aber die sozialrechtliche Herstellung (= Haftung).

Rechtswidriges Handeln/Unterlassen

Gegenstand des Anspruchs ist ein fehlerhaftes und somit rechtswidriges Handeln oder Unterlassen der Behörde gegenüber der sozialleistungsberechtigten Person (= Nicht- oder Schlechterfüllung der behördlichen Pflichten). Zu beachten ist, dass zum korrekten Verwaltungshandeln u. U. auch **aktive Hinweise** auf naheliegende, für Betroffene günstige Gestaltungsmöglichkeiten ihres bzw. seines Sozialrechtsverhältnisses gehören.[374]

Es ist umstritten, ob sich der Fehler auf ein **subjektives-öffentliches Recht**[375] der Person beziehen muss oder zur Anknüpfung eine objektive Pflicht des Leistungsträgers genügt. Ein subjektives öffentliches Recht ist in den typischen Fallkonstellationen des sozialrechtlichen Herstellungsanspruchs, d.h. einer Verletzung von Beratungs-, Betreuungs- und Weiterleitungspflichten aus §§ 14–16 SGB I regelmäßig gegeben. Umstritten ist demgegenüber, ob eine fehlende oder unvollständige **Aufklärung der Allgemeinheit** (z.B. durch ungenaue Informationsbroschüren) nach § 13 SGB I, die i.d.R. noch keine Verletzung eines subjektiv-öffentlichen Rechts beinhaltet, bei Vorliegen der übrigen Voraussetzungen (insbesondere der kausalen Fehldisposition) einen Herstellungsanspruch begründet.[376]

---

373 Einzelheiten: Ruland/Becker/Axer, SRH, § 6, Rn. 151–154.
374 Einzelheiten: Dörr/Francke, Sozialverwaltungsrecht, Kap. 10, Rn. 10–17.
375 S. Kap. 8.2.2; 11.3.4.
376 Einzelheiten: Ruland/Becker/Axer, SRH, § 6, Rn. 154.

Fehldisposition/sozialrechtlicher Nachteil

Es muss ein sozialrechtlich relevanter Schaden eingetreten sein. Dieser besteht zumeist in einer nachteiligen Disposition, die der Betroffene in seinem Sozialrechtsverhältnis vornimmt, z. B. keine oder verspätete Abgabe von Anträgen, keine, zu niedrige oder zu hohe Beitragszahlungen, Versäumung von Meldefristen oder Beibringung von Nachweisen. Der Schaden realisiert sich sodann in dem Verlust von sozialrechtlichen Ansprüchen oder dem Erhalt von sozialen Leistungen erst zu einem späteren Zeitpunkt oder nicht in der eigentlich möglichen Höhe.[377]

Kausalität

Die behördliche Pflichtverletzung führt nur dann zu einem sozialrechtlichen Herstellungsanspruch, wenn sie **ursächlich** dafür war, dass der Betroffene falsche Dispositionen in seinem Sozialrechtsverhältnis trifft und diese sich in einem sozialrechtlichen Schaden realisieren. Dieser ursächliche Zusammenhang ist gegeben, wenn der Fehler der Verwaltung die **nicht hinwegdenkbare Bedingung** – wenn auch nicht notwendigerweise die alleinige – für die nachteilige Fehldisposition des Betroffenen und den Eintritt des Schadens gesetzt hat.[378] Es wird z. B. generell vermutet, dass ein richtig beratener Betroffener den Rat auch befolgt hätte und die jeweils für ihn günstigste Disposition im Sozialleistungsverhältnis getroffen hätte.

Rechtsfolge „Herstellung"

Der Herstellungsanspruch verpflichtet die Sozialleistungsträger, den Betroffenen so zu stellen, als habe er die Fehldisposition nicht getroffen, sondern stattdessen die einzig richtige für die optimale Verwirklichung seiner sozialen Rechte. So kann z. B. ein Antrag auf Versicherung oder Leistungen neu gestellt werden und wird als rechtzeitiger Antrag fingiert, ungünstig gewertete Beiträge können auf andere (günstigere Zeiträume im Versicherungsverlauf) umgewertet werden, die fristgemäße Einreichung vollständiger Nachweise und Unterlagen wird unterstellt usw.[379]

---

377 Ruland/Becker/Axer, SRH, § 6, Rn. 164.
378 S. Kap. 8.2.4; vgl. auch Ruland/Becker/Axer, SRH, § 6, Rn. 165 ff.
379 Einzelheiten: Dörr/Francke, Sozialverwaltungsrecht, Kap. 9, Rn. 75–80.

8.3.2 Einschränkungen und Ausschließungsgründe

Der Gedanke des **Mitverschuldens**[380] führt auch im Bereich des sozialen Herstellungsanspruchs zu einer Beschränkung oder einem Ausschluss – auch wenn
der sozialrechtliche Herstellungsanspruch grundsätzlich **verschuldensunabhän-
gig** entsteht. Relevantes Mitverschulden liegt z. B. vor, wenn der Betroffene selbst
durch eigenes Verhalten die maßgebliche Ursache für die Pflichtverletzung (z. B.
die Falschberatung) der Behörde gesetzt hat (z. B. durch falsche oder unvollständige Angaben).[381]

Fristen für die Geltendmachung eines sozialrechtlichen Herstellungsanspruchs bestehen nicht. Allerdings ist zu beachten, dass für die nachträgliche
Korrektur eines Bescheids bzw. eine rückwirkende Leistungserbringung grundsätzlich die vierjährigen **Verjährungsfristen** des § 44 Abs. 4 SGB X oder des § 45
SGB I gelten.

8.4 Folgenbeseitigungsanspruch

▶ Der Folgenbeseitigungsanspruch ist ein im Sozial- und im übrigen Verwaltungsrecht **gewohnheitsrechtlich** anerkanntes Rechtsinstitut. Es sollen damit bestehende Lücken im System des Staatshaftungsrechts geschlossen
werden. Der Folgenbeseitigungsanspruch ist gerichtet auf die **Wiederherstellung** eines früher bestehenden Zustands, der durch **rechtswidriges Verwaltungshandeln verändert** wurde. Diese Veränderung soll mit dem Folgenbeseitigungsanspruch rückgängig gemacht und der **ursprüngliche, rechtmäßige
Zustand** wiederhergestellt werden.[382]

Oftmals ist die Folgenbeseitigung bereits gesetzlich geregelt und geht dann dem
allgemeinen Folgenbeseitigungsanspruch vor.

Beispiele:
§ 44 SGB X: Wurden aufgrund eines rechtswidrigen belastenden VA Sozialleistungen
nicht gewährt, ist der VA aufzuheben und die Leistungen sind nachzugewähren (maximal für vier Jahre, vgl. § 44 Abs. 4 SGB X).

---

380 S. Kap. 8.2.5.
381 Einzelheiten: Ruland/Becker/Axer, SRH, § 6, Rn. 174.
382 Einzelheiten: Maurer/Waldhoff, Verwaltungsrecht, § 30.

§ 84 SGB X: Hat die Verwaltung Daten eines Betroffenen unzulässigerweise erhoben und gespeichert, besteht ein Anspruch auf Löschung.

Typischer Anwendungsbereich für den Folgenbeseitigungsanspruch sind **bereits vollzogene, aber rechtswidrige VAe**, die von der Verwaltung **aufgehoben** wurden (z. B. im Rahmen eines Widerspruchsverfahrens, aufgrund eines gerichtlichen Urteils oder im Rahmen des § 44 SGB X).[383] Die Aufhebung des VA allein erreicht jedoch noch nicht, dass damit nach wie vor bestehende Beeinträchtigungen des Betroffenen aus der Welt geschafft worden wären. Es muss noch etwas geschehen, um die **fortdauernden Folgen** zu beseitigen.

Beispiel: Eine Behörde der Sozialverwaltung erlässt einen Rückforderungsbescheid über angeblich zu Unrecht erhaltene Sozialleistungen gegenüber Herrn K. K hält den Bescheid für rechtswidrig, legt Widerspruch ein und klagt dagegen. Um eine Vollstreckung zu vermeiden, zahlt K jedoch den geforderten Betrag. Im Klageverfahren gewinnt K und das Gericht hebt den rechtswidrigen Rückforderungsbescheid auf. Nun kann K als Folgenbeseitigung von der Sozialbehörde verlangen, dass sie ihm das Geld zurückzahlt.

Der Folgenbeseitigungsanspruch greift nicht nur bei den Folgen eines VA, sondern auch bei **schlichtem Verwaltungshandeln** ein, wenn dadurch Rechtspositionen des Betroffenen fortdauernd belastet werden.[384]

Beispiele: Geräuschimmissionen durch öffentliche Einrichtungen und Anlagen (z. B. Spiel- oder Sportplätze in Wohngebieten), öffentlich verbreitete, behördliche Äußerungen negativen Charakters (z. B. negative Bewertung eines bestimmten freien Trägers in einem Zeitungsbericht durch den Leiter des Jugendamts), an die Öffentlichkeit gerichtete behördliche Warnungen (z. B. vor bestimmten Produkten, Firmen oder Organisationen).

Wie beim sozialrechtlichen Herstellungsanspruch auch, kommt es bei dem Folgenbeseitigungsanspruch nicht auf ein individuelles **Verschulden** eines einzelnen Verwaltungsmitarbeiters an, da es ausschließlich um die Wiederherstellung des ursprünglichen – rechtmäßigen – Zustands geht. Liegt jedoch Verschulden vor, können ggf. **Schadensersatzansprüche aus Amtshaftung** neben dem Folgenbeseitigungsanspruch bestehen. Neben dem Verschulden wäre dann eine weitere

---

383 Einzelheiten: Kap. 9–13.
384 Maurer/Waldhoff, Verwaltungsrecht, § 30, Rn. 3.

Voraussetzung, dass dem Betroffenen ein Schaden entstanden ist, der über die zu beseitigenden Folgen des rechtswidrigen Verwaltungshandelns hinausgeht.

Der Folgenbeseitigungsanspruch ist vor den **Sozial- oder Verwaltungsgerichten** geltend zu machen. Je nachdem welches Handeln von der Verwaltung zur Folgenbeseitigung verlangt werden muss (z. B. Erlass eines weiteren VA oder tatsächliches Handeln), ist die entsprechende Klageart zu wählen.[385]

8.4.1   Voraussetzungen und Rechtsfolge

> ▶ Die Voraussetzungen des Folgenbeseitigungsanspruch sind das Vorliegen **hoheitlichen Handelns**, der **Eingriff** in ein **subjektives Recht** und die daraus entstandene Schaffung oder das Fortdauern eines **rechtswidrigen Zustands**. Die Rechtsfolge ist unterschiedlich, je nachdem, was zur Beseitigung des rechtswidrigen Zustands erforderlich ist. Möglich sind **Beseitigung** und **Unterlassung** von Beeinträchtigungen, der **Widerruf** einer (negativen) Äußerung oder die **Herstellung** des vor dem Eingriff bestehenden Zustands.[386]

Hoheitliches Handeln

Es muss zunächst um eine Handlungen der Verwaltung auf dem Gebiet des öffentlichen Rechts (VA oder schlichtes Verwaltungshandeln) gehen.[387] Fehlt es am hoheitlichen Charakter der Handlungen (z. B. bei einer Einrichtung, von der störende Immissionen ausgehen und die der Staat in privater Rechtsform betreibt), muss auf den **privatrechtlichen Beseitigungsanspruch** nach § 1004 BGB zurückgegriffen werden. Besteht die Rechtswidrigkeit nur in einem **Untätigbleiben** der Verwaltung, gibt es i. d. R. nichts, was als Folgenbeseitigung wiederherzustellen wäre. Somit greift der Folgenbeseitigungsanspruch nicht ein, ggf. aber die Amtshaftung.[388]

Eingriff in ein subjektives Recht

Durch das fehlerhafte und rechtswidrige Verwaltungshandeln muss der Betroffene in einem **subjektiven-öffentlichen Recht**[389] verletzt worden sein. Verletzt die Verwaltung mit ihrem Handeln lediglich Rechtsnormen, die allein der All-

---

385 S. Kap. 13.
386 Maurer/Waldhoff, Verwaltungsrecht, § 30, Rn. 13.
387 Zur Abgrenzung öffentlichen Recht vom Privatrecht: s. Kap. 1.1, 3.5.3, 4.1, 8.2.1.
388 Maurer/Waldhoff, Verwaltungsrecht, § 30, Rn. 8–9.
389 S. Kap. 11.3.4.

gemeinheit dienen, fehlt es an der persönlichen Betroffenheit in einer eigenen Rechtsposition, so dass auch kein Folgenbeseitigungsanspruch geltend gemacht werden kann.[390]

Schaffung oder Fortdauern eines rechtswidrigen Zustands

Maßgeblich für den Anspruch des Betroffenen ist eine Beeinträchtigung seiner Rechte durch einen rechtswidrigen Zustand, den die Verwaltung herbeigeführt hat. Dabei kommt es nicht darauf an, ob das den rechtswidrigen Zustand auslösende Verwaltungshandeln von vornherein rechtswidrig war. Wesentlich für den Folgenbeseitigungsanspruch ist allein ein **aktuell** bestehender rechtswidriger Zustand. Auf eine fortdauernde Rechtsbeeinträchtigung und auf die Rückgängigmachung dieses Zustands kann sich der Betroffene nicht berufen, wenn **ein VA noch wirksam**[391] ist, der die Rechtsbeeinträchtigung deckt. Es bedarf dann zunächst einer Aufhebung dieses VA.[392]

Kausalität

Der Gedanke der Kausalität (= ursächlicher Zusammenhang zwischen Verwaltungshandeln und rechtswidrigem Zustand)[393] wird beim Folgenbeseitigungsanspruch dadurch konkretisiert, dass nur die **unmittelbaren Folgen** der den rechtswidrigen Zustand auslösenden Verwaltungsmaßnahme beseitigt werden müssen.[394] Weiter entfernt liegende Folgen können jedoch wiederum im Rahmen des Amtshaftungsanspruchs erstattungsfähig sein.

> **Beispiel:** Die Kranken- und Pflegekasse A veröffentlicht auf ihrer Internetseite regelmäßig die Prüfberichte der von ihr begutachteten Pflegeheime gemäß § 115 Abs. 1a SGB XI und vergibt dabei entsprechende Bewertungen, die, so wie Schulnoten, eine Bewertungsskala von „sehr gut" bis „ungenügend" vorsehen. Fälschlicherweise steht auf der Internetseite, dass das Pflegeheim H mit „mangelhaft" bewertet wurde. H kann von A als unmittelbaren Folgenbeseitigungsanspruch verlangen, die falsche Bewertung zurückzunehmen und stattdessen die richtige einzustellen, u. U. sogar eine explizite Gegendarstellung. Hat H jedoch aufgrund der falschen Bewertung Umsatzeinbußen erlitten, kann deren Erstattung nicht im Wege des Folgenbeseitigungsanspruchs verlangt werden (da keine unmittelbare Folge), sondern nur im Wege des Amtshaftungsanspruchs.

---

390 Maurer/Waldhoff, Verwaltungsrecht, § 30, Rn. 10.
391 Zum Unterschied „wirksamer" und „rechtswidriger" VA: Kap. 7.1.
392 Maurer/Waldhoff, Verwaltungsrecht, § 30, Rn. 11–12.
393 S. Kap. 8.2.4.
394 Maurer/Waldhoff, Verwaltungsrecht, § 30, Rn. 14.

8.4.2   Einschränkungen und Ausschließungsgründe

Der Gesichtspunkt des **Mitverschuldens**[395] gilt auch beim Folgenbeseitigungsanspruch und kann dazu führen, dass eine Wiederherstellung nicht oder nicht
vollständig verlangt werden kann, bzw. dass sich der Betroffene an den Kosten
der Folgenbeseitigung beteiligen muss.[396]

Einschränkungen können sich für den Folgenbeseitigungsanspruch auch dadurch ergeben, dass die Wiederherstellung des früheren Zustandes für die Verwaltung **unmöglich** oder **unzumutbar** ist.[397]

> **Beispiel:** Eine Kommune hat in unmittelbarer Nachbarschaft zu Wohnhäusern einen
> Spielplatz errichtet. Die Anwohner klagen dagegen wegen der Lärmbeeinträchtigun-
> gen. Das Gericht stellt fest, dass die Errichtung des Spielplatzes tatsächlich rechts-
> widrig war, weil lärmschutzrechtliche Vorgaben nicht beachtet wurden. Bei der Frage
> der Folgenbeseitigung ist abzuwägen, ob die Kosten für den Rückbau des Spielplatzes
> für die Verwaltung zumutbar sind. Soweit möglich, dürfte hier nach pflichtgemäßem
> Ermessen eine kostengünstigere Lösung gewählt werden.

Für die **Verjährung** des Folgenbeseitigungsanspruchs gilt ebenfalls § 195 BGB,
d. h. eine Frist von drei Jahren. Unabhängig vom Zeitpunkt der Kenntnis gilt
§ 199 Abs. 4 BGB, d. h. eine Verjährungsfrist von zehn Jahren.

---

395 S. Kap. 8.2.5.
396 Einzelheiten: Maurer/Waldhoff, Verwaltungsrecht, § 30, Rn. 20.
397 Einzelheiten: Ipsen, Verwaltungsrecht, Rn. 1353–1356.

8.5 Übersicht

Übersicht: Staatshaftung

	Soziale Entschädigung (SGB XIV und Spezialgesetze)	Amtshaftung (Art. 34 GG i. V. m. § 839 BGB)	Sozialrechtlicher Herstellungsanspruch (Richterrecht)	Folgenbeseitigung (Gewohnheitsrecht)
Situation	spezialgesetzlich geregelte Fälle, u. a. Schaden wegen Straftat, Impfung oder als Soldat	Eintritt von Schäden durch rechtswidriges Verwaltungshandeln	Verletzung sozialrechtlicher Beratungspflichten	belastende Vollzugsfolgen eines rechtswidrigen VA
Voraussetzungen	• Bürger:in hat Schaden durch Verwaltung oder andere erlitten • Allgemeinheit übernimmt aus sozialen Gründen die Verantwortung • Detaillierte Voraussetzungen nach SGB XIV und speziellen Entschädigungsgesetzen, z.B. HHG	• Bürger:in hat Schaden durch Verwaltung erlitten d u r c h (Kausalität): • Handeln/Unterlassen eines Amtsträgers (z. B. Beamte u. Angestellte im öffentlichen Dienst) • Verletzung einer drittbezogenen Amtspflicht (subjektives Recht) • Verschulden (Vorsatz, grobe Fahrlässigkeit, leichte Fahrlässigkeit) • rechtswidriges Verwaltungshandeln	• Schaden = Fehldisposition des Betroffenen in sozialrechtlicher Hinsicht d u r c h (Kausalität): • Handeln/Unterlassen einer Sozialverwaltungsstelle (Entscheidungsbereich der Sozialgerichtsbarkeit) • Pflichtverletzung (subjektives Recht, insbesondere: Nicht- oder Schlechterfüllung der Pflichten nach §§ 14–16 SGB I) • verschuldensunabhängig • rechtswidriges Verwaltungshandeln	• Schaden = ein rechtswidriger Zustand ist entstanden, der andauert d u r c h (Kausalität): • Hoheitliches Handeln (VA oder schlichtes Verwaltungshandeln) kein Unterlassen • subjektives Recht, ist verletzt • verschuldensunabhängig • rechtswidriges/ rechtswidrig gewordenes Verwaltungshandeln
Rechtsfolge	Versorgung und/oder angemessener wirtschaftlicher Ausgleich	Geldersatz für materielle und/oder immaterielle Schäden	Herstellung des rechtmäßigen Zustands, Verwirklichung gesetzlicher Ansprüche	Wiederherstellung des (ursprünglichen) rechtmäßigen Zustands

8.6   Übungsfragen

8.6.1
Welches sind die eine Haftung auslösenden Pflichtverletzungen bei

a) Amtshaftung
b) Sozialrechtlichem Herstellungsanspruch
c) Folgenbeseitigungsanspruch

und welches sind die Wiedergutmachungsarten?

8.6.2
Im Jugendamt einer Kommune herrscht Personalmangel, da mehrere Mitarbeiter:innen gleichzeitig in Elternzeit sind und noch keine adäquaten Ersatzkräfte eingestellt wurden. Hinzu kommen mehrere Krankmeldungen. So hat Jugendamtsmitarbeiter Herr J doppelt und dreifache Arbeit. Aufgrund dessen entgehen ihm mehrere Anzeigen einer Kindertagesstätte über ein Kind, bei dem der Verdacht auf häusliche Misshandlung besteht. Erst als das Kind mit erheblichen Verletzungen in ein Krankenhaus kommt, wird J aktiv und verfügt die sofortige Unterbringung in einer Pflegefamilie. J fragt sich nun,

a) ob er sich schadensersatzpflichtig gemacht haben könnte oder
b) ob sein Arbeitgeber, die Kommune, irgendwelche Entschädigungen von ihm beanspruchen könnte.

8.6.3
Der Rentner Herr H erkundigt sich bei der Deutschen Rentenversicherung nach den Hinzuverdienstgrenzen. Aufgrund einer falschen Auskunft, „man darf gar nichts hinzuverdienen", gibt er seinen Job (einige Stunden Verkauf in einem Zeitungskiosk, wofür er monatlich 250 EUR erhält) auf, denn er möchte seine Rente nicht gefährden. Den richtigen Sachverhalt (vgl. § 34 SGB VI) erfährt er erst ein halbes Jahr später. Nun ist sein Job weg. Auf welchen Haftungsanspruch könnte H sein Wiedergutmachungsverlangen stützen und was könnte er beanspruchen?

(Lösungen unter www.lehrbuch-sozialverwaltungsrecht.de)

Weiterführende Literatur
Maurer, Hartmut/Waldhoff, Christian, Allgemeines Verwaltungsrecht, 21. Aufl., München 2024, §§ 25, 26, 29 und 30.

9. Kapitel
Rücknahme und Widerruf
von Verwaltungsakten

Im Kapitel werden Rücknahme und Widerruf bereits bestandskräftiger VAe sowie die Aufhebung von VAen mit Dauerwirkung behandelt. Dabei wesentliche Fragen des Vertrauensschutzes, die Fristen, der Umfang der Rückgängigmachung und die Erstattungspflichten werden erläutert.

> ▶ Die Vorschriften über Rücknahme und Widerruf regeln die Möglichkeiten, ob und wie die Verwaltung einmal erlassene und **bestandskräftig**[398] gewordene VAe nachträglich wieder aus der Welt schaffen oder abändern kann. Es geht um die **Aufhebung von VAen außerhalb eines von dem VA-Adressaten initiierten Rechtsbehelfsverfahrens.**

Das Bedürfnis für diese Befugnis der Verwaltung liegt auf der Hand: Nach Erlass eines VA können Ereignisse eintreten oder neue Erkenntnisse auftauchen, die die ursprüngliche Entscheidung der Verwaltung in einem ganz anderen Licht erscheinen lassen. Gerade im Sozialleistungsrecht gehört es zum Alltag, dass es durch kurzfristige Änderungen in den Lebensumständen des Betroffenen zu Überzahlungen von Sozialleistungen kommt, die auf der Grundlage bereits bestandskräftiger VAe bewilligt worden sind.

Beispiele: Bewilligung und Zahlung einer Rente wegen Erwerbsunfähigkeit aufgrund einer ärztlichen Fehldiagnose, die sich nach Bestandskraft des VA aufklärt. Bewilligung und Zahlung von durch die Behörde irrtümlich zu hoch berechneten Bürgergeld-Leistungen. Bewilligung und Zahlung von Grundsicherung im Alter nach §§ 41 ff. SGB XII für ein Jahr (üblicher Bewilligungszeitraum, vgl. § 44 Abs. 1 SGB XII), doch innerhalb dieses Jahres erbt der Hilfeempfänger plötzlich einen größeren Geldbetrag.

---

398 Zum Begriff: Kap. 7.1.

Nach dem Prinzip von **§ 39 Abs. 2 SGB X**[399] gilt die Verbindlichkeit von einmal erlassenen VAen, es sei denn, sie werden **„zurückgenommen, widerrufen, anderweitig aufgehoben…"** Dies bedeutet, dass ein VA, auch ein rechtswidriger, mit seiner Bekanntgabe **wirksam** wird. Die Wirksamkeit ist zunächst vorläufig – solange der VA noch mit einem Rechtsbehelf angegriffen und damit seine Aufhebung erreicht werden kann. Erst wenn keine förmlichen Rechtsbehelfe mehr möglich sind, ist der VA „bestandskräftig", d. h. „unanfechtbar".[400]

Bei dem System von Rücknahme und Widerruf geht es darum, **die Bestandskraft von VAen zu durchbrechen.** Die Durchbrechung der Bestandskraft des VA führt zu einem Konflikt zwischen dem Interesse an **Rechtssicherheit,** welches das Festhalten an der einmal getroffenen Entscheidung verlangt, und dem Interesse an der **Gerechtigkeit,** welches die Beseitigung eines nicht (oder nicht mehr) rechtmäßigen Zustandes fordert.[401] Beide Interessen sind Bestandteile des **Rechtsstaatsprinzips,** dem jegliches Handeln der öffentlichen Gewalt verpflichtet ist. Mit den Regelungen von Rücknahme und Widerruf nach den **§§ 44–48 SGB X**[402] soll ein Ausgleich in diesem Spannungsfeld herbeigeführt werden. Sie bilden zugleich das System der Rechtsgrundlagen für die behördlichen Aufhebungsakte.

▶ Die gesetzlichen Regelungen unterscheiden zwischen verschiedenen Fallkonstellationen: Je nachdem, ob der aufzuhebende VA **begünstigend** oder **belastend, rechtmäßig** oder **rechtswidrig** ist, oder ob sich bei einem sogenannten **„VA mit Dauerwirkung"**[403] die zugrundeliegenden Verhältnisse geändert haben (= nachträglich eingetretene Rechtswidrigkeit), gilt eine andere Rechtsgrundlage für den behördlichen Aufhebungsakt.

---

399 Parallelvorschrift: § 43 VwVfG.
400 S. Kap. 7.1; vgl. auch Ipsen, Verwaltungsrecht, Rn. 665, 720; Maurer/Waldhoff, Verwaltungsrecht, § 11, Rn. 1–9.
401 Einzelheiten: Bull/Mehde, Verwaltungsrecht, Rn. 803 ff.
402 Für das übrige Verwaltungsrecht gelten die §§ 48–51 VwVfG, die dem SGB X-System nur teilweise entsprechen. Zu beachten ist, dass das SGB X ein Verfahrensgesetz für die soziale Leistungsverwaltung ist. Fürsorge und Schutz der Bürger:innen stehen wesentlich stärker im Vordergrund als im übrigen Verwaltungsrecht. So gilt bei den Aufhebungsregelungen des VwVfG z.B. ein **geringerer Vertrauensschutz** der Bürger:innen und belastenden VAen kommt eine wesentlich **stärkere Bindungswirkung** zu. Neben SGB X und VwVfG können Spezialgesetze aus bestimmten Verwaltungsbereichen ebenfalls eigene Aufhebungsregelungen enthalten, so z.B. § 330 SGB III, § 20 BAföG, § 73 AsylG.
403 S. Kap. 9.5.

Begrifflich gilt „**Aufhebung**" als **Oberbegriff** für die Beseitigung eines VA durch einen weiteren VA der Behörde. Das Aufhebungsverfahren ist ein eigenständiges Verwaltungsverfahren i. S. d. § 8 SGB X, dessen Endpunkt der Erlass eines Aufhebungs-VA bildet. Die Aufhebung (ursprünglich) **rechtswidriger VAe** bezeichnet man als „**Rücknahme**", die Aufhebung (ursprünglich) **rechtmäßiger VAe** als „**Widerruf**". Es bestehen folgende Regelungen:

- § 44 SGB X: Rücknahme eines rechtswidrigen belastenden VA,
- § 45 SGB X: Rücknahme eines rechtswidrigen begünstigenden VA,
- § 46 SGB X: Widerruf eines rechtmäßigen belastenden VA,
- § 47 SGB X: Widerruf eines rechtmäßigen begünstigenden VA,
- § 48 SGB X: Aufhebung eines VA mit Dauerwirkung bei Änderung der Verhältnisse.

9.1   Rücknahme eines rechtswidrigen belastenden VA

Gemäß § 44 Abs. 1 SGB X besteht **ein Anspruch**[404] auf Rücknahme eines rechtswidrigen belastenden VA mit Wirkung für die Vergangenheit auch nach dessen Bestandskraft.

9.1.1   Voraussetzungen

▶ Die Voraussetzungen für § 44 Abs. 1 SGB X sind das Vorliegen eines **belastenden VA,** der **rechtswidrig** ist, weil die Verwaltung entweder das **Recht unrichtig** angewandt hat oder von einem **unrichtigen Sachverhalt** ausgegangen ist. Die Rechtswidrigkeit muss zum **Zeitpunkt des Erlasses** des VA vorgelegen haben und darf nicht erst später eingetreten sein. Der Betroffene darf die Rechtswidrigkeit nicht selbst verursacht haben, d.h. er muss im Verfahren **alle relevanten Tatsachen korrekt** und vollständig angegeben haben, vgl. § 44 Abs. 1 S. 2 SGB X. Aufgrund des rechtswidrigen VA müssen entweder **Sozialleistungen nicht bewilligt** oder **Beiträge zu Unrecht erhoben** worden sein.[405]

---

404 Im übrigen Verwaltungsrecht ist die Vorschrift nur als Ermessensregelung ausgestaltet, vgl. § 48 Abs. 1 VwVfG.
405 Einzelheiten: Frings/Schweigler, Sozialrecht, Kap. 2.8.1, S. 94 ff.

Belastende VAe sind z. B. ablehnende Leistungsbescheide, leistungsmindernde oder leistungsentziehende Bescheide, die Auferlegung von Zahlungs- oder Mitwirkungspflichten, aber auch positive Leistungsbescheide, bei denen sich herausstellt, dass die Leistung in zu geringer Höhe bewilligt wurde. **Rechtswidrig** ist der VA, wenn sich herausstellt, dass die Behörde einen Fehler gemacht hat, z. B. weil dem Betroffenen eine abgelehnte Leistung in Wahrheit zustand. Maßgeblich für die Rechtswidrigkeit ist der **Zeitpunkt des Erlasses** des VA (anfängliche Rechtswidrigkeit).[406] Tritt erst nach Erlass des VA ein Ereignis ein, das den VA rechtswidrig macht, fällt dies nicht in den Anwendungsbereich des § 44 SGB X, sondern ist ggf. in einem neuen Verwaltungsverfahren zu beurteilen.

Beispiel: Herr R hat den Pflegegrad 2 beantragt, doch der medizinische Dienst der Pflegversicherung kommt bei der Prüfung seines Gesundheitszustandes zu dem Ergebnis, dass der für den Pflegegrad 2 erforderliche Umfang an Pflegebedarf noch nicht erreicht ist (vgl. § 15 SGB XI). Es ergeht ein ablehnender VA. Kurze Zeit später verschlechtert sich der Gesundheitszustand des R, so dass nun ohne jeden Zweifel von einem Pflegebedarf des Pflegegrads 2 auszugehen ist. Es besteht kein Anspruch nach § 44 SGB X auf Rückgängigmachung der ursprünglichen Ablehnung, sondern es ist ein neuer Antrag auf den Pflegegrad zu stellen.

Anders ist es, wenn R beweisen kann, z. B. durch ein Gegengutachten, dass die ursprüngliche Einschätzung des medizinischen Dienstes falsch war und sein Gesundheitszustand schon damals den Pflegegrad 2 rechtfertigte. Dann liegt anfängliche Rechtswidrigkeit vor und der ablehnende VA ist gemäß § 44 SGB X aufzuheben.

Besteht die Rechtswidrigkeit darin, dass sich im Nachhinein die **höchstrichterliche Rechtsprechung,** die für die rechtliche Beurteilung eines Falles maßgebend war, geändert hat, wirkt dies auch auf den Zeitpunkt des Erlasses des VA zurück.[407] Der VA gilt in diesem Fall bereits als rechtswidrig zum Zeitpunkt seines Erlasses und es kann eine Aufhebung nach § 44 Abs. 1 SGB X verlangt werden.

Die Voraussetzung der **zu Unrecht nicht erbrachten Sozialleistungen** betrifft alle Geld-, Sach- oder Dienstleistungen i. S. d. § 11 SGB I, z. B. Renten, Arbeitslosengeld, Bürgergeld, Sozialhilfe, aber auch Beratung oder Leistungen zu persönlichen oder erzieherischen Hilfen. Eine Leistung ist zu Unrecht nicht erbracht worden, wenn sie dem Betroffenen zustand oder in einem höheren Maße als bewilligt zustand. Als **Beitrag** ist jegliche Zahlung anzusehen, die im Rahmen der Sozialversicherungspflicht zu leisten ist, vgl. §§ 20 ff. SGB IV.

---

406 Dörr/Francke, Sozialverwaltungsrecht, Kap. 7, Rn. 43.
407 Ruland/Becker/Axer, SRH, § 12, Rn. 220.

Sind die Voraussetzungen nach § 44 Abs. 1 SGB X **nicht** gegeben, weil es sich z. B. nicht um Sozialleistungen/Beiträge handelt, sondern um einen feststellenden VA (z. B. Feststellung des Grades der Schwerbehinderung), gilt § **44 Abs. 2 SGB X**. Auch bei diesen VAen ist eine Rücknahme nach Eintritt der Bestandskraft möglich, allerdings nur mit Wirkung für die **Zukunft** bzw. nur nach Ermessen.[408]

9.1.2 Rechtsfolge

▶ Liegen die Voraussetzungen des § 44 Abs. 1 SGB X vor, ist der VA **mit Wirkung für die Vergangenheit zurückzunehmen.** Zu Unrecht nicht erbrachte **Sozialleistungen** müssen rückwirkend **nachgezahlt,** zu Unrecht erhobene **Beiträge** müssen rückwirkend **erstattet** werden, vgl. § 44 Abs. 4 S. 1 SGB X. Dies ist jeweils auf den Zeitraum von **vier Jahren** begrenzt. Die Vier-Jahres-Frist wird entweder berechnet ab dem **Zeitpunkt der Rücknahme** des rechtswidrigen VA oder, wenn das Aufhebungsverfahren aufgrund eines Antrags erfolgte,[409] ab dem **Zeitpunkt der Antragstellung.**[410]

Fraglich kann sein, in welchem Umfang die Pflichten zur Nachzahlung von Sozialleistungen auch für das **Bürgergeld** und die **Sozialhilfe** (SGB II, SGB XII) gelten. In diesen beiden Bereichen des Sozialrechts gilt das sogenannte „Bedarfsdeckungsprinzip", welches u. a. besagt, dass Bürgergeld bzw. Sozialhilfe nur eine aktuell bestehende Notsituation auffangen (= nur einen aktuell bestehenden Bedarf) decken soll. Leistungen für die Vergangenheit oder die Begleichung von Schulden sind grundsätzlich ausgeschlossen.[411] Daher wäre auch eine Anwendung von § 44 SGB X mit der Folge von rückwirkender Leistungsgewährung ausgeschlossen. Nur wenn der Hilfesuchende fristgerecht gegen ablehnende Entscheidungen des Jobcenters oder des Sozialhilfeträgers **Widerspruch**[412] eingelegt hat, ist eine nachträgliche Leistungsgewährung möglich.

Beispiel: Frau L ist arbeitslos und beantragt am 29. 5. Bürgergeld. Am 1. 6. wird ihr ein ablehnender VA bekannt gegeben. L legt fristgemäß innerhalb eines Monats Wider-

---

408 Dörr/Francke, Sozialverwaltungsrecht, Kap. 7, Rn. 56.
409 S. Kap. 9.1.3.
410 Finkenbusch, Sozialverwaltungsverfahren, Kap. 4.2.1.7.
411 Vgl. für das Bürgergeld § 37 Abs. 2 S. 1 SGB II.
412 S. Kap. 11.

spruch ein. Ihrem Widerspruch wird stattgegeben und L erhält rückwirkend Leistungen ab dem 1.5., da ihre Antragstellung im Mai erfolgte und diese auf den Monatsanfang zurückwirkt (vgl. § 37 Abs. 2 S. 2 SGB II).

Variante: L hat nicht fristgemäß Widerspruch eingelegt, sondern erst am 15.7. einen Überprüfungsantrag gemäß § 44 SGB X gestellt (auch zu spät eingegangene Widersprüche werden oftmals von den Behörden umgedeutet in Überprüfungsanträge nach § 44 SGB X und als solche bearbeitet). Es erweist sich, dass der ablehnende VA vom 1.6. rechtswidrig ist. L kann jedoch keine rückwirkenden Leistungen mehr erhalten, nur noch Leistungen für die Zukunft.

Allerdings wird dieser Grundsatz nicht stringent verfolgt, da dies dem Zweck der SGB II- und SGB XII-Leistungen, Hilfe (früher: Fürsorge) zu garantieren, zuwiderlaufen würde. Voraussetzung für das Abweichen vom Bedarfsdeckungsprinzip ist allerdings, dass der Bedarf (die Notlage) zum Zeitpunkt der Entscheidung über die Nachzahlung immer noch besteht. Zu beachten ist außerdem, dass eine Nachbewilligung von SGB II- und SGB XII-Leistungen nicht für einen Zeitraum von vier Jahren, sondern für maximal **ein Jahr** möglich ist.[413]

9.1.3 Geltendmachung

Die Überprüfung und Aufhebung des rechtswidrigen, belastenden VA und die Nachbewilligung von Leistungen ist nicht von einem Antrag des Betroffenen abhängig, d.h. die Behörde kann gemäß § 18 S. 1 SGB X von sich aus tätig werden. Allerdings besteht keine Pflicht der Behörde, ihre Akten ständig auf Rücknahmemöglichkeiten hin zu kontrollieren. Daher sollte der Betroffene von sich aus aktiv werden und einen „**Antrag auf Überprüfung des unanfechtbaren VA**" bei der Stelle geltend machen, die den VA erlassen hat. Diese hat dann das Verwaltungsverfahren durchzuführen und eine Überprüfungsentscheidung zu treffen.

Der Antrag ist an **keine Formalien und keine Frist** gebunden, kann also zeitlich unbegrenzt eingelegt werden.

Hierbei drängt sich die Frage auf, warum die **strikten Widerspruchs- und Klagefristen**[414] überhaupt zu beachten sind, wenn ohnehin zeitlich unbegrenzte Überprüfungsanträge möglich sind.

Beachten muss man jedoch Folgendes: Zum einen gilt der Überprüfungsantrag nur im Sozialrecht und nicht in den übrigen Bereichen des Verwaltungs-

---

413 Vgl. § 40 Abs. 1 SGB II, § 116a SGB XII.
414 S. Kap. 10–13.

rechts. Zum andern wird der Verwaltung bei der Bearbeitung von Überprüfungs-anträgen ein deutlich geringeres Maß an **Verwaltungsaufwand** zugestanden. Vermag es der Betroffene nicht, in der Begründung seines Überprüfungsantrags konkrete und entscheidungserhebliche Aspekte vorzutragen oder ursprünglich nicht beachtete Tatsachen, Beweismittel oder Erkenntnisse zu benennen, hat die Behörde die Möglichkeit, den Antrag abzulehnen und ohne Weiteres auf die Bestandskraft des ursprünglichen VA zu verweisen.[415] Demgegenüber **zwingt** man mit der Einlegung eines **Widerspruchs** die Behörde zu einer **erneuten, vollständigen Sach- und Rechtsprüfung** – unabhängig davon, ob man den Widerspruch fundiert zu begründen vermochte oder nicht. Auch kann nur die Einlegung eines Widerspruchs zur Aussetzung des Vollzugs des VA führen[416] – ein Überprüfungsantrag nach § 44 SGB X regelmäßig nicht.

Beispiel: Herr I hat bei seiner Krankenkasse die Übernahme von Kosten einer bestimmten Heilbehandlungsmaßnahme beantragt (vgl. § 13 SGB V). Die Krankenkasse lehnt seinen Antrag ab. I legt Widerspruch ein. In seiner Widerspruchsbegründung schreibt er: „Ich bin nicht einverstanden mit Ihrer Entscheidung und verweise auf die Begründung meines Erst-Antrags". Die Krankenkasse muss alle Pro- und Contra-Argumente erneut prüfen, ggf. medizinische Ermittlungen durchführen usw. I hat Anspruch auf eine vollständige Nachprüfung seines Falls.

Variante: Statt Widerspruch einzulegen, hat I erst einmal nichts gemacht. Der Ablehnungsbescheid wird nach Ablauf der Monatsfrist bestandskräftig. Erst nach drei Monaten stellt I einen Überprüfungsantrag bei der Krankenkasse nach § 44 SGB X. Als Begründung schreibt er ebenfalls: „Ich bin nicht einverstanden mit Ihrer Entscheidung und verweise auf die Begründung meines Erst-Antrags." Diesen Antrag dürfte die Krankenkasse ohne weitere Prüfung als rechtsmissbräuchlich ablehnen und auf die Bestandskraft des VA verweisen.

Ebenfalls zurückzuweisen ist ein Überprüfungsantrag, wenn die Rechtswidrigkeit des ursprünglichen VA dadurch zustande kam, dass der Betroffene unrichtige oder unvollständige Angaben gemacht hat, vgl. § 44 Abs. 1 S. 2 SGB X.

---

415 Dörr/Francke, Sozialverwaltungsrecht, Kap. 7, Rn. 58; Finkenbusch, Sozialverwaltungsverfahren, Kap. 4.2.1.6.
416 S. Kap. 11.4.

9.2   Rücknahme eines rechtswidrigen begünstigenden VA

Bei der Rücknahme rechtswidriger begünstigender VAe hat der VA-Adressat ein Interesse an dem Erhalt der Bestandskraft des VA, denn er möchte die Begünstigung nicht verlieren. In § 45 SGB X[417] muss daher eine **Abwägung** getroffen werden zwischen dem (öffentlichen) Interesse der Verwaltung an der Herstellung rechtmäßiger Zustände, welches für eine Aufhebung spricht, und dem (privaten) Interesse des VA-Adressaten, der auf die Bestandskraft der getroffenen Entscheidung vertraut. Hierbei zeigt sich deutlich das oben dargestellte Spannungsfeld zwischen **Gerechtigkeit** und **Rechtssicherheit.**

In § 45 SGB X werden sowohl die einzelnen Voraussetzungen für die Rücknahme als auch Voraussetzungen, die die Rücknahmebefugnis der Verwaltung wieder einschränken (§ 45 Abs. 2 bis Abs. 4 SGB X), benannt. Die Rechtsfolge (Rücknahmeentscheidung) eröffnet grundsätzlich **Ermessen.**[418]

9.2.1   Rücknahme-Voraussetzungen

▶ Die Voraussetzungen für die Rücknahme sind nach § 45 Abs. 1 SGB X das Vorliegen eines **begünstigenden VA,** der rechtswidrig ist, und zwar bereits zum Zeitpunkt seines Erlasses **(anfängliche Rechtswidrigkeit).** Es können im Rahmen von § 45 SGB X sowohl **bestandskräftige** als auch noch **nicht bestandskräftige** VAe durch die Verwaltung zurückgenommen werden.[419]

Begünstigender VA

Der begünstigende VA wird in § 45 Abs. 1 S. 1 SGB X definiert als ein VA, der „ein Recht oder einen rechtlich erheblichen Vorteil begründet oder bestätigt". Dies umfasst **jede vorteilhafte Rechtsposition** des Betroffenen, also alle denkbaren Arten von positiven Leistungsbescheiden, aber auch rechtlich vorteilhafte Feststellungen (z. B. die Anerkennung einer Krankheit als Berufskrankheit i. S. d. § 9 SGB VII).

Anfängliche Rechtswidrigkeit

Die Rechtswidrigkeit des VA muss bereits zum Zeitpunkt des **Erlasses** des VA bestanden haben. Ein nachträglich eingetretenes Ereignis, welches den VA

---

417 Parallelvorschrift: § 48 Abs. 1 S. 2 u. Abs. 2 VwVfG.
418 Einzelheiten s. 9.2.3; vgl. auch Bull/Mehde, Verwaltungsrecht, Rn. 822.
419 Dörr/Francke, Sozialverwaltungsrecht, Kap. 7, Rn. 62.

rechtswidrig macht (z. B. die nachträgliche Erzielung von Einkommen während des Bewilligungszeitraums von Sozialhilfe oder Bürgergeld) kann auch zu einer Rücknahmebefugnis führen. Diese richtet sich jedoch nach § 48 SGB X und setzt voraus, dass es sich um einen sogenannten „VA mit Dauerwirkung"[420] handelt, d. h. einen VA, mit dem **laufende Leistungen** bewilligt werden. Handelt es sich nur um eine **einmalige Begünstigung** (z. B. eine einmalige Zahlung zur Erstausstattung einer Wohnung gemäß § 24 Abs. 3 Nr. 1 SGB II), so wirkt sich eine nachträgliche Änderung, auch z. B. durch Änderung der höchstrichterlichen Rechtsprechung, nicht zum Nachteil des begünstigten VA-Adressaten aus.

9.2.2   Einschränkende Voraussetzungen für die Rücknahmebefugnis

Nicht jeder rechtswidrige begünstigende VA kann ohne Weiteres zurückgenommen werden. Wegen des rechtsstaatlichen Abwägungsgebots zwischen Gerechtigkeit und Rechtssicherheit bestehen gemäß **§ 45 Abs. 2 bis Abs. 4 SGB X** weitere, variable Voraussetzungen, die die Rücknahmebefugnisse der Verwaltung begrenzen und konkretisieren.

> ▶ Die die Rücknahme einschränkenden Voraussetzungen sind das System des **Vertrauensschutzes** (§ 45 Abs. 2 SGB X), die **Rücknahmefrist** (§ 45 Abs. 3 SGB X) und die **Handlungsfrist** (§ 45 Abs. 4 SGB X).[421]

Vertrauensschutz

> ▶ Der **Vertrauensschutz** gemäß § 45 Abs. 2 SGB X bildet das wichtigste Kriterium bei der Prüfung einer Rücknahmeentscheidung, da sich an ihm bemisst, ob dem Gerechtigkeits- oder dem Rechtssicherheitsinteresse der Vorzug zu geben ist. Er verbietet die Rücknahme eines rechtswidrigen, begünstigenden VA, wenn und soweit sich der VA-Adressat auf Vertrauensschutz berufen kann und **keine Gründe** vorliegen, die das **Vertrauen ausschließen**. § 45 Abs. 2 SGB X nennt dafür **positive** und **negative Vertrauensschutzgründe**.[422]

---

420 S. Kap. 9.5.
421 Einzelheiten: Finkenbusch, Sozialverwaltungsverfahren, Kap. 4.2.2–4.2.2.4.
422 Verwendet werden auch die Begriffe „Vertrauensschutzgründe" und „Vertrauens-Ausschlussgründe".

Positiver Vertrauensschutz

In § 45 Abs. 2 S. 1–2 SGB X finden sich positive Vertrauensschutzgründe. Diese sind zum einen die Tatsache, dass der Betroffene auf den Bestand des VA vertraut hat und dieses Vertrauen schutzwürdig ist (= eine allgemeine Beschreibung des Vertrauensschutzes). Zum anderen wird der Vertrauensschutz konkretisiert durch **zwei Regelbeispiele,** nämlich entweder, dass der Betroffene die rechtswidrig geflossenen Leistungen bereits **verbraucht** hat, oder dass er damit eine **Vermögensdisposition** getroffen hat, die er nicht mehr oder nur unter unzumutbaren Nachteilen rückgängig machen kann.[423]

> **Beispiele:**
> **§ 45 Abs. 2 S. 2 SGB X:** Verbrauch der Sozialleistungen für den Lebensunterhalt und für Haushaltsausgaben, für Reisen, Therapiemaßnahmen oder Geschenke. Unzumutbare Rückgängigmachung von Vermögensdispositionen z. B. bei Verwendung des Geldes für einen notwendigen Ausbau der Wohnung, für Anschaffung neuer, dringend benötigter Gegenstände, die alte ersetzen, z. B. neuer Computer, neuer Rollstuhl, neues behindertengerechtes PKW u. ä. Bei angelegtem Kapital liegt i. d. R. keine Unzumutbarkeit der Rückgängigmachung vor.
> **§ 45 Abs. 2 S. 1 SGB X:** Liegt keines der Regelbeispiele aus Satz 2 vor, können z. B. Alter oder Krankheit des Betroffenen Vertrauensschutz begründen oder das Ausmaß des Verschuldens auf Seiten der Behörde beim Zustandekommen des rechtswidrigen VA.

Liegen positive Vertrauensschutzgründe vor und sind sie nicht durch negative Vertrauensschutzgründe ausgeschlossen, so gilt, dass der VA entweder **gar nicht** oder nur **mit Wirkung für die Zukunft** zurückgenommen werden kann. Dies entscheidet die Behörde jedoch nach dem ihr zustehenden Ermessen[424]. Mit Wirkung für die Zukunft bedeutet die Aufhebung ab dem Zeitpunkt des Erlasses des Rücknahme-VA.

> **Beispiel:** Herr G erhält Grundsicherung nach §§ 41 ff. SGB XII. Am 01.01.2015 erhielt er einen Bescheid über die Grundsicherung für die nächsten 12 Monate, d. h. bis zum 31.12.2015 (vgl. § 44 Abs. 1 SGB XII). Die Behörde verrechnete sich bei der Bemessung der Leistung, so dass G monatlich 50 EUR mehr erhält als ihm eigentlich zustehen. Am 30.06.2015 erlässt die Behörde daher einen Rücknahme-VA, mit dem sie die ursprünglich bewilligte Grundsicherung zurücknimmt. G kann sich auf positiven Vertrauensschutz berufen und negative Vertrauensschutzgründe liegen nicht

---

423 Einzelheiten: Bull/Mehde, Verwaltungsrecht, Rn. 823 ff.; Dörr/Francke, Sozialverwaltungsrecht, Kap. 7, Rn. 70–72; Frings/Schweigler, Sozialrecht, Kap. 2.8.2, S. 96 ff.
424 S. Kap. 9.2.3.

vor. Also kann die Behörde die zu viel geflossenen Grundsicherungsleistungen nicht von ihm zurückfordern (da keine Rücknahme für die Vergangenheit). Die Grundsicherungsbewilligung kann jedoch für die Zukunft zurückgenommen werden. Zwar vertraute G auch darauf, er werde die Grundsicherung in der ursprünglich bewilligten Höhe noch bis zum 31.12.2015 erhalten. Das öffentliche Interesse i.S.d. § 45 Abs. 2 S. 1 SGB X (Herstellung rechtmäßiger Zustände, sparsame Verwendung öffentlicher Mittel) gebietet es jedoch, dass das Vertrauen des G in diesem Punkt zurückzutreten hat und er bereits ab 01.07.2015 (also ab Zeitpunkt des Rücknahme-VA) nur noch die geringeren – aber nun korrekt berechneten – Grundsicherungsleistungen erhält.

Negativer Vertrauensschutz (= Vertrauens-Ausschlussgründe)

§ 45 Abs. 2 S. 3 Nr. 1–3 SGB X nennen negative Vertrauensschutz- bzw. Vertrauens-Ausschlussgründe. Liegt einer von diesen vor, so entfällt der positive Vertrauensschutz wieder. Dann kann der VA mit **Wirkung für die Vergangenheit** zurückgenommen werden. Dies bedeutet die Aufhebung für einen Zeitraum, der vor dem Rücknahme-VA liegt, typischerweise die Zeit ab Erlass des rechtswidrigen VA. Die Aufhebung mit Wirkung für die Vergangenheit führt dann i.d.R. zu einer **Erstattungspflicht** des Betroffenen **gemäß § 50 SGB X** für die bereits geflossenen Leistungen.

Die Vertrauens-Ausschlussgründe des § 45 Abs. 2 S. 3 SGB X sind:

- § 45 Abs. 2 Satz 3 **Nr. 1** SGB X: Der Vertrauensschutz entfällt bei Bewirken des VA durch **Drohung, Bestechung** oder **arglistiger Täuschung**. Damit erfasst ist **strafwürdiges Verhalten** des VA-Adressaten, welches ursächlich für den Erlass des rechtswidrigen VA gewesen ist. Eine arglistige Täuschung entspricht i.d.R. auch einer vorsätzlichen Falschangabe i.S.d. § 45 Abs. 2 S. 3 Nr. 2 SGB X.[425] Verwirklicht das Verhalten eines **Bevollmächtigten** eine der genannten Handlungen, muss sich dies der VA-Adressat ausnahmsweise nicht zurechnen lassen.[426] Dies gilt nicht für die übrigen Nrn. des § 45 Abs. 2 S. 3.
- § 45 Abs. 2 Satz 3 **Nr. 2** SGB X: Der Vertrauensschutz entfällt bei **vorsätzlichen** oder **grob fahrlässigen**[427] **Falschangaben,** d.h. bei unrichtigen oder unvollständigen Angaben. Verwirklicht werden kann der Ausschlussgrund sowohl durch **aktives Handeln,** aber auch durch **Verschweigen** oder Auslassen von Tatsachen oder durch das **Unterlassen** von Mitwirkungspflichten. Zu fal-

---

425 Bull/Mehde, Verwaltungsrecht, Rn. 827; umgekehrt gilt dies jedoch nicht, vgl. Dörr/ Francke, Sozialverwaltungsrecht, Kap. 7, Rn. 74.
426 Schütze, SGB X, § 45, Rn. 54.
427 Zu den Begriffen Vorsatz u. grobe Fahrlässigkeit s. auch Kap. 8.2.3.

schen oder unvollständigen Angaben kann es aufgrund der Komplexität der Sozialgesetze (mit entsprechenden Formularen, die Bürger:innen auszufüllen haben) häufiger kommen. Daher ist stets das Verschulden des VA-Adressaten in Form von Vorsatz oder grober Fahrlässigkeit maßgeblich.

Vorsatz bedeutet, dass der der Betroffene die Falschangaben oder das Verschweigen „mit Wissen und Wollen" tätigte. Da dies eine innere Haltung ist, ist vorsätzliches Handeln i. d. R. schwer nachzuweisen.

Grobe Fahrlässigkeit wird definiert in § 45 Abs. 2 S. 3 Nr. 3 SGB X und bedeutet „besonders schwere Verletzung der im Verkehr erforderlichen Sorgfalt". Die erforderliche Sorgfalt ist daran zu messen, welches Verhalten vom Personenkreis, zu dem der Betroffene gehört, normalerweise erwartet werden kann. Zwar wird der individuelle Wissens- und Bildungsstand des Betroffenen berücksichtigt, jedoch ist für den Sorgfaltsmaßstab auf eine sorgfältig handelnde **Durchschnittsperson seiner Personengruppe** abzustellen. Die erforderliche Sorgfalt ist besonders schwer verletzt, wenn der Betroffene nicht getan hat, was einfachste Überlegungen nahegelegt hätten und jedem eingeleuchtet hätte. Auch **fehlende Sprachkenntnisse** schließen grobe Fahrlässigkeit nicht aus. Grundsätzlich kann erwartet werden, dass ein Dolmetscher/Übersetzer eingeschaltet wird, zumal nach § 19 Abs. 1 SGB X auch kein Anspruch des Betroffenen darauf besteht, dass ein behördliches Schreiben in einer anderen als der deutschen Sprache abgefasst ist.[428]

Beispiele: Grobe Fahrlässigkeit liegt vor, wenn der VA-Adressat zusammen mit dem VA ein Merkblatt erhalten hat, welches über Mitwirkungspflichten während des Leistungszeitraums, insbesondere über die unaufgeforderte Mitteilung von Tatsachen informiert. Teilt der Betroffene dann die Tatsachen nicht mit, erfüllt er den Ausschlussgrund „grob fahrlässiges Verschweigen". Er kann sich nicht darauf berufen, das Merkblatt nicht gelesen oder nicht verstanden zu haben.

Grob fahrlässig ist auch die falsche oder unvollständige Beantwortung von Fragebögen aufgrund der Annahme, die Fragen seien für den eigenen Fall unerheblich. Z. B. die Nichtangabe von unbebauten Grundstücken bei der Frage nach Immobilienbesitz (weil man glaubt, dies sei davon nicht erfasst) oder die Nichtangabe von Bankkonten, deren Inhaber man zwar nicht ist, aber für die man verfügungsberechtigt ist (weil man glaubt, dies sei bei Fragen nach dem „eigenen" Vermögen nicht relevant).

- § 45 Abs. 2 Satz 3 **Nr. 3** SGB X: Der Vertrauensschutz entfällt auch bei **Kenntnis** oder **grob fahrlässiger Unkenntnis** der Rechtswidrigkeit des VA. Dies be-

---

428 Einzelheiten u. weitere Beispiele: Schütze, SGB X, § 45, Rn. 70.

deutet, dass auch vom eigenen Verhalten unabhängige **Behördenfehler** Vertrauensausschlussgründe sein können, wenn der Betroffene in der Lage war, diese zu erkennen. Auch hier ist es wegen der Komplexität der Sozialgesetze häufig schwierig, festzulegen, wann dies dem Betroffenen unterstellt werden kann. Abgestellt wird bei der Frage der Sorgfalt wiederum auf eine sorgfältig handelnde Durchschnittsperson aus der Personengruppe des Betroffenen, mit dessen Kenntnissen und Bildungshintergrund. Grundsätzlich wird erwartet, dass der Betroffene einen ihn begünstigenden VA **vollständig durchliest** und zumindest daraufhin überprüft, ob der zugrunde gelegte Sachverhalt den Angaben entspricht, die er im Verwaltungsverfahren gemacht hat.[429]

Beispiel: Herr M ist arbeitslos geworden und hat beim Jobcenter Bürgergeld beantragt. Wahrheitsgemäß hat er alle Angaben gemacht und alle Unterlagen vorgelegt, insbesondere auch die Gehaltsbescheinigungen seiner Frau, F, die arbeitet und ca. 1 200 EUR netto verdient. Er erhält einen positiven Bewilligungsbescheid. Im Berechnungsbogen des Bescheides sind die für die Bewilligung maßgeblichen Faktoren in einer Tabelle eingetragen. Darin heißt es bei M: Einkommen = 0 EUR. In der Spalte für F heißt es ebenfalls: Einkommen = 0 EUR. Hier ist für M ohne Weiteres erkennbar, dass der Bewilligungsbescheid falsch ist, weil das Einkommen der F bei der Berechnung des Bürgergelds übersehen wurde. Erkennt die Behörde später ihren Fehler und fordert das zu viel gezahlte Bürgergeld zurück, kann sich M nicht auf Vertrauensschutz berufen.

Anders liegen die Dinge, wenn der **Behördenfehler versteckt** und nicht ohne Weiteres nachzuvollziehen ist. So wäre es z. B., wenn das Jobcenter im obigen Beispiel das Einkommen der F zwar gesehen hat, dann jedoch einen Fehler bei der Durchführung der Einkommensanrechnung gemäß § 11b Abs. 2 u. Abs. 3 SGB II gemacht hat. Es gehört nicht zu den Sorgfaltspflichten, § 11b SGB II nachzuvollziehen und anhand der Vorschrift die Richtigkeit der Einkommensanrechnung in allen Details zu überprüfen. Auch eine Verpflichtung, als juristischer Laie die Subsumtion des Sachverhalts in allen Einzelheiten nachzuvollziehen und zu überprüfen, besteht nicht.

Man ist als Empfänger von Sozialleistungen übrigens auch **nicht dazu verpflichtet**, die Behörde von sich aus auf Fehler in ihren Bescheiden **hinzuweisen**. Ist der Fehler jedoch erkennbar und der Vertrauensschutz damit ausgeschlossen, muss man mit einer späteren Aufhebung und der Rückforderung zu viel gezahlter Leistungen rechnen.

---

429 Einzelheiten u. weitere Beispiele: Schütze, SGB X, § 45, Rn. 67–69.

9.2.3   Fristen

▶ § 45 Abs. 3 u. Abs. 4 SGB X benennen verschiedene Fristen, die die Behörde
zu beachten hat, wenn sie einen rechtswidrigen, begünstigenden VA aufheben
möchte. Dabei ist zu differenzieren zwischen den **Rücknahmefristen** nach
§ 45 Abs. 3 SGB X und der **Handlungsfrist** für die Rücknahmeentscheidung
nach § 45 Abs. 4 S. 2 SGB X.[430] Diese Fristen gehen der allgemeinen vierjährigen Verjährungsfrist (vgl. § 45 SGB I) als spezialgesetzliche Regelung vor.

Rücknahmefrist

Bei § 45 Abs. 3 SGB X geht es um die Frage, wie lange der Erlass eines rechtswidriger VA, der zurückgenommen werden soll, bereits zurückliegen darf. Eine
zeitliche Begrenzung der Rücknahme gilt nur für **VAe mit Dauerwirkung**, d. h.
VAen, mit denen laufende Leistungen bewilligt werden.[431] VAe, die eine einmalige Begünstigung enthalten, können dagegen jederzeit, ohne irgendeine zeitliche Einschränkung zurückgenommen werden.[432]

Bei VAen mit Dauerwirkung sind drei verschiedene Fristen möglich: **zwei
Jahre, zehn Jahre** oder **zeitlich unbegrenzt**.[433] Die Fristen berechnen sich nach
§ 26 SGB X.[434]

Als Grundsatz gilt die **Zweijahresfrist**, d. h. die Rücknahme kann nur bis zum
Ablauf von zwei Jahren seit Erlass des zurückzunehmenden Verwaltungsakts
erfolgen. Voraussetzung ist, dass sich der VA-Adressat auf den positiven Vertrauensschutz des § 45 Abs. 2 S. 1 u. 2 SGB X berufen kann.

Beispiel: Am 15.03.2023 wurde ein Rentenbescheid erlassen, der rechtswidrig ist.
Der begünstigte VA-Adressat kann sich auf Vertrauensschutz berufen. Die Behörde
darf den VA nur bis zum 15.03.2025 zurücknehmen, d. h. der Erlass des Rücknahme-
VA muss bis zu diesem Termin erfolgt sein. Danach ist eine Rücknahme nicht mehr
möglich.

Verwirklicht der Betroffene die **Vertrauensausschlussgründe** des § 45 Abs. 2 S. 3
Nr. 2 oder **Nr. 3** SGB X, d. h. entweder vorsätzliche oder grob fahrlässige Falschangaben oder Kenntnis bzw. grob fahrlässige Unkenntnis der Rechtswidrigkeit

---

430 Einzelheiten: Finkenbusch, Sozialverwaltungsverfahren, Kap. 4.2.2.3–4.2.2.4.
431 vgl. Kap. 9.5.
432 Schütze, SGB X, § 45, Rn. 74.
433 Einzelheiten: Dörr/Francke, Sozialverwaltungsrecht, Kap. 7, Rn. 79–84.
434 S. Kap. 11.3.3.

des VA, gilt die **Zehnjahresfrist**. Verwirklicht der Betroffene § 45 Abs. 2 S. 3 **Nr. 1** SGB X, d. h. Drohung, Bestechung oder arglistige Täuschung, ist eine Rücknahme **zeitlich unbegrenzt** möglich.

Eine weitere zeitlich unbegrenzte Rücknahmemöglichkeit benennt § 45 Abs. 3 S. 2 SGB X: Das Vorliegen von **„Wiederaufnahmegründe nach § 580 ZPO"**. Dies verweist auf Gründe der Zivilprozessordnung, die für die Aufhebung rechtskräftiger Gerichtsurteile gelten. Wiederaufnahmegründe, die in dieser Weise für Gerichtsurteile und für VAe gelten, sind z. B. das Zustandekommen eines rechtswidrigen VA durch Falschaussagen von Zeugen oder Sachverständigen oder durch die Verwendung gefälschter Urkunden. Hierbei ist – unabhängig von jeglicher Verschuldensfrage – der Bestand des VA als von der Rechtsordnung schlicht nicht hinnehmbar anzusehen.[435]

Handlungsfrist

Bei der Handlungsfrist gemäß § 45 Abs. 4 S. 2 SGB X geht es um die Frage, wie lange die Behörde Zeit hat, einen Rücknahme-VA zu erlassen, nachdem sie von einem Rücknahmegrund erfahren hat.[436] Es geht um die Bearbeitungs- und Entscheidungsfrist der Behörde zwischen **Kenntnis des Rücknahmegrunds** und **Erlass des Rücknahme-VA** gegenüber dem Betroffenen (= Bekanntgabe gemäß § 37 SGB X). Die Behörde ist zur Rücknahme nur **innerhalb eines Jahres** berechtigt. Zweck dieser Frist ist es, zügig Rechtssicherheit darüber zu schaffen, was mit dem rechtswidrigen VA geschehen soll.

Mit der Kenntnis der die Rücknahme rechtfertigenden Tatsachen beginnt für die Behörde die einjährige Handlungsfrist. Voraussetzung ist, dass **alle Fakten** auf dem Tisch liegen und eine Basis für die Rücknahmeentscheidung der Behörde bilden können. Daher muss sich die Kenntnis sowohl auf die Rechtswidrigkeit des zurückzunehmenden VA als auch auf die Rücknahmegründe, z. B. das Vorliegen von positiven oder negativen Vertrauensschutzgründen beziehen. Andererseits bedeutet Kenntnis lediglich die **Aktenkundigkeit** der die Rücknahme rechtfertigenden Tatsachen i. S. v. „Kennenmüssen". Das heißt, es kommt nicht darauf an, wann sich die einzelne Verwaltungsmitarbeiterin mit dem Fall befasst und die Tatsachen wahrgenommen hat, sondern wann sich die Tatsachen aus den Akten der Behörde ergeben.[437]

Beispiel: Frau U ist arbeitslos und bekommt Bürgergeld vom Jobcenter. Zusätzlich erhält sie „unter der Hand" jeden Monat 250 EUR von ihrer Mutter in bar zugesteckt.

---

435 Dörr/Francke, Sozialverwaltungsrecht, Kap. 7, Rn. 82.
436 Dörr/Francke, Sozialverwaltungsrecht, Kap. 7, Rn. 86.
437 Schütze, SGB X, § 45, Rn. 98.

U hat sich gerade von ihrem Freund, Herrn T, getrennt. Aus Rache schickt T eine Anzeige an das Jobcenter, in dem er wahrheitsgemäß und detailliert alle Umstände mit den 250 EUR, die U monatlich zusätzlich erhält, schildert. Die Anzeige geht am 30.04.2025 beim Jobcenter ein und wird in die Akte der U eingeheftet. Erst am 30.08. 2025 schaut sich die Sachbearbeiterin der U deren Akte wieder genauer an und nimmt die Anzeige zur Kenntnis. Fristbeginn für die einjährige Handlungsfrist war bereits der 30.04.2025, d.h. die Sachbearbeiterin der U muss die Rücknahme des rechtswidrig zu viel bewilligten Bürgergeld bis zum 30.04.2026 erledigt haben.

Die Kenntnis der die Rücknahme rechtfertigenden Tatsachen kann auch bereits von Anfang an bestanden haben, d.h. schon bei Erlass des zurückzunehmenden VA. Dann läuft auch die Handlungsfrist bereits ab diesem Zeitpunkt.

Beispiel: s. o. Fall von M und F: Hier hatte M bei Beantragung des Bürgergelds alle Tatsachen korrekt angegeben, insbesondere den Gehaltsbescheid von F vorgelegt. Die Behörde übersah dies und erließ den rechtswidrigen VA. Dieser war zum Zeitpunkt seines Erlasses rechtswidrig und alle Tatsachen, aus denen sich seine Rechtswidrigkeit und die Befugnis zu seiner Rücknahme ergaben, waren zu diesem Zeitpunkt bereits bekannt (= aktenkundig). Die Handlungsfrist für die Rücknahme begann also bereits mit dem Zeitpunkt des Erlasses des rechtswidrigen VA.

Wird die Jahresfrist verpasst, so ergibt sich aus § 45 Abs. 4 S. 2 SGB X, dass der rechtswidrige VA nur noch für die Zukunft zurückgenommen werden kann – unabhängig davon, ob Vertrauensausschlussgründe verwirklicht wurden oder nicht.

9.2.4   Rechtsfolge

▶ Grundsätzlich ist bei Vorliegen der Voraussetzungen die Behörde nach § 45 Abs. 1 SGB X nicht zur Rücknahme verpflichtet, sondern darf nach **pflicht-gemäßem Ermessen** darüber entscheiden, ob und in welchem Umfang sie eine Rücknahmeentscheidung vornimmt. Es besteht sowohl Entschließungs- als auch Auswahlermessen[438]: Die Verwaltung kann entscheiden, ob sie den VA **ganz, teilweise** oder **gar nicht,** mit Wirkung für die **Vergangenheit** oder nur mit Wirkung für die **Zukunft** zurücknimmt.[439]

---

438 S. Kap. 5.5.1.
439 Finkenbusch, Sozialverwaltungsverfahren, Kap. 4.2.2.

Aus § 45 SGB X ergeben sich folgende, generelle Kriterien bei der Ausübung des Ermessens:

- Aufhebung für die **Zukunft** oder **gar nicht:** Der Ermessensspielraum der Behörde beschränkt sich auf diese Möglichkeiten, wenn positiver Vertrauensschutz vorliegt und keine Ausschlussgründe (§ 45 Abs. 2 S. 3 Nr. 1–3 SGB X) verwirklicht werden. Das Gleiche gilt, wenn die Behörde die einjährige Handlungsfrist nach § 45 Abs. 4 S. 2 SGB X verpasst hat.[440]
- Aufhebung **auch** für die **Vergangenheit:** Der Ermessensspielraum der Behörde auch mit der Möglichkeit der rückwirkenden Aufhebung ist immer dann gegeben, wenn die **Vertrauensausschlussgründe** des § 45 Abs. 2 S. 3 Nr. 1–3 SGB X verwirklicht wurden oder wenn **Wiederaufnahmegründe** gemäß § 45 Abs. 3 S. 2 SGB X i. V. m. § 580 ZPO vorliegen.[441] Außerdem muss die einjährige Handlungsfrist des § 45 Abs. 4 Satz 2 SGB X eingehalten worden sein.
- Generelle Ermessenskriterien: Bei der Ausübung **jeglichen** Rücknahmeermessens hat die Behörde eine Einzelfallabwägung zwischen öffentlichem Rücknahme- und privatem Bestandsschutzinteresse zu treffen.[442] Relevante Ermessenskriterien sind beispielsweise Alter, Gesundheit oder soziale Verhältnisse Betroffener, Härten, die durch eine Rückforderung entstehen können, Ausmaß des Verschuldens der Behörde, Verschulden eines Vertreters des Betroffenen etc.[443]

Zu beachten ist schließlich, dass es **besondere Regelungen** über die Rücknahme von VAen in den **bereichsspezifischen Sozialgesetzen** gibt.[444] So gelten z. B. für das Arbeitslosen- und das Bürgergeld (SGB II und SGB III) die §§ 40 SGB II, 330 Abs. 2 SGB III. Hier „muss" die Behörde bei Vorliegen von Vertrauensausschlussgründen den VA mit Wirkung für die Vergangenheit zurücknehmen.

9.2.5 Erstattung

Liegen die Voraussetzungen dafür vor, dass ein VA mit Wirkung für die Vergangenheit zurückgenommen werden kann, besteht eine **Erstattungspflicht** nach § 50 Abs. 1 SGB X. Der Aufhebungs-VA bewirkt, dass der rechtswidrige, begüns-

---

440 Schütze, SGB X, § 45, Rn. 99.
441 Finkenbusch, Sozialverwaltungsverfahren, Kap. 4.2.2.4.
442 Zu den Begriffen s. Kap. 9.2.
443 Einzelheiten u. Beispiele: Dörr, Bescheidkorrektur, Kap. 6.2.6, S. 120 ff.
444 Übersicht der einzelnen Bereiche u. Vorschriften: Dörr/Francke, Sozialverwaltungsrecht, Kap. 7, Rn. 136 ff.

tigende VA rückwirkend entfällt. Bereits erhaltene Leistungen „sind" zu erstatten, d. h. es besteht diesbezüglich kein Ermessen der Verwaltung. In der Praxis werden der **Aufhebungs-VA**, in dem die Rücknahme erklärt wird, und der **Erstattungs-VA**, in dem die Behörde ihre Erstattungsforderung festsetzt, meist zusammen in einem Bescheid verbunden. Erfüllt der Betroffene die Erstattungsforderung nicht freiwillig, ist die Behörde berechtigt, ihre Forderung mittels **Verwaltungsvollstreckung** oder in Form einer **Aufrechnung** durchzusetzen.[445]

9.3 Widerruf eines rechtmäßigen belastenden VA

▶ Der **Widerruf** eines rechtmäßigen belastenden VA gemäß § 46 SGB X[446] setzt voraus, dass er **rechtmäßig** zum Zeitpunkt seines **Erlasses** war und ein **belastender Regelungsinhalt** i. S. d. § 44 SGB X[447] vorliegt. Weitere Voraussetzung ist, dass das Recht zum Widerruf nicht ausgeschlossen sein darf. Die Widerrufsentscheidung (Rechtsfolge) darf nur für die **Zukunft** erfolgen und steht im **Ermessen** der Behörde.

In der Regel bereitet der Widerruf eines rechtmäßigen belastenden VA keine Probleme: Da es sich um einen belastenden VA handelt, hat ein Widerruf für die Bürger:innen **keine Nachteile,** d. h. es müssen keine Vertrauensschutzgesichtspunkte berücksichtigt werden. Da der VA rechtmäßig ist, besteht für die Verwaltung keine Verpflichtung, ihr Handeln zu korrigieren so wie bei einem rechtswidrigen VA.[448]

§ 46 SGB X gilt sowohl für den VA mit Dauerwirkung[449] als auch für den VA, der ein Rechtsverhältnis nur mit einmaliger Wirkung gestaltet. Kommt es beim VA mit Dauerwirkung zu einer „wesentlichen" Änderung der Verhältnisse, die nachträglich zur Rechtswidrigkeit des VA führt, so gilt § 48 SGB X.[450] Ist dies nicht der Fall, besteht die Möglichkeit des Widerrufs nach § 46 SGB X.

Ausgeschlossen ist ein Widerruf, wenn die Behörde den belastenden VA **mit gleichem Inhalt erneut erlassen** müsste, damit ansonsten nicht ein rechtswidriger Zustand eintritt. Damit beschränkt sich die Anwendung des § 46 SGB X auf den **Widerruf von Ermessens-VAen.** Denn ein VA, der aufgrund zwingender Rechts-

445 S. Kap. 6.4.
446 Parallelvorschrift: § 49 Abs. 1 VwVfG.
447 S. Kap. 9.1.1.
448 S. Kap. 7.
449 S. Kap. 9.5.
450 Einzelheiten s. Kap. 9.5.

vorschriften rechtmäßigerweise erlassen wurde, dürfte eben gerade nicht wieder aufgehoben werden, weil ansonsten ja ein rechtswidriger Zustand einträte.[451]

Der Ermessens-VA bedeutet jedoch, dass mehrere Möglichkeiten einer Entscheidung denkbar sind, die alle gleichermaßen rechtmäßig sein können, solange keine Ermessensfehler[452] vorliegen. Kommt die Behörde im Rahmen des Ermessensspielraums zu einer anderen, für den Betroffenen günstigeren Einschätzung, hat sie die Möglichkeit, nach § 46 SGB X ihre ursprüngliche Entscheidung zu modifizieren.[453]

Beispiel: Das Jobcenter hat einen Erstattungsanspruch gegenüber Frau Z wegen überzahlten Bürgergeld-Leistungen. Es wurde mit VA die Aufrechnung nach § 43 SGB II erklärt und das Bürgergeld von Z monatlich um 30 % gekürzt, um die Forderung zu tilgen. Der Aufrechnungs-VA ist eine Ermessensentscheidung, das Ermessen wurde vom Jobcenter fehlerfrei ausgeübt. Nach einigen Monaten bittet Z wegen Krankheit um eine geringere Kürzung als die 30 %. Das Jobcenter kann den ursprünglichen Aufrechnungs-VA widerrufen und im Rahmen seines Ermessensspielraums stattdessen auch eine Kürzung von monatlich nur 10 % festlegen.

9.4　Widerruf eines rechtmäßigen begünstigenden VA

Eigentlich dürfte bei diesen VAen niemand ein Interesse an der Aufhebung haben: Bürger:innen nicht, da der VA begünstigend, und die Verwaltung nicht, da der VA rechtmäßig ist. Gleichwohl ist der Widerruf rechtmäßiger begünstigender VAe nach deren Bestandskraft gemäß § 47 SGB X[454] in engen Grenzen möglich.

▶ Voraussetzungen sind das Vorliegen eines begünstigenden VA i.S.d. § 45 Abs. 1 SGB X der bei seinem Erlass rechtmäßig gewesen ist. Unterschieden werden sodann **zwei Fallkonstellationen:** Nach § 47 Abs. 1 SGB X ist der Widerruf für die **Zukunft** möglich, wenn er durch **Rechtsvorschrift** zugelassen oder **im VA** durch **Nebenbestimmung** oder **Auflage**[455] **vorbehalten** wurde.[456] Nach § 47 Abs. 2 SGB X ist der Widerruf für die **Vergangenheit** möglich bei

---

451 Dörr/Francke, Sozialverwaltungsrecht, Kap. 7, Rn. 98.
452 Zum Begriff: Kap. 5.5.
453 Dörr, Bescheidkorrektur, Kap 7.2, S. 134 f.
454 Parallelvorschrift: § 49 Abs. 2 VwVfG.
455 S. Kap. 4.7.
456 Dörr/Francke, Sozialverwaltungsrecht, Kap. 7 Rn. 103/104; Finkenbusch, Sozialverwaltungsverfahren, Kap. 4.3.2.1 u. 4.3.2.2.

„**Zweckverfehlung**".[457] In beiden Fallkonstellationen steht der Widerruf im **Ermessen** der Behörde.

9.4.1　Widerruf für die Zukunft

Hierbei ist Voraussetzung, dass der Widerruf

- entweder gemäß § 47 Abs. 1 S. 1 Nr. 1 SGB X durch **Rechtsvorschrift zugelassen** wurde
- oder im **VA** durch eine Nebenbestimmung i. S. d. § 32 SGB X **vorbehalten** wurde
- oder gemäß § 47 Abs. 1 S. 1 Nr. 2 SGB X durch eine mit dem VA verbundene **Auflage** zugelassen wurde und diese vom Begünstigen nicht oder nicht fristgemäß erfüllt wurde.

In diesen Fällen können sich Begünstigte nicht auf Vertrauensschutz berufen. Denn man konnte bereits von vornherein aus dem begünstigenden VA erkennen, dass dieser **unter bestimmten Umständen nicht mehr gültig sein sollte**. Man konnte auch von vornherein erkennen, welches diese Umstände sind.

Beispiele:

Vorbehalt des Widerrufs durch Rechtsvorschrift: Das Gesetz selbst bestimmt, dass der begünstigende VA widerrufen werden kann und legt die Voraussetzungen für diesen Fall fest. Z. B. der Widerruf einer Duldung nach § 60a Abs. 5 S. 2 AufenthG bei Wegfall des Abschiebungshindernisses, der Widerruf von Pflegeerlaubnissen oder Erlaubnissen für den Betrieb einer Einrichtung nach §§ 44 Abs. 3 S. 2, 45 Abs. 2 S. 5 SGB VIII bei Gefährdung des Kindeswohls.

Vorbehalt des Widerrufs im VA: Der Widerrufsvorbehalt ist eine Nebenbestimmung gemäß § 32 Abs. 2 Nr. 3 SGB X und jederzeit zulässig, wenn damit sichergestellt wird, dass der Zweck des VA erfüllt werden kann. Im Widerrufsvorbehalt selbst werden von der Verwaltung die Voraussetzungen geregelt, die vorliegen müssen, damit der VA widerrufen werden kann. So z. B. die Verbindung der Bewilligung einer Weiterbildungsmaßnahme nach § 16 Abs. 1 Nr. 4 SGB II mit dem Vorbehalt des Widerrufs, falls an der Maßnahme nicht mehr regelmäßig teilgenommen werden kann.

Auflage: Auch die Auflage ist eine Nebenbestimmung gemäß § 32 Abs. 2 Nr. 4 SGB X und ebenfalls in den gleichen Grenzen zulässig wie der Widerrufsvorbehalt. Auch

---

457 Dörr/Francke, Sozialverwaltungsrecht, Kap. 7 Rn. 105; Finkenbusch, Sozialverwaltungsverfahren, Kap. 4.3.2.3.

hier legt die Verwaltung selbst die Pflichten der Bürger:innen fest, die mit dem Erhalt des begünstigenden VA verbunden sind. Beispielsweise kann die Bewilligung einer zusätzlichen Beihilfe nach § 65 Abs. 1. SGB XII an einen Pflegebedürftigen mit der Auflage verbunden werden, das Geld an die Helfer weiterzuleiten.[458]

9.4.2 Widerruf für die Vergangenheit

Die Voraussetzungen dafür, dass ein rechtmäßiger begünstigender VA gemäß § 47 Abs. 2 SGB X auch mit Wirkung für die Vergangenheit widerrufen werden kann, sind:

- die Begünstigung bestand in **Geld- oder Sachleistungen** zur Erfüllung eines bestimmten **Zwecks** (= „Zuwendungs-Entscheidung")
- die Leistung wurde nicht, nicht alsbald für den im VA bestimmten Zweck verwendet oder eine mit dem VA verbundene Auflage wurde **nicht erfüllt**
- es besteht **kein Vertrauensschutz** entsprechend § 45 Abs. 2 S. 1 u. S. 2 SGB X, sondern es liegen Vertrauensausschlussgründe entsprechend § 45 Abs. 2 S. 3 Nr. 3 SGB X vor

Beispiel: Ein freier Träger im Bereich der Jugendhilfe betreibt einen Kinder-Bauernhof. Er beantragt bei der Kommune zusätzliche Fördermittel nach § 74 SGB VIII, damit eine zusätzliche Kraft eingestellt werden kann, die den sehr beliebten Reitunterricht übernimmt. Die Fördermittel werden bewilligt und im Bewilligungs-VA ist festgelegt „zur Einstellung einer geeigneten Hilfskraft, die den weiteren Ausbau des Reitangebots übernimmt". Werden nun die Fördermittel nicht alsbald für den festgelegten Zweck verwendet – wobei es sich für die Behörde empfiehlt, eine bestimmte Frist festzulegen –, kann die Kommune ihre Bewilligung auch mit Wirkung für die Vergangenheit widerrufen und das Geld von dem freien Träger zurückfordern.[459]

Für Rücknahmeentscheidungen gilt die **einjährige Handlungsfrist** der Behörde wie bei § 45 Abs. 4 S. 2 SGB X. Kommt es zur Rücknahme für die Vergangenheit, besteht ebenfalls eine **Erstattungspflicht** gemäß § 50 SGB X.

---

458 Weitere Beispiele zu Auflagen: Dörr, Bescheidkorrektur, Kap. 7.3.3, S. 139 ff.
459 Weitere Beispiele: Dörr/Francke, Sozialverwaltungsrecht, Kap. 7, Rn. 105.

9.5 Aufhebung eines VA mit Dauerwirkung

Die Aufhebung eines VA mit Dauerwirkung nach § 48 SGB X[460] stellt die in der Praxis bedeutsamste Regelung neben § 45 SGB X dar. Sie gilt sowohl für **belastende** als auch für **begünstigende** VAe.[461] Das maßgebliche Kriterium für den Anwendungsbereich der Regelung ist die **nachträgliche** – d. h. die nach dem Erlass des VA eingetretene – **Änderung der Verhältnisse.**

> ▶ Generelle Voraussetzungen für die Aufhebung ist das Vorliegen eines **VA mit Dauerwirkung.** Während seiner Laufzeit muss es zu einer **wesentlichen Änderung** in den tatsächlichen oder rechtlichen Verhältnissen gekommen sein, so dass der VA nicht mehr wie ursprünglich gültig sein kann. In der Regel ist der VA gemäß § 48 Abs. 1 S. 1 SGB X mit **Wirkung für die Zukunft** aufzuheben (= ab dem Zeitpunkt der Bekanntgabe des Aufhebungs-VA). Zusätzliche Voraussetzungen nach § 48 Abs. 1 S. 2 Nr. 1–4 SGB X gelten, wenn der VA **rückwirkend** bereits ab dem **Zeitpunkt der Änderung der Verhältnisse** aufgehoben werden soll.[462]

9.5.1 Generelle Voraussetzungen

VA mit Dauerwirkung
Der VA mit Dauerwirkung ist ein VA, der über den Zeitpunkt seines Erlasses hinaus Wirkungen hat. Die Regelung des VA erschöpft sich nicht in einer einmaligen Gestaltung der Rechtslage, sondern begründet ein auf bestimmte oder unbestimmte Dauer angelegtes Rechtsverhältnis.[463]

Beispiele: Bewilligung einer Rente, Bewilligung von Arbeitslosen- oder Bürgergeld, Bewilligung einer Weiterbildungsmaßnahme, Feststellung des Grades der Schwerbehinderung, Festlegung einer Beitragszahlung, Festlegung eines Pflegegrads, Bewilligung von Sozialhilfe nach SGB XII soweit sie für längere Zeiträume als einen Monat bewilligt wird.[464]

---

460 Parallelvorschrift: § 49 Abs. 2 Nr. 3 u. 4 VwVfG.
461 Dörr/Francke, Sozialverwaltungsrecht, Kap. 7, Rn. 107/108.
462 Einzelheiten: Frings/Schweigler, Sozialrecht, Kap. 2.8.3, S. 98 ff.
463 Einzelheiten u. Beispiele: Finkenbusch, Sozialverwaltungsverfahren, Kap. 4.4.1.
464 Schütze, SGB X, § 45, Rn. 75 ff.

VAe, die eine **Dauerleistung ablehnen** oder **entziehen,** sind selbst keine VAe mit Dauerwirkung.

Wesentliche Änderung der tatsächlichen oder rechtlichen Verhältnisse

Eine **tatsächliche** Änderung der Verhältnisse liegt vor, wenn sich der dem ursprünglichen VA zugrundeliegende Sachverhalt geändert hat. Wesentlich ist die Änderung dann, wenn dadurch der VA mit Dauerwirkung falsch, d.h. rechtswidrig wird und so nicht mehr hätte erlassen werden dürfen.[465]

> **Beispiel:** Herr D hat wegen verschiedener Wirbelsäulenerkrankungen einen Schwerbehindertenausweis mit einem Grad der Schwerbehinderung (GdB) von 50. Nach der im Schwerbehindertenrecht geltenden Rechtsvorschrift „Versorgungsmedizin-Verordnung" rechtfertigen alle Erkrankungen, die für sich genommen mindestens einen GdB von 20 auslösen würden, eine Erhöhung des Gesamt-GdB. Kommt bei D eine Allergie hinzu, die gut therapierbar ist und die für sich genommen einen GdB von 10 bedingen würde, liegt keine wesentliche Veränderung der Verhältnisse vor. Kommt bei D aber eine Herz- u. Kreislauferkrankung hinzu, die allein einen GdB von mindestens 20 bewirken würde, liegt eine wesentliche Veränderung der Verhältnisse vor. Der ursprüngliche VA über einen GdB von 50 ist jetzt nicht mehr korrekt, sondern muss aufgehoben und durch einen neuen VA ersetzt werden.

Eine **wesentliche rechtliche** Änderung der Verhältnisse liegt vor, wenn **Gesetzesänderungen** oder Änderungen von **Rechtsverordnungen oder Satzungen** die Rechtsgrundlagen für den ursprünglichen VA betreffen.[466]

Für den Fall, dass sich die **höchstrichterliche Rechtsprechung**[467] ändert, wird mit § 48 Abs. 2 SGB X eine eigene Bestimmung getroffen. Soweit sich infolge der geänderten Rechtsprechung die Anwendung der für den VA mit Dauerwirkung maßgeblichen Rechtsgrundlage ändert, ist er mit Wirkung für die Zukunft aufzuheben.[468]

---

465 Einzelheiten u. Beispiele: Dörr/Francke, Sozialverwaltungsrecht, Kap. 7, Rn. 111–113.

466 Einzelheiten: Dörr, Bescheidkorrektur, Kap. 8.1.2, S. 147 ff.

467 Z. B. des Bundessozial- oder Bundesverwaltungsgerichts; zum Aufbau der Gerichtsbarkeit s. Kap. 12.3, Übersicht 2.

468 Zu beachten ist, dass dies nur beim VA mit Dauerwirkung gilt. Handelt es sich z. B. um einen Ablehnungsbescheid so gilt § 44 SGB X, s. Kap. 9.1.

9.5.2   Voraussetzungen für die rückwirkende Aufhebung

In § 48 Abs. 1 S. 2 Nr. 1–4 SGB X werden verschiedene Fallkonstellationen geregelt, nach denen eine **rückwirkende Aufhebung** erfolgen soll.[469] Rückwirkend bedeutet, dass die Aufhebung ab dem Zeitpunkt der Änderung der Verhältnisse stattfindet. Die rückwirkende Aufhebung kann dann dazu führen, dass nach § 50 SGB X geflossene Geldleistungen zu erstatten sind.

Die einzelnen Fallkonstellationen sind:

„Zugunsten"-Regelung gemäß § 48 Abs. 1 S. 2 Nr. 1 SGB X

Hier wird darauf abgestellt, wie sich die Aufhebung aus Sicht des Betroffenen darstellt. Wirkt sie sich **zugunsten des Betroffenen** aus, ist ab Änderung der Verhältnisse aufzuheben. Ist dies nicht der Fall, so gilt die Grundregel des § 48 Abs. 1 S. 1 SGB X (soweit nicht eine der anderen Fallkonstellationen des § 48 Abs. 1 S. 2 SGB X vorliegt) und es erfolgt eine Aufhebung nur mit Wirkung für die Zukunft.

Beispiel: Frau T erhält Grundsicherung im Alter gemäß §§ 41 ff. SGB XII. Sie lebt zusammen mit einem Partner, der eine Rente bezieht, die ihr bei der Bemessung ihrer Grundsicherung mit angerechnet wird (vgl. § 43 Abs. 1 SGB XII). Der Partner der T trennt sich von dieser und zieht aus. Die Bewilligung der Grundsicherung ist aufzuheben und nunmehr ohne Berücksichtigung der Rente des (Ex-)Partners der T zu zahlen. Dies muss rückwirkend zu dem Zeitpunkt erfolgen, an dem sich beide trennten.

Verletzung von Mitteilungspflichten gemäß § 48 Abs. 1 S. 2 Nr. 2 SGB X

Die Nr. 2–4 regeln Fälle, bei denen ein **Verschulden** der Betroffenen vorliegt. Im Fall der Nr. 2 bezieht sich das Verschulden auf gesetzliche **Mitteilungspflichten** (vgl. § 60 Abs. 1 Nr. 2 SGB I), denen der Betroffene **vorsätzlich** oder **grob fahrlässig** nicht nachgekommen ist. Für die Maßstäbe der groben Fahrlässigkeit gelten dieselben Anforderungen wie im Rahmen des § 45 Abs. 2 S. 3 SGB X: Grobe Fahrlässigkeit liegt vor, wenn der Betroffene aufgrund einfachster und naheliegendster Überlegungen die von ihm geforderte Mitteilungspflicht hätte erkennen können.[470]

Beispiel (Fall s. o.): T hat nun einen neuen Partner, der bei ihr einzieht. Dieser verfügt ebenso wie ihr früherer Partner über ein mehr als ausreichendes, eigenes Einkommen. Das Zusammenleben in eheähnlicher Gemeinschaft ist für die Bemessung der Grundsicherung der T erheblich, wie sie ohne Weiteres hätte erkennen können. Unterlässt

---

469 Einzelheiten: Dörr, Bescheidkorrektur, Kap. 8.2.1, S. 157 ff.
470 S. Kap. 9.2.2.

sie es, die neue Partnerschaft dem Sozialhilfeträger mitzuteilen, handelt sie grob fahrlässig. Die zu hoch berechnete Grundsicherung kann ab Änderung der Verhältnisse (d. h. ab Einzug des neuen Partners) aufgehoben werden.

Erzielung von Einkommen gemäß § 48 Abs. 1 S. 2 Nr. 3 SGB X

Nach Antragstellung oder Erlass des Verwaltungsakts wurde **Einkommen** oder **Vermögen** erzielt, welches zum Wegfall oder zur Minderung des Anspruchs geführt haben würde, z. B. die Aufnahme einer geringfügigen Beschäftigung während des Bezugs von Arbeitslosen- oder Bürgergeld.

Kenntnis/grob fahrlässige Unkenntnis gemäß § 48 Abs. 1 S. 2 Nr. 4 SGB X

Der Betroffene wusste bzw. hätte bei Anwendung der erforderlichen Sorgfalt wissen können, dass der sich aus dem VA ergebende Anspruch **kraft Gesetzes** zum **Ruhen** gekommen oder ganz oder teilweise **weggefallen** ist. Die Vorschrift ist auch bei **Behördenfehlern** anzuwenden, soweit diese für den Betroffenen **erkennbar** waren. Für den Sorgfaltsmaßstab gelten wiederum die Kriterien der groben Fahrlässigkeit.[471]

> **Beispiel:** Herr L bekommt Bürgergeld vom Jobcenter. Er findet eine geringfügige Beschäftigung zum 01.07. Aufgrund dieses Verdienstes braucht er nur noch weniger Bürgergeld. Am 25.06. zeigt L seine Beschäftigung ordnungsgemäß beim Jobcenter an und legt alle Unterlagen vor. Wegen der kurzfristigen Anzeige schafft es das Jobcenter aber nicht mehr rechtzeitig, die Neuberechnung und Neubewilligung des Bürgergelds vorzunehmen. L werden für Juli noch die ungekürzten Leistungen überwiesen. L vermochte ohne Weiteres zu erkennen, dass er keinen Anspruch auf die höheren Leistungen mehr hatte. Also kann das Jobcenter die Bewilligung rückwirkend aufheben und das Geld von L zurückfordern.[472]

Wie bei § 45 Abs. 2 S. 3 Nr. 3 SGB X ist auch hier zu beachten, dass nicht erwartet werden kann, dass den Betroffenen die Sozialleistungsgesetze in allen Einzelheiten bekannt sind. Sie müssen von der Behörde unmissverständliche und präzise **Informationen** über ihre Leistungen erhalten haben (z. B. Merkblätter). Aus diesen muss sich die Kenntnis über Ruhen oder Wegfall der Leistungsansprüche und der entsprechende Sorgfaltsmaßstab ableiten lassen.[473]

---

471 S. Kap. 9.2.2.
472 Weitere Beispiele: Schütze, SGB X, § 48, Rn. 33.
473 Dörr/Francke Sozialverwaltungsrecht, Kap. 7, Rn. 120.

9.5.3 Rechtsfolge

§ 48 Abs. 1 SGB X unterscheidet grundsätzlich zwei Rechtsfolgen: Die Aufhebung mit **Wirkung für die Zukunft** und die (rückwirkende) Aufhebung **ab Änderung der Verhältnisse**.

Aufhebung mit Wirkung für die Zukunft

Nach § 48 Abs. 1 S. 1 SGB X gilt als **Grundregel** zunächst nur die Aufhebung mit Wirkung für die Zukunft (d.h. ab dem Zeitpunkt des Erlasses des Aufhebungs-VA). Hierbei handelt es sich um eine **gebundene Entscheidung** der Behörde. Ist also keine der Fallkonstellationen des § 48 Abs. 1 S. 2 Nr. 1–4 SGB X verwirklicht worden, besteht kein Ermessen, sondern es kommt nur diese Form der Aufhebung in Betracht.

Aufhebung ab Zeitpunkt der Änderung der Verhältnisse

„Soll" eröffnet zwar einen Ermessensspielraum für die Behörde, bedeutet jedoch, dass „in der Regel" die rückwirkende Aufhebung vorzunehmen ist.[474] Nur wenn **atypische Besonderheiten** gegen eine rückwirkende Aufhebung sprechen, z.B. eine schwere Erkrankung des Betroffenen, ein besonders schweres, mitwirkendes Verschulden der Behörde, die Verwendung von nicht mitgeteiltem Einkommen für einen Zweck, für den sonst der Sozialleistungsträger aufzukommen hätte etc., kann die Behörde davon absehen und lediglich mit Wirkung für die Zukunft aufheben.[475]

Zu beachten ist hier ebenso wie bereits bei § 45 SGB X, dass für das **Arbeitslosen- und Bürgergeld** (SGB II/SGB III) **kein Ermessensspielraum** für die Verwaltung besteht. Es gelten die §§ 40 SGB II/330 SGB III, wonach bei Vorliegen der Voraussetzungen des § 48 Abs. 1 Satz 2 Nr. 1–4 SGB X der VA immer zwingend ab Zeitpunkt der Änderung der Verhältnisse aufzuheben ist.

Rechtsfolge Sonderfall „Aussparung"

Eine weitere Rechtsfolge regelt **§ 48 Abs. 3 SGB X**. Der Anwendungsbereich sind VAe mit Dauerwirkung, die eine **laufende Geldleistung** zusprechen, welche **gesetzlichen Änderungen** angepasst ist. Dies betrifft i.d.R. die Renten. So wird z.B. eine Rente kraft Gesetzes laufend an die allgemeine Einkommensentwicklung angepasst, vgl. § 68 SGB VI. Dies geschieht durch schlichte Änderung des Auszahlungsbetrags, ohne dass jedes Mal ein neuer Renten-VA erlassen werden würde. § 48 Abs. 3 SGB X regelt den Fall, dass der VA über die laufende Geld-

---

474 S. Kap. 5.5.1.
475 Einzelheiten u. weitere Beispiele: Dörr/Francke, Sozialverwaltungsrecht, Kap. 7, Rn. 167.

leistung entweder i. S. d. § 45 SGB X von Anfang an rechtswidrig war oder durch Änderung der Verhältnisse rechtswidrig geworden ist. Es kann sein, dass dieser VA, z. B. wegen Vertrauensschutzes oder Fristablaufs, nicht zurückgenommen werden kann. Kommt es dann zu einer gesetzlichen Anpassung bzw. Erhöhung der Leistung, so sollen die rechtswidrigen Leistungen nicht auch noch daran teilhaben. Es gilt, dass der Betroffene weiterhin „nur" die ursprünglichen rechtswidrigen Leistungen erhält, solange bis der eigentlich rechtmäßige Betrag erreicht ist.[476] Dieser Vorgang wird als „Aussparung", „Abschmelzen" oder „Einfrieren" bezeichnet.

> **Beispiel:** R bekommt Rente i. H. v. 1 000 EUR. Dies ist zu hoch, eigentlich würden ihm nur 900 EUR zustehen. Der rechtswidrige Renten-VA kann jedoch nicht mehr zurückgenommen werden und die Rentenversicherung muss weiterhin 1 000 EUR zahlen. Es kommt zu einer gesetzlichen Rentenerhöhung um 50 EUR. R bekommt jedoch gemäß § 48 Abs. 3 SGB X weiterhin nur 1 000 EUR. Erst wenn die rechtmäßige Rente die rechtswidrige übersteigen würde, kann R wieder an den gesetzlichen Rentenerhöhungen teilhaben.

9.5.4 Fristen

In § 48 Abs. 4 SGB X wird auf die Fristen der §§ 44 und 45 SGB X verwiesen. Dies bedeutet Folgendes:

- Für die Erstattung oder die Nachzahlung von Sozialleistungen gilt grundsätzlich die Frist von **vier Jahren** gemäß § 44 Abs. 4 SGB X.
- Bei Änderungen der Verhältnisse **zugunsten des Betroffenen** kann **zeitlich unbegrenzt** aufgehoben werden.
- Bei Änderungen der Verhältnisse **zuungunsten des Betroffenen** kann zeitlich begrenzt innerhalb der **Zehnjahresfrist** des § 45 Abs. 3 S. 3 SGB X aufgehoben werden.
- Es gilt für die Behörde ebenfalls die **einjährige Handlungsfrist** des § 45 Abs. 4 S. 2 SGB X. Fristbeginn ist die Kenntnis der Behörde von den Tatsachen, die die wesentliche Änderung der Verhältnisse begründen sowie die Kenntnis der Tatsachen, die eine rückwirkende Aufhebung ab Änderung der Verhältnisse rechtfertigen würde. Wird die einjährige Frist verpasst, kann nur noch mit Wirkung für die Zukunft aufgehoben werden.

---

476 Dörr/Francke, Sozialverwaltungsrecht, Kap 7, Rn. 126–129.

9.5.5 Erstattung

Kommt es zu einer rückwirkenden Aufhebung ab Änderung der Verhältnisse, so besteht ebenso wie bei § 45 SGB X eine Erstattungspflicht für geflossene Geldleistungen im Rahmen des § 50 SGB X.

9.6 Übersichten

Übersicht 1: System der §§ 44–48 SGB X

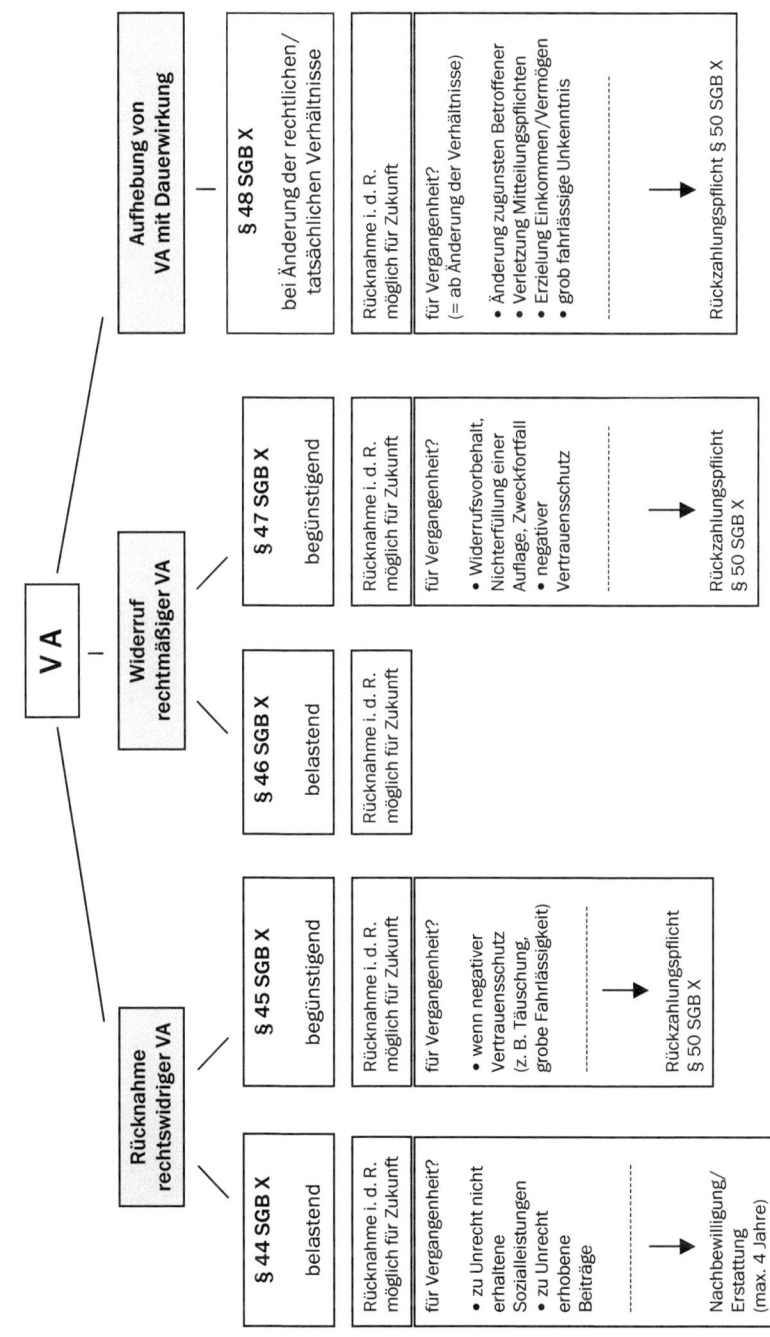

Übersicht 2: Prüfungsschema § 44 SGB X

---

§ 44 Abs. 1 SGB X

Voraussetzungen:
• belastender VA? • Recht unrichtig angewandt? • falscher Sachverhalt?

• deswegen
  – Sozialleistungen zu Unrecht nicht erhalten
  – Beiträge zu Unrecht erhoben
 	
• kein Ausschluss durch falsche Angaben

alle anderen Fälle:
§ 44 Abs. 2 SGB X

Rechtsfolge:
• Rücknahme für die Zukunft
• Rücknahme nach Ermessen

Rechtsfolge:
• Anspruch auf Rücknahme/auf neuen, korrekten VA
und

§ 44 Abs. 4 SGB X
• Anspruch auf Nachbewilligung/Erstattung
• max. 4 Jahre

Übersicht 3: Prüfungsschema § 45 SGB X

---

§ 45 Abs. 1 SGB X

<u>Voraussetzungen</u>:
• begünstigender VA? • von Anfang an rechtswidrig? • ggf. schon unanfechtbar?

**§ 45 Abs. 2 S. 1 und S. 2 SGB X
positiver Vertrauensschutz**

• Leistungen verbraucht?
• Rückgängigmachung Vermögensdisposition unzumutbar?

**§ 45 Abs. 2 S. 3 SGB X
negativer Vertrauensschutz**

• Nr. 1 Täuschung, Drohung, Bestechung
• Nr. 2 vorsätzlich/grob fahrlässig falsche Angaben
• Nr. 3 Kennen/Kennmüssen (= grob fahrlässige Unkenntnis) der Rechtswidrigkeit

<u>Rechtsfolge: Ermessen</u>:

• Keine Rücknahme
• Rücknahme nur für Zukunft

<u>Rechtsfolge: Ermessen</u>:

• Rücknahme auch für die Vergangenheit

---

immer beachten:

**Fristen
§ 45 Abs. 3/§ 45 Abs. 4 SGB X**

• Rücknahmefrist:
 – für einmaligen VA: zeitlich unbegrenzt
 – für VA mit Dauerwirkung: 2 Jahre/10 Jahre bei negativem Vertrauensschutz
• Handlungsfrist: 1 Jahr ab Kenntnis (Aktenkundigkeit) der Tatsachen

Übersicht 4: Prüfungsschema § 48 SGB X

---

§ 48 Abs. 1 S. 1 SGB X

<u>Voraussetzungen:</u>
- VA mit Dauerwirkung
- wesentliche Änderung der tatsächlichen/rechtlichen Verhältnisse nach Erlass

---

§ 48 Abs. 1 S. 2 SGB X

Aufhebung für Vergangenheit
(= ab Änderung der Verhältnisse)
„Soll"-Ermessen

- Nr. 1 Änderung zugunsten
- Nr. 2 Verletzung Mitteilungspflichten
- Nr. 3 Erzielung Einkommen/Vermögen
- Nr. 3 Kenntnis/grob fahrlässige Unkenntnis
vom Ruhen/Wegfall des Anspruchs

<u>Rechtsfolge:</u>

- Aufhebung für Zukunft

---

§ 48 Abs. 2 SGB X

- Aufhebung für die Zukunft
bei Änderung der
Rechtsprechung

---

immer beachten:

Fristen
§ 48 Abs. 4 (wie bei §§ 44 Abs. 4, 45 Abs. 3–4) SGB X

- Rücknahmefrist: 2 Jahre/10 Jahre bei negativem Vertrauensschutz
- Handlungsfrist: 1 Jahr ab Kenntnis (Aktenkundigkeit) der Tatsachen
- Nachbewilligung/Erstattung für max. 4 Jahre

9.7   Übungsfragen

9.7.1
Übungsfall:
Herr M und Frau F sind beide über 65 Jahre alt und leben zusammen in einer nicht-ehelichen Lebensgemeinschaft. Sie leben in einer angemessenen Wohnung deren monatliche Warmmiete 600 EUR beträgt. M verfügt über eine monatliche Rente i. H. v. 1 200 EUR netto. F hat keinerlei eigenes Einkommen und beantragte im Jahr 2025 Grundsicherung nach §§ 41 SGB XII. Auf ihren Antrag hin werden F mit Bescheid vom 02. 01. 2025 für das Jahr 2025 monatlich 584 EUR Grundsicherung auf der Basis der folgenden Berechnung bewilligt:

Bedarf F	Einkommen F	Bedarf M	Einkommen M
Lebensunterhalt 506 EUR[1]	0 EUR	Lebensunterhalt 506 EUR	1 200 EUR
Mehrbedarf (§ 30 SGB XII) 86 EUR[2]		Mehrbedarf (§ 30 SGB XII) 86 EUR	
Wohnung 300 EUR		Wohnung 300 EUR	
gesamt 892 EUR		gesamt 892 EUR	
		Differenz + 308 EUR	
	308 EUR	(wird F als Einkommen angerechnet, § 43 SGB XII)	
Grundsicherung 584 EUR			

[1] Hierbei handelt es sich um den 2024 geltenden Regelsatz der Regelbedarfsstufe 2 für Partner gemäß der Anlage zu § 28 SGB XII.
[2] Gerundet.

Aus seiner früheren Ehe hat M noch eine erwachsene und berufstätige Tochter T, die ihren Vater freiwillig schon seit längerem mit monatlich 200 EUR unterstützt. Teilweise überweist T diese Summe auf das Konto des M, teilweise übergibt sie sie ihm in bar. F weiß davon nichts. Sie und M haben getrennte Konten und bislang hatte M der F zur Bestreitung des gemeinsamen Haushalts lediglich regelmäßig Beträge i. H. v. 50 bis 100 EUR in bar übergeben, ohne dass F genauer über seine finanziellen Verhältnisse informiert gewesen wäre. Bei Beantragung der Grundsicherung hatte F als Einkommen von M nur die 1 200 EUR Rente angegeben, jedoch u. a. folgende Unterlagen eingereicht: Ihre Kontoauszüge der letzten sechs Monate und diejenigen des M, die von ihr nicht weiter überprüft wurden, den Rentenbescheid des M und den Mietvertrag.
Bei der Bearbeitung des Folgebescheids für die Grundsicherung, im Dezember 2025, wird der Sachbearbeiter des Sozialamts, Herr S, auf die sporadischen Über-

weisungen von T auf das Konto des M aufmerksam, die er zuvor nicht beachtet hatte. Aufgrund seiner Nachfragen bei M und F, im Februar 2026, stellt sich die regelmäßige monatliche Unterstützung von T heraus.

F macht geltend, nichts gewusst zu haben und schildert die Situation mit den getrennten Konten. Außerdem macht sie geltend, dass die Zahlungen von T doch eine freiwillige Unterstützung für M seien, auf die sie rechtlich keinen Anspruch habe. Damit könne man sie sozialhilferechtlich nicht als Einkommen ansehen, also sei die damalige Grundsicherungsbewilligung nicht rechtswidrig gewesen.

S ist hiervon nicht beeindruckt und erlässt am 07. 04. 2026 einen Rücknahme-Bescheid, mit dem er die Grundsicherung für F für das Jahr 2025 i. H. v. 2 400 EUR (12 Monate à 200 EUR) aufhebt. Ist der Bescheid materiell rechtmäßig?

a) *Erstellen Sie eine Lösungsskizze unter Verwendung des Prüfungsschemas „materielle Rechtmäßigkeit eines VA" (vgl. Kap. 5.7.2).*

b) *Formulieren Sie Ihre Lösung in der Form eines juristischen Gutachtens.*

9.7.2

Frau A, 31 Jahre alt, ist alleinerziehende Mutter einer Tochter, der 3-jährigen K. A hat vor kurzem zum zweiten Mal ein Hochschulstudium abgebrochen. BAföG-Ansprüche hat sie daher nicht mehr. A ist arbeitslos und bekommt Bürgergeld vom Jobcenter. K besucht regelmäßig eine Kita und A sucht nach einer beruflichen Zukunft. Das Jobcenter hat sich bisher nicht weiter um sie gekümmert und ihr nichts weiter angeboten. A bewirbt sich um einen Platz an einer staatlichen Schule für Fremdsprachen-Sekretärinnen für eine zweijährige Ausbildung und erhält eine Zusage. Die Ausbildung ist dem Grunde nach förderungsfähig nach dem BAföG, doch A hat wegen ihrer zwei abgebrochenen Studiengänge keine Ansprüche mehr. A beschließt, die Ausbildung zu machen. Sie geht davon aus, mit einem Kind im Alter von lediglich drei Jahren sei sie nicht verpflichtet, einen Vollzeit-Job anzunehmen. Außerdem könne ihr das Jobcenter als alleinerziehender Mutter mit zwei abgebrochenen Hochschulstudien sowieso nichts vermitteln. Im Notfall würde sie die Vermittlungs-Angebote des Jobcenters ja immer noch annehmen können und die Ausbildung abbrechen. Wenn sie die Ausbildung schaffen würde, würde dies auf jeden Fall ihre Chancen auf einen guten Job deutlich erhöhen.

A und K werden, wie schon zuvor, die Bürgergeld-Leistungen für den Zeitraum 01. 01. 2025–30. 06. 2025 bewilligt. A beginnt die Ausbildung zum 01. 02. 2025, aber teilt dies dem Jobcenter nicht mit.

Durch einen Zufall erfährt die Sachbearbeiterin der A, Frau V, am 02. 06. 2025 von der begonnenen Ausbildung. V erlässt einen Aufhebungs-VA, mit dem sie entscheidet, dass A aufgrund der begonnenen Ausbildung gemäß § 7 Abs. 5 SGB II keinen Anspruch auf Bürgergeld hat. Lediglich die deutlich geringeren Leistungen des § 27 SGB II und Bürgergeld für K würden ihr noch zustehen. Die Bürgergeld-Bewilligung für A wird rückwirkend seit dem 01.02.2025 aufgehoben. Ist dieser Bescheid materiell rechtmäßig?

a) Erstellen Sie eine Lösungsskizze unter Verwendung des Prüfungsschemas „materielle Rechtmäßigkeit eines VA" (vgl. Kap. 5.7.2).

b) Formulieren Sie Ihre Lösung in der Form eines juristischen Gutachtens.

(Lösungen unter www.lehrbuch-sozialverwaltungsrecht.de)

Weiterführende Literatur

Dörr, Gernot, Bescheidkorrektur, Rückforderung, Sozialrechtliche Herstellung, 6. Aufl. 2019, Kapitel 5–8.

Teil III
Rechtsschutzsystem

10. Kapitel
Verwaltungskontrolle und Rechtsbehelfe

Das Kapitel gibt einen Überblick über das Rechtsschutzsystem. Gerichtliche und außergerichtliche, förmliche und nicht-förmliche Rechtsbehelfe werden dargestellt und voneinander abgegrenzt. Ein weiteres Thema sind die Beschreitung des Rechtswegs sowie die zeitliche Staffelung von Rechtsbehelfen.

Die Verwaltung ist zu **rechtmäßigem Handeln,** d. h. zur Einhaltung der Gesetze und zur Wahrung der Rechte der Bürger:innen, verpflichtet.[1] Um dies sicherzustellen, existieren verschiedene Kontrollmöglichkeiten, die sich als **verwaltungsinterne** und **verwaltungsexterne Kontrolle** (bzw. Kontrolle durch Rechtsbehelfe) bezeichnen lassen.[2]

10.1 Verwaltungsinterne Kontrolle

Mit Maßnahmen der verwaltungsinternen Kontrolle sorgt die Verwaltung selbst dafür, dass das Prinzip der Rechtmäßigkeit ihrer Handlungen gewährleistet ist. Typisch hierfür sind Maßnahmen der **verwaltungsinternen Hierarchie,** d. h. Maßnahmen der Dienstaufsicht oder Maßnahmen der Rechts- oder Fachaufsicht durch die übergeordnete Behörde.[3]

Beispiele: Im Jobcenter häufen sich die Beschwerden über Fehler bei der Fallbearbeitung und nicht eingehaltene Termine einer bestimmten Sachbearbeiterin. Die Vorgesetzte kann sie anweisen, in Zukunft sorgfältiger zu arbeiten (= Maßnahme der Dienstaufsicht) und dies gegebenenfalls mit arbeits- oder disziplinarrechtlichen Maßnahmen durchsetzen.

Der Landkreis L ist Träger der Sozialhilfe und damit auch zuständig für die Hilfe zur Pflege nach §§ 61 ff. SGB XII. Hilfe zur Pflege ist denjenigen zu leisten, die die Kosten für ihre notwendige Pflege nicht über die Pflegeversicherung abdecken kön-

---

1 S. Kap. 5.1.
2 Bull/Mehde, Verwaltungsrecht, Rn. 415.
3 S. Kap. 3.6; vgl. auch Trenczek/Tammen/Behlert/v. Boetticher/Beetz, Grundzüge, I-5.2, S. 209 ff.

nen und auch nicht die notwendigen eigenen Geldmittel dafür haben. Im Landkreis L werden die Geldleistungen für die Hilfe zur Pflege mit durchschnittlich halbjährlicher Verzögerung gezahlt, was die darauf angewiesenen Pflegebedürftigen regelmäßig in große Bedrängnis bringt. L verstößt damit auch gegen das Prinzip zur „zügigen" Sozialleistungserbringung gemäß § 17 Abs. 1 Nr. 1 SGB I. Als übergeordnete Behörde kann das für Gesundheit und Soziales zuständige Landesministerium den Landkreis L anweisen, die Leistungen künftig rechtzeitig zu zahlen (= Maßnahme der Rechtsaufsicht).

Daneben ist gemäß §§ 44–48 SGB X auch schon die Ausgangsbehörde selbst verpflichtet und berechtigt, ihre Entscheidungen bei Fehlern eigenständig zu korrigieren.[4]

Beispiel: Bei der Prüfung eines Bürgergeld-Folgebescheids entdeckt der Verwaltungsmitarbeiter, dass dem Hilfeempfänger ursprünglich zu viel Leistungen bewilligt und ausgezahlt wurden. Nach § 45 SGB X ist die Behörde verpflichtet und berechtigt, den ursprünglichen Bescheid zurückzunehmen und den überzahlten Betrag zurückzuverlangen.

10.2 Verwaltungsexterne Kontrolle

Bei der verwaltungsexternen Kontrolle wird die Kontrolle „von außen", d. h. durch Bürger:innen in Gang gesetzt. Die Einzelnen sind berechtigt, soweit sie von Verwaltungshandeln betroffen sind, mit Rechtsbehelfen das rechtmäßige Verwaltungshandeln einzufordern und nicht rechtmäßiges Verwaltungshandeln beseitigen zu lassen.

„**Betroffen**" sein bedeutet, dass das Handeln der Verwaltung eine gesetzlich oder durch die Grundrechte geschützte Rechtsposition der Einzelnen berührt. Dies ist dann der Fall, wenn eine bestimmte Rechtsnorm oder die Grundrechte Einzelnen die Befugnis verleihen, von der Verwaltung eine konkrete Maßnahme oder eine Unterlassung zu verlangen. Diese Rechtsposition nennt man „**subjektives öffentliches Recht**".[5]

Ist man durch Verwaltungshandeln in einem seiner subjektiven öffentlichen Rechte betroffen, kann man die Rechtmäßigkeit des Handelns und die Einhaltung der Gesetze selbst durchsetzen. Das heißt, man kann verlangen, dass das

---

4   Einzelheiten: Kap. 9.
5   Einzelheiten u. Beispiele: Kap. 11.3.4; vgl. auch Falterbaum, Rechtliche Grundlagen, Kap. I.4.3, S. 23 ff.

einen betreffende Verwaltungshandeln kontrolliert wird und dass nur das rechtmäßige Verwaltungshandeln bestehen bleibt. Dies geschieht durch die **Einlegung
von Rechtsbehelfen.**

Ist man nicht in einem subjektiven öffentlichen Recht betroffen, kann man
nicht selbst die Einhaltung der Gesetze vom Staat erzwingen. Eine allgemeine
Rechtmäßigkeitskontrolle von Verwaltungshandeln durch sogenannte „**Popularklagen**" oder „**Popularwidersprüche**" ist unzulässig.[6]

10.3   Rechtsbehelfe

> ▶ Verwaltungsexterne Kontrolle wird ausgeübt durch **Rechtsbehelfe.** Rechtsbe-
> helf ist ein **Oberbegriff** für alle Arten von Rechtsschutzbegehren, mit denen
> die Überprüfung einer Entscheidung der Verwaltung durch eine neuerliche
> Entscheidung angestrebt wird. Die Rechtsbehelfe lassen sich einteilen in **ge-
> richtliche** und **außergerichtliche** Rechtsbehelfe, sowie in **formlose** und **förm-
> liche** Rechtsbehelfe.

Bei den gerichtlichen Rechtsbehelfen liegt die Befugnis, über die Aufhebung oder
Abänderung der Verwaltungsmaßnahme zu entscheiden, bei der Judikative, also
einer anderen Staatsgewalt. Bei den außergerichtlichen Rechtsbehelfen liegt die
Entscheidung über das Rechtsschutzbegehren bei der Verwaltung selbst.

Sind Rechtsbehelfe an **Formerfordernisse** gebunden, z. B. an eine **Frist,**
spricht man von „förmlichen" Rechtsbehelfen, anderenfalls von „formlosen" oder
„nicht förmlichen" Rechtsbehelfen. Zu den förmlichen Rechtsbehelfen gehören
der **Widerspruch** (als außergerichtlicher Rechtsbehelf) sowie die **Klage-, Beru-
fungs-, Revisions-** und **Beschwerdeverfahren** sowie die **Eilerfahren** (als gerichtliche Rechtsbehelfe). Je nach Rechtsgebiet sind die Rechtsbehelfe entweder an die
Sozial- oder an die allgemeinen Verwaltungsgerichte zu richten.[7]

10.3.1 Formlose Rechtsbehelfe

Formlose Rechtsbehelfe sind z. B. **Dienstaufsichtsbeschwerden,** gerichtet an die
vorgesetzte Stelle des betreffenden Verwaltungsmitarbeiters mit dem Antrag auf
Überprüfung oder dienstliche Maßnahmen zur Behebung von Fehlern oder eines

---

6   S. Kap. 4.2 u. Kap. 11.3.4; vgl. auch Maurer/Waldhoff, Verwaltungsrecht, § 8, Rn. 5.
7   S. Kap. 1.3.

Fehlverhaltens bei der Sachbearbeitung. In die gleiche Richtung zielen **Fachaufsichtsbeschwerden,** gerichtet an die **übergeordnete Behörde,** mit dem Antrag, Aufsichtsmaßnahmen gegenüber der untergeordneten Behörde zu veranlassen, weil diese sich nicht gesetzmäßig verhalten habe.[8]

Daneben gibt es nach Art. 17 GG die Möglichkeit, sich mit Bitten und Beschwerden, an „die zuständigen Stellen oder die Volksvertretung" zu wenden. Gemeint sind damit entweder die **Petitionsausschüsse** des Deutschen Bundestages und der Landesparlamente oder **spezielle Beauftragte,** wie z. B. Ausländer- oder Integrationsbeauftragte, Datenschutzbeauftragte, Gleichstellungsbeauftragte, Beauftragte der Bundesregierung für die Belange von Menschen mit Behinderung usw. In einigen Bundesländern gibt es auch eine bereichsunabhängige, für die allgemeine Verwaltungsüberwachung zuständige Stelle eines „**Bürgerbeauftragten**" („Ombudsperson").[9]

Durch die Einreichung von Petitionen oder Eingaben an die Beauftragten erreicht man in der Regel zwar eine **Rechts-** und **Sachprüfung** der vorgebrachten Angelegenheit. Zu beachten ist jedoch, dass die Petitionsausschüsse und die Beauftragten – anders als die Gerichte – selbst keine Maßnahme der Verwaltung **aufheben** oder **ändern** können. Dies würde dem **Grundsatz der Gewaltenteilung**[10] widersprechen. Eine Intervention der Petitionsausschüsse oder der Beauftragten sendet jedoch ein starkes Signal an die Verwaltung, ihre Maßnahme noch einmal zu überprüfen und gegebenenfalls zu korrigieren.

Auch ein auf Rücknahme eines belastenden VA gerichteter **Überprüfungsantrag** nach § 44 SGB X gilt als nicht förmlicher Rechtsbehelf.[11]

Bürger:innen sind grundsätzlich frei bei der Einlegung von Rechtsbehelfen. Sie können selbst wählen, ob und welchen Rechtsbehelf sie in Anspruch nehmen möchten. Dies gilt uneingeschränkt für die formlose Rechtsbehelfe. Diese können auch beliebig miteinander oder mit förmlichen Rechtsbehelfen kombiniert werden. Allerdings ist zu beachten, dass mit den geringen Anforderungen an formlose Rechtsbehelfe auch ein geringerer Rechtsschutz einhergeht.[12]

Beispiel: Herr B ist körperbehindert und beantragte beim Sozialamt Eingliederungshilfe für den Erwerb eines behindertengerechten PKW. Sein Antrag wurde mit einem VA abgelehnt. B fühlt sich dadurch diskriminiert und erhebt eine Dienstaufsichtsbeschwerde gegen seine Sachbearbeiterin. Dies ist jederzeit ohne besondere Formalien

---

8 S. Kap. 3.6; vgl. auch Dörr/Francke, Sozialverwaltungsrecht, Kap. 11, Rn. 88/89.
9 Bull/Mehde, Verwaltungsrecht, Rn. 418–423.
10 S. Kap. 2.1.
11 S. Kap. 9.1.
12 Eingebürgert hat sich die Beschreibung der formlosen Rechtsbehelfe als „frist-, form- und fruchtlos (oder zwecklos)".

möglich. Allerdings hemmt die Erhebung einer Dienstaufsichtsbeschwerde nicht den Eintritt der Bestandskraft des Ablehnungs-VA. Dies kann B nur durch die Erhebung eines förmlichen Widerspruchs erreichen. Bei der Bearbeitung der Dienstaufsichtsbeschwerde des B findet auch kein für ihn überprüfbares Verfahren statt, an dem er beteiligt wäre und eigene Verfahrensrechte hätte, wie bei einem Widerspruch oder einer Klage.

Trotz des geringeren Rechtsschutzumfangs kann die Wahl eines formlosen Rechtsbehelfs sinnvoll sein. Je nachdem wie fundiert die Beschwerdebegründung ist oder wie gehäuft Beschwerden in einem bestimmten Bereich auftreten, lässt sich ggf. eine Verhaltensänderung eines Verwaltungsmitarbeiters oder die Korrektur einer bestimmten Verwaltungspraxis erreichen.[13]

10.3.2 Förmliche Rechtsbehelfe

Ein wesentliches Prinzip des Rechtsstaats ist es, dass jedermann gegen Maßnahmen der öffentlichen Gewalt der **Rechtsweg** zu den Gerichten offen steht.[14] Zur Erfüllung dieser Aufgabe steht ein System von Gerichten zur Verfügung, das sich über mehrere **Instanzen** erstreckt.[15]

> ▶ Bei allen förmlichen Rechtsbehelfen sind nicht nur die gesetzlich festgelegten Formalien zu beachten. Sie sind auch nicht beliebig wählbar, sondern unterliegen einer bestimmten **Reihenfolge.** Die **formalen Anforderungen** für die Einlegung des Rechtsbehelfs sowie die Regelungen, welche Rechtsbehelfe in welcher Reihenfolge zur Verfügung stehen, sind Inhalt der **Verfahrensordnungen** der jeweiligen Gerichtszweige, z. B. des SGG für die Sozialgerichtsbarkeit oder der VwGO für die Verwaltungsgerichtsbarkeit.

Für das Sozial- und Verwaltungsrecht gilt, dass vor der Erhebung einer Klage zunächst die „Rechtmäßigkeit und Zweckmäßigkeit des Verwaltungsaktes in einem **Vorverfahren**" nachzuprüfen ist.[16] Dies ist das **Widerspruchsverfahren:**

---

13 Falterbaum, Rechtliche Grundlagen, Kap. X.2.1, S. 247; Trenczek/Tammen/Behlert/v. Boetticher/Beetz, Grundzüge, I-5.2.1, S. 209 ff.
14 Vgl. Art. 19 Abs. 4 GG; vgl. auch Falterbaum, Rechtliche Grundlagen, Kap. X.4, S. 251 ff.
15 Vgl. Kap. 12.1.1 u. 12.3.2.
16 Vgl. § 78 SGG u. § 68 VwGO.

Vor Einlegung gerichtlicher Rechtsbehelfe ist in der Regel zunächst ein Widerspruch (= außergerichtlicher Rechtsbehelf) vorgesehen, der bei der Behörde eingelegt wird. Im Rahmen des Widerspruchsverfahrens überprüft die Behörde die Rechtmäßigkeit ihrer ursprünglichen Entscheidung.[17] Führt dies nicht zum Erfolg, kann mit dem nächsten Schritt, der Erhebung einer **Klage,** eine gerichtliche Überprüfung der Verwaltungsentscheidung erreicht werden. Das Gericht darf die Verwaltungsentscheidung aufheben (im Falle ihrer Rechtswidrigkeit) und die Verwaltung zum Erlass einer neuen Entscheidung verurteilen.

Scheitert ein Rechtsbehelf auf der unteren Instanzebene der Gerichte, besteht die Möglichkeit, weitere Rechtsbehelfe bei höheren Gerichten einzulegen. Die nach den Verfahrensordnungen der Gerichte erfolgende, nacheinander gestaffelte Einlegung der verschiedenen Rechtsbehelfe nennt man die „Beschreitung des Rechtswegs".

Beschreitung des Rechtswegs

Nach dem **Widerspruch** ist der erste gerichtliche Rechtsbehelf die **Klage** auf der I. Instanzebene der Gerichte. Gegen das im Klageverfahren ergangene **Urteil** ist als Rechtsbehelf die **Berufung** auf der II. Instanzebene der Gerichte möglich. Gegen das im Berufungsverfahren ergangene Berufungsurteil ist schließlich als Rechtsbehelf noch die **Revision** auf der III. Instanzebene möglich. Die Rechtsbehelfe Berufung und Revision werden auch als „Rechtsmittel" bezeichnet.

▶ Die Reihenfolge bei einer vollständigen Beschreitung des Rechtswegs im Sozial- und Verwaltungsrecht ist daher: **(AusgangsVA –) Widerspruch – Klage – Berufung – Revision.**[18]

Ist dieser Instanzenzug erschöpft, bleiben als weitere Rechtsbehelfsmöglichkeiten die **Verfassungsbeschwerde**[19], gerichtet an das Bundesverfassungsgericht, oder die **Menschenrechtsbeschwerde**[20], gerichtet an den Europäischen Gerichtshof für Menschenrechte. Dabei ist allerdings zu beachten, dass diese Gerichte nicht einfach eine weitere Instanz für die Überprüfung der Rechtmäßigkeit der angefochtenen Verwaltungsmaßnahme darstellen. Sie sind nur dann zuständig,

---

17 Einzelheiten: Kap. 11.
18 Zumeist wird der Rechtsweg aber nicht vollständig ausgeschöpft.
19 Vgl. Art. 93 Abs. 1 Nr. 4 a GG; vgl. auch Trenczek/Tammen/Behlert/v. Boetticher/Beetz, Grundzüge, I-5.5.1; S. 202 ff.
20 Vgl. Art. 34 EMRK; vgl. auch Trenczek/Tammen/Behlert/v. Boetticher/Beetz, Grundzüge, I-5.5.2; S. 206 ff.

wenn der Betroffene geltend machen kann, bei seiner Beschreitung des Rechtswegs seien Verstöße gegen seine Grund- oder Menschenrechte aus dem GG bzw. der EMRK erfolgt.

Bei der Beschreitung des Rechtswegs ist wesentlich, dass der VA, der mit den Rechtsbehelfen angegriffen wird, nicht **bestandskräftig** bzw. **unanfechtbar** werden darf. Bestandskraft bzw. Unanfechtbarkeit bedeutet, dass der VA in der Sache für die Beteiligten **bindend** wird, weil die vorhandenen Rechtsbehelfe entweder nicht oder nicht erfolgreich eingelegt wurden.[21] Hatte die Einlegung eines Rechtsbehelfs keinen Erfolg, muss daher rechtzeitig (d.h. innerhalb der gesetzlich vorgesehenen **Fristen** von i.d.R. **einem Monat**)[22] der nächstmögliche Rechtsbehelf eingelegt werden.

Besondere Rechtsbehelfe

Die übliche Beschreitung des Rechtswegs kann in bestimmten Fällen den Betroffenen nicht das an Rechtsschutz bieten, was nach dem Rechtsstaatsprinzip und im Sinne des aus Art. 19 Abs. 4 GG folgenden Anspruchs auf „effektiven Rechtsschutz" eigentlich vorgesehen ist.[23]

▶ Zum einen können durch die **sehr langen Verfahrensdauern** von Widerspruchs- oder Gerichtsverfahren (u.U. mehrere Jahre) den Betroffenen wesentliche Rechte faktisch verloren gehen. Dem wird mit den Rechtsbehelfen **gerichtlicher Eilanträge**[24] Rechnung getragen. Zum anderen kann es sein, dass ein Verwaltungs- oder Widerspruchsverfahren gar nicht durchgeführt oder zu einem Ende gebracht wird, weil die Behörde schlicht untätig bleibt. Dem kann man mit dem Rechtsbehelf der **Untätigkeitsklage**[25] begegnen.

Eilanträge können als „vorläufige" Rechtsschutzmaßnahmen parallel zu Widerspruch und Klage erhoben werden. Voraussetzung ist grundsätzlich, dass – ehe ein gerichtliches Eilverfahren in Gang gesetzt wird – schon eine konkrete Maßnahme der Verwaltung, i.d.R. also mindestens der AusgangsVA, vorliegt, ehe die Gerichte in Anspruch genommen werden dürfen. Mit einem gerichtlichen Eilverfahren kann der Betroffene erreichen, dass die Gerichte in einem Schnellver-

---

21 S. Kap. 7.1; vgl. auch § 77 SGG.
22 Vgl. §§ 84, 87, 151, 164 SGG u. §§ 70, 74, 124a, 139 VwGO.
23 Ipsen, Verwaltungsrecht, Rn. 1196 f.
24 Vgl. § 86a SGG u. §§ 80, 123 VwGO; Einzelheiten: Kap. 13.4.
25 Vgl. § 88 SGG u. § 75 VwGO; Einzelheiten: Kap. 13.2.4.

fahren zumindest eine **vorläufige Prüfung** und Regelung seiner Angelegenheit vornehmen. Dadurch sollen **schwerwiegende Nachteile** oder die **Schaffung vollendeter Tatsachen** verhindert werden, die ansonsten bei der zeitaufwendigeren Beschreitung des Rechtswegs einträten. Neben dem Eilverfahren muss der übliche Rechtsweg konsequent beschritten werden, damit der AusgangsVA nicht bestandskräftig wird.

> **Beispiel:** Herr A ist arbeitslos und hat weder Einkommen noch Vermögen. Er hat beim Jobcenter Bürgergeld beantragt. Sein Antrag wurde mit VA abgelehnt. A legt dagegen Widerspruch ein. Die Auskunft des Jobcenters lautet, dass die Bearbeitungszeit für seinen Widerspruch mindestens drei Monate dauern wird. In seiner Notlage kann A mit einem Eilantrag beim Sozialgericht eine vorläufige Prüfung und Entscheidung seines Falls beantragen. Das Gericht kann allerdings nur eine vorläufige Regelung zur Sicherung seiner Existenz treffen. Die endgültige Entscheidung, ob A definitiv Anspruch auf Bürgergeld hat oder nicht, kann nur im Widerspruchs- bzw. gegebenenfalls in einem anschließenden Klageverfahren getroffen werden. Diesen Rechtsweg muss A konsequent beschreiten, damit der ablehnende AusgangsVA nicht bestandskräftig wird.

Die Entscheidung in Eilverfahren wird durch das Gericht per **Beschluss** getroffen. Fällt die Entscheidung negativ für den Betroffenen aus, steht ihm dagegen noch der Rechtsbehelf der **Beschwerde** zur Verfügung.[26]

Eine **Untätigkeitsklage** ist darauf gerichtet, die Behörde zum **Tätigwerden** zu zwingen, d. h. dazu, eine Verwaltungsentscheidung über einen im Verwaltungsverfahren gestellten Antrag oder über einen Widerspruch zu treffen. Macht die Behörde nichts, so fehlt es an den Verwaltungsentscheidungen, die den Betroffenen die Einlegung gerichtlicher Rechtsbehelfe zur Beschreitung des Rechtsweges erst ermöglichen würden. Daher legt das Gesetz bestimmte **Fristen** fest nach deren Ablauf auch so eine Klage erhoben werden darf. Es gilt, dass der Betroffene die Untätigkeitsklage erheben darf, wenn seit Antrag auf **Vornahme eines VA** im Anwendungsbereich des Sozialrechts entweder mindestens **sechs Monate** (mindestens **drei Monate** im sonstigen Verwaltungsrecht) vergangen sind[27] oder **drei Monate** seit Einlegung eines **Widerspruchs** – und die Behörde ohne Grund untätig geblieben ist.[28]

---

26 Vgl. § 173 SGG u. § 147 VwGO; Einzelheiten: Kap. 13.4.
27 Vgl. § 88 Abs. 1 SGG bzw. § 75 VwGO.
28 Vgl. § 88 Abs. 2 SGG bzw. § 75 VwGO.

10.4   Übersichten

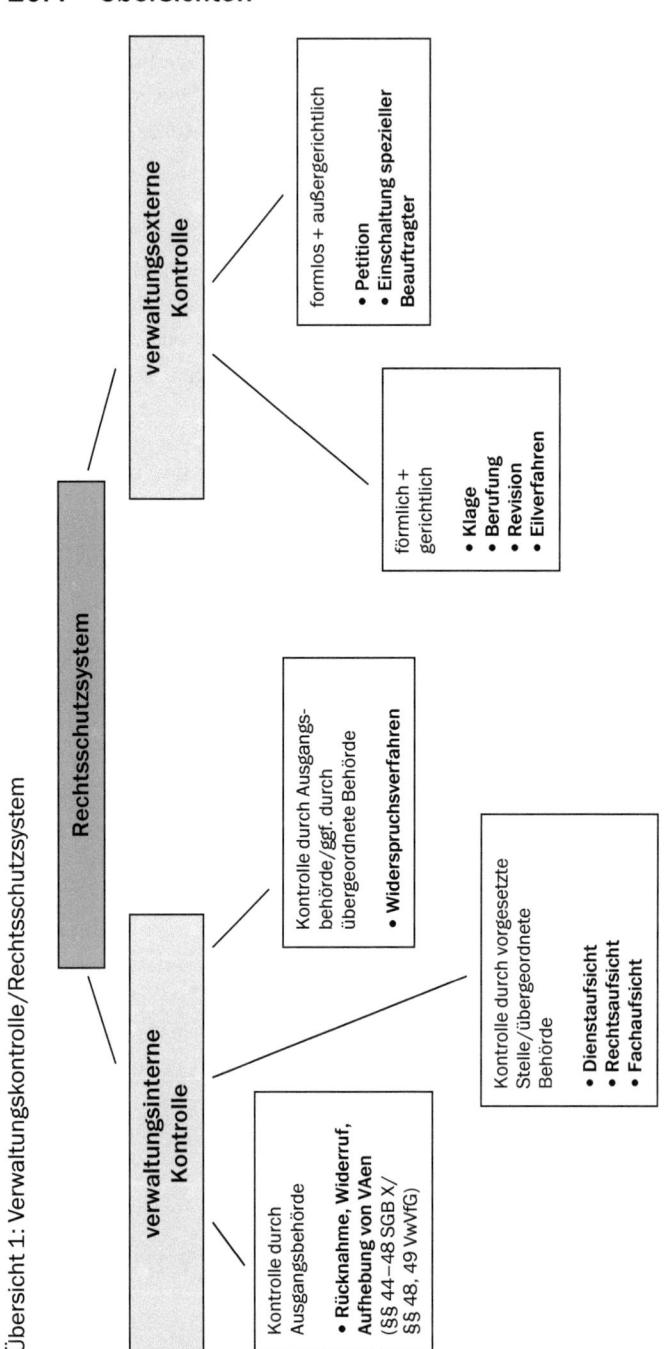

Übersicht 1: Verwaltungskontrolle/Rechtsschutzsystem

Übersicht 2: Einlegung von Rechtsbehelfen

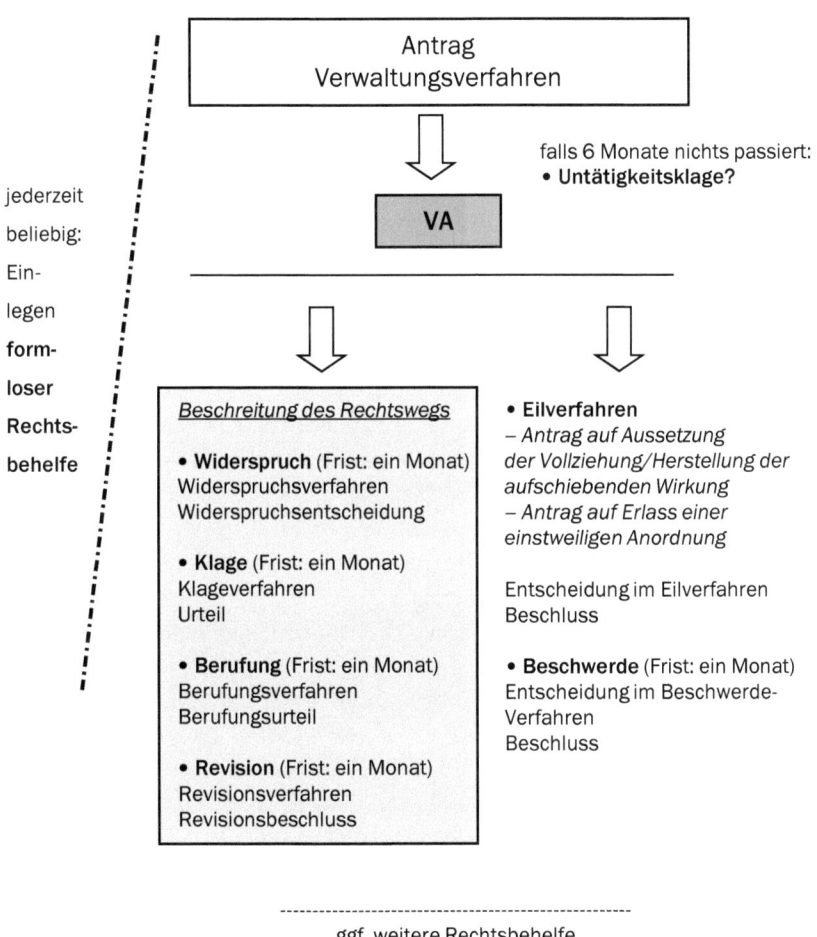

ggf. weitere Rechtsbehelfe

• Verfassungsbeschwerde
• Menschenrechtsbeschwerde

10.5 Übungsfragen

10.5.1

Was bedeutet „Beschreitung des Rechtswegs"?

10.5.2

Prüfen Sie, welche formlosen oder förmlichen Rechtsbehelfe für die Betroffenen in den dargestellten Sachverhalten jeweils sinnvoll und erfolgversprechend wären:

a) Herr E hat bei der Behörde die Ausstellung eines Schwerbehindertenausweises beantragt und entsprechende ärztliche Atteste über seine Krankheiten vorgelegt. Es passiert einige Wochen nichts, dann fragt E nach, wie seine Sache steht und ihm wird mitgeteilt, die Unterlagen seien nicht aufzufinden, er solle sie bitte nochmals einreichen. E tut dies und wieder vergehen einige Wochen. E fragt erneut nach und erhält wieder die Mitteilung, leider könne man nichts finden und ob er seine Atteste nicht noch einmal schicken könne. Dies macht E erneut. Nach einigen Wochen erhält E ein Schreiben der Behörde, in dem ihm mitgeteilt wird, dass man seinen Antrag auf Ausstellung eines Schwerbehindertenausweises nicht richtig bearbeiten könne, weil E ja keine ärztlichen Unterlagen eingereicht habe, die seine geltend gemachten Krankheiten belegten. E möchte sich das nicht länger bieten lassen.

b) Frau N ist arbeitslos und hat bei der Agentur für Arbeit eine Weiterbildungsmaßnahme beantragt. Ihr Antrag wird mit VA abgelehnt. N legt dagegen Widerspruch ein. Auf Nachfragen erklärt man ihr, die Entscheidung über ihren Widerspruch würde etwa drei Monate dauern. Für N ist das viel zu lange, denn die Schule, bei der sie ihre Weiterbildungsmaßnahme machen möchte, nimmt nur einmal im Jahr neue Schüler auf und dieser Aufnahmetermin ist bereits in sechs Wochen.

c) Frau C erhält eine Rente wegen Erwerbsunfähigkeit von der Deutschen Rentenversicherung, weil sie an diversen psychischen Krankheiten leidet. C ist Mutter einer zehnjährigen Tochter. Mit dem Vater ihrer Tochter, von dem sie getrennt lebt, streitet sie sich um das Sorgerecht. Jugendamt und Familiengericht sind bereits eingeschaltet. Das Jugendamt muss eine Stellungnahme abgeben, wen es für geeigneter hält, das Sorgerecht auszuüben. Es bekommt von der Deutschen Rentenversicherung die Akte der C, in der sich diverse psychiatrische Gutachten befinden, welche die labile psychische Verfassung der C dokumentieren. C ist der Meinung, dass die Weitergabe ihrer medizinischen Daten von der Rentenversicherung an das Jugendamt unzulässig war und möchte etwas dagegen unternehmen.

(Lösungen unter www.lehrbuch-sozialverwaltungsrecht.de)

Weiterführende Literatur

Falterbaum, Johannes, Rechtliche Grundlagen Sozialer Arbeit, 6. Aufl., Stuttgart 2024, Kap. X.2–X.5.

11. Kapitel
Widerspruchsverfahren

Im Kapitel werden die wesentlichen Aspekte des Widerspruchsverfahrens behandelt. Themen sind u. a. die Zulässigkeitsvoraussetzungen für die Einlegung eines Widerspruchs, z. B. die Statthaftigkeit sowie Frist- und Formerfordernisse. Außerdem werden der Grundsatz des subjektiven öffentlichen Rechts als Voraussetzung für die Widerspruchsbefugnis sowie der Grundsatz der aufschiebenden Wirkung dargestellt.

11.1 Grundlagen

Der Widerspruch ist als **außergerichtlicher förmlicher Rechtsbehelf** im Sozialverwaltungsrecht die Regel.

▶ Mit der Einlegung eines Widerspruchs wird **ein zweites behördliches Verfahren** in Gang gesetzt, für das alle verfahrensrechtlichen Regelungen und Grundsätze aus dem SGB I, SGB X bzw. dem VwVfG gelten, so wie für das Ausgangsverfahren auch[29]. Weitere, wesentliche Regelungen für das Widerspruchsverfahren finden sich – obwohl es sich um einen außergerichtlichen Rechtsbehelf handelt – in den Gesetzen über die **Gerichtsverfahren, d. h. im SGG** bzw. der **VwGO**.[30] Grund hierfür ist, dass die Durchführung des Widerspruchsverfahrens als „**Vorverfahren**" eine Voraussetzung für die Klageerhebung, d. h. für den Zugang zu den Gerichten ist.[31]

Die Zuordnung eines Widerspruchsverfahrens entweder zu den Regelungen des SGG/SGB I, SGB X oder zur VwGO/VwVfG ergibt sich aus der **Zuordnung des Sachgebiets** entweder zur Gerichtsbarkeit der **Sozial-** oder der **Verwaltungsgerichte**. Eine Auflistung der Sachgebiete, die den Sozialgerichten zugewiesen

---

29 Einzelheiten: Kap. 6.
30 Vgl. §§ 78–86 SGG u. §§ 68–77 VwGO.
31 Vgl. § 78 SGG, § 68 VwGO.

sind, steht in § 51 SGG. Sachgebiete, die dort nicht genannt sein, fallen in die Verwaltungsgerichtsbarkeit.[32]

Mit dem Widerspruch erreicht der Betroffene eine vollständige Nachprüfung seines Falls durch die Verwaltung (= verwaltungsinterne Kontrolle).[33] Dadurch ergeben sich die **drei** wesentlichen **Funktionen** des Widerspruchsverfahrens:[34]

- Es ist eine zusätzliche Prüfungsinstanz neben dem gerichtlichen Instanzenzug und dient damit dem **Rechtsschutz** der Bürger:innen.
- Es dient der **Selbstkontrolle der Verwaltung,** die so ihre rechtsstaatliche Pflicht zu rechtmäßigem Handeln nach Möglichkeit eigenständig verwirklichen soll.
- Es dient der **Entlastung der Gerichte,** da Fehler und Missverständnisse des Ausgangsverfahrens ohne Befassung der Gerichte festgestellt und behoben werden können.

In der Regel ist die Durchführung eines Widerspruchsverfahrens **zwingend,** allerdings legt § 78 Abs. 1 Nr. 1–3 SGG[35] **Ausnahmen** für bestimmte VAe oder Verwaltungsbereiche fest. So findet beispielsweise gegen VAe von obersten Bundes- oder obersten Landesbehörden kein Widerspruchsverfahren statt. Außerdem kann per Gesetz für ein bestimmtes Sachgebiet oder für ein Bundesland das Widerspruchsverfahren ganz oder teilweise **abgeschafft** werden. Dies ist z. B. beim BAföG-Recht und beim Wohngeldrecht in den Bundesländern Bayern, Niedersachsen, Nordrhein-Westfalen geschehen. In den Sachgebieten, die der Sozialgerichtsbarkeit unterliegen, ist das Widerspruchsverfahren allerdings noch der Regelfall.[36]

Auf die Möglichkeit, dass der Widerspruch als Rechtsbehelf gegen den AusgangsVA zur Verfügung steht und wie und wo er einzulegen ist, sind die VA-Adressaten stets mit der **Rechtsbehelfsbelehrung** am Ende des VA-Textes hinzuweisen.[37]

---

32   S. Kap. 1.2 u. 1.3; vgl. auch § 62 SGB X; Einzelheiten: Knödler/Wimmer, Widerspruchsverfahren, Kap. 1.1 u. I.2, S. 23 ff.
33   S. Kap. 10.1.
34   Dörr/Francke, Sozialverwaltungsrecht, Kap. 11, Rn. 94.
35   Parallelvorschrift § 68 Abs. 1 Satz 2 Nrn. 1–2 VwGO
36   Gegen eine Abschaffung: Hufen, Verwaltungsprozessrecht, § 5, Rn. 4–5.
37   Vgl. § 36 SGB X, § 37 Abs. 6 VwVfG; s. auch Kap. 6.3.4.

11.2   Gang des Widerspruchsverfahrens

▶ Geht bei einer Behörde ein Widerspruch ein, so hat sie zu überprüfen, ob der Widerspruch **zulässig** und **begründet** ist.[38] Kommt sie zu einem positiven Ergebnis, so erlässt sie einen „**Abhilfebescheid**". Mit diesem wird das Begehren des Betroffenen erfüllt, d. h. entweder wird der belastende VA aufgehoben oder die erstrebte, begünstigende Regelung wird erlassen.[39] Fällt die Prüfung negativ aus, weil der Widerspruch **unzulässig** oder **unbegründet** ist, wird ein sogenannter „**Widerspruchsbescheid**" erlassen und der Widerspruch zurückgewiesen.

Grundregel ist, dass den Widerspruchsbescheid die **nächsthöhere Behörde** erlässt, es sei denn, diese ist **gleichzeitig** eine **oberste Landesbehörde**.[40] Maßgebend ist dabei der Verwaltungsaufbau in dem jeweiligen Bundesland: In Bundesländern mit **zweistufigem** Verwaltungsaufbau, ist die der Ausgangsbehörde übergeordnete Behörde gleichzeitig die oberste Landesbehörde. Den Widerspruch erlässt daher die Ausgangsbehörde. Anders in Bundesländern mit **dreistufigem** Verwaltungsaufbau: Hier sind die Entscheidungen über Widersprüche der mittleren Verwaltungsebene zugewiesen.[41]

Geht es um Sachgebiete, die die **Kommunen in Selbstverwaltung** bearbeiten, so entscheiden sie selbst über die Widersprüche.[42] Geht es um VAe der Träger der **Sozialversicherung** (z. B. Bundesagentur für Arbeit, gesetzliche Krankenkassen, Deutsche Rentenversicherung) haben diese als selbstständige Körperschaften des öffentlichen Rechts eigene Organisationsstrukturen und dürfen sich ihre Gremien, die über Widersprüche zu entscheiden haben, selbstständig einrichten.[43] Geht es um VAe der **Jobcenter** so gilt § 44b Abs. 1 S. 3 SGB II, wonach sie über die Widersprüche selbst entscheiden.

Eine konkrete, gesetzlich festgelegte **Frist** für die Behörde, über den Widerspruch zu entscheiden, gibt es nicht. Es besteht jedoch die Möglichkeit, drei Mo-

---

38 S. Kap. 11.3.
39 Vgl. § 85 Abs. 1 SGG, § 72 VwGO.
40 Vgl. § 85 Abs. 2 SGG, § 73 Abs. 1 VwGO.
41 S. Kap. 3.2.
42 Vgl. § 85 Abs. 2 Nr. 4 SGG, § 73 Abs. 1 Satz 2 Nr. 3 VwGO; Einzelheiten: Hufen, Verwaltungsprozessrecht, § 6, Rn. 44–44a (mit tabellarischer Übersicht der unterschiedlichen landesrechtlichen Regelungen).
43 In der Regel handelt es sich um „Widerspruchsausschüsse", vgl. § 36a SGB IV; s. auch Dörr/Francke, Sozialverwaltungsrecht, Kap. 4, Rn. 70.

nate nach Einlegung des Widerspruchs **Untätigkeitsklage** zu erheben, wenn bis dahin **ohne Grund** noch nichts passiert ist.[44]

Aufgrund der umfassenden Nachprüfung des AusgangsVA im Widerspruchsverfahren ist auch eine Schlechterstellung des Betroffenen („**Verböserung**") denkbar, auch wenn dieser mit der Einlegung des Rechtsbehelfs seine Situation ja eigentlich nur verbessern wollte. Dies ist – in engen Grenzen – möglich, insbesondere dann, wenn auch Rücknahme oder Widerruf i. S. d. §§ 44–48 SGB X gerechtfertigt wären. Begrenzt wird das Recht zur Verböserung jedoch auch generell durch den Aspekt der **Zumutbarkeit**.[45]

Beispiel: Frau H hat einen Bescheid von ihrer Krankenkasse erhalten. Sie war krank und bezog Krankengeld, das jedoch zu hoch war, so dass sie nun 800 EUR zurückzahlen soll. Sie legt dagegen Widerspruch ein. Bei der Überprüfung im Widerspruchsverfahren entdeckt die Krankenkasse, dass die Überzahlung noch höher war, nämlich 1 000 EUR. Soweit H keinen Vertrauensschutz nach § 45 Abs. 2 SGB X geltend machen kann, muss sie das Geld zurückzahlen. Kann H auch keine Unzumutbarkeit (= Verböserung brächte sie in eine untragbare Ausnahmesituation) geltend machen, darf die Krankenkasse im Widerspruchsbescheid nun auch die Rückzahlung von 1 000 EUR fordern.

Der Widerspruchsbescheid ist schriftlich zu erlassen, mit einer Begründung und einer Rechtsbehelfsbelehrung zu versehen und dem Betroffenen bekannt zu geben.[46] Soweit erforderlich, trifft die Behörde auch eine Entscheidung über die **Kosten** des Widerspruchsverfahrens. Während im Sozialrecht die Widerspruchsverfahren **kostenfrei** sind, können im übrigen Verwaltungsrecht **Verwaltungsgebühren** für die Durchführung eines Widerspruchsverfahrens erhoben werden. Gegenstand einer Kostenentscheidung können auch Aufwendungen sein, die der Betroffene in dem Widerspruchsverfahren „zur zweckentsprechenden Rechtsverfolgung" hatte, z. B. **Rechtsanwaltskosten**.[47]

---

44 Vgl. § 88 Abs. 2 SGG, § 75 VwGO; Einzelheiten: Kap. 13.2.
45 Einzelheiten: Hufen, Verwaltungsprozessrecht, § 9, Rn. 17–18.
46 Vgl. § 85 Abs. 3 SGG, § 73 Abs. 3 VwGO.
47 Vgl. § 63 SGB X, § 80 VwVfG; s. auch Ruland/Becker/Axer, SRH, Kap 12, Rn. 278.

11.3   Zulässigkeit und Begründetheit eines Widerspruchs

▶ Damit ein Widerspruch – oder jeder andere förmliche Rechtsbehelf – erfolgreich ist, muss er **zulässig** und **begründet** sein. Zulässig ist ein Rechtsbehelf, wenn die vorgesehenen gesetzlichen Kriterien für seine ordnungsgemäße Einlegung erfüllt sind. Beim Widerspruch sind dies **Statthaftigkeit, Form, Frist** und **Widerspruchsbefugnis.**[48] Begründet ist ein Widerspruch, wenn sich die Behauptung, der angefochtene VA sei rechtswidrig, als zutreffend erweist. Hierbei geht es um die Prüfung der **formellen** und **materiellen Rechtmäßigkeit** des angefochtenen VA, d. h. um dessen inhaltliche Richtigkeit und Übereinstimmung mit den Gesetzen.[49]

Bei der Prüfung der Erfolgsaussichten eines jeden Rechtsbehelfs wird die Zulässigkeit stets **vor** der Begründetheit geprüft. Denn erst nach Feststellung der korrekten Einhaltung der Formalien für den jeweiligen Rechtsbehelf wird eine Behörde oder ein Gericht die inhaltliche Auseinandersetzung mit der Richtigkeit der angegriffenen Verwaltungsmaßnahme vornehmen.[50]

11.3.1 Statthaftigkeit

▶ Bei der Statthaftigkeit geht es um die Frage, ob für die angegriffene Verwaltungsmaßnahme der richtige, **gesetzlich vorgesehene Rechtsbehelf** gewählt wurde. Gesetzlich vorgesehen ist der Widerspruch, wenn die angegriffene Verwaltungsmaßnahme ein **VA** ist.[51]

Gegen schlichtes Verwaltungshandeln, Satzungen, privatrechtliches Verwaltungshandeln u. ä. kann kein Widerspruch erhoben werden. Bei diesen Maßnahmen kann man entweder gleich klagen oder man muss abwarten, bis ein entsprechender VA ergeht.[52] Ist man also mit einer Verwaltungsmaßnahme konfrontiert, die man angreifen möchte, muss man sie korrekt einordnen, um den statthaften Rechtsbehelf anbringen zu können.

---

48 Einzelheiten: Kap. 11.3.1–11.3.4.
49 S. Kap. 5.6; vgl. auch Knödler/Wimmer, Widerspruchsverfahren, Kap. 6.4.2, S. 324.
50 Dörr/Francke, Sozialverwaltungsrecht, Kap. 11, Rn. 96.
51 Knödler/Wimmer, Widerspruchsverfahren, Kap. 6.2, S. 312.
52 S. Kap. 4.

Beispiel: Frau P hatte nach einer Krebserkrankung einen Schwerbehindertenausweis mit einem GdB von 60 erhalten. Dies ist fünf Jahre her, die OP war erfolgreich und der Krebs ist nicht wieder aufgetreten. Nach einer entsprechenden Überprüfung der ärztlichen Unterlagen von P schickt die Behörde ihr ein Anhörungsschreiben gemäß § 24 SGB X, in dem sie mitteilt, dass man beabsichtige, den GdB wegen der Ausheilung des Krebses auf 30 abzusenken. P ist nicht einverstanden. Trotzdem wäre ein Widerspruch nicht statthaft. Eine Anhörung ist schlichtes Verwaltungshandeln.[53] Ein Widerspruch würde wegen Unzulässigkeit zurückgewiesen werden.

Ein Problem kann sich dann ergeben, wenn das Handeln der Verwaltung nicht eindeutig ist, d. h. wenn sich die Verwaltung z. B. weigert, einen eindeutigen (ablehnenden) VA zu erlassen, sondern z. B. mündlich die „Auskunft" erteilt, man könne nichts weiter für die Person tun.

Beispiel: Frau R ist EU-Ausländerin und kam vor vier Monaten nach Deutschland um als Pflegekraft zu arbeiten. Ihre Firma wurde jedoch insolvent und kündigte ihr. R ist nun arbeitslos und beantragt beim Jobcenter Bürgergeld. Herr S, der Sachbearbeiter, erklärt ihr mündlich, dass sie sich ihren Antrag gleich sparen könne, die Sache hätte keinerlei Aussicht auf Erfolg. Als Ausländerin, die erst vier Monate in Deutschland sei, bestünden keine Ansprüche auf Bürgergeld.

Ein Widerspruch wäre statthaft, denn auch die Ablehnung oder Unterlassung eines VA kann zweifellos selbst einen VA darstellen (nur bloßes Untätigbleiben ist kein VA). Ein VA ist nach § 33 Abs. 2 SGB X an keine bestimmte Form gebunden. Entscheidend ist allein, ob die Maßnahme die Kriterien des § 31 SGB X erfüllt oder nicht. Hier handelte der S für das Jobcenter hinsichtlich der Frage einer Sozialleistung nach dem SGB II. Also handelte es sich um eine hoheitliche Maßnahme auf dem Gebiet des öffentlichen Rechts. Die Angelegenheit der R ist ein Einzelfall und sie steht außerhalb der öffentlichen Verwaltung, so dass auch Außenwirkung vorliegt. Die Äußerungen von S haben auch Regelungscharakter: Hierbei kommt es nicht darauf an, wie S seine „Auskunft" gemeint haben könnte, sondern wie R diese verstehen musste. Maßgeblich ist der sogenannte „Empfängerhorizont".[54] Nun war die Aussage von S für R als definitive Ablehnung ihres Begehrens zu verstehen. Also liegt ein (mündlicher) VA vor, gegen den sie Widerspruch einlegen kann.

Empfehlenswert ist es, bei nicht eindeutigen, mündlichen Erklärungen durch Verwaltungsmitarbeiter:innen, Klarheit dadurch zu erreichen, dass man die Er-

---

53 S. Kap. 6.2.5.
54 Frings/Schweigler, Sozialrecht, Kap. 2.4, S. 71 f.; Schütze, SGB X, § 31, Rn. 26.

teilung eines schriftlichen VA verlangt.[55] Zum einen wird das Handeln der Verwaltung durch die Schriftlichkeit beweisbar. Zum anderen hat man bei schriftlichen VAen auch den Anspruch auf eine Begründung.[56] Die Behörde ist dadurch gezwungen, sich entsprechend sorgfältig mit der Angelegenheit zu befassen.

11.3.2 Form

▶ Der Widerspruch ist schriftlich, in elektronischer Form nach § 36a Abs. 2 SGB I oder zur Niederschrift bei der Stelle einzulegen, die den VA erlassen hat, also bei der **Ausgangsbehörde**.[57] Eine sozialrechtliche Besonderheit enthält § 84 Abs. 2 SGG, wonach der Widerspruch auch zulässig bei **jeder anderen inländischen Behörde** eingelegt werden kann und von dieser dann an die zuständige Behörde weiterzuleiten ist.[58]

Wo auch immer Betroffene Widerspruch einlegen: Nach den Grundsätzen der Beweislastverteilung[59] müssen sie den rechtzeitigen Eingang des Widerspruchs erforderlichenfalls **beweisen** können, d. h. es sollte eine Versendungsform (z. B. Einschreiben) gewählt werden, mit der dies möglich ist.

Schriftlich bedeutet prinzipiell eigenhändig unterschrieben. Allerdings wird auch als formwirksam akzeptiert, wenn der (unterschriebene) Widerspruch rechtzeitig per Fax übermittelt wurde, sofern das unterschriebene Original parallel mit der Post versandt wird und nachträglich bei der Behörde eingeht. Die **elektronische Form** nach § 36a Absatz 2 SGB I setzt grundsätzlich eine qualifizierte digitale Signatur nach dem Signaturgesetz zu ihrer Wirksamkeit voraus. Eine **einfache E-Mail genügt nicht**.[60]

Der Widerspruch muss weder als solcher bezeichnet werden, noch muss er eine **Begründung** aufweisen. Ausreichend (allerdings auch notwendig) ist, dass man unmissverständlich erklärt, mit welcher Verwaltungsentscheidung man nicht einverstanden ist und dass man deren Überprüfung begehrt. Im Rahmen der Aufklärung des Sachverhalts sowie der Mitwirkungspflichten Betroffener kann die Behörde **Fristen zur Nachholung einer Widerspruchsbegründung** setzen und bei ergebnislosem Verstreichen die Angelegenheit „nach Aktenlage" ent-

---

55 Rechtsgrundlage dafür ist § 33 Abs. 2 S. 2 SGB X oder § 37 Abs. 2 S. 2 VwVfG.
56 Vgl. § 35 SGB X, § 39 VwVfG.
57 Vgl. § 84 Abs. 1 SGG, § 70 Abs. 1 VwGO.
58 Dieses bürgerfreundliche Prinzip gilt nicht in der VwGO.
59 S. Kap. 6.2.3.
60 Einzelheiten: Meyer-Ladewig/Keller/Schmidt, SGG, § 84, Rn. 3–3a.

scheiden. Da man ja möchte, dass die eigenen Argumente gehört werden, sollte man schon in eigenem Interesse einen Widerspruch begründen oder zumindest eine Begründung alsbald nachholen. Ausreichend für einen korrekt eingelegten Widerspruch, der z. B. auch schon die **aufschiebende Wirkung** entfaltet,[61] ist bereits ein kurzes Schreiben mit dem Inhalt: *„Hiermit lege ich gegen Ihren VA vom … (genauere Bezeichnung der angegriffenen Entscheidung, ggf. Beifügung einer Kopie) Widerspruch ein. Begründung folgt. (Unterschrift)"*[62]

„Zur Niederschrift" bedeutet, dass es bei jeder Verwaltungsbehörde die Möglichkeit gibt, bei einer sogenannten „Rechtsantragstelle" sein Widerspruchsbegehren mündlich vorzubringen. Dieses wird von Verwaltungsmitarbeiter:innen entgegengenommen und protokolliert, d. h. in schriftliche Form gebracht. Diese genehmigt man und der Widerspruch ist damit ordnungsgemäß eingelegt und man erhält eine Kopie von dem Schriftstück.[63]

11.3.3 Frist

▶ Die Frist zur Einlegung des Widerspruchs beträgt **einen Monat ab Bekanntgabe des AusgangsVA.**[64] Bekanntgabe bedeutet bei Zusendung eines schriftlichen VA der **Zugang beim VA-Adressaten.**[65] Die Frist endet mit dem Ablauf (24:00 Uhr) des Tages des nächsten Monats, der zahlenmäßig dem fristauslösenden Tag (= Tag der Bekanntgabe) entspricht. Der Widerspruch ist fristgerecht eingereicht, wenn er vor Ablauf der Frist in den Geschäfts- oder Machtbereich der Behörde gelangt ist.

Fällt das Ende der Frist auf einen **Sonnabend, Sonntag** oder **gesetzlichen Feiertag,** so endet die Frist mit dem Ablauf des nächsten Werktags. Fehlt dem folgenden Monat der dem Tag der Bekanntgabe entsprechende Tag, endet die Frist mit dem Ablauf des Monats (z. B. Bekanntgabe am 30. oder 31.01., Ende der Monatsfrist am 28. bzw. 29.02.).[66]

---

61 S. Kap. 11.4.
62 Einzelheiten u. Formulierungsbeispiele: Frings/Schweigler, Sozialrecht, Kap. 2.7.3, S. 81 ff.; Knödler/Wimmer, Widerspruchsverfahren, Kap. 6.6, S. 326 ff.
63 Meyer-Ladewig/Keller/Schmidt, SGG, § 84, Rn. 3b.
64 Vgl. § 84 Abs. 1 SGG, § 70 Abs. 1 VwGO.
65 Vgl. § 37 SGB X o. § 41 VwVfG; Einzelheiten vgl. Kap. 6.3.2.
66 Vgl. § 64 SGG o. § 57 Abs. 2 VwGO i. V. m. § 224 ZPO; s. auch Meyer-Ladewig/Keller/Schmidt, SGG, § 64, Rn. 5/5a.

Zu beachten ist, dass die Monatsfrist nicht gilt, wenn bei dem angegriffenen VA die **Rechtsbehelfsbelehrung** fehlt oder diese fehlerhaft (z. B. nicht vollständig) ist. Dann verlängert sich die Frist für die Einlegung des Widerspruchs auf ein Jahr.[67]

▶ Hat man die Frist für die Einlegung des Widerspruchs verpasst, kommt in bestimmten Fällen eine **„Wiedereinsetzung in den vorigen Stand"** in Betracht.[68] Voraussetzung hierfür ist, dass die Frist „ohne Verschulden" verpasst wurde.

Ist dies der Fall, lässt sich die Einlegung des Widerspruchs, verbunden mit einem Antrag auf Wiedereinsetzung binnen eines Monats nach „Wegfall des Hindernisses" stellen – d. h. einen Monat ab Beendigung der Situation, die einen an der Einlegung des Widerspruchs gehindert hatte.[69] Die Regelungen für die Wiedereinsetzung in den vorigen Stand gelten sowohl für die Frist im Widerspruchsverfahren als auch für die Klagefrist.[70]

Ohne Verschulden bedeutet, dass die Versäumung der Frist auch bei Anwendung der gebotenen Sorgfalt nicht zu vermeiden gewesen wäre. Der Sorgfaltsmaßstab richtet sich danach, welches Maß an Sorgfalt einem gewissenhaft Handelnden in einem behördlichen oder gerichtlichen Verfahren aus der Personengruppe des Betroffenen nach den Umständen des Falls abzufordern wäre.[71]

Beispiel: Herr und Frau T, die in Deutschland leben, verfügen über geringe Deutschkenntnisse. Herr T ist aufgrund eines Schlaganfalles zum Pflegefall geworden. Frau T beantragt Leistungen der gesetzlichen Pflegekasse. Deren medizinischer Dienst überprüft den Gesundheitszustand von Herrn T und kommt zu der Einschätzung, dass das nach § 15 SGB XI notwendige Mindestmaß an Pflegebedarf bei ihm nicht vorliege. Ein ablehnender VA mit langer, rechtlicher und medizinischer Begründung wird den Ts zugestellt. Erst sechs Wochen später ergibt sich die Gelegenheit, dass eine Verwandte den Ts die Einzelheiten des Bescheids übersetzt und erklärt. Nun wird den Ts sogleich klar, dass die Ablehnung nicht richtig sein kann, weil wesentliche Aspekte von Herrn Ts gesundheitlichen Problemen außer Acht gelassen wurden. Sie wollen Wider-

---

67 Vgl. § 66 SGG o. § 58 Abs. 2 VwGO; s. auch Kap. 6.3.4.
68 Vgl. § 67 SGG o. § 60 VwGO.
69 Für die Verfahren, die sich nach der VwGO richten, gilt dabei nur eine Frist von zwei Wochen.
70 S. Kap. 12.1.4.
71 Einzelheiten u. Beispiele: Hufen, Verwaltungsprozessrecht, § 6, Rn. 34.

spruch einlegen zusammen mit einem Antrag auf Wiedereinsetzung in den vorigen Stand.

Hier müssten sich die Ts wohl Verschulden entgegenhalten lassen. Auch bei mangelnden Deutschkenntnissen würde es der Sorgfaltspflicht eines Betroffenen entsprechen, sich so bald wie möglich um eine Übersetzung (z. B. bei einer Beratungsstelle oder der Behörde selbst) zu bemühen, wenn man mit einem unverständlichen behördlichen Schreiben konfrontiert ist. Den Ts bleibt daher nur die Möglichkeit, mit einem Antrag nach § 44 SGB X[72] zu versuchen, gegen den VA vorzugehen oder einen Neuantrag mit dem Hinweis auf Herrn Ts bisher nicht berücksichtigte Gesundheitsprobleme zu stellen.

In der Regel entschuldigen Arbeitsüberlastung, Vergessen der Frist, überlanger Urlaub etc. das Versäumnis nicht. Eine **Krankheit** entschuldigt nur dann, wenn die Erkrankung so schwer war, dass der Betroffene die zur Fristwahrung notwendige Handlung weder selbst vornehmen noch einen Vertreter beauftragen konnte. Das Verschulden eines Vertreters beim Versäumen der Frist ist dem Vertretenen stets selbst zuzurechnen.

Wird die Wiedereinsetzung abgelehnt, verwirft die Behörde den Widerspruch als unzulässig wegen Fristversäumnis. Diese Entscheidung kann mit einer Klage zusammen mit dem VA vor Gericht angegriffen werden. Das Gericht ist sodann berechtigt, selbst Wiedereinsetzung zu gewähren.[73]

11.3.4 Widerspruchsbefugnis/subjektives öffentliches Recht

Bei der Frage der Widerspruchsbefugnis geht es darum, ob derjenige, der den Rechtsbehelf eingelegt hat, überhaupt berechtigt ist, eine Überprüfung der angegriffenen Verwaltungsmaßname zu verlangen.

▶ Um berechtigt zu sein, einen Widerspruch (oder auch alle anderen Arten von Rechtsbehelfen) einzulegen, muss man geltend machen können, durch den angegriffenen VA „**beschwert**" zu sein.[74] Dies bedeutet, man muss geltend machen können, der VA belaste einen in einem **subjektiven öffentlichen Recht**. Ein subjektives öffentliches Recht bedeutet die Einzelnen zustehende

---

72 S. Kap. 9.1.
73 Meyer-Ladewig/Keller/Schmidt, SGG, § 67, Rn. 13a.
74 Vgl. § 54 Abs. 1 S. 2 SGG, § 42 Abs. 2 VwGO (darin heißt es deutlicher: „in seinen Rechten verletzt").

Befugnis, von der Verwaltung ein bestimmtes **Handeln** oder **Unterlassen** verlangen und erforderlichenfalls mit Rechtsbehelfen **durchsetzen** zu können.[75] Diese Befugnis ergibt sich aus den Gesetzen oder durch die Grundrechte.

Das Prinzip, nur bei Vorliegen eines subjektiven öffentlichen Rechts eine Rechtmäßigkeitskontrolle durch Rechtsbehelfe verlangen zu können, gilt allgemein im öffentlichen Recht. In den Gesetzen ausdrücklich geregelt ist es zwar nur für das Klageverfahren, der Grundsatz gilt jedoch für das Widerspruchsverfahren analog.[76]

Typische Fälle von subjektiven öffentlichen Rechten sind die sich aus den Gesetzen ergebenden sozialen Leistungsansprüche. Bei Erfüllung der gesetzlichen Voraussetzungen hat man einen **Anspruch** gegenüber der Verwaltung, der erforderlichenfalls mit Rechtsbehelfen erzwungen werden kann.

Beispiele: Nach § 29 SGB III haben junge Menschen und Erwachsene gegenüber der Agentur für Arbeit einen Anspruch auf Berufsberatung.

Nach § 17 SGB VIII haben Eltern gegenüber dem Jugendamt Anspruch auf Beratung und Hilfe bei der Erziehung ihrer Kinder.

Nach § 19 SGB XII haben Personen, die ihren Lebensunterhalt nicht selbst aus Einkommen oder Vermögen bestreiten können, einen Anspruch auf Hilfe gegenüber dem Sozialamt.

Das subjektive öffentliche Recht kann auch darin bestehen, dass man einen Anspruch auf **fehlerfreie Ermessensausübung** hat und von der Behörde die Einhaltung der Ermessensgrenzen verlangen und gegebenenfalls erzwingen kann.[77]

Beispiele: Nach § 45 Abs. 1 SGB X können rechtswidrige Begünstigungen rückwirkend wieder aufgehoben werden.

Nach § 22 Abs. 8 SGB II können Schulden zur Sicherung einer Unterkunft übernommen werden.

Nach § 40 Abs. 4 SGB XI können Pflegebedürftigen Zuschüsse zum behindertengerechten Ausbau ihrer Wohnung bewilligt werden.

---

75 Einzelheiten: Maurer/Waldhoff, Verwaltungsrecht, § 8, Rn. 1–10.
76 Vgl. § 54 Abs. 1 S. 2 SGG, § 42 Abs. 2 VwGO.
77 Vgl. § 39 SGB I; Parallelvorschrift: § 40 VwVfG. Einzelheiten s.o. Kap. 5.4.

Das subjektive öffentliche Recht kann auch in einer **Abwehrposition** bestehen. Das heißt, die Verwaltung darf nicht mehr verlangen oder tun als gesetzlich vorgesehen ist, sonst kann dagegen mit Rechtsbehelfen vorgegangen werden.

> **Beispiele:** Nach § 65 Abs. 1 Nr. 2 SGB I kann die Behörde eine Mitwirkungshandlung nicht verlangen, wenn deren Erfüllung der Person aus einem wichtigen Grund nicht zugemutet werden kann.
>
> Nach § 67a Abs. 1 SGB X darf die Behörde Daten nur erheben, wenn dies für einen nach den Sozialgesetzbüchern gerechtfertigten Zweck erforderlich ist.
>
> Nach § 90 Abs. 3 SGB XII darf die Zahlung von Sozialhilfe nicht von der Verwertung eines Vermögensgegenstandes Betroffener abhängig gemacht werden, wenn dies diese eine Härte bedeutete.

Kein subjektives öffentliches Recht vermitteln dagegen Vorschriften, die nicht dem Individualinteresse Einzelner dienen sollen, sondern das Handeln der Verwaltung im Interesse der **Allgemeinheit** steuern und organisieren. Dies sind in der Regel Vorschriften, die an die Verwaltungsträger gerichtet sind.

> **Beispiele:** Nach § 12 SGB IX sind die Leistungsträger im Bereich der Rehabilitationsleistungen für Menschen mit Behinderung zur Zusammenarbeit verpflichtet.
>
> Nach § 102 SGB X kann ein Leistungsträger von einem anderen die Erstattung vorläufig erbrachter Leistungen verlangen.
>
> Nach § 115 Abs. 1a SGB XI sind die Pflegekassen verpflichtet, Berichte über Leistungen und Qualität einzelner Pflegeeinrichtungen zu veröffentlichen.

Die Einhaltung solcher Vorschriften können Einzelne nicht mit Rechtsbehelfen erzwingen, denn eine allgemeine Rechtmäßigkeitskontrolle von Verwaltungshandeln mit **Popularwidersprüchen** oder **Popularklagen** ist unzulässig.[78]
Um den Charakter einer Norm herausfinden zu können, hat sich die sog. Schutznormtheorie etabliert, wonach eine Rechtsnorm ein subjektives öffentliches Recht vermitteln soll, wenn sich im Text erkennen lässt, dass sie zumindest **auch** den individuellen Schutz eines Einzelnen bezweckt.[79] Eine entsprechende Auslegung führt jedoch nicht immer zu eindeutigen Ergebnissen, so dass im Zweifel auch einschlägige Kommentarliteratur herangezogen werden sollte.

---

78 Vgl. Dörr/Francke, Sozialverwaltungsrecht, Kap. 11, Rn. 97; Hufen, Verwaltungsprozessrecht, § 6, Rn. 20.
79 Zu Einzelheiten s. Ehlers/Pünder, Verwaltungsrecht, § 12, Rn. 17.

Beispiel: Nach § 17 Abs. 1 Nr. 1 SGB I sind die Sozialleistungsträger verpflichtet, darauf hinzuwirken, dass jedermann die ihm zustehenden Sozialleistungen zügig erhält.

Hier ließe sich die Auffassung, die Norm bezwecke zumindest auch den Schutz Einzelner, durchaus vertreten. Nach herrschender Meinung enthält diese Vorschrift jedoch **kein subjektives öffentliches Recht,** von der Verwaltung eine zügige Bearbeitung der eigenen Angelegenheiten zu verlangen, sondern gilt als Organisationsvorschrift, die nur an die Sozialleistungsträger gerichtet ist.[80]

Ist man **Adressat eines VA** (gleichgültig ob eines belastenden, ablehnenden oder begünstigenden), besteht stets die **Möglichkeit,** beschwert zu sein, nämlich wenn sich herausstellen sollte, dass der VA rechtswidrig ist und somit ein subjektives öffentliche Recht verletzt. Das Bestehen einer solchen Möglichkeit ist ausreichend für die Widerspruchsbefugnis.[81] Das heißt, als VA-Adressat ist man stets widerspruchsbefugt und hat einen Anspruch, die Rechtmäßigkeitskontrolle des VA verlangen zu können. Die Frage, ob eine Beschwer (= Rechtswidrigkeit des VA) tatsächlich gegeben ist, ist dann eine Frage der **Begründetheit** des Widerspruchs und wird in diesem Rahmen geprüft.[82]

Die Möglichkeit einer Beschwer bzw. der Verletzung eines subjektiven Rechts kann allerdings auch dann gegeben sein, wenn jemand, der nicht VA-Adressat geworden ist, sich gleichfalls dadurch in seinen Rechten betroffen („beschwert") fühlt und Widerspruch erheben möchte. Hierbei kommt es darauf an, ob diesem sogenannten „**Dritten**" so wie dem VA-Adressaten, ein schützenswertes subjektives öffentliches Recht zusteht, das von dem VA betroffen wurde.[83]

Beispiele: Frau F ist verheiratet mit Herrn C, der Ausländer ist. Aufgrund von Straftaten wird C die Aufenthaltserlaubnis entzogen und er soll ausgewiesen werden. Ein entsprechender VA wird gegenüber C erlassen. Nicht nur C selbst, sondern auch F darf dagegen Widerspruch einlegen. Art. 6 Abs. 1 GG (Schutz von Ehe und Familie) vermittelt F ein subjektives öffentliches Recht. Auch wenn sie selbst nicht die Adressatin des VA über die Entziehung der Aufenthaltserlaubnis und der Ausweisungsverfügung wurde, ist doch ihre Rechtsposition (Recht auf eheliches Zusammenleben) genauso betroffen.

Frau T wohnt zusammen mit ihrer Mutter, Frau M. M ist schon sehr gebrechlich und T versorgt sie. Um dafür Pflegegeld erhalten zu können, wird im Namen von M ein Pflegegrad bei der Pflegekasse beantragt. Dort kommt man zu der Einschät-

---

80 Mrozynski, SGB I, § 17 Rn. 5.
81 Hufen, Verwaltungsprozessrecht, § 6, Rn. 21.
82 Dörr/Francke, Sozialverwaltungsrecht, Kap. 11, Rn. 97.
83 Trenczek/Tammen/Behlert/v. Boetticher/Beetz, Grundzüge, I.5.2.2, S. 214.

zung, dass das nach § 15 SGB XI für einen Pflegegrad erforderliche Mindestmaß von Pflegebedürftigkeit bei M nicht vorliege. Es ergeht ein ablehnender VA gegenüber M. M selbst möchte nichts dagegen unternehmen, T jedoch schon. Hier ist T jedoch nicht widerspruchsbefugt. Eine Rechtsnorm, aus der sich ergeben würde, dass pflegende Familienangehörige einen Anspruch auf Pflegegeld haben, so wie der Pflegebedürftige selbst, gibt es im SGB XI nicht. Auch aus § 37 Abs. 1 SGB XI folgt lediglich, dass der Pflegebedürftige Anspruch auf das Pflegegeld hat, um seine Pflege sicherstellen zu können. Ein Anspruch für den pflegenden Angehörigen, dieses Geld auch zu erhalten, ergibt sich daraus nicht. Die Erwartung der T, das Pflegegeld für die Pflege ihrer Mutter erhalten zu können, ist rechtlich nicht geschützt.

11.4 Wirkung des Widerspruchs

▶ Widersprüche entfalten „**aufschiebende Wirkung**".[84] Dies bedeutet zum einen, dass durch die Einlegung des Widerspruchs die **Bestandskraft**[85] des angefochtenen VA verhindert wird. Zum anderen bedeutet die aufschiebende Wirkung, dass der VA noch nicht vollzogen, d. h. von der Behörde noch nicht durchgesetzt werden darf.[86]

Beispiel: Herr R bezieht Erwerbsunfähigkeitsrente. Nach ein paar Monaten stellt die Rentenversicherung fest, dass sie (ihrer Meinung nach) die Höhe der Rente falsch berechnet hat und erlässt einen Rücknahme- und ErstattungsVA. R ist der Meinung, es liege keine Falschberechnung vor und legt Widerspruch ein. Solange die aufschiebende Wirkung des Widerspruchs gilt, d. h. der Rücknahme- und ErstattungsVA noch nicht bestandskräftig wird, muss die ursprüngliche Rente weiter gezahlt werden und die Behörde darf auch die Zahlung des Erstattungsbetrags noch nicht von R verlangen.

Das Prinzip der aufschiebenden Wirkung (auch „**Suspensiveffekt**") gilt für das Widerspruchs- und für das Klageverfahren. Grund für dieses Prinzip ist der Gedanke, dass ein **wirksamer Rechtsschutz** der Bürger:innen nur möglich ist, wenn die Schaffung vollendeter Tatsachen vor Eintritt der Bestandskraft von VAen verhindert wird. Denn eine dem Widerspruchsbegehren oder der Klage stattgebende Entscheidung wäre wertlos, wenn inzwischen vollendete Tatsachen geschaffen wären und den Betroffenen dadurch erhebliche, irreparable Nachteile

---

84 Vgl. § 86 a Abs. 1 SGG, § 80 Abs. 1 VwGO.
85 S. Kap. 7.1 u. 10.3.2; vgl. auch § 77 SGG.
86 Einzelheiten: Dörr/Francke, Sozialverwaltungsrecht, Kap. 11, Rn. 105–109.

entstünden oder eine Sozialleistung nicht mehr ihrem Zweck entsprechend verwendet werden könnte.

Doch durch die aufschiebende Wirkung bis zum rechtskräftigen Abschluss eines Widerspruchs- oder Klageverfahrens können auch der Verwaltung erhebliche Nachteile entstehen. Dies etwa dann, wenn die Sozialversicherung, die sich durch Beiträge finanziert, jedes Mal erst den Ausgang eines Widerspruchs- und Klageverfahrens abwarten müsste, ehe sie die Beitragspflicht durchsetzen könnte.

> ▶ Für die aufschiebende Wirkung wurde daher eine gesetzliche **Abwägung** getroffen zwischen den Rechtsschutzinteressen der Einzelnen und dem Interesse am reibungslosen Funktionieren der Verwaltung. Dies bedeutet, dass im SGG und in der VwGO **zahlreiche Ausnahmen** von dem Grundsatz der aufschiebenden Wirkung von Widerspruch und Klage geregelt sind, in denen die aufschiebende Wirkung also entfällt.[87]

Ist die aufschiebende Wirkung durch eine der gesetzlich vorgesehenen Ausnahmen ausgeschlossen, besteht für Betroffene wiederum die Möglichkeit, sie durch **Anträge des Eilrechtsschutzes** (= Antrag auf Wiederherstellung der aufschiebenden Wirkung/Antrag auf Aussetzung der Vollziehung) wiederherstellen zu lassen.[88]

---

87 Vgl. § 86a Abs. 2 SGG; § 80 Abs. 2 VwGO; Einzelheiten: Kap. 13; vgl. auch Frings/Schweigler, Sozialrecht, Kap. 2.7.4, S. 84 f.
88 Einzelheiten: Kap. 13.

11.5 Übersicht

Übersicht: Prüfungsschema Zulässigkeit und Begründetheit eines Widerspruchs

---

I. Zulässigkeit des Widerspruchs

1. Sozialrechtsweg (§ 51 SGG) oder **Verwaltungsrechtsweg** (§ 40 VwGO)?
wenn Sozialrechtsweg:
2. Statthaftigkeit des Widerspruchs (§ 78 SGG)
Widerspruch nur statthaft gegen VAe i. S. d. § 31 SGB X
3. Ordnungsgemäße Erhebung des Widerspruchs
a) Form schriftlich oder zur Niederschrift (§ 84 Abs. 1 SGG)
b) Frist ein Monat ab Bekanntgabe (§ 84 Abs. 1 SGG)
c) ggf. **Verlängerung** auf ein Jahr bei fehlender oder fehlerhafter Rechtsbehelfsbelehrung (§ 66 Abs. 2 SGG)
d) ggf. **Wiedereinsetzung in den vorigen Stand** bei Fristversäumnis ohne Verschulden (§ 67 SGG)
e) Einlegung bei der **richtigen Stelle** (§ 84 Abs. 1/Abs.2 SGG)
4. Widerspruchsbefugnis (§ 54 Abs. 2 SGG analog)
= die Möglichkeit der Verletzung einer **eigenen Rechtsposition**/eines subjektiven öffentlichen Rechts muss gegeben sein: immer (+) beim VA-Adressaten; schwieriger bei Dritten

II. Begründetheit des Widerspruchs
(= Rechtmäßigkeit oder Rechtswidrigkeit des ErstVA?)

1. Formelle Rechtsmäßigkeit des VA
a) Zuständigkeit der Ausgangsbehörde
b) Ordnungsgemäßes **Verwaltungsverfahren** (§§ 8 ff. SGB X, z. B. korrekte Ermittlung des Sachverhalts, Anhörung und Bekanntgabe des VA?)
c) Form (z. B. korrekte Begründung des VA?)
2. Materielle Rechtsmäßigkeit des VA
a) Rechtsgrundlage
b) Tatbestandsvoraussetzungen
Welche Tatbestandsvoraussetzungen enthält die Rechtsgrundlage?
Korrekte Subsumtion?
Das heißt, wurde Sachverhalt korrekt ermittelt, u.a. unbestimmte Rechtsbegriffe richtig ausgelegt und erfüllt der Sachverhalt die Tatbestandsvoraussetzungen der Rechtsgrundlage?
c) Rechtsfolge
Gebundene oder Ermessensentscheidung?
Bei Ermessensentscheidungen: Wurde Ermessen fehlerfrei ausgeübt?

11.6   Übungsfragen

11.6.1

Was bedeutet „Statthaftigkeit" eines Widerspruchs?

11.6.2

Was bedeutet „Widerspruchsbefugnis"?

11.6.3

Übungsfall:

Herr E, 60 Jahre alt, erhält eine geringe Rente wegen Erwerbsminderung sowie ergänzend Grundsicherung nach § 41 SGB XII. Längere Zeit in seinem Leben war er obdachlos und hatte mit psychischen Krankheiten und Alkoholproblemen zu kämpfen. Jetzt hat er diese Schwierigkeiten gut überwunden und wohnt selbstständig in einer kleinen Altbauwohnung. Es besteht allerdings das Problem, dass seinem Vermieter die Wohnanlage gleichgültig ist. Er lässt sie bewusst verwahrlosen, da er hofft, so möglichst alle Mieter zum Auszug zu veranlassen, um dann günstiger verkaufen zu können. Die meisten sind auch schon ausgezogen und E fühlt sich zunehmend unwohl. Hinzu kommt, dass ein Wasserschaden vom Vermieter nicht fachgerecht behoben wurde, so dass sich an einigen Stellen in der Wohnung des E Schimmelflecken gebildet und sich in Küche und Bad Kacheln gelöst haben. Doch auch permanente Beschwerden beim Vermieter und Mietminderungen führen zu keinerlei Erfolg. E reicht es und er möchte umziehen. Er findet eine preisgünstige Wohnung, die den Angemessenheitskriterien entspricht. Der dortige Vermieter möchte eine Kaution in Höhe von drei Monatsmieten bzw. eine entsprechende Zustimmungserklärung vom Sozialamt haben.

E geht zu seinem Sozialamt, schildert dem dortigen Sachbearbeiter, Herrn S, seine Situation und beantragt die Zustimmungserklärung und die Mietkaution gemäß § 35 Abs. 2 S. 5 u. 6 SGB XII. E erhält daraufhin per Post folgenden Bescheid: „Die Zustimmung zu Ihrem beabsichtigten Umzug wird abgelehnt, denn der Umzug ist nicht notwendig i. S. d. § 35 Abs. 2 S. 6 SGB XII. Auch die Mietkaution gemäß § 35 Abs. 2 S. 5 SGB XII kann nicht übernommen werden. Für die Gründe Ihres beabsichtigten Umzugs ist der Sozialhilfeträger nicht zuständig. Sie müssen sich mit Ihren Ansprüchen an den Vermieter wenden und diese dort durchsetzen, erforderlichenfalls mit gerichtlicher und behördlicher Hilfe. Mit freundlichen Grüßen, S".

Die Ablehnung stürzt E erst einmal in eine längere Depression und er beginnt, wieder zu trinken. Erst nach vier Wochen hat er sich soweit gefangen, dass er seinen Arzt aufsucht, der ihm Medikamente gegen die Depression verschreibt und ihm hilft, wieder mit dem Trinken aufzuhören. Als E von dem neuen Vermieter hört, dass die Wohnung immer noch frei ist, beschließt er, etwas gegen die Ablehnung des

Sozialamtes zu unternehmen. Sechs Wochen nach Erhalt des Bescheides schreibt E an das Sozialamt Folgendes: „Die Ablehnung meines damaligen Antrags auf Mietkaution und Zustimmung zum Umzug war falsch, denn ich kann nicht gezwungen werden, auf unabsehbare Zeit in einer unzumutbaren Wohnung zu leben. Gottseidank ist die neue Wohnung aber noch frei. Ich beantrage daher nochmals die Zustimmung und die Mietkaution. Mit freundlichen Grüßen, E."

a) *Prüfen Sie ob das Schreiben von E als Widerspruch zulässig und begründet wäre. Verwenden Sie dabei das Prüfungsschema „Zulässigkeit und Begründetheit eines Widerspruchs" (vgl. Kap. 11.5). Erstellen Sie eine Lösungsskizze.*
b) *Formulieren Sie Ihre Lösung in Form eines juristischen Gutachtens.*

(Lösungen unter www.lehrbuch-sozialverwaltungsrecht.de)

Weiterführende Literatur
Hufen, Friedhelm, Verwaltungsprozessrecht, 13. Aufl., München 2024, §§ 5–9.
Knödler, Christoph/Wimmer, Kerstin, Antragstellung und Widerspruchsverfahren in der Sozialen Arbeit, 3. Aufl., Regensburg/Berlin 2021, Kap. 6.

12. Kapitel
Grundsätze sozialgerichtlicher Verfahren

Gegenstand des Kapitels ist das sozialgerichtliche Verfahren. Dargestellt werden die generellen Verfahrensvoraussetzungen für alle sozialgerichtlichen Verfahren, die Zuständigkeit der Sozialgerichte, der Aufbau der Sozialgerichtsbarkeit sowie der Verlauf eines sozialgerichtlichen Verfahrens.

12.1 Allgemeine Verfahrensvoraussetzungen

Jedes gerichtliche Verfahren (Klage, Eilantrag) als förmlicher Rechtsbehelf[89] kann nur erfolgreich sein, wenn der Rechtsbehelf zulässig und begründet ist.[90] Im Rahmen der Zulässigkeit werden die formalen Voraussetzungen geprüft. Erst wenn diese gegeben sind, wird sich das Gericht inhaltlich mit dem eingelegten Rechtsbehelf auseinandersetzen und eine Entscheidung über die Begründetheit treffen. Begründet ist der Rechtsbehelf, wenn sich erweist, dass die mit ihm erhobenen Ansprüche bestehen.

Ausgerichtet an dem Klägerbegehren, gibt es im SGG verschiedene Klagearten, für die zum Teil unterschiedliche Zulässigkeits- und Begründetheitsvoraussetzungen vorliegen müssen.[91] Dies gilt gleichermaßen für die gerichtlichen Eilverfahren.

> ► Gemeinsam sind allen Verfahrensarten die Voraussetzungen der Zuständigkeit des angerufenen Gerichts, der Fähigkeit und Befugnis von Beteiligten und Bevollmächtigten vor Gericht aufzutreten, des ordnungsgemäßen Antrags, der Klage- bzw. Antragsbefugnis sowie des allgemeinen Rechtsschutzbedürfnisses. Eine Frist ist immer dann zu beachten, wenn sich eine Klage gegen einen zuvor erlassenen VA richtet, ansonsten gibt es keine Frist.

---

89 S. Kap. 10.3.2.
90 S. Kap. 11.3.
91 S. Kap. 13.

12.1.1 Zuständigkeit

Die Klage oder der Eilantrag muss beim in sachlicher, örtlicher und instanzieller Hinsicht zuständigen Gericht eingelegt worden sein. Die **sachliche Zuständigkeit** richtet sich nach dem Verfahrensgegenstand. Die Gegenstände, die der Sozialgerichtsbarkeit zugeordnet sind, findet man in der Auflistung in § 51 SGG. Was dort nicht aufgeführt wird, ist der allgemeinen Verwaltungsgerichtsbarkeit zugeordnet und richtet sich nach den Verfahrensvorschriften der VwGO.[92] Für allgemeine Schadensersatzansprüche aus Amtspflichtverletzung sind die Zivilgerichte zuständig, für den sozialrechtlichen Herstellungsanspruch die Sozialgerichte.[93]

Grundregel für die **örtliche Zuständigkeit** des Gerichts ist der Wohnsitz[94] der antragstellenden Person. Klagt eine Behörde gegen eine (natürliche oder juristische) Privatperson, ist ebenfalls deren Wohn- oder Geschäftssitz maßgebend.[95]

Für die **instanzielle Zuständigkeit** der Sozial- oder Verwaltungsgerichtsbarkeit gilt, dass der gerichtliche Rechtsschutz auf der unteren Instanzebene beginnt und sich bei jedem weiteren eingelegten Rechtsbehelf um eine Instanz weiter nach oben verlagert. Für die Beschreitung des Rechtswegs in der Sozial- und Verwaltungsgerichtsbarkeit steht ein dreistufiges Gerichtsystem, bestehend aus Sozialgerichten, einem Landessozialgericht pro Bundesland[96] und dem Bundessozialgericht zur Verfügung.[97] Die Verfahren werden entschieden durch „Spruchkörper", die auf der unteren Instanzebene als „Kammern" bezeichnet werden und auf den beiden oberen Ebenen als „Senate". Die Spruchkörper sind typischerweise für bestimmte Sachgebiete zuständig und sowohl mit professionellen Richter:innen (Jurist:innen) als auch mit ehrenamtlichen Laienrichter:innen besetzt.[98]

---

92 S. Kap. 1.2 u. 1.3, 11.1 sowie 11.3 Übersicht 1; s. auch Knödler/Krodel, Klageverfahren, Kap. I.1 u. I.2.
93 S. Kap. 8.3.
94 S. Kap. 6.1.1.
95 Vgl. § 57 SGG, Parallelvorschrift: § 52 VwGO (jedoch z. T. weniger bürgerfreundlich geregelt).
96 Zusammenlegungen sind möglich, so geschehen z. B. mit dem Landessozialgericht Berlin-Brandenburg.
97 Vgl. § 2 SGG; Parallelvorschrift: § 2 VwGO (Verwaltungsgerichte, Oberverwaltungsgerichte, Bundesverwaltungsgericht); vgl. auch Kap. 12.3 Übersicht 2.
98 Einzelheiten: Dörr/Francke, Kap. 12 Rn. 19–21.

12.1.2 Beteiligte

▶ Die Beteiligten eines sozialgerichtlichen Verfahrens müssen rechtlich dazu fähig sein, einen Prozess führen zu können.[99] **Beteiligte** eines sozialgerichtlichen Verfahrens sind **Kläger, Beklagte** und **Beigeladene.** Jeder Beteiligte muss prozessfähig sein.

Natürliche Personen sind generell prozessfähig, wenn sie **geschäftsfähig** sind, d. h. das 18. Lebensjahr vollendet haben.[100] Minderjährige müssen sich durch ihre gesetzlichen Vertreter (i. d. R. ihre Eltern) vertreten lassen. Allerdings sind **Minderjährige** auf dem Gebiet des Sozialrechts bereits mit Vollendung des 15. Lebensjahres verfahrens- und damit prozessfähig.[101] Sie können auf diesem Rechtsgebiet Verwaltungs- und Gerichtsverfahren führen, ohne durch ihre Eltern gesetzlich vertreten zu werden.

Beispiel: Ein 16-jähriger, der aufgrund einer problematischen Familiensituation von zu Hause ausziehen möchte und zur Sicherung seines Lebensunterhalts Bürgergeld benötigt, kann seine Ansprüche gegenüber dem Jobcenter selbst wahrnehmen (benötigt also für wirksame Anträge keine Unterschriften seiner Eltern) und erforderlichenfalls auch selbst vor dem Sozialgericht einklagen.

Bund, Länder, die selbstständigen Körperschaften oder sonstige **juristische Personen** sind prozessfähig und werden durch ihre Organe (Behörden, Ämter, Vorstand) vertreten.[102]

Durch eine **Beiladung** wird ein außerhalb des Verfahrens stehender Dritter (also eine Person, die weder Kläger noch Beklagter ist) per **Beschluss** des Gerichts in das Verfahren mit einbezogen und damit zum Beteiligten. Voraussetzung ist, dass **berechtigte Interessen** des Dritten durch die Entscheidung in dem Gerichtsverfahren berührt sein können.[103]

Beispiel: Herr F hat einen Vertrag über die Erbringung von „Dienstleistungen" mit der Firma X. Der Firmeninhaber ist der Auffassung, es handele sich um „freie Mitarbeit" und daher habe er keine Sozialversicherungsbeiträge für F zu zahlen. Ob dem

---

99 Vgl. §§ 69–72 SGG; Parallelvorschriften: §§ 61–63 VwGO.

100 S. Kap. 2.3.1.

101 Vgl. § 36 SGB I; s. auch Kap. 6.2.1.

102 S. Kap. 2.3.

103 Vgl. § 75 SGG; Parallelvorschrift: § 65 VwGO; Einzelheiten: Krasney/Udsching/Groth/ Meßling, Sozialgerichtsverfahren, Kap. VI, Rn. 6–29.

tatsächlich so ist, vgl. § 7 SGB IV, ist jedoch strittig. Gemäß § 28h SGB IV ist die gesetzliche Krankenkasse zur Feststellung, ob es sich um ein sozialversicherungspflichtiges Arbeitsverhältnis handelt oder nicht, befugt, da sie den gesamten Sozialversicherungsbeitrag für alle Zweige der Sozialversicherung einzieht. Wenn über die Sozialversicherungspflicht vor Gericht gestritten wird, sind Beteiligte an dem Verfahren als Kläger die Krankenkasse, die Sozialversicherungsbeiträge fordert, als Beklagte die Firma X, die das Vorliegen eines sozialversicherungspflichtigen Arbeitsverhältnisses bestreitet. Beizuladende, deren Rechtspositionen durch die Gerichtsentscheidung ebenfalls berührt sind, wären F selbst, sowie die anderen Sozialversicherungsträger (Rentenversicherung, Bundesagentur für Arbeit) die ebenfalls berechtigt wären, Sozialversicherungsbeiträge zu erhalten.

12.1.3 Bevollmächtigte

Bei der Frage, ob man sein gerichtliches Verfahren selbst durchführen möchte oder Bevollmächtigte[104] dafür beauftragt, sind folgende Gesichtspunkte zu bedenken:

Bei den sozialgerichtlichen Verfahren besteht bis zur III. Instanzebene, d. h. bis zum Bundessozialgericht, **kein Anwaltszwang**.[105] Es besteht also keine Verpflichtung, sich anwaltlich vertreten zu lassen, sondern man kann sein Gerichtsverfahren auch selbst durchführen. Entscheidet man sich dafür, einen Rechtsanwalt zu beauftragen, so muss man diese entweder selbst bezahlen oder er wird über die **Prozesskostenhilfe**[106] finanziert oder die Behörde muss – wenn man das Verfahren gewinnt – die Kosten des Anwalts erstatten.[107]

Möchte man ein Verfahren ohne Anwaltszwang nicht alleine betreiben, sich aber von einem Bevollmächtigten vertreten lassen, der kein Rechtsanwalt ist, so ist dies nicht ohne Weiteres möglich. Die Verfahrensordnungen der Sozial- und Verwaltungsgerichtsbarkeit sehen hier **erhebliche Einschränkungen** vor.[108] Berechtigt zur Vertretung sind z. B. volljährige Familienangehörige, unentgeltlich handelnde Volljurist:innen, Rentenberater:innen, Gewerkschaften, Behindertenverbände. Nicht berechtigt zur Vertretung in Gerichtsverfahren sind jedoch z. B. soziale Beratungsstellen freier Träger, auch wenn es diesen ansonsten nach dem

---

104 S. Kap. 6.2.2.
105 Vgl. § 73 Abs. 1, Abs. 4 SGG, Parallelvorschrift § 67 Abs. 1, Abs. 4 VwGO (hier gilt Anwaltszwang allerdings schon ab der II. Instanz, den Oberverwaltungsgerichten).
106 S. Kap. 14.2.
107 S. Kap. 12.2.6.
108 Vgl. § 73 Abs. 2 SGG; Parallelvorschrift: § 67 Abs. 2 VwGO; Einzelheiten: Krasney/Udsching/Groth/Meßling, Sozialgerichtsverfahren, Kap. VI, Rn. 38–43.

Rechtsdienstleistungsgesetz (RDG) erlaubt ist, rechtliche Beratung und rechtliche Dienstleistungen für ihre Klient:innen zu erbringen.[109]

Als eine Besonderheit im sozialgerichtlichen Verfahren besteht gemäß § 73 Abs. 7 SGG die Möglichkeit, für die mündliche Verhandlung einen **„Beistand"** als Unterstützung mitzubringen. Dies kann jedermann sein, allerdings muss das Gericht davon überzeugt sein, dass die in Aussicht genommene Person als Beistand auch **„sachdienlich"** ist.[110]

12.1.4 Klage/Antrag

Wie beim Widerspruchsverfahren auch, ist die Klage oder der Eilantrag **schriftlich** oder **zur Niederschrift** bei der Geschäftsstelle des Gerichts zu erheben.[111] Schriftlich bedeutet eigenhändig unterschrieben, wobei es auch für die gerichtlichen Rechtsbehelfe ausreichend ist, sie vorab per Fax an das Gericht zu senden, wenn das eigenhändig unterschriebene Original alsbald später eingeht.[112] Eine **elektronische Übermittlung** setzt nach § 65a SGG grundsätzliche eine qualifizierte elektronische Signatur voraus; eine einfache E-Mail genügt nicht. „Zur Niederschrift bei der Geschäftsstelle" bedeutet, dass die Möglichkeit besteht, bei Gericht die **Rechtsantragsstelle** aufzusuchen und dort den Rechtsbehelf Mitarbeiter:innen des Gerichts mündlich zu Protokoll zu geben.[113]

> ▶ **Mindestinhalt** eines wirksamen Schriftsatzes ist die Bezeichnung von Kläger und Beklagtem[114] sowie des Gegenstands des Begehrens[115]. Außerdem „soll" die angegriffene Verwaltungsentscheidung bezeichnet werden und ein bestimmter Antrag gestellt werden. Die zur Begründung dienenden Tatsachen „sollen" angegeben, Kopien von ErstVA und Widerspruchsbescheid „sollen" beigefügt werden.

Die Formulierung im Gesetz als **Sollvorschrift** bedeutet, dass der Rechtsbehelf nicht unzulässig ist, wenn die Sollvorschriften nicht eingehalten wurden. Ebenso

---

109 Einzelheiten: Kap. 14.3.
110 Krasney/Udsching/Groth/Meßling, Sozialgerichtsverfahren, Kap. VI, Rn. 50–51.
111 Vgl. § 90 SGG; Parallelvorschrift: § 81 VwGO.
112 S. Kap. 11.3.2.
113 Meyer-Ladewig/Keller/Schmidt, SGG, § 90, Rn. 5–5c.
114 Begriffe im Eilverfahren: Antragsteller und Antragsgegner.
115 Vgl. § 92 SGG; Parallelvorschrift: § 82 VwGO.

wie beim Widerspruchsverfahren kann z. B. auch eine Klage zunächst **ohne Begründung fristwahrend** wirksam erhoben und eine Begründung später nachgeliefert werden.

Das Gericht kann die Betroffenen zu der erforderlichen Ergänzung innerhalb einer bestimmten Frist auffordern. Dies kann eine Frist mit **ausschließender Wirkung** sein, d. h. wenn innerhalb der Frist nicht nachgebessert wird, kann der Rechtsbehelf abgewiesen werden. Bei Unvollständigkeiten oder Unklarheiten in der Formulierung des Klagebegehrens ist das Gericht verpflichtet, auf „**sachdienliche Anträge hinzuwirken**", d. h. die Betroffenen mit entsprechenden Hinweisen zu unterstützen.[116]

12.1.5 Frist

Eine Klage ist an eine Frist gebunden, wenn deren Gegenstand ein zuvor ergangener VA ist. Es gilt eine Frist von **einem Monat ab Bekanntgabe/Zugang** (ggf. des Widerspruchsbescheids).[117] Für die Fristberechnung und die Möglichkeiten der Wiedereinsetzung in den vorigen Stand gelten die gleichen Vorschriften und Grundsätze wie beim Widerspruchsverfahren, so dass auf die dortigen Ausführungen verwiesen werden kann.[118]

Eine Besonderheit im Sozialgerichtsverfahren ist, dass die Klagefrist auch gewahrt wird, wenn die Klage innerhalb der Monatsfrist statt bei dem zuständigen Sozialgericht bei einer inländischen Behörde oder einem Sozialversicherungsträger eingegangen ist.[119] Das Sozialgericht als Schluss-Adressat muss allerdings erkennbar sein. Behörden oder Sozialversicherungsträger müssen die Klageschrift dann unverzüglich weiterleiten.

12.1.6 Klage-/Antragsbefugnis

Wie ein Widerspruch, ist auch ein gerichtlicher Rechtsbehelf nur zulässig, wenn der Betroffene behaupten kann, durch das Verwaltungshandeln „**beschwert**" zu sein.[120] Das heißt, er muss, um eine Rechtmäßigkeitskontrolle des Verwaltungshandelns durch die Gerichte erreichen zu können, die **Möglichkeit** der Verlet-

---

116 Vgl. § 106 SGG, Parallelvorschrift § 86 Abs. 3 VwGO.
117 Vgl. § 87 SGG; Parallelvorschrift: § 74 VwGO.
118 S. Kap. 11.3.3.
119 Vgl. § 91 SGG, eine entsprechend bürgerfreundliche Regelung gibt es in der VwGO nicht.
120 Vgl. § 54 Abs. 1 S. 2 SGG; Parallelvorschrift: § 42 Abs. 2 VwGO.

zung einer individuellen Rechtsposition, d. h. eines **subjektiven öffentlichen Rechts**, geltend machen können.[121] Nur dann ist er klage- oder antragsbefugt. Explizit bezeichnet ist das Erfordernis der Klagebefugnis im SGG zwar nur für die Anfechtungs- und Verpflichtungsklage. Die Klagebefugnis gilt jedoch als ein generelles Prinzip im gesamten öffentlichen Recht und ist als Zulässigkeitserfordernis für alle Verfahrensarten anerkannt.[122]

12.1.7 Allgemeines Rechtsschutzbedürfnis

Von der Klagebefugnis und dem subjektiven öffentlichen Recht zu trennen ist der **ungeschriebene** Grundsatz des allgemeinen Rechtsschutzbedürfnisses. Dieses ist ebenfalls Voraussetzung für die Zulässigkeit jedes gerichtlichen Rechtsbehelfs und besagt, dass die Betroffenen die Gerichte nicht rechtsmissbräuchlich in Anspruch nehmen dürfen. Konkret bedeutet dies, die Betroffenen müssen geltend machen können, mit ihrem gerichtlichen Antrag **eigene** und **schützenswerte Interessen** zu verfolgen, die sich **nicht anderweitig schneller** oder **billiger** erreichen lassen können. So dürfen Gerichte z. B. nicht zur Klärung rein akademischer Fragen in Anspruch genommen werden. Ein Kläger muss auch immer das am weitesten gehende, in Betracht kommende Klageziel verfolgen und kann z. B. nicht einfach darauf klagen, das Gericht möge lediglich die Feststellung aussprechen, eine bestimmte Entscheidung der Behörde sei rechtswidrig gewesen, wenn es eigentlich um die Frage der Verurteilung zu einer Leistung geht.[123]

12.2   Gang des Verfahrens

Geht eine Klage oder ein Eilantrag bei Gericht ein, stellt dieses fest, ob der Rechtsbehelf zulässig und begründet ist und fällt eine entsprechende Entscheidung.

▶ Zu den Rechten und Pflichten des Gerichts gehört dabei die Ermittlung des Sachverhalts **von Amts wegen**, die freie **Beweiswürdigung** sowie die Pflicht zur Gewährung **rechtlichen Gehörs**. In der Regel ist vor der Entscheidung eine

---

121 Einzelheiten: Kap. 11.3.4; vgl. auch Hufen, Verwaltungsprozessrecht § 14 Rn. 53–59; Krasney/Udsching/Groth/Meßling, Sozialgerichtsverfahren, Kap. IV, Rn. 8–11.
122 Ruland/Becker/Axer, SRH, § 13, Rn. 226–231.
123 Einzelheiten: Kap. 13; s. auch Krasney/Udsching/Groth/Meßling, Sozialgerichtsverfahren, Kap. IV, Rn. 3.

mündliche Verhandlung durchzuführen. Das Verfahren kann durch **gerichtliche Entscheidung** aber auch in **sonstiger Weise** (z. B. durch Einigung der Beteiligten) beendet werden.[124] Eine gerichtliche Entscheidung betrifft sowohl die Sache selbst als auch die **Kosten** des Verfahrens.

12.2.1 Amtsermittlungsgrundsatz

Den entscheidungserheblichen **Sachverhalt** muss das Gericht **von Amts wegen ermitteln.** Wie Verwaltungsverfahren auch gilt im gerichtlichen Verfahren der Amtsermittlungsgrundsatz.[125] Dies bedeutet, dass der Erfolg eines Beteiligten nicht davon abhängt, ob er selbst alle Tatsachen in den Prozess eingebracht und die entsprechenden Beweise angeboten hat. Stattdessen muss das Gericht selbst feststellen, ob gegebenenfalls weitere Tatsachen für die Entscheidung erheblich sein können und zu ermitteln sind. Für den Umfang der Amtsermittlungspflicht gilt dabei die Faustregel, dass keine Ermittlungen unterlassen werden dürfen, die sich nach dem Sachverhalt hätten **aufdrängen** müssen, andererseits nicht alle irgendwie denkbaren Ermittlungen durchgeführt werden müssen.[126]

> **Beispiel:** Herr R klagt vor dem Sozialgericht gegen die Deutsche Rentenversicherung auf eine Erwerbsminderungsrente. Für den Beweis seiner Erwerbsunfähigkeit hat er ein Attest vorgelegt, das diverse Bandscheiben- und Rückenleiden bescheinigt. Ob dies bereits ausreicht für den Beweis, dass R nicht mehr fähig ist, gemäß § 43 SGB VI weniger als drei Stunden täglich auf dem allgemeinen Arbeitsmarkt erwerbstätig zu sein, ist strittig. Aus Rs medizinischen Unterlagen geht jedoch auch hervor, dass er zusätzlich an diversen Allergien, Asthma, Depressionen und einer Tendenz zu epileptischen Anfällen leidet. Unabhängig davon, ob R sich auf diese zusätzlichen Erkrankungen für das Vorliegen der Erwerbsunfähigkeit beruft, ist das Gericht nach § 103 SGG verpflichtet, die Auswirkungen der übrigen Erkrankungen auf Rs Erwerbsfähigkeit zu ermitteln.

Zur Aufklärung des Sachverhalts hat das Gericht das Recht und die Pflicht alle Arten von **Hinweisen** und **Aufforderungen** zu erteilen und die Beteiligten zur

---

124 Einzelheiten: Dörr/Francke, Kap. 12, Rn. 101–114.
125 Vgl. § 103 SGG; Parallelvorschrift: § 86 VwGO; s. auch Kap. 6.2.3. Das Amtsermittlungsprinzip gilt nicht im Zivilprozess, wo stattdessen der Beibringungsgrundsatz gilt. Hierbei orientiert sich das Gericht nur an den von den Parteien eingebrachten Tatsachen und Beweisangeboten.
126 Krasney/Udsching/Groth/Meßling, Sozialgerichtsverfahren, Kap. III Rn. 12.

Mitwirkung am Verfahren anzuhalten.[127] Ebenso wie im sozialrechtlichen Verwaltungsverfahren bestehen für die Betroffenen auch im gerichtlichen Verfahren entsprechende Mitwirkungspflichten,[128] z. B. bestimmte ärztliche Untersuchungen vornehmen zu lassen. Die Mitwirkungspflichten können mit **Fristen,** die das Gericht den Beteiligten auferlegt, durchgesetzt werden. Wird nicht (rechtzeitig innerhalb der Fristen) mitgewirkt, kann die fehlende Mitwirkung dazu führen, dass eine Tatsache als nicht erwiesen gilt und das Rechtsbehelfsbegehren deswegen abgewiesen wird.

12.2.2 Beweiswürdigung

Das Gericht entscheidet nach dem Grundsatz der freien richterlichen Beweiswürdigung, d. h. ausgerichtet an der **Überzeugungskraft der Beweismittel,** des Beteiligtenvortrages und unter Abwägung aller relevanten Umstände.[129] Dabei bedeutet das Amtsermittlungsprinzip zwar, dass die Beteiligen nicht alle Beweise selbst in das Verfahren einbringen müssen. Trotzdem gelten im gerichtlichen Verfahren die allgemeinen Grundsätze der **Beweislastverteilung,** wonach derjenige die Beweislast trägt, der sich auf das Vorhandensein einer ihm günstigen Tatsache beruft.[130]

> **Beispiel** (Fall s. o.): Das Gericht hat im Rahmen seiner Amtsermittlungspflicht ein ärztliches Gutachten zu allen Krankheiten von R eingeholt. Im Gutachten heißt es, das Bandscheiben- und Rückenleiden sei definitiv nicht so gravierend, dass R dadurch erwerbsunfähig würde. Die übrigen Erkrankungen seien in leichter bis mittelschwerer Ausprägung vorhanden, doch trotz Ausschöpfung aller ärztlichen Untersuchungsmethoden, könne nicht eindeutig festgestellt werden, dass diese im Zusammenwirken mit dem Bandscheiben- und Rückenleiden, tatsächlich zu einer Erwerbsunfähigkeit von R führen würden.
>
> R trägt die Beweislast für das Vorliegen der Tatsache der Erwerbsunfähigkeit. Wenn sich trotz Ausschöpfung aller Erkenntnismittel nicht beweisen lässt, ob seine Krankheiten zu einer Erwerbsunfähigkeit führen oder nicht, geht das uneindeutige Ergebnis zu seinen Lasten.

---

127 Vgl. §§ 106, 106a SGG, Parallelvorschrift §§ 86–87b VwGO; Ruland/Becker/Axer, SRH, § 13, Rn. 616 ff.
128 S. Kap. 6.2.4.
129 Ruland/Becker/Axer, SRH, § 13, Rn. 620 ff.
130 S. Kap. 6.2.3.

Als eine Besonderheit im sozialgerichtlichen Verfahren gibt es das Recht, dass ein bestimmter, **vom Kläger ausgesuchter und benannter Arzt gutachterlich gehört wird.**[131] Dies ist wesentlich in Verfahren, in denen der Gesundheitszustand des Klägers eine entscheidende Rolle spielt. Der Kläger hat so die Möglichkeit, sicherzustellen, dass ein Arzt seines Vertrauens, eine Stellungnahme im Verfahren abgibt. Diese „zählt" dann genauso viel wie z. B. ein vom Gericht oder von der Behörde eingeholtes ärztliches Gutachten.

12.2.3 Mündliche Verhandlung

Wie in allen anderen Gerichtszweigen auch trifft das Gericht seine Entscheidung i. d. R. aufgrund einer **mündlichen Verhandlung**, in der der gesamte Rechtsstreit mit den Beteiligten erörtert wird.[132] Verwirklicht werden sollen damit rechtsstaatliche Prinzipien, so z. B. das Prinzip der **Öffentlichkeit** und **Unmittelbarkeit** von Gerichtsverfahren[133] sowie der Grundsatz der Gewährung **rechtlichen Gehörs**[134]. Allerdings kann in bestimmten Fällen von der Pflicht zur Durchführung einer mündlichen Verhandlung abgewichen werden, so z. B. wenn alle Beteiligten vorher zugestimmt haben oder wenn die Voraussetzungen für eine Verfahrensbeendigung ohne Gerichtsurteil vorliegen.[135]

> ► Eine Entscheidung soll möglichst aufgrund **einer einzigen** mündlichen Verhandlung getroffen werden, daher wird sie durch den **Austausch von Schriftsätzen** der Beteiligten und durch **Beweiserhebungen** vom Gericht umfassend vorbereitet.[136]

Zunächst wird die Klage- oder Antragsschrift dem Gegner zugestellt und diesem die Gelegenheit gegeben, darauf zu antworten. Die Antwort wird wiederum dem Antragsteller oder Kläger zugestellt, der ebenfalls die Möglichkeit erhält, dazu Stellung zu nehmen, usw. Gleichzeitig prüft das Gericht, ob Beweiserhebungen durchzuführen sind und weist die Beteiligten an, im Rahmen ihrer Mitwirkungspflichten entweder noch Tatsachen mitzuteilen oder erhebt selbst Beweise. Zu

---

131 Ruland/Becker/Axer, SRH, § 13, Rn. 753 ff.
132 Vgl. § 109 SGG; Einzelheiten: Ruland/Becker/Axer, SRH, § 13, Rn. 634 ff.
133 Vgl. § 124 SGG; Parallelvorschrift § 101 VwGO.
134 Hufen, Verwaltungsprozessrecht, § 35, Rn. 27–30.
135 S. Kap. 12.2.3.
136 Vgl. § 124 Abs. 2, 3 SGG; Parallelvorschrift: § 101 Abs. 2, 3 VwGO.

den Beweisergebnissen erhalten die Beteiligten ebenfalls Gelegenheit zur Stellungnahme. Erst wenn dies abgeschlossen ist, d. h. der Sachverhalt vollständig ermittelt ist, bestimmt das Gericht einen Termin zur mündlichen Verhandlung, an deren Ende eine Entscheidung getroffen wird.[137]

12.2.4 Rechtliches Gehör

▶ Beim Grundsatz der Gewährung rechtlichen Gehörs handelt es sich um ein gemäß **Art. 103 Abs. 1 GG** verfassungsrechtlich verankertes, in **allen Gerichtszweigen** geltendes Rechtsprinzip. Danach muss in jedem Gerichtsverfahren **jedem Beteiligten** ausdrücklich die **Gelegenheit zur Äußerung** gegeben werden, d. h. die Möglichkeit zur Sach- und Rechtslage (= zu den Tatsachen und Beweisergebnissen) sowie zu seiner Interpretation der maßgeblichen Rechtsnormen Stellung zu nehmen. Dies muss ermöglicht werden **bevor** das Gericht eine Entscheidung fällt. Wesentliche Argumente der Beteiligten müssen vom Gericht in den Entscheidungsvorgang **miteinbezogen** werden, d. h. sie müssen in der Entscheidungsbegründung auftauchen.[138]

Ein wichtiger Aspekt des rechtlichen Gehörs ist es auch, die Beteiligten vor sogenannten „Überraschungsentscheidungen" des Gerichts zu schützen.

Beispiel: Herr T und Herr P mussten ihre Tischlerei GmbH wegen Insolvenz schließen. T war Mitgesellschafter, hatte aber auch einen Arbeitsvertrag als Geschäftsführer der GmbH und zahlte Sozialversicherungsbeiträge. Nach der Schließung wurde T arbeitslos und beantragte Arbeitslosengeld bei der Arbeitsagentur. Sein Antrag wurde abgelehnt mit der Begründung, T sei gar kein Arbeitnehmer gewesen, sondern selbstständiger GmbH-Gesellschafter, also habe er keinen Anspruch auf Arbeitslosengeld. Es kommt zum Gerichtsverfahren, in dem T gegen die Arbeitsagentur auf Zahlung von Arbeitslosengeld klagt. In Schriftsätzen werden die Argumente, die für oder gegen Ts Stellung als Selbständiger sprechen, ausgetauscht. Das Gericht setzt einen Termin für die mündliche Verhandlung an. Kurz vorher entdeckt die Richterin bei der Durchsicht der Akte, dass Ts Anspruch auf Arbeitslosengeld auch aus einem anderen Grunde problematisch ist, nämlich weil T die nach §§ 142, 143 SGB III notwendigen

---

137 Vgl. § 106 Abs. 2 SGG; Parallelvorschrift: § 87 VwGO.
138 Einzelheiten zum Ablauf des Verfahrens mit mündlicher Verhandlung: Krasney/Udsching/Groth/Meßling, Sozialgerichtsverfahren, Kap. VII Rn. 108–166; Ruland/Becker/Axer, SRH, § 13, Rn. 671 ff.

Anwartschaftszeiten und Rahmenfristen für einen Anspruch auf Arbeitslosengeld nicht erfüllt. Dies ist in Ts Fall wegen einer unübersichtlichen Arbeitsbiografie kompliziert und deswegen noch niemandem aufgefallen. In der mündlichen Verhandlung konfrontiert das Gericht T überraschend mit §§ 142, 143 SGB III. T ist darauf nicht vorbereitet und weiß dazu nichts zu sagen. Seine Klage wird abgewiesen, gestützt auf die Begründung, er erfülle die notwendige Rahmenfrist für einen Anspruch auf Arbeitslosengeld nicht.

Hier hat das Gericht den Grundsatz des rechtlichen Gehörs verletzt: Es wäre gemäß § 128 Abs. 2 SGG verpflichtet gewesen, den Beteiligten vorher Gelegenheit zur Stellungnahme einzuräumen, d. h. notfalls den Termin zur mündlichen Verhandlung zu verschieben, damit jede Seite noch einmal schriftlich (und mit der Möglichkeit einer ausreichenden Vorbereitung) zu dem Aspekt von §§ 142, 143 SGB III hätte Stellung nehmen können. (irrelevant für das rechtliche Gehör ist es, ob die Beteiligten diese Gelegenheit dann tatsächlich wahrnehmen oder nicht). T kann das Urteil wegen verfahrensrechtlicher Mängel angreifen.

Weitere Bestandteile des Grundsatzes auf rechtliches Gehör sind z. B. die **Ladungsfristen**[139], die jedem Beteiligten ausreichend Gelegenheit geben sollen, sich auf den Termin zur mündlichen Verhandlung einzustellen sowie das jedem Beteiligten zustehende Recht zur **Akteneinsicht**[140].

12.2.5 Gerichtliche Entscheidungen

▶ Gerichtliche Entscheidungen, mit denen das Verfahren beendet wird, können sein: **Urteil, Gerichtsbescheid** oder **Beschluss**.

Urteil

Ein Klageverfahren innerhalb einer Instanz endet i. d. R. mit der gerichtlichen Entscheidung in Form eines Urteils. Das Schriftstück, welches die gerichtliche Entscheidung verkörpert, besteht u. a. aus einer **Urteilsformel** (auch „Urteilstenor" genannt), in der die Entscheidung des Gerichts formuliert wird, z. B. „Die Beklagte wird verurteilt, an den Kläger xx EUR zu zahlen" oder auch „die Klage wird abgewiesen". Ferner enthält es den **Urteils-Tatbestand,** in dem der Sachverhalt und die Beweisergebnisse niedergelegt sind, sowie die **Entscheidungsgründe,** in denen die rechtliche Bewertung von Sachverhalt und Beweisergebnissen stattfindet und

---

139 Vgl. § 110 SGG; Parallelvorschrift: § 102 VwGO.
140 Vgl. § 120 SGG; Parallelvorschrift: § 100 VwGO.

die die eigentliche Basis der Urteilsformel bilden. Das Urteil endet mit einer Entscheidung über die **Kosten** und mit einer **Rechtsbehelfsbelehrung.** Es ist den Beteiligten zuzustellen.[141] Ab Zustellung läuft die **Rechtsbehelfsfrist** von **einem Monat.** Wird kein Rechtsbehelf eingelegt, wird das Urteil nach Ablauf der Frist **rechtskräftig** (das prozessrechtliche Pendant zur Bestandskraft des VA), d. h. die gerichtliche Entscheidung ist damit endgültig und bindend für die Beteiligten.[142]

Gerichtsbescheid

Wenn ein Rechtsstreit **einfach** gelagert ist, d. h. weder rechtliche noch tatsächliche Schwierigkeiten aufweist, z. B. der Sachverhalt klar und die Konkretisierung von unbestimmten Rechtsbegriffen unkompliziert ist, kann das Verfahren auch **ohne mündliche Verhandlung** durch einen Gerichtsbescheid beendet werden.[143] Ob ein solcher Fall vorliegt, kann das Gericht nach Ermessen entscheiden. Die Beteiligten sind vorher (schriftlich) anzuhören und können ggf. widersprechen. Der Gerichtsbescheid ist abzufassen und zuzustellen wie ein Urteil und hat dieselben Wirkungen.[144]

Beschluss

Soweit das Gesetz keine Entscheidung in der Form eines Urteils oder Gerichtsbescheids vorsieht, kann das Gericht Entscheidungen durch einen Beschluss treffen.[145] Dabei entfällt i. d. R. die Verpflichtung zu einer mündlichen Verhandlung. Typisch für Beschlüsse sind z. B. **verfahrensinterne Anordnungen,** die der Vorbereitung der endgültigen Entscheidung dienen, z. B. ein Beschluss über eine Beweiserhebung, ein Beschluss, in dem den Beteiligten bestimmte Mitwirkungshandlungen aufgegeben werden oder ein Beschluss über die Bewilligung von Prozesskostenhilfe.[146]

Daneben gibt es auch Beschlüsse, die den **Rechtsstreit entscheiden,** und die dieselbe Funktion erfüllen wie ein Urteil. Wichtigste Fälle sind die Beschlüsse in den Eilverfahren.[147] Angefochten werden können diese Beschlüsse durch den Rechtsbehelf der Beschwerde, über die dann ebenfalls im Beschlusswege entschieden wird.

---

141 Vgl. §§ 125, 135, 136, 141 SGG; Parallelvorschriften: §§ 107, 116, 117, 121 VwGO; Einzelheiten: Hufen, Verwaltungsprozessrecht, § 38, Rn. 9–21.
142 S. Kap. 10.3; vgl. auch: Krasney/Udsching/Groth/Meßling, Sozialgerichtsverfahren, Kap. VII, Rn. 221/222.
143 Vgl. § 105 SGG; Parallelvorschrift: § 84 VwGO.
144 Einzelheiten: Krasney/Udsching/Groth/Meßling, Sozialgerichtsverfahren, Kap. VII, Rn. 192–199.
145 Vgl. § 142 SGG; Parallelvorschrift: § 122 VwGO.
146 Einzelheiten: Ruland/Becker/Axer, SRH, § 13, Rn. 816 ff.
147 S. Kap. 13.4.

12.2.6 Sonstige Formen der Verfahrensbeendigung

▶ Möglichkeiten der Verfahrensbeendigungen ohne gerichtliche Entscheidung in der Sache sind die **Klagerücknahme**, die **Fiktion der Klagerücknahme**, das **Anerkenntnis** und der **Vergleich**.

Klagerücknahme

Mit der Klagerücknahme hat es der Kläger in der Hand, durch eine einfache formlose Erklärung gegenüber dem Gericht das Verfahren jederzeit zu beenden, indem er erklärt, sein Begehren nicht mehr weiterverfolgen zu wollen.[148] Dies ist in jedem Stadium des Verfahrens, in jeder Instanz und sowohl in den Klage- als auch in den Eilverfahren möglich. Das Verfahren ist mit der Abgabe der Erklärung unmittelbar beendet, das Gericht muss dann nur noch über eventuell angefallene Kosten entscheiden.[149]

Fiktion der Klagerücknahme (Nichtbetreiben des Verfahrens)

Hierbei wird dem Kläger eine Klagerücknahme unterstellt, wenn er das Verfahren trotz Aufforderung des Gerichts länger als **drei Monate nicht betreibt**.[150] Nichtbetreiben des Verfahrens bedeutet, dass der Kläger seinen Mitwirkungspflichten nicht nachkommt, indem er z. B. an der Aufklärung des Sachverhaltes nicht mitwirkt, Aufforderungen zu Stellungnahmen unbeantwortet lässt, zu Terminen nicht erscheint usw. Wenn das Gericht den Kläger vorher auf die Folgen der Versäumung der 3-Monatsfrist hingewiesen hat, aber trotzdem nichts passiert ist, kann es das Verfahren durch Beschluss einstellen.[151]

Anerkenntnis

Das Verfahren kann dadurch beendet werden, dass der Beklagte den mit der Klage geltend gemachten Anspruch ganz oder teilweise anerkennt und dies gegenüber dem Gericht erklärt und der Kläger das Anerkenntnis annimmt.[152] Das Verfahren ist mit der Abgabe und Annahme des Anerkenntnisses unmittelbar

---

148 Vgl. § 102 Abs. 1 SGG, Parallelvorschrift § 92 Abs. 1 VwGO.
149 Einzelheiten: Krasney/Udsching/Groth/Meßling, Sozialgerichtsverfahren, Kap. VII, Rn. 167–173.
150 Vgl. § 102 Abs. 1 SGG, Parallelvorschrift § 92 Abs. 1 VwGO.
151 Einzelheiten: Krasney/Udsching/Groth/Meßling, Sozialgerichtsverfahren, Kap. VII, Rn. 170a.
152 Vgl. § 101 Abs. 2 SGG, in der VwGO keine eigene Regelung, sondern Verweis über § 173 VwGO auf § 307 ZPO.

beendet, das Gericht muss dann nur noch über eventuell angefallene Kosten entscheiden.[153]

Vergleich

In allen gerichtlichen Verfahren besteht die Möglichkeit, dass die Beteiligten aufgrund von Unsicherheiten der Sach- oder Rechtlage gegenseitig nachgeben, sich auf einen Kompromiss einigen, und damit den Rechtsstreit aus der Welt schaffen, d. h. einen Vergleich schließen.[154]

> **Beispiel:** Frau G und die Deutsche Rentenversicherung (DRV) streiten vor dem Sozialgericht um eine Erwerbsminderungsrente. G hat Atteste ihrer Ärzte und auch eines Amtsarztes vorgelegt, die ihre Erwerbsunfähigkeit bescheinigen. Die DRV kann sich für die gegenteilige Position auf die Aussagen ihrer eigenen Ärzte im vorangegangenen Verwaltungsverfahren stützen. Das Gericht erwägt, ein unabhängiges Sachverständigengutachten einzuholen. Vorher schlägt es einen Vergleich vor: die DRV soll G eine Rente auf Zeit, d. h. für zwei Jahre zahlen, und danach den Gesundheitszustand erneut überprüfen. Die DRV und G sind einverstanden und stimmen dem Vergleichsvorschlag zu – das Gerichtsverfahren ist beendet.
>
> Es bestand eine Unsicherheit über die Sachlage: Keiner konnte wissen, zu welchem Ergebnis ein gerichtliches Sachverständigengutachten kommen würde. Beide Seiten hatten ein Interesse am Abschluss des Vergleichs: die DRV musste befürchten, das Gutachten würde Position der G bestätigen, doch auch G konnte nicht sicher sein, dass bei einem gerichtlichen Sachverständigengutachten nicht doch noch ein anderes Ergebnis, als bei der amtsärztlichen Untersuchung oder ihren eigenen Attesten herauskommen würde. Ihr Vorteil bestand zudem darin, dass das Verfahren mit dem Vergleich wesentlich schneller abgeschlossen sein würde und sie die Rente bekäme, anstatt noch lange auf einen Termin für das gerichtliche Gutachten zu warten. Beide Seiten gaben gegenseitig nach: die DRV muss nun doch zumindest für eine gewisse Zeit die Rente zahlen. G erhält keine unbefristete, sondern nur eine befristete Rente.

Ein Vergleich kann durch direkte Vergleichsverhandlungen der Beteiligten oder dadurch, dass das Gericht den Beteiligten einen Vergleichsvorschlag unterbreitet, zustande kommen. Um Rechtssicherheit zu erhalten, empfiehlt es sich stets, den Vergleich schriftlich aufzusetzen und durch das Gericht protokollieren zu lassen. Der Vergleich hat dann bindende Rechtswirkung wie ein rechtskräftiges

---

153 Einzelheiten: Krasney/Udsching/Groth/Meßling, Sozialgerichtsverfahren, Kap. VII, Rn. 174–181.
154 Vgl. § 101 Abs. 1 SGG; Parallelvorschrift: § 106 VwGO.

Urteil. Rechtsmittel oder Anfechtungsmöglichkeiten gibt es bei einem Vergleich i. d. R. nicht.[155]

12.2.7 Kosten

▶ Bei den Kosten für ein Gerichtsverfahren sind **zwei Arten** von Kosten zu unterscheiden: Die **Gerichtskosten** und die **außergerichtlichen Kosten**. Gerichtskosten werden von den Gerichten für ihre Inanspruchnahme erhoben. Außergerichtliche Kosten können entstehen, wenn man bei seinem Gerichtsverfahren z. B. die Dienste eines Rechtsanwaltes in Anspruch nimmt oder ein privates ärztliches Gutachten einholt.

Zum Verfahren der Sozialgerichtsbarkeit gehört das Prinzip der **Gerichtskostenfreiheit** für Bürger:innen (wenn sie z. B. als Versicherte oder Leistungsempfänger:innen einen Rechtsstreit mit den Sozialbehörden führen).[156] Nicht gebührenpflichtig sind auch der Bund und die Länder, die Träger der Sozialhilfe, der Jugendhilfe, der Kriegsopferfürsorge sowie die Kirchen. Gerichtskosten werden jedoch von den Körperschaften des öffentlichen Rechts erhoben (= den Sozialversicherungsträgern, z. B. Krankenkassen, Berufsgenossenschaften, Rentenversicherungsträgern, Bundesagentur für Arbeit) und auch von Arbeitgeber:innen.[157]

Die Gerichtskostenfreiheit bedeutet für Bürger:innen sowohl die **kostenfreie Tätigkeit der Justiz** als auch das Privileg, dass sie, selbst wenn sie das Verfahren zu 100 % verlieren, den beteiligten Verwaltungsträgern auf der Gegenseite keine Kosten erstatten müssen, z. B. auch keine Kosten für Beweiserhebungen wie die Einholung von medizinischen Sachverständigengutachten.[158]

Bei den **außergerichtlichen Kosten** gilt das allgemeine Prinzip, dass Betroffene nur dann, wenn sie das Verfahren gewinnen, die **Erstattung** seiner Kosten vom Gegner verlangen kann. Sonst müssen Betroffene z. B. die eigenen Rechtsanwaltskosten selbst tragen. Ist ein Betroffener mittellos, kann ihm auf Antrag **Prozesskostenhilfe** aus der Landeskasse bewilligt werden.[159]

---

155 Einzelheiten: Krasney/Udsching/Groth/Meßling, Sozialgerichtsverfahren, Kap. VII, Rn. 182–190.

156 Vgl. § 183 SGG; Gerichtskostenfreiheit gilt nicht in den anderen Gerichtszweigen, z. B. nicht in der Verwaltungsgerichtsbarkeit.

157 Einzelheiten: Ruland/Becker/Axer, SRH, § 13, Rn. 1028 ff.

158 Ausnahme bilden ärztliche Gutachten nach § 109 SGG.

159 Einzelheiten: Kap. 14.2.

12.3 Übersichten

Übersicht 1: Sachliche Zuständigkeit von Gerichten auf Gebieten Sozialer Arbeit

Sozialgerichte	Verwaltungsgerichte	Amts-/Landgerichte für Zivilsachen
Asylbewerberleistungen	Ausbildungsförderung	Amtshaftung
Arbeitsförderung/	Asylverfahren	privatrechtliches
Arbeitslosengeld	Aufenthaltsrecht	Verwaltungshandeln
Bürgergeld	Staatsangehörigkeitsrecht	
Elterngeld	Heimrecht	
Kindergeld	Kinder- und Jugendhilfe	
Krankenversicherung	Schul- u. Hochschulrecht	
Pflegeversicherung	Wohngeld	
Rentenversicherung		
Unfallversicherung		
Sozialhilfe		
Soziale Entschädigung		
Sozialrechtlicher Herstellungsanspruch		

Übersicht 2: Instanzenzug der Sozial- und Verwaltungsgerichtsbarkeit

Instanz	Rechtsbehelf		Sozialgerichtsbarkeit	Verwaltungsgerichtsbarkeit
I. Instanz	Klage	Eilverfahren	Sozialgerichte	Verwaltungsgerichte
II. Instanz	Berufung	Beschwerde	Landessozialgerichte	Oberverwaltungsgerichte
III. Instanz	Revision		Bundessozialgericht	Bundesverwaltungsgericht
Keine weitere Instanz, sondern nur zuständig für den Fall von GG- bzw. EMRK- Verletzungen	*Verfassungsbeschwerde (wenn Verletzung von Grundrechten)*		*Bundesverfassungsgericht*	
	Menschenrechtsbeschwerde (wenn Verletzung der EMRK)		*Europäischer Gerichtshof für Menschenrechte*	

Übersicht 3: Sozialgerichtliches Verfahren

Entscheidung über Rechtsweg, § 51 SGG

Klageantrag, §§ 90–92 SGG
- schriftlich/zur Niederschrift
- Begründung kann nachgeholt werden
- Mindestinhalt: Bezeichnung Parteien u. des Streitgegenstands
- auf sachdienliche Anträge soll das Gericht hinwirken, § 106 Abs. 1 SGG

Frist, § 87 SGG
- wenn erforderlich: ein Monat ab Bekanntgabe des Widerspruchsbescheids

Zuständigkeit
- sachlich, § 51 SGG
- örtlich, § 57 SGG
- instanziell: Beginn des Verfahrens immer auf unterer Ebene

Beteiligte, §§ 69–73 SGG
- Prozessfähigkeit ab Vollendung des 15. Lebensjahrs, § 71 SGG i. V. m. § 36 SGB I

Klage-/Antragsbefugnis, § 54 Abs. 1 S. 2 SGG
- Geltendmachung eines subjektiven Rechts

Gang des Verfahrens
- Amtsermittlungsgrundsatz, §§ 103, 123 SGG
- rechtliches Gehör, §62 SGG
- mündliche Verhandlung, §§ 111, 112 SGG
  - abschließende Erörterung des Rechtsstreits
  - Regelfall, außer bei Verzicht durch die Beteiligten

Gerichtliche Entscheidungen/Verfahrensende
- Urteil, § 152 SGG
- Beschluss, § 142 SGG
- Gerichtsbescheid, § 105 SGG
- Klagerücknahme, § 102 SGG
- Fiktion der Klagerücknahme bei Nichtbetreiben des Verfahrens, § 102 Abs. 2 SGG
- Anerkenntnis, § 101 Abs. 2 SGG
- Vergleich, § 101 Abs. 1 SGG

Kosten
- für Empfänger oder Antragsteller von Sozialleistungen: kostenfrei

12.4 Übungsfragen

12.4.1

Herr O, 80 Jahre alt, hat den Pflegegrad 2 für sich beantragt, doch die Pflegekasse hat dies abgelehnt, weil O angeblich nicht das erforderliche Maß an Pflegebedarf gemäß § 15 SGB XI erfüllt. Nach erfolglosem Widerspruchsverfahren will O Klage erheben. Er möchte keinn Rechtsanwältin beauftragen, fühlt sich aber allein den Belastungen eines Gerichtsverfahrens nicht gewachsen. Er würde sich gerne von einem Bevollmächtigten vertreten lassen. In Betracht kommen für ihn:

a) *sein Enkel V, der als Unternehmensberater arbeitet;*
b) *dessen Freund F, der als Sozialarbeiter einer großen Klinik Patient:innen und Angehörige insbesondere zu Fragen des Pflege-, Sozialhilfe- und Heimrechts berät;*
c) *seine Nachbarin N, 68 Jahre, die als Rentnerin Jura im 5. Semester studiert.*

Prüfen Sie, wer O vor dem Sozialgericht vertreten dürfte.

12.4.2

Frau D hat bei ihrer Krankenkasse die Kostenübernahme für eine Extra-Behandlung beantragt, die normalerweise nicht von der gesetzlichen Krankenversicherung finanziert wird. Es ergeht ein ablehnender VA und auch der Widerspruch der D wurde mit Widerspruchsbescheid zurückgewiesen. D befindet sich noch innerhalb der Monatsfrist. Sie richtet folgendes Schreiben an das Sozialgericht: „Ich erhebe hiermit Einspruch gegen die Ablehnung meines Antrags!" Beigefügt hat sie eine Kopie des Widerspruchsbescheids der Krankenkasse. Ist dies als eine korrekt eingelegt Klage anzusehen?

12.4.3

Was ist der Unterschied, was sind die Gemeinsamkeiten zwischen einem Urteil und einem Gerichtsbescheid?

12.4.4

Herr H hat Erwerbsminderungsrente beantragt. Die Rentenversicherung lehnte ab. Auch sein Widerspruch wurde abgelehnt. Sowohl im Verwaltungs- als auch im Widerspruchsverfahren wurde H von Ärzten der Rentenversicherung begutachtet, die jeweils seine Krankheiten als nicht so gravierend, als dass sie seine Erwerbsfähigkeit beeinträchtigen würden, einschätzten. Obwohl Hs eigene Ärzte das ganz anders einschätzen, zögert H zu klagen. Er befürchtet Kosten und geht davon aus, das Gericht werde ihn sowieso nur anhand der Gutachten der Rentenversicherung beurteilen. Hat H mit seinen Befürchtungen recht?

(Lösungen unter www.lehrbuch-sozialverwaltungsrecht.de)

Weiterführende Literatur

Hufen, Friedhelm, Verwaltungsprozessrecht, 13. Aufl., München 2024, §§ 10–12, 23, 35–39.

Krasney, Otto Ernst/Udsching, Peter/Groth, Andy/Meßling, Miriam, Handbuch des sozialgerichtlichen Verfahrens, 8. Aufl., Berlin 2022, Kapitel III, VI, VII.

13. Kapitel
Sozialgerichtliche Verfahrensarten

Das Kapitel widmet sich den verschiedenen sozialgerichtlichen Klagearten und Eilverfahren. Die Anfechtungs-, Leistungs- und Feststellungsklagen sowie ihre Unterarten werden erklärt. Die Unterschiede zwischen ihnen bezüglich Klageziel, Ausgangssituation und Klagevoraussetzungen werden dargestellt. Ein weiteres Thema bilden die beiden gerichtlichen Eilverfahren, d.h. der Antrag auf Aussetzung der Vollziehung und die einstweilige Anordnung.

Jedem Verfahren im Sozial- oder Verwaltungsrecht geht ein konkreter, von der Verwaltung gesetzter Anlass voraus. Dies kann ein belastender oder ablehnender VA sein. Dies kann aber auch schlichtes Verwaltungshandeln sein, z. B. die Nichterfüllung von Pflichten aus einem öffentlich-rechtlichen Vertrag oder die Weigerung der Behörde, sich mit einer Angelegenheit zu befassen. Je nach Anlass, bzw. je nach Zielvorstellung des Klägers, ist ein spezifischer Antrag bei Gericht zu stellen.

▶ Die unterschiedlichen Anträge werden als unterschiedliche **Klagearten** oder **Eilverfahren** im Gesetz typisiert. Jedes Verfahren muss, um zulässig und begründet zu sein, sowohl die allgemein geltenden Zulässigkeits- und Begründetheitsvoraussetzungen erfüllen,[160] als auch die besonderen Voraussetzungen, die spezifisch für die typisierte Verfahrenssituation gelten. Man unterscheidet **drei** unterschiedliche Klagearten: die **Anfechtungs-**, die **Leistungs-** und die **Feststellungsklage**; daneben gibt es **Kombinationen** von ihnen.[161] Bei den **zwei** Eilverfahren unterscheidet man den Antrag auf **Aussetzung der Vollziehung** (auch „Antrag auf Wiederherstellung der aufschiebenden Wirkung") und den Antrag auf Erlass einer **einstweiligen Anordnung**.

---

160 S. Kap. 12.1.
161 Vgl. §§ 54, 55 SGG; Parallelvorschriften: §§ 42, 43 VwGO.

13.1 Anfechtungsklage

Die Anfechtungsklage ist auf die (vollständige) **Aufhebung** oder (teilweise) **Abänderung** eines **belastenden VA** gerichtet.[162] Der Kläger will eine Belastung abwehren, der nicht belastende Status soll wiederhergestellt werden.[163]

> **Beispiele:** Ein VA über die Absenkung des Bürgergelds gemäß § 31a SGB II soll per Anfechtungsklage aufgehoben werden, damit die Leistung so, wie ursprünglich bewilligt, weiter gezahlt wird. Gleichermaßen z. b. bei der Auferlegung einer Sperrzeit nach § 159 SGB III, der Feststellung der generellen Sozialversicherungspflicht nach § 7a SGB IV, der Auferlegung von Beiträgen für die Krankenkasse gemäß § 223 SGB V oder der Inobhutnahme eines Kindes nach § 42 SGB VIII. Auch bei der Anfechtung eines RücknahmeVA nach § 45 SGB X oder der Festsetzung einer Rückzahlung nach § 50 SGB X zielt die Anfechtungsklage auf Herstellung des früheren Zustands ohne den belastenden VA.

Mit einer erfolgreichen (= zulässigen und begründeten) Anfechtungsklage erreicht der Kläger die (vollständige oder teilweise) Wegnahme des belastenden VA **unmittelbar** durch eine richterliche Entscheidung. Das Gericht gestaltet damit das Rechtsverhältnis neu, weshalb die Anfechtungsklage auch als „Gestaltungsklage" bezeichnet wird.[164]

▶ Besondere Zulässigkeitsvoraussetzungen für die Anfechtungsklage sind das Vorliegen eines (belastenden) **VA,** die vorherige Durchführung des **Widerspruchsverfahrens** und die Einhaltung der einmonatigen **Klagefrist.**[165]

Hat die Behörde im Widerspruchsverfahren ihren belastenden VA mit dem Widerspruchsbescheid bekräftigt, werden mit der Klage stets **beide VAe** zugleich, also ErstVA und Widerspruchsbescheid, angefochten.[166]

Begründet ist die Anfechtungsklage, wenn sich die im Rahmen der **Klagebefugnis** geltend gemachte Behauptung, der belastende VA sei rechtswidrig und

---

162 Vgl. § 54 Abs. 1 S. 1, 1. Alt. SGG; Parallelvorschrift: § 42 Abs. 1, 1. Alt. VwGO.
163 Vgl. Knödler/Krodel, Eilrechtsschutz und Klageverfahren, Kap. III.2.2.1; Ruland/Becker/ Axer, SRH, § 13 Rn. 197.
164 Dörr/Francke, Sozialverwaltungsrecht, Kap. 12, Rn. 22/23.
165 Vgl. §§ 78, 87 SGG; Parallelvorschriften: §§ 68, 74 VwGO; s. auch Kap. 12.1.5.
166 S. Kap. 13.5, Übersicht 1; Einzelheiten u. Schriftsatzmuster:. Knödler/Krodel, Eilrechtsschutz und Klageverfahren, Kap. III.2.2.2 u. III.2.2.3.

verletze den Kläger in einem seiner subjektiven öffentlichen Rechte[167], als wahr erweist. Bei **ErmessensVAen** ist die Rechtswidrigkeit/Verletzung eines subjektiven öffentlichen Rechts gegeben, wenn **Ermessensfehler** vorliegen.[168]

13.2 Leistungsklagen

Die Leistungsklage ist das Pendant zur Anfechtungsklage. Statt der Aufhebung eines VA, möchte der Kläger mit einer Leistungsklage erreichen, dass die Verwaltung durch das Gericht zu einer **bestimmten Handlung gezwungen** wird.[169] Diese kann z. B. sein der Erlass eines begünstigenden VA, die Zahlung einer Geldleistung oder eine Kombination von beidem. Je nachdem um welche Art von Handlung es dem Kläger geht, bzw. in welcher Ausgangssituation er sich befindet, lassen sich **fünf** verschiedene **Arten von Leistungsklagen**[170] unterscheiden:

Kombinierte Leistungs- und Anfechtungsklage (§ 54 Abs. 4 SGG)
Hierbei möchte der Kläger möchte eine Leistung, i. d. R. die Zahlung einer Geldleistung, erreichen. Die Leistung wird durch VA bewilligt. Dies wurde aber von der Behörde abgelehnt.

**Kombinierte Verpflichtungs- und Anfechtungsklage
(§ 54 Abs. 1 Satz 1, 2. Alt. SGG)**
Hierbei möchte der Kläger (nur) den Erlass eines begünstigenden VA erreichen, der aber von der Behörde abgelehnt wurde.

**Kombinierte Bescheidungs- und Anfechtungsklage
(§ 54 Abs. 1 Satz 1, 2. Alt. SGG i. V. m. § 54 Abs. 2 S. 2 SGG)**
Hierbei möchte der Kläger den Erlass eines begünstigenden VA erreichen. Rechtsgrundlage dafür ist eine Ermessensnorm. Der Erlass des VA wurde durch die Behörde abgelehnt.

---

167 S. Kap. 11.3.4.
168 Vgl. § 39 Abs. 1 SGB I.
169 Vgl. § 54 Abs. 1 S. 1, 2. Alt., Abs. 4, Abs. 5 SGG; Parallelvorschriften: § 42 Abs. 1, 2. Alt. VwGO.
170 Das VwGO-Klagesystem ist bei den Leistungsklagen weniger ausdifferenziert, man unterscheidet lediglich Verpflichtungs-, Untätigkeits- und allgemeine Leistungsklage, vgl. Knödler/Krodel, Eilrechtsschutz und Klageverfahren, Kap. II.3.2, II.3.3 u. II.4.1.

Untätigkeitsklage (§ 54 Abs. 1 Satz 1, 2. Alt. SGG i. V. m. § 88 SGG)

Hierbei möchte der Kläger, dass die Behörde über einen Antrag mit VA entscheidet. Die Behörde blieb aber untätig.

Allgemeine Leistungsklage (§ 54 Abs. 5 SGG)

Klageziel ist die Verurteilung zu einer Leistung, ohne dass vorher noch ein BewilligungsVA ergehen müsste.

13.2.1 Kombinierte Anfechtungs- und Leistungsklage

▶ Voraussetzung für die Anfechtungs- und Leistungsklage und ist ein **Rechtsanspruch** auf Sozialleistungen (also eine Rechtsgrundlage mit gebundener Rechtsfolge)[171], die von der Verwaltung **per VA bewilligt** werden (z. B. Bürgergeld-Bescheid), dem Kläger gegenüber aber durch VA **abgelehnt** wurden (z. B. weil der Kläger nach Auffassung der Behörde die gesetzlichen Voraussetzungen nicht erfüllt). Mit der Klage soll die Verurteilung zur Leistung erreicht werden. Damit begehrt der Kläger zweierlei: Zum einen begehrt er die **Aufhebung der Ablehnung** (Anfechtung) und darüber hinaus begehrt er die **Verurteilung zur Leistung.**[172]

Die kombinierte Anfechtungs- und Leistungsklage ist in der Praxis der Sozialgerichtsbarkeit die häufigste Klageart, denn der weitaus größte Teil der Sozialleistungen ist im Gesetz als Rechtsanspruch ausgestaltet.

Beispiele: Anspruch auf Bürgergeld nach § 7 SGB II, Anspruch auf Arbeitslosengeld nach § 136 Abs. 1 SGB III, Anspruch auf Krankengeld nach § 44 Abs. 1 SGB V, Anspruch auf Erwerbsminderungsrente nach § 43 SGB VI, Anspruch auf Verletztengeld bei Arbeitsunfällen nach § 45 SGB VII, Anspruch auf Pflegesachleistungen nach § 36 SGB XI, Anspruch auf Hilfe zum Lebensunterhalt nach § 19 SGB XII u. v. m.[173]

---

171 S. Kap. 5.2
172 Dörr/Francke, Sozialverwaltungsrecht, Kap. 12, Rn. 25; Ruland/Becker/Axer, SRH, § 13, Rn. 204–207.
173 Weitere Beispiele:. Krasney/Udsching/Groth/Meßling, Sozialgerichtsverfahren, Kap. IV, Rn. 71.

Zulässig ist die Anfechtungs- und Leistungsklage, wenn ein **Widerspruchsverfahren** gegen den ablehnenden VA durchgeführt und die **Klagefrist** eingehalten wurde.

Begründet ist die Anfechtungs- und Leistungsklage, wenn sich erweist, dass die **Ablehnung rechtswidrig** war und der Kläger einen **Rechtsanspruch** auf die begehrte Leistung hat (z. B., wenn es sich herausstellt, dass er die gesetzlichen Voraussetzungen für die Inanspruchnahme der Sozialleistung erfüllt, was von der Behörde im vorangegangenen Verwaltungsverfahren falsch beurteilt wurde).

Besteht kein Rechtsanspruch, sondern nur ein **Ermessensanspruch,** gelten die Regelungen der **Bescheidungsklage**[174]. Denn bei Ermessensleistungen darf das Gericht die Behörde nur zum Erlass eines **ermessensfehlerfreien VA** und nicht direkt zur Leistung verurteilen.

Wie bei der Anfechtungsklage auch, werden beide VAe (ErstVA und der ihn bestätigende Widerspruchsbescheid) zugleich angegriffen.[175] Ist die Leistungs- und Anfechtungsklage zulässig und begründet, hebt das Gericht den ablehnenden ErstVA und den WiderspruchsVA auf und verurteilt die Behörde zur Leistung.

13.2.2 Kombinierte Anfechtungs- und Verpflichtungsklage

▶ Mit der Verpflichtungsklage erstrebt der Kläger einen begünstigenden VA, der im vorangegangenen Verwaltungsverfahren von der Behörde ganz oder teilweise abgelehnt wurde. Das Gericht soll die Behörde dazu verurteilen („verpflichten"), den von ihm begehrten VA zu erlassen. Im Unterschied zur Anfechtungs- und Leistungsklage besteht das **Klageziel „nur" in dem Erlass des begünstigenden VA.** Soweit der begünstigende VA die Grundlage für eine Sach-, Geld- oder Dienstleistung darstellt („Bewilligungsbescheid"), kommt die Anfechtungs- und Leistungsklage zur Anwendung.[176]

Eine typische Situation für die Verpflichtungsklage liegt daher vor, wenn der Kläger mit dem VA keine Geldleistung, sondern einen bestimmten **sozialrechtlichen Status** erreichen möchte.

---

174 S. Kap. 13.2.3.
175 S. Kap. 13.5 Übersicht 1; Einzelheiten u. Schriftsatzmuster vgl. auch Knödler/Krodel, Eilrechtsschutz und Klageverfahren, Kap. III.2.5.1 u. III.2.5.2.
176 Meyer-Ladewig/Keller/Schmidt, SGG, § 54, Rn. 20a.

Beispiele: Anerkennung einer Berufskrankheit nach § 9 SGB VII i. V. m. der Berufs-krankheiten-Verordnung, Erteilung einer Pflegeerlaubnis nach § 43 SGB VIII, Fest-stellung des Grades der Behinderung nach § 69 SGB IX.[177]

Auch bei der Verpflichtungsklage besteht eine **Kombination** von **Anfechtungs-** und **Verpflichtungsantrag:** Der Kläger begehrt die Aufhebung des ablehnenden VA und darüber hinaus die Verurteilung zum Erlass des gewünschten, begüns-tigenden VA.[178]

Die **Zulässigkeitsvoraussetzungen** entsprechen denen der Leistungs- und Anfechtungsklage. Die Verpflichtungsklage ist **begründet,** wenn der ablehnende VA rechtswidrig war und der Kläger stattdessen einen Anspruch auf den begehr-ten VA hat.

13.2.3 Kombinierte Anfechtungs- und Bescheidungsklage

▶ Bei der Bescheidungsklage besteht prinzipiell dieselbe Ausgangssituation wie bei der Leistungs- und Verpflichtungsklage. Das heißt, der Kläger erstrebt den Erlass eines begünstigenden VA, der im vorangegangenen Verwaltungsverfah-ren abgelehnt wurde. Die Besonderheit ist, dass die vom Kläger gewünschte Begünstigung auf einer Rechtsgrundlage beruht, die der Behörde einen **Er-messensspielraum**[179] eröffnet.

Beispiele: Übernahme von Mietschulden nach § 22 Abs. 8 SGB II, Übernahme der Kosten einer beruflichen Weiterbildungsmaßnahme nach § 81 SGB III, Kuraufent-halt in einer stationären Rehabilitationseinrichtung für pflegende Angehörige nach § 40 Abs. 2 SGB V, Zahlung von höheren Pflegeleistungen in besonderen Härtefällen nach § 36 Abs. 4 SGB XI, Übernahme der Kosten von freiwilligen Krankenversiche-rungen nach § 32 Abs. 2 SGB XII.

Besteht ein Ermessensspielraum, kann der Kläger nicht einfach auf die begehrte Leistung klagen, da er auf diese **keinen unmittelbaren Rechtsanspruch** hat. Er kann lediglich geltend machen, dass die **Ablehnung** der Leistung **ermessens-**

---

177 Weitere Beispiele: Krasney/Udsching/Groth/Meßling, Sozialgerichtsverfahren, Kap. IV, Rn. 16.
178 S. Kap. 13.5 Übersicht 1; vgl. auch Knödler/Krodel, Eilrechtsschutz und Klageverfahren, Kap. III.2.3.1 u. Schriftsatzmuster Nr. 22–23.
179 S. Kap. 5.5

fehlerhaft war. Die Verurteilung der beklagten Behörde durch das Gericht kann nur dahin gehen, einen neuen – dieses Mal ermessensfehlerfreien – VA zu erlassen. Dabei wird üblicherweise die Rechtsauffassung des Gerichts, welchen Inhalt die durch den VA getroffene Regelung unter Abwägung aller Ermessensgesichtspunkte haben soll, von der Behörde zu beachten sein.[180] Daher wird diese Formulierung den Klageanträgen regelmäßig hinzugefügt.

Die **Zulässigkeitsvoraussetzungen** sind dieselben wie bei der Verpflichtungs- bzw. der Leistungs- und Anfechtungsklage. **Begründet** ist die Bescheidungsklage, wenn der Kläger einen ErmessensVA begehrte, sein Anspruch auf die fehlerfreie Ermessensausübung jedoch verletzt wurde. In diesem Fall verpflichtet das Gericht die Behörde zur **Neubescheidung** unter Beachtung der Rechtsauffassung des Gerichts.

13.2.4 Untätigkeitsklage

▶ Die Untätigkeitsklage ist darauf gerichtet, die Behörde zum **Tätigwerden** zu zwingen, d.h. dazu, eine Verwaltungsentscheidung über einen im Verwaltungsverfahren gestellten Antrag zu treffen. Das Klageziel ist entweder der **Erlass eines ErstVA** oder die **Entscheidung über einen Widerspruch**.[181] Besondere **Zulässigkeitsvoraussetzungen** für die Untätigkeitsklage sind, dass entweder mindestens **sechs**[182] **Monate seit Antrag** auf Vornahme eines VA vergangen sind oder **drei Monate seit Einlegung eines Widerspruchs** – und die Behörde ohne Grund untätig geblieben ist.

Zwischenmitteilungen oder Zwischenbescheide (z.B. Eingangsbestätigung des Widerspruchs mit dem Hinweis, die Bearbeitung werde noch einige Zeit in Anspruch nehmen) sind keine Sachentscheidung, d.h. sie unterbrechen den Ablauf der Fristen für die Untätigkeitsklage nicht.

Begründet ist die Untätigkeitsklage, wenn „ohne zureichenden Grund" noch keine Entscheidung der Behörde gefallen ist. Ohne zureichenden Grund bedeutet, dass eine **Rechtfertigung** für den sechs- bzw. dreimonatigen Zeitablauf nicht feststellbar ist. Kein zureichender Grund ist z.B. der Hinweis auf Krankenstand,

---

180 Vgl. § 131 Abs. 3 SGG; Parallelvorschrift: § 113 Abs. 5 Satz 2 VwGO; s. auch Kap. 13.5 Übersicht 1; Knödler/Krodel, Eilrechtsschutz und Klageverfahren, Kap. III.2.3.2 u. Schriftsatzmuster Nr. 20–21.
181 Vgl. § 88 SGG; Parallelvorschrift: § 75 VwGO.
182 Außerhalb des Sozialrechts gilt eine Frist von drei Monaten, vgl. § 75 VwGO; s. Kap. 10.3.2.

Urlaubszeit oder Personalknappheit. Zureichende Gründe sind demgegenüber die Notwendigkeit aufwändiger Ermittlungen, z. B. die Erstellung medizinischer Gutachten.[183]

Liegt kein zureichender Grund vor, wird die Behörde verurteilt, über den Antrag bzw. den Widerspruch zu entscheiden. Zumeist enden die Untätigkeitsverfahren damit, dass die Behörde den beantragten VA/Widerspruchsbescheid sogleich erlässt, ohne dass das Gericht sie eigens dazu verurteilen muss. Mit dem Erlass des VA/Widerspruchsbescheids ist die Untätigkeitsklage dann erledigt.

Man kann beim Gericht nicht auf die Verurteilung zu einer ganz **bestimmten** Entscheidung klagen, sondern nur zum – ergebnisoffenen – **Tätigwerden** der Behörde.[184] Unabhängig davon, ob der erlassene VA dann für den Betroffenen positiv oder negativ ausfällt, hat in jedem Fall die Behörde die **Kosten** der Untätigkeitsklage zu tragen, weil sie die Fristen hat verstreichen lassen. Die Kosten bestehen i. d. R. in den außergerichtlichen Kosten des Klägers sowie den Gerichtskosten im Fall des § 184 SGG.[185]

13.2.5 Allgemeine Leistungsklage

▶ Bei der allgemeinen Leistungsklage ist das Ziel die Verurteilung der Behörde zu einem Handeln oder Unterlassen, **ohne** dass dem als Grundlage ein **VA** vorauszugehen hätte.

Beispiele: Klage auf schlichtes Verwaltungshandeln, wenn ein entsprechendes subjektives öffentliches Recht vorliegt (z. B. Klage auf Unterlassung der Weitergabe von Sozialdaten), Klage auf eine Sozialleistung, die bereits positiv durch VA bewilligt, von der Behörde aber trotzdem nicht erbracht wurde, Klage auf Weiterzahlung, wenn die Behörde eine laufende Leistung ohne vorhergehenden RücknahmeVA eingestellt hat.[186]

Im Verhältnis Bürger:in – Sozialleistungsträger ist die allgemeine Leistungsklage eher selten, da hier die Rechtsbeziehungen zumeist durch VAe geregelt werden. Hauptanwendungsfall der allgemeinen Leistungsklage sind **Streitigkeiten zwi-**

---

183 Weitere Beispiele: Meyer-Ladewig/Keller/Schmidt, SGG, § 88, Rn. 7a/7b.
184 S. Kap. 13.5 Übersicht 1; Ruland/Becker/Axer, SRH, § 13, Rn. 202; Einzelheiten u. Schriftsatzmuster vgl. Knödler/Krodel, Eilrechtsschutz und Klageverfahren, Kap. III.2.4.1–III.2.4.3.
185 Meyer-Ladewig/Keller/Schmidt, SGG, § 193, Rn. 13c.
186 Weitere Beispiele: Ruland/Becker/Axer, SRH, § 13, Rn. 208 ff.

schen verschiedenen Sozialleistungsträgern untereinander, z. B. wenn Unfall-
und Krankenversicherung um die Erstattung von Leistungen für Krankenhaus-
kosten eines Versicherten streiten.

Soll eine allgemeine Leistungsklage erhoben werden, bedarf es für deren **Zulässigkeit** keines Vorverfahrens (weil kein VA vorliegt, der geändert oder aus der
Welt geschafft werden müsste und auch nicht der Erlass eines VA begehrt wird).
Demzufolge bedarf es auch keiner Klagefrist. **Begründet** ist die allgemeine Leistungsklage, wenn ein Anspruch auf die geforderte Handlung/Unterlassung der
Verwaltung besteht und der vorhergehende Erlass eines VA nicht erforderlich
war.

13.3 Feststellungsklagen

▶ Es lassen sich drei Arten von Feststellungsklagen unterscheiden: die allgemeine **Feststellungsklage**, die **Fortsetzungsfeststellungsklage** und die **Normenkontrollklage**.[187] Feststellungsklagen sind **subsidiär**, d. h. nachrangig, gegenüber Anfechtungs- und Leistungsklagen.[188] Normenkontrollklagen sind
nur für gesetzlich eng begrenzte Anwendungsbereiche vorgesehen.[189]

Häufig problematisch bei den Feststellungsklagen ist die Klagebefugnis und das
allgemeine Rechtsschutzbedürfnis.[190] Dieses muss im Sinne eines „berechtigten
Feststellungsinteresses" für die Zulässigkeit der Feststellungsklage besonders ermittelt werden. So darf eine Feststellungsklage z. B. nicht zur Prüfung abstrakter
Rechtsfragen verwendet werden.[191] Außerdem ergibt sich aus dem Grundsatz der
Subsidiarität gegenüber Anfechtungs- und den Leistungsklagen, dass ein Kläger mit seiner Klage stets das **am weitesten gehende Klageziel** verfolgen muss.
Denn er soll seine Angelegenheit in einem einzigen Prozess klären lassen, anstatt
mehrere Gerichtsverfahren hintereinander zu führen.[192] Ein berechtigtes Feststellungsinteresse ist daher in der Regel nicht gegeben, wenn mit der Feststellung

---

187 Vgl. §§ 55, 131 Abs. 1 S. 3, 55a SGG; Parallelvorschriften: §§ 43, 113 Abs. 1 S. 4, 47 VwGO.
188 Krasney/Udsching/Groth/Meßling, Sozialgerichtsverfahren, Kap. IV, Rn. 97.
189 S. Kap. 13.3.3; s. auch Meyer-Ladewig/Keller/Schmidt, SGG, § 55, Rn. 10–10d.
190 S. Kap. 12.1.7.
191 Krasney/Udsching/Groth/Meßling, Sozialgerichtsverfahren, Kap. IV, Rn. 81, 96.
192 Knödler/Krodel, Eilrechtsschutz und Klageverfahren, Kap. III.2.6.2.

lediglich eine Vorfrage für eine Anfechtungs- oder Leistungssituation geklärt werden soll.[193]

Beispiel: Frau W wohnt mit ihrer ehemaligen Studienkollegin Frau K in einer WG. Wegen Arbeitslosigkeit ist W gezwungen, Bürgergeld beim Jobcenter zu beantragen. K arbeitet und hat Einkommen. W kann keine Feststellungsklage darüber erheben, dass sie mit K keine Bedarfsgemeinschaft i. S. d. § 7 Abs. 3 Nr. 3 b) u. c) SGB II bilde, um so ihre Hilfebedürftigkeit für die Inanspruchnahme von Bürgergeld feststellen zu lassen. Die Klage wäre unzulässig, weil es am berechtigten Feststellungsinteresse von W fehlt. Denn Ziel der W ist die Bewilligung von Bürgergeld ohne Anrechnung des Einkommens der K. Dieses Ziel muss sie mit einer kombinierten Anfechtungs- und Leistungsklage verfolgen, wenn das Jobcenter ihren Antrag auf Bürgergeld aufgrund des Zusammenwohnens mit K ablehnen sollte. Im Rahmen dieses Klageverfahrens würde dann geklärt, in welchem Umfang W hilfebedürftig ist, d. h. ob mit K eine Bedarfsgemeinschaft besteht oder nicht.

13.3.1 Allgemeine Feststellungsklage

▶ Die allgemeine Feststellungsklage ist gerichtet auf den Ausspruch einer vom Kläger begehrten Feststellung durch das Gericht. Anders als bei den anderen Klagen wird mit einer Feststellungsklage die Rechtslage nicht geändert, sondern lediglich das **„Bestehen oder Nichtbestehen eines Rechtsverhältnisses"** zwischen dem Kläger und dem beklagten Verwaltungsträger klargestellt.[194]

Beispiele: Feststellung über das Bestehen oder Nichtbestehen von Sozialversicherungspflicht, Feststellung über das Bestehen oder Nichtbestehen von Anwartschaften auf eine Rente, Feststellung über die Mitgliedschaft in einer bestimmten Krankenkasse, Feststellung über das Bestehen einer bestimmten Mitwirkungspflicht, Feststellung der Pflichtwidrigkeit einer unterlassenen Beratung usw.[195]

---

193 Eine Ausnahme besteht für die gesetzlichen Unfallversicherung/soziale Entschädigung. Die Frage, ob ein Gesundheitsschaden in den Anwendungsbereich des SGB VII oder des SGB XIV bzw. der anderen Gesetze des sozialen Entschädigungsrechts fällt, darf in einem separaten Feststellungsverfahren geklärt werden, vgl. § 55 Abs. 1 Nr. 3 SGG.
194 Vgl. § 55 Abs. 1 Nr. 1 SGG; Parallelvorschrift: § 43 Abs. 1 VwGO; Schriftsatzmuster: Knödler/Krodel, Eilrechtsschutz und Klageverfahren, Kap. III.2.6.3.
195 Weitere Beispiele: Krasney/Udsching/Groth/Meßling, Sozialgerichtsverfahren, Kap. IV, Rn. 80; Meyer-Ladewig/Keller/Schmidt, SGG, § 55, Rn. 6.

Das Klageziel „Feststellung eines Rechtsverhältnisses" darf weder in der Klärung von abstrakten Rechtsfragen noch von Vorfragen oder einzelnen Tatbestandsvoraussetzungen für ein Anfechtungs- oder Leistungsverfahren bestehen, wobei die Abgrenzung schwierig sein kann.[196]

Zu trennen ist der Klagegegenstand „Feststellung" auch von der **Klage auf Erteilung eines feststellenden VA,** z. B. eines VA über die Feststellung des Grades der Behinderung nach § 69 SGB IX. Dieses Klageziel wäre mit der Anfechtungs- und Leistungsklage zu verfolgen.

Zu den **besonderen Zulässigkeitsvoraussetzungen** der Feststellungsklage gehören regelmäßig kein Vorverfahren und keine Klagefrist. Erforderlich für die Zulässigkeitsvoraussetzung „**berechtigtes Feststellungsinteresse**" ist aber, dass bereits ein Meinungsstreit zwischen dem Kläger und der Verwaltung über einen konkreten Sachverhalt besteht. Ohne einen solchen Anlass kann nicht einfach Feststellungsklage beim Gericht erhoben werden. Anerkannt wird das Bestehen eines berechtigten Feststellungsinteresses bei jedem schutzwürdigen Interesse wirtschaftlicher oder ideeller Art.[197]

Begründet ist die Feststellungsklage, wenn die vom Kläger begehrte Feststellung nach der Überzeugung des Gerichts zutrifft.

13.3.2 Fortsetzungsfeststellungsklage

▶ Eine Feststellungsklage ist ebenfalls möglich als **Fortsetzung** eines Prozesses, der als Anfechtungs- oder Leistungsklage begann. Im Laufe des Verfahrens hat sich der angefochtene VA **erledigt**, z. B. die Behörde hat den beanstandeten VA aufgehoben oder den begehrten VA erlassen. Der Kläger hat eigentlich keinen Grund mehr, eine gerichtliche Entscheidung zu fordern – sein ursprüngliches Ziel ist erreicht. Er kann aber in bestimmten Situationen die Fortführung des Prozesses beantragen und seinen Klageantrag in eine Fortsetzungsfeststellungsklage umstellen. Inhalt des Klageantrags ist nunmehr, dass die Rechtswidrigkeit des erledigten VA durch das Gericht ausdrücklich festgestellt wird.[198]

---

196 Einzelheiten u. Beispiele: Krasney/Udsching/Groth/Meßling, Sozialgerichtsverfahren, Kap. IV, Rn. 81 f.

197 Meyer-Ladewig/Keller/Schmidt, SGG, § 55, Rn. 15a.

198 Vgl. § 131 Abs. 1 Satz 3 SGG; Parallelvorschrift: § 113 Abs. 1 Satz 4 VwGO; Einzelheiten: Ruland/Becker/Axer, SRH, § 13, Rn. 219–221; Schriftsatzmuster: Knödler/Krodel, Eilrechtsschutz und Klageverfahren, Kap. II.3.4.3.

Damit die Umstellung in eine Fortsetzungsfeststellungsklage zulässig ist, muss neben den allgemeinen Zulässigkeitsvoraussetzungen vor allem das **berechtigte Feststellungsinteresse** mit **besonderen Umständen** begründet werden. Diese sind z. B. gegeben bei **Wiederholungsgefahr** (= konkrete Gefahr, dass die Behörde unter den gleichen Umständen, die gleiche – rechtswidrige – Entscheidung treffen wird), im Falle der Verletzung von **Grund- und Persönlichkeitsrechten** von Klägern (der Kläger wurde z. B. durch die behördliche Entscheidung in seinem Umfeld stigmatisiert) und bei der Vorbereitung eines **Amtshaftungsprozesses** (die beabsichtigte Feststellung ist wesentlich, weil sie die Rechtsposition des Klägers im Amtshaftungsverfahren verbessert).[199]

> **Beispiel:** Herr B wurde arbeitslos und beantragte bei der Agentur für Arbeit Arbeitslosengeld. Durch eine fehlerhafte Sachverhaltsaufklärung ging man dort davon aus, B habe keine Ansprüche auf Arbeitslosengeld, da er angeblich nicht sozialversicherungspflichtig beschäftigt war. Auch im Widerspruchsverfahren wird der Fehler nicht aufgeklärt. B erhebt vor dem Sozialgericht Anfechtungs- und Leistungsklage auf die Bewilligung und Zahlung von Arbeitslosengeld. Im sozialgerichtlichen Verfahren klärt sich nun auf, dass B von Anfang an Anspruch auf Arbeitslosengeld gehabt hätte und die Agentur für Arbeit erlässt sogleich den beantragten BewilligungsVA. Der Prozess ist damit eigentlich erledigt. Während der Dauer des Verwaltungs- und des Gerichtsverfahrens war B gezwungen, von Bürgergeld zu leben. Vor der Arbeitslosigkeit hatte B gut verdient und entsprechend hohe Fixkosten für seine Lebenshaltung. Er hatte auch diverse Kreditverbindlichkeiten. All das hätte er mit rechtzeitig ausgezahltem Arbeitslosengeld noch einigermaßen finanzieren können, mit dem Regelsatz des Bürgergelds allerdings nicht. B konnte daher Raten für seine Kredite nicht mehr zahlen und musste Verträge unter finanziellen Verlusten auflösen. Dies wäre alles nicht passiert, wenn die Agentur für Arbeit von Anfang an richtig gehandelt hätte. B möchte Schadensersatz für seine finanziellen Verluste. Hierzu muss er gegebenenfalls einen Amtshaftungsprozess gegen die Agentur für Arbeit führen. Daher kann er vom Gericht die Feststellung begehren, dass VA und Widerspruchsbescheid der Agentur für Arbeit rechtswidrig waren.

---

199 Einzelheiten u. weitere Beispiele: Meyer-Ladewig/Keller/Schmidt, SGG, § 131, Rn. 10a– 10h.

13.3.3 Normenkontrollklage

> ▶ Normenkontrolle ist die Überprüfung von Rechtsnormen durch die Gerichte.
> Man unterscheidet zwischen „**konkreter**" und „**abstrakter Normenkon-
> trolle**".[200]

Konkrete Normenkontrollen sind lediglich „inzidente" Überprüfungen von
Normen. Das heißt, bei der gerichtlichen Überprüfung eines konkreten Falls
(z. B. eines VA im Rahmen eines Anfechtungsprozesses) prüft das Gericht
auch die Rechtmäßigkeit der Norm (z. B. deren Vereinbarkeit mit höherrangi-
gem Recht), nach der der Fall zu beurteilen ist.[201] Kommt das Gericht zu dem
Ergebnis, die Norm in dem von ihm zu beurteilenden Fall sei rechtswidrig, so
gilt gemäß Art. 100 GG, dass es den Fall dem **Bundesverfassungsgericht** zur
Prüfung vorlegen muss. Dieses entscheidet dann allgemeinverbindlich über die
Rechtmäßigkeit (= generelle Anwendbarkeit) oder Rechtswidrigkeit (= generelle
Nichtanwendbarkeit) der Norm.[202]

Abstrakte Normenkontrollen sind viel seltener als konkrete und bedeuten die
Überprüfung einer Rechtsnorm **losgelöst** von einem konkreten Einzelfall. Dies
ist möglich, soweit es gesetzlich vorgesehen ist. Im Bereich der Sozialgerichtsbarkeit[203] ist das in zwei Konstellationen der Fall:

Normenkontrolle gemäß § 55 Abs. 1 Nr. 1 SGG
Zulässig sind abstrakte Normenkontrollklagen nur bezüglich **untergesetzlicher
Rechtsnormen** (d. h. Rechtsverordnungen oder Satzungen[204], z. B. Arzneimittel-
oder Pflegerichtlinien). Es gelten außerdem die generellen Regeln der Feststellungsklage, d. h. im Rahmen des „berechtigten Feststellungsinteresses" muss der
Kläger geltend machen können, dass und warum ein effektiver Rechtsschutz für
ihn anders nicht zu erreichen ist. Möglich ist das z. B. dann, wenn es dem Kläger
unzumutbar ist, erst auf einen Vollzugsakt der Norm zu warten, um sie dann
inzident überprüfen zu lassen.[205]

---

200 Hufen, Verwaltungsprozessrecht, § 19, Rn. 1.
201 S. Kap. 4.2.
202 Einzelheiten: Dörr/Francke, Sozialverwaltungsrecht, Kap. 2, Rn. 71–78; Sodan/Ziekow,
    Öffentliches Recht, § 54, Rn. 1 ff.
203 Für die Anwendungsbereiche der abstrakten Normenkontrolle in der Verwaltungsgerichts-
    barkeit gilt § 47 VwGO; Einzelheiten: Hufen, Verwaltungsprozessrecht, § 19, Rn. 1 ff.
204 S. Kap. 1.4.
205 Einzelheiten u. Beispiele: Meyer-Ladewig/Keller/Schmidt, SGG, § 55, Rn. 10d.

Normenkontrolle gemäß § 55a SGG

Auch bei dieser, gesetzlich ausdrücklich zugelassenen abstrakten Normenkontrollklage gilt, dass sie nur untergesetzliche Rechtsnormen erfasst. Thematisch ist sie auf das Recht der **Grundsicherung für Arbeitssuchende (SGB II)** beschränkt. Gegenstand der Normenkontrolle sind landesrechtliche oder kommunale Rechtsverordnungen oder Satzungen, in denen die Verwaltung die „Angemessenheit" der Kosten für Unterkunft und Heizung für ein bestimmtes Gebiet festlegt. Diese Normen kann ein Kläger auch ohne einen konkreten, ihn betreffenden VA durch das Gericht überprüfen lassen.[206]

13.4 Eilverfahren

▶ Zu den gerichtlichen Rechtsbehelfen gehören auch die Verfahren des **einstweiligen Rechtsschutzes** (oder „**Eilverfahren**").[207] Mit diesen kann ein Betroffener eine **vorläufige Sicherung** seiner Rechtsposition erreichen. Es gibt **zwei Arten** von Eilverfahren: Den **Antrag auf Aussetzung der Vollziehung** (auch „Antrag auf Herstellung der aufschiebenden Wirkung" genannt) und den **Antrag auf Erlass einer einstweiligen Anordnung**.

Das Bedürfnis für Eilverfahren liegt auf der Hand: Dem Adressaten eines VA können entweder durch den **Vollzug des VA** oder durch die üblicherweise sehr **langen Verfahrensdauern** von Widerspruch und Klage (durchschnittlich ca. zwei Jahre) erhebliche und nicht wieder rückgängig zu machende Nachteile entstehen. Rechtsschutz, der für Bürger:innen zu spät kommt, ist jedoch kein effektiver Rechtsschutz. Dies zu verhindern ist der Sinn und Zweck von Eilverfahren und im Rahmen des Rechtsstaatsprinzips durch Art. 19 Abs. 4 GG verfassungsrechtlich abgesichert.[208]

---

206 Ruland/Becker/Axer, SRH, § 13 Rn. 218; 242 ff.
207 Vgl. § 86 a Abs. 3, § 86 b SGG; Parallelvorschrift: § 80 Abs. 4–7, § 123 VwGO.
208 Vgl. Kap. 10.3.2; s. auch Falterbaum, Rechtliche Grundlagen, Kap. X.4.2, S. 254; Krasney/ Udsching/Groth/Meßling, Sozialgerichtsverfahren, Kap. V, Rn. 1–3.

13.4.1 Antrag auf Aussetzung der Vollziehung (Herstellung der aufschiebenden Wirkung)

Der **Grundsatz** bei der Einlegung von Rechtsbehelfen lautet: „Widerspruch und Anfechtungsklage haben **aufschiebende Wirkung.**"[209] Dies bedeutet, die Einlegung von Rechtsbehelfen verhindert, dass die im (belastenden) VA getroffene Regelung von der Verwaltung sofort durchgesetzt werden kann. Allerdings gibt es von diesem Grundsatz zahlreiche, gesetzlich geregelte **Ausnahmen,** bei denen die aufschiebende Wirkung entfällt, d. h. der belastende VA trotz Widerspruch oder Klage doch sofort vollzogen werden kann.

> ▶ Beim Antrag auf Aussetzung der Vollziehung (Herstellung der aufschiebenden Wirkung) geht es um **belastende VAe,** bei denen der vom Betroffenen eingelegte Rechtsbehelf **keine aufschiebende Wirkung** hat. Mit dem Antrag kann man die aufschiebende Wirkung seines Rechtsbehelfs herstellen lassen, um so zu erreichen, dass der belastende VA zumindest bis zum rechtskräftigen Abschluss des Rechtsbehelfsverfahrens (= „Hauptsacheverfahrens")[210] noch nicht vollzogen, also noch nicht verwirklicht wird.

Keine aufschiebende Wirkung haben Rechtsbehelfe gemäß § 86a Abs. 2 Nr. 1–5 SGG[211] in folgenden Fällen:

- § 86a Abs. 2 **Nr. 1** SGG: VAe über Versicherungs- und Beitragspflichten.

   Beispiel: Herr U ist Künstler, muss seinen Lebensunterhalt jedoch überwiegend als freiberuflicher Lehrer für Zeichen- und für Sprachkurse bestreiten. Die Deutsche Rentenversicherung stuft ihn daher als „versicherungspflichtigen Selbstständigen" gemäß § 2 Nr. 1 SGB VI ein. Mit VA setzt sie seinen Status und seine monatliche Beitragspflicht fest. U legt Widerspruch ein, doch dieser hat keine aufschiebende Wirkung. Er muss die festgesetzten Beiträge trotzdem erst einmal zahlen.

- § 86a Abs. 2 **Nr. 2** SGG: VAe des sozialen Entschädigungsrechts oder der Bundesagentur für Arbeit, die eine laufende Leistung entziehen oder kürzen.

---

209 Vgl. § 86a Abs. 1 SGG; Parallelvorschrift: § 80 Abs. 1 VwGO. S. auch Kap. 11.4.
210 S. Kap. 10.3.2.
211 Parallelvorschrift: § 80 Abs. 2 VwGO.

Beispiel: Herr K ist arbeitslos und erhält Arbeitslosengeld von der Agentur für Arbeit. Er ist schon seit mehr als sechs Wochen krankgeschrieben. Die Arbeitsagentur erlässt daher einen VA, mit dem sie die Zahlung des Arbeitslosengelds gemäß § 146 Abs. 1 SGB III einstellt. K legt Widerspruch ein, doch dieser hat keine aufschiebende Wirkung, d. h. die Zahlungseinstellung des Arbeitslosengelds bleibt bestehen.

- § 86a Abs. 2 **Nr.** 3 SGG: Einlegung gerichtlicher[212] Rechtsbehelfe gegen VAe über die Entziehung oder Kürzung einer **Sozialversicherungsleistung.**

Beispiel: Frau E bezieht Erwerbsminderungsrente. Nach einer Gesundheitsprüfung kommt die Rentenversicherung zu der Einschätzung, E sei wieder gesund und erwerbsfähig. Mit VA wird ihr die Rente für die Zukunft entzogen. E legt Widerspruch ein. Hier gilt noch der Grundsatz der aufschiebenden Wirkung, d. h. für die Dauer des Widerspruchsverfahrens erhält E ihre ursprüngliche Rente weiter. Nach einem ablehnenden Widerspruchsbescheid erhebt E Klage, legt also einen gerichtlichen Rechtsbehelf ein – hier entfällt die aufschiebende Wirkung, die Rente wird nicht weitergezahlt.

- § 86a Abs. 2 **Nr.** 4 SGG: In anderen durch Bundesgesetz vorgeschriebenen Fällen.

Dies bedeutet, dass in den **bereichsspezifischen Sozialgesetzen** Regelungen enthalten sein können, mit denen die aufschiebende Wirkung von Widerspruch und Klage entweder generell oder für bestimmte VAe ausgeschlossen wird. Dies gilt z. B. für das SGB II (§ 39 SGB II), für das SGB III (§ 336a SGB III), für das SGB VIII (§ 45 Abs. 7 SGB VIII), für das SGB XII (§ 93 Abs. 3 SGB III).[213]

- § 86a Abs. 2 **Nr.** 5 SGG Bei angeordnetem Sofortvollzug durch die Behörde.

Diese Regelung ermöglicht es der Behörde, die sofortige Vollziehung eines VA eigens anzuordnen, obwohl eigentlich die Grundregel des § 86a Abs. 1 SGG gilt, dass Widerspruch und Anfechtungsklage gegen den VA aufschiebende Wirkung haben. Aufgrund eines **überragenden öffentlichen Interesses** darf jedoch die sofortige Vollziehung des VA (und damit der Wegfall der aufschiebenden Wirkung)

---

212 Daraus folgt: aufschiebende Wirkung besteht beim außergerichtlichen Rechtsbehelf (also beim Widerspruch).

213 Für eine Übersicht: Meyer-Ladewig/Keller/Schmidt, SGG, § 86a, Rn. 16a–16i. Dasselbe gilt auch in anderen Bereichen des Verwaltungsrechts, z. B. für das Aufenthaltsrecht (§ 84 AufenthG) und das Asylrecht (§ 75 AsylVfG).

angeordnet werden. Die Anordnung kann mit dem VA verbunden oder später erlassen werden. Die Anordnung ist selbst kein VA. Sie muss schriftlich begründet werden. In der Vollzugsanordnung muss die Behörde besondere, gewichtige Gründe geltend machen, warum der VA schon jetzt und nicht erst nach Eintritt der Bestandskraft vollzogen werden muss.[214]

> **Beispiel:** Herr und Frau T haben eine Pflegeerlaubnis gemäß § 44 Abs. 1 SGB VIII und den 4-jährigen J in ihrem Haushalt aufgenommen. In der Kita werden bei J Anzeichen der Misshandlung und der Kindeswohlgefährdung festgestellt. Das Jugendamt erlässt daher einen VA, mit dem die Herausnahme von J aus der Pflegestelle und die Rücknahme der Pflegeerlaubnis angeordnet werden. Herr und Frau T legen dagegen Widerspruch ein. Dieser hätte nach der Grundregel aus § 86a Abs. 1 SGG aufschiebende Wirkung. Das Jugendamt hat jedoch in seinem VA bereits gem. § 86a Abs. 2 Nr. 5 SGG die sofortige Vollziehung angeordnet und schriftlich begründet. Geltend gemacht wird das überwiegende öffentliche Interesse, bei Anzeichen für eine Gefahr für das Kindeswohl sofort vollziehbare Maßnahmen treffen zu können. Damit entfällt die aufschiebende Wirkung des Widerspruchs der Ts.

Um in den Fällen des § 86a Abs. 2 Nr. 1–5 die aufschiebende Wirkung ihrer Rechtsbehelfe trotzdem zu erreichen, müssen Betroffene einen Antrag auf Aussetzung der Vollziehung (Antrag auf Herstellung der aufschiebenden Wirkung) stellen. Sie können dies entweder bei **der Behörde,** die den VA erlassen hat, tun (§ 86a Abs. 3 SGG)[215]oder beim **Sozialgericht** (§ 86b Abs. 1 SGG)[216]. Dabei ist es ihnen freigestellt, bei wem sie den Antrag stellen. Eine vom SGG vorgegebene Reihenfolge gibt es nicht.

Häufig ist es sinnvoll, den Antrag auf Aussetzung der Vollziehung (Herstellung der aufschiebenden Wirkung) mit der Einlegung des Widerspruchs zu verbinden und beides gleichzeitig an die Behörde zu richten.[217] Wird der Antrag auf Herstellung der aufschiebenden Wirkung von der Behörde abgelehnt oder nicht berücksichtigt (z. B. die Behörde beginnt damit, den angefochtenen VA zu vollziehen), bleibt dann noch immer die Möglichkeit, den Antrag bei Gericht zu stellen.

> **Beispiel:** Frau Z bezieht Bürgergeld. Ihr wird eine Arbeit in einer 120 km entfernten Stadt angeboten. Z ist alleinerziehend und hat ein Kind im schulpflichtigen Alter.

---

214 Einzelheiten: Meyer-Ladewig/Keller/Schmidt, SGG, § 86a, Rn. 20–21b.
215 Parallelvorschrift: § 80 Abs. 4 VwGO.
216 Parallelvorschrift: § 80 Abs. 5 VwGO.
217 Frings/Schweigler, Sozialrecht, Kap. 2.7.4, S. 84 f.

Diesem möchte sie einen Umzug nicht zumuten. Sie lehnt das Arbeitsangebot unter Berufung auf § 10 Abs. 1 Nr. 5 SGB II ab. Das Jobcenter ist anderer Ansicht und erlässt einen VA über die Kürzung von Zs Bürgergeld als Sanktion gemäß § 31 Abs. 1 Nr. 2 SGB II i. V. m. § 31a Abs. 1 SGB II. Z legt dagegen Widerspruch ein. Nach § 39 SGB II i. V. m. § 86a Abs. 2 Nr. 4 SGG hat der Widerspruch keine aufschiebende Wirkung. Z stellt gleichzeitig den Antrag auf Herstellung der aufschiebenden Wirkung nach § 86a Abs. 3 SGG. Am Monatsanfang stellt Z jedoch fest, dass ihr zum neuen Monat tatsächlich nur das gekürzte Bürgergeld überwiesen wurde. Damit hat die Behörde (auch ohne ausdrückliche Mitteilung) zu erkennen gegeben, dass sie die Herstellung der aufschiebenden Wirkung ablehnt. Z kann nun immer noch einen Antrag auf Herstellung der aufschiebenden Wirkung nach § 86b Abs. 1 Nr. 2 SGG beim Sozialgericht stellen.

Besondere **Zulässigkeitsvoraussetzungen** für den Antrag auf Herstellung der aufschiebenden Wirkung wie z. B. eine Frist gibt es nicht. Lediglich die allgemeinen Zulässigkeitsvoraussetzungen müssen vorliegen. Weiterhin ist Voraussetzung, dass der VA, dessen Vollziehung ausgesetzt werden soll, weder bestandskräftig ist noch werden darf.[218]

▶ Die Voraussetzungen für die **Begründetheit** des Antrags auf Aussetzung der Vollziehung (Herstellung der aufschiebenden Wirkung) lassen sich aus § 86a Abs. 3 S. 2 SGG ableiten. Das Gericht (oder die Behörde) hat im Rahmen einer „**summarischen Prüfung**" festzustellen, ob der eingelegte **Rechtsbehelf** (Widerspruch oder Anfechtungsklage) **Aussicht auf Erfolg** hat und ob das (**private) Aufschubinteresse** das (öffentliche) Vollziehungsinteresse überwiegt.[219]

Summarische Prüfung bedeutet, dass das Gericht aufgrund der Eilbedürftigkeit keine vollständige Detailprüfung der Rechtmäßigkeit des angefochtenen VA durchführen kann, sondern lediglich eine Prüfung der **überwiegenden Wahrscheinlichkeit**. Ist danach die Rechtswidrigkeit des angefochtenen VA überwiegend wahrscheinlich (d. h. der eingelegte Rechtsbehelf zulässig und begründet), so überwiegt das Aufschubinteresse und die sofortige Vollziehung ist auszusetzen. Im umgekehrten Fall, bei überwiegender Wahrscheinlichkeit der Rechtmäßigkeit des VA, ist der Antrag zurückzuweisen. Lässt sich weder das eine noch

---

218 S. Kap. 10.3.2.
219 Einzelheiten u. Schriftsatzmuster: Knödler/Krodel, Eilrechtsschutz und Klageverfahren, Kap. IV.2.2.3–IV.2.24.

das andere feststellen, muss eine Interessenabwägung erfolgen, bei der z. B. der Grundsatz der Verhältnismäßigkeit, die wirtschaftlichen/gesundheitlichen Verhältnisse des Antragstellers, Grundrechte oder geltend gemachte Härtegründe eine Rolle spielen.[220]

13.4.2 Antrag auf Erlass einer einstweiligen Anordnung

▶ Die einstweilige Anordnung betrifft die Fälle, in denen kein vorläufiger Rechtsschutz durch die Aussetzung der Vollziehung (Herstellung der aufschiebenden Wirkung) entstehen kann.[221] Dies ist dann der Fall, wenn jemand einen **begünstigenden VA** erhalten wollte, der von der Verwaltung jedoch abgelehnt wurde. Gegen die Ablehnung geht der Betroffene mit Widerspruch und Klage vor, wobei dies jedoch Zeit kostet. Um der Gefahr entgegenzuwirken, allein **wegen des Zeitablaufes unwiederbringliche Nachteile** zu erleiden, kann der Betroffene mit dem Eilantrag zumindest **vorläufig** eine ihn begünstigende Regelung erreichen.[222]

Wie beim Antrag auf Aussetzung der Vollziehung, bestehen auch hier keine besonderen **Zulässigkeitsvoraussetzungen**. Zu beachten ist das Prinzip, dass es noch keinen bestandskräftigen VA geben darf, der dem geltend gemachten Begehren entgegensteht.[223] Wurde (noch) kein VA erlassen, ist der Antrag auf Erlass einer einstweiligen Anordnung zulässig, wenn sich der Antragsteller zuvor mit einem Leistungsantrag an die Verwaltung gewandt und eine übliche Bearbeitungszeit abgewartet hat, die Verwaltung jedoch einen Grund gibt, der die Einschaltung des Gerichts rechtfertigt.[224]

Beispiel: Herr S musste seine pflegebedürftige Mutter, Frau M, in ein Pflegeheim geben. Weil die Rente der M und die Zahlungen aus der Pflegeversicherung nicht ausreichen, um das Heim zu bezahlen, stellt S einen Antrag auf Hilfe zur Pflege nach §§ 61 ff. SGB XII beim Sozialamt. Alle Unterlagen liegen vor, doch es kommt keine Entscheidung. Nachfragen des S werden ausweichend beantwortet. Nach drei Monaten fordert das Heim S und M auf, endlich die vollständigen Heimkosten zu zahlen,

---

220 Einzelheiten: Meyer-Ladewig/Keller/Schmidt, SGG § 86b Rn. 12e–12g.
221 Vgl. § 86 b Abs. 2 SGG; Parallelvorschrift: § 123 VwGO.
222 Krasney/Udsching/Groth/Meßling, Sozialgerichtsverfahren, Kap. V, Rn. 35/36.
223 S. Kap. 10.3.2.
224 Einzelheiten: Frings/Schweigler, Sozialrecht, Kap. 2.7.6, S. 90 f.; Meyer-Ladewig/Keller/Schmidt, SGG § 86b, Rn. 26b.

sonst müsse man M kündigen. Auch dieses Schreiben legt S dem Sozialamt vor und bittet dringend darum, endlich über die Bewilligung der Hilfe zur Pflege zu entscheiden. Doch wieder wird er auf unbestimmte Zeit vertröstet. S und M können nun (ohne dass ein VA vorliegt) einen Antrag auf Erlass einer einstweiligen Anordnung beim Sozialgericht einreichen, mit dem Ziel, dass die Hilfe zur Pflege alsbald zumindest vorläufig bewilligt und gezahlt wird.

▶ Um **begründet** zu sein, muss für den Antrag auf Erlass einer einstweiligen Anordnung sowohl ein **Anordnungsanspruch** als auch ein **Anordnungsgrund** gegeben sein.[225] Außerdem darf die einstweilige Anordnung die **Hauptsache** grundsätzlich **nicht vorwegnehmen.**

Anordnungsanspruch

Die Voraussetzung eines Anordnungsanspruchs bedeutet das Vorliegen eines materiell-rechtlichen Leistungsanspruchs auf die vom Betroffenen geltend gemachte Leistung. Das Vorliegen dieses Anspruchs (und damit die Rechtswidrigkeit eines AblehnungsVA) muss das Gericht im Rahmen einer **summarischen Prüfung** feststellen. Geht es dem Antragsteller um eine **Ermessensleistung,** so müsste das Gericht eine Ermessensreduzierung auf Null feststellen, um einen Anordnungsanspruch zu begründen.[226]

Für die summarische Prüfung gilt – wie beim Antrag auf Aussetzung der Vollziehung[227] –, dass nach einer überschlägigen, vorläufigen Beurteilung des Falls eine **überwiegende Wahrscheinlichkeit** für das Vorliegen des geltend gemachten Anspruchs gegeben sein muss. Der Antragsteller muss in der Lage sein, die für die Begründung seines Anspruchs notwendigen Tatsachen **glaubhaft** zu machen.[228] Zwar gilt auch für die Eilverfahren das Amtsermittlungsprinzip. Für die summarische Prüfung ist jedoch nur dasjenige an Sachverhaltsaufklärung durchzuführen, was sich in angemessener Zeit bewerkstelligen lässt (z. B. ärztliches Attest statt medizinischem Gutachten).

---

225 Vgl. § 86b Abs. 2 S. 4 SGG u. § 123 Abs. 3 VwGO, die auf die Vorschriften der Zivilprozessordnung (ZPO) verweisen und damit auf die Begriffe Anordnungsanspruch und Anordnungsgrund gemäß § 920 Abs. 2 ZPO für die (sozial-)verwaltungsrechtlichen einstweiligen Anordnungen etablieren.
226 S. Kap. 5.5.5; Einzelheiten: Knödler/Krodel, Eilrechtsschutz und Klageverfahren, Kap. IV.10.3.
227 S. Kap. 13.4.1.
228 Frings/Schweigler, Sozialrecht, Kap. 2.7.6, S. 90; Einzelheiten u. Schriftsatzmuster: Knödler/Krodel, Eilrechtsschutz und Klageverfahren, Kap. IV.10.2 u. IV.10.5.

Neben den üblichen Beweismitteln,[229] kann der Antragsteller zur Glaub-haftmachung auch eine „**Versicherung an Eides statt**" vorlegen.[230] Dies ist eine schriftliche Erklärung über die anspruchsbegründenden Tatsachen, die der An-tragsteller in besonderer Weise (d. h. mit strafrechtlicher Relevanz)[231] bekräftigt.

Bleibt die Frage **offen,** ob ein Anordnungsanspruch vorliegt, so ist in glei-cher Weise wie beim Antrag auf Aussetzung der Vollziehung, eine **Interessen-abwägung** vorzunehmen. Abzuwägen sind die Folgen, die einer Seite entstehen würden, wenn das Gericht die einstweilige Anordnung nicht erließe, sich im Hauptsacheverfahren aber doch das Bestehen des Anordnungsanspruchs heraus-stellen würde – und umgekehrt.[232] Ein überragendes, weil z. B. **grundrechtlich** gebotenes, Interesse des Antragstellers (beispielsweise im Bereich der existenz-sichernden SGB II- oder SGB XII-Leistungen oder bei Leistungen der Kranken-versicherung im Fall lebensbedrohlicher Erkrankungen), würde dann trotz offen gebliebenen Anordnungsgrunds zu einer stattgebenden einstweiligen Anord-nung führen.

Anordnungsgrund

Für das Vorliegen eines Anordnungsgrunds ist eine dringliche **Notsituation** erforderlich, in der es dem Antragsteller nicht zumutbar ist die – eine gewisse Zeit in Anspruch nehmende – Hauptsacheentscheidung abzuwarten, da er dann schwere und unwiederbringliche Nachteile erleiden würde.[233] Auch dies muss im Antrag auf Erlass einer einstweiligen Anordnung glaubhaft dargestellt werden.

Keine Vorwegnahme der Hauptsache

Die einstweilige Anordnung soll die Entscheidung in der Hauptsache nicht er-setzen, sondern den Betroffenen nur bis zu diesem Zeitpunkt vor schwerwiegen-den Nachteilen schützen. Dies bedeutet, dass grundsätzlich nur **vorläufige** und keine endgültigen Entscheidungen getroffen werden. Insbesondere sollen keine **irreversiblen** Entscheidungen getroffen werden, da sich ja immer herausstellen kann, dass die in einer einstweiligen Anordnung getroffene Entscheidung in der Hauptsache wieder rückgängig gemacht wird (und dann z. B. auch Erstattungs-pflichten auslöst). So werden z. B. Dauerleistungen oder dauerhafte Begüns-

---

229 S. Kap. 6.2.3.
230 Typischerweise mit folgender Formulierung: „*Hiermit versichere ich, (nähere Angaben zur Person) in Kenntnis der Bedeutung einer eidesstattlichen Versicherung und der Strafbarkeit falscher eidesstattlicher Versicherungen, folgenden Sachverhalt an Eides statt: (Darstellung der Tatsachen)*".
231 Vgl. §§ 155, 156 StGB.
232 Einzelheiten: Meyer-Ladewig/Keller/Schmidt, SGG, § 86b, Rn. 29a.
233 Krasney/Udsching/Groth/Meßling, Sozialgerichtsverfahren, Kap. V, Rn. 38a.

tigungen bei einer einstweiligen Anordnung nur für einen bestimmten (kürzeren) Zeitraum zugesprochen.

> **Beispiele:** SGB II-, SGB XII-Leistungen nur für einige Monate oder versehen mit einem Abschlag, eine Aufenthaltserlaubnis nicht unbefristet, sondern nur für einen kürzeren Zeitraum.

Ausnahmen vom Verbot der Vorwegnahme der Hauptsache können aber dann bestehen, wenn sich z. B. durch betroffene Grundrechtspositionen oder durch die Rechtsschutzgarantie des Art. 19 Abs. 4 GG ergibt, dass ein effektiver Rechtsschutz nur durch die Vorwegnahme der Hauptsache und nicht anders zu erreichen ist.[234]

> **Beispiele:** Eine behördliche Erlaubnis zur Berufsausübung, eine Zulassung zu einem Studienplatz.

---

234 Meyer-Ladewig/Keller/Schmidt, SGG, § 86b, Rn. 31 ff.

13.5　Übersicht

Übersicht: Verfahrensarten – Fortsetzung auf den nächsten Seiten

Verfahrensart	Verfahrensziel	Beispielsfall	Antrag	I. Zulässigkeit u. II. Begründetheit
Anfechtungsklage, § 54 Abs. 1 S. 1, 1. Alt. SGG	Aufhebung eines belastenden VA	A erhält einen Rücknahme- und Erstattungsbescheid über zu viel gezahltes Bürgergeld. As Widerspruch blieb ohne Erfolg.	„Es wird beantragt, den Bescheid der Beklagten vom … in Gestalt des Widerspruchsbescheids vom … aufzuheben."	I. • Statthaftigkeit: Klagegegenstand = belastender VA • Form (schriftlich/zur Niederschrift) • Frist (ein Monat nach Bekanntgabe des WiderspruchsVA) • Klagebefugnis, Rechtsschutzbedürfnis II. Belastender VA = rechtswidrig (Prüfung der formellen u. materiellen Rechtmäßigkeit des angegriffenen VA)
Anfechtungs- u. Leistungsklage, § 54 Abs. 4 SGG	Erhalt eines begünstigenden VA (als Grundlage für eine Sach-, Dienst- oder Geldleistung), der auf gebundener Rechtsnorm beruht; Ablehnung im vorangegangen Verwaltungsverfahren	L beantragt Grundsicherung im Alter nach § 41 SGB XII. Der Antrag wird abgelehnt mit der Begründung, L sei nicht bedürftig oder erfülle nicht die übrigen gesetzlichen Voraussetzungen. Ls Widerspruch blieb ohne Erfolg	„Es wird beantragt, den Bescheid der Beklagten vom … in Gestalt des Widerspruchsbescheids vom … aufzuheben und den Beklagten zu verurteilen, der Klägerin Grundsicherung im Alter ab Antragstellung zu zahlen."	I. • Statthaftigkeit: Klagegegenstand = begünstigender VA, Grundlage für Sach-, Dienst-, Geldleistung, gebundene Rechtsnorm • Form (schriftlich/zur Niederschrift), • Frist (ein Monat nach Bekanntgabe des WiderspruchsVA) • Klagebefugnis, Rechtsschutzbedürfnis II. Klägerin erfüllt Voraussetzungen für begünstigenden VA, der Grundlage für Sach-, Dienst-, Geldleistung ist u. auf den ein Rechtsanspruch besteht (Prüfung der formellen u. materiellen Rechtmäßigkeit des ablehnenden VA)
Anfechtungs- u. Verpflichtungsklage, § 54 Abs. 1, S. 1, 2. Alt. SGG	Erhalt eines begünstigenden VA, der auf Anspruchsnorm beruht; Ablehnung im vorangegangenen Verwaltungsverfahren	V beantragt die Anerkennung einer Schwerbehinderung nach § 69 SGB IX. Der Antrag wird abgelehnt mit der Begründung, sein Gesundheitszustand sei nicht so schlecht, dass er die gesetzlichen Voraussetzungen für eine Anerkennung rechtfertigen würde. Vs Widerspruch blieb ohne Erfolg.	„Es wird beantragt, den Bescheid der Beklagten vom … in der Gestalt des Widerspruchsbescheids vom … aufzuheben und die Behörde zu verpflichten, den Kläger als Schwerbehinderten mit einem Grad der Behinderung von mindestens … % anzuerkennen."	I. • Statthaftigkeit: Klagegegenstand = begünstigender VA, gebundene Rechtsnorm • Form (schriftlich/zur Niederschrift). • Frist (ein Monat nach Bekanntgabe des WiderspruchsVA) • Klagebefugnis, Rechtsschutzbedürfnis II. Kläger erfüllt Voraussetzungen für begünstigenden VA, auf den ein Rechtsanspruch besteht (Prüfung der formellen u. materiellen Rechtmäßigkeit des ablehnenden VA)
Anfechtungs- u. Bescheidungsklage, § 54 Abs. 2 S. 2 SGG	Erhalt eines begünstigenden VA, der auf Ermessensnorm beruht; Ablehnung im vorangegangenen Verwaltungsverfahren	B hat bei der Agentur für Arbeit die Kostenübernahme für eine berufliche Weiterbildungsmaßnahme gemäß § 81 SGB III beantragt. Es handelt sich um eine Ermessensleistung. Bs Antrag wurde abgelehnt, weil B mit der Maßnahme ihre Arbeitslosigkeit voraussichtlich nicht überwinden würde. Bs Widerspruch blieb ohne Erfolg.	„Es wird beantragt, die Beklagte zu verurteilen, unter Aufhebung des Bescheids vom … und des Widerspruchsbescheids vom … über den Antrag der Klägerin vom … unter Beachtung der Rechtsauffassung des Gerichts erneut zu entscheiden."	I. • Statthaftigkeit: Klagegegenstand = begünstigender VA, Ermessensnorm • Form (schriftlich/zur Niederschrift). • Frist (ein Monat nach Bekanntgabe des WiderspruchsVA) • Klagebefugnis, Rechtsschutzbedürfnis II. Klägerin erfüllt Voraussetzungen für begünstigenden VA, der auf Ermessensnorm beruht, Ermessensfehler bei der Entscheidung der Behörde (Prüfung der formellen u. materiellen Rechtmäßigkeit des ablehnenden VA)

Verfahrensart	Verfahrensziel	Beispielsfall	Antrag	I. Zulässigkeit u. II. Begründetheit
Untätigkeitsklage, § 88 SGG	Erhalt eines ErstVA oder eines WiderspruchsVA; Anträge sind gestellt, Behörde bleibt aber untätig	U hat Eingliederungshilfe für den Erwerb eines behindertengerechten PKW nach §§ 83, 114 SGB IX bei dem in ihrem Bundesland zuständigen Träger der Eingliederungshilfe beantragt und alle erforderlichen Unterlagen vorgelegt, doch nichts ist passiert.	„Es wird beantragt, die Beklagte zu verurteilen, über den Antrag der Klägerin auf .../den Widerspruch der Klägerin gegen den Bescheid vom ... eine Entscheidung zu treffen."	I. • Statthaftigkeit: Klagegegenstand = Nicht-Tätigwerden der Behörde • Form (schriftlich/zur Niederschrift). • Frist: 6 Monate seit Antrag auf VA oder 3 Monate seit Einlegung eines Widerspruchs • Klagebefugnis, Rechtsschutzbedürfnis II. 6-/3-Monatsfrist ist ohne zureichenden Grund verstrichen
Leistungsklage (ohne VA), § 54 Abs. 5 SGG	Verurteilung zu einer bestimmten Handlung (die kein VA ist)	P ist pflegebedürftig, das Sozialamt bewilligte ihm Hilfe zur Pflege nach § 65 SGB XII für die monatlichen Kosten seiner Pflegekraft. Die Rechnungen reicht P ein. Es wird, obwohl P mehrfach mahnt, nichts gezahlt.	„Es wird beantragt, die Beklagte zu verurteilen, an den Kläger xxx EUR (ggf. nebst Zinsen seit dem ...) zu zahlen."	I. • Statthaftigkeit: Klagegegenstand = Handlung/Unterlassung der Verwaltung, die kein VA ist • Form (schriftlich/zur Niederschrift). • keine Frist • Klagebefugnis, Rechtsschutzbedürfnis II. Anspruch auf Handlung/Unterlassung besteht (Prüfung der gesetzlichen Voraussetzungen)
Feststellungsklage, § 55 Abs. 1 SGG	Ausspruch einer Feststellung durch das Gericht	F musste ihren Beruf als Krankenschwester wegen einer Wirbelsäulenerkrankung aufgeben. Sie möchte, dass i. S. v. § 9 SGB VII von der Unfallversicherung anerkannt wird, dass es sich dabei um eine Berufskrankheit handelt.	„Es wird beantragt festzustellen, dass die Wirbelsäulenerkrankung der Klägerin eine Berufskrankheit ist."	I. • Statthaftigkeit: Klagegegenstand = Feststellung • Form (schriftlich/zur Niederschrift). • Frist: nur wenn VA vorausging; ein Monat nach Bekanntgabe des WiderspruchsVA; sonst: keine Frist • Klagebefugnis, Feststellungsinteresse, keine Subsidiarität II. begehrte Feststellung trifft zu
Fortsetzungs-feststellungsklage, § 131 Abs. 1 S. 3 SGG	Umstellung einer Anfechtungs- oder Leistungsklage, die sich erledigt hat, in eine Feststellungsklage	S wurde mit VA aufgefordert, angeblich zu Unrecht erhaltene Sozialleistungen zurückzuzahlen. Sein Widerspruch bleibt ohne Erfolg. Die Behörde fängt an zu vollstrecken, pfändet seine Konten und sein Arbeitseinkommen. Im Anfechtungsverfahren stellt sich heraus, dass der VA rechtswidrig war und S gar nichts zurückzahlen muss. Durch die Vollstreckung und Pfändung hat S diverse finanzielle Verluste erlitten, die er nun im Wege der Amtshaftung von der Behörde kompensiert haben möchte. Er braucht dazu die gerichtliche Feststellung, dass der VA rechtswidrig war.	„Es wird beantragt festzustellen, dass der Bescheid der Beklagten vom ... in der Gestalt des Widerspruchsbescheids vom ... rechtswidrig gewesen ist."	I. • Statthaftigkeit: Klagegegenstand = Umstellung einer erledigten Anfechtungs- oder Leistungsklage in eine Feststellungsklage • Form / keine Frist: Antrag im noch anhängigen, aber erledigten Anfechtungs- oder Leistungsverfahren • Klagebefugnis, besonderes Feststellungsinteresse (Wiederholungsgefahr, Rehabilitationsinteresse, Amtshaftung) II. Anfechtungs- oder Leistungsklage war begründet, angegriffener VA war rechtswidrig

Verfahrensart	Verfahrensziel	Beispielsfall	Antrag	I. Zulässigkeit u. II. Begründetheit
Antrag auf Aussetzung der Vollziehung (Herstellung der aufschiebenden Wirkung), § 86b Abs. 1 SGG (§ 86a Abs. 3 SGG: **Antrag bei der Behörde**)	Belastender VA, gegen den Widerspruch (oder bereits Anfechtungsklage) erhoben wurde; Rechtsbehelfe haben keine aufschiebende Wirkung (§ 86a Abs. 2 SGG)	Die 22-jährige W hat ihre Berufsausbildung abgebrochen, ein halbes Jahr lang gejobbt und jetzt ein Studium begonnen. Während der ganzen Zeit bekam sie Kindergeld von der Familienkasse der Agentur für Arbeit. Für das halbe Jahr Jobben fordert die Familienkasse das Kindergeld zurück. W legt gegen den Rückforderungs-VA Widerspruch ein. Dieser hat gemäß § 86a Abs. 2 Nr. 2 SGG keine aufschiebende Wirkung.	„Es wird beantragt, die Aussetzung der Vollziehung bzw. die Herstellung der aufschiebenden Wirkung des Widerspruchs (nähere Bezeichnung) / der Klage (nähere Bezeichnung) anzuordnen."	I. • Statthaftigkeit: Antragsgegenstand = aufschiebende Wirkung eines Rechtsbehelfs gegen einen belastenden VA bzw. die Aussetzung von dessen Vollziehung • Form (schriftlich/zur Niederschrift), keine Frist • Antragsbefugnis II. Summarische Prüfung: • Zulässigkeit und Begründetheit des eingelegten Rechtsbehelfs (Widerspruch oder Anfechtungsklage) • Interessenabwägung zwischen Aufschub- und Vollzugsinteresse
Antrag auf Erlass einer einstweiligen Anordnung, § 86b Abs. 2 SGG (**Antrag beim Sozialgericht**)	Antrag auf begünstigenden VA wurde von Behörde abgelehnt; dagegen wurde Widerspruch (oder bereits Klage) erhoben; die Entscheidungen nehmen Zeit in Anspruch und es ist nicht möglich, abzuwarten	E, 62 Jahre alt, ist arbeitslos und muss Bürgergeld beim Jobcenter beantragen. Er hat kein Einkommen, aber eine Lebensversicherung im von Wert 50.000, die in drei Jahren fällig wird. Das Jobcenter lehnt die Bewilligung von Bürgergeld mit der Begründung ab, E müsste die Lebensversicherung auflösen und verwenden. Dies würde so kurz vor Fälligkeit einen erheblichen Wertverlust bedeuten, den E für nicht zumutbar hält. E legt gegen die Ablehnung Widerspruch ein, muss aber die Zeit bis zur Entscheidung des Widerspruchs von irgendetwas leben.	„Es wird beantragt, den Antragsgegner im Wege der einstweiligen Anordnung zu verpflichten, vorläufige Leistungen (nähere Bezeichnung) zu gewähren."	I. • Statthaftigkeit: Antragsgegenstand = vorläufige Sicherung oder Regelung einer Begünstigung • Form (schriftlich/zur Niederschrift), keine Frist • Antragsbefugnis II. Summarische Prüfung: • Anordnungsanspruch • Anordnungsgrund

13.6 Übungsfragen

13.6.1
Was ist der Unterschied zwischen „allgemeinen" und „besonderen" Zulässigkeitsvoraussetzungen?

13.6.2
Bei welchen Klagearten gilt jeweils die folgende Frist?

a) *Gar keine Frist.*
b) *Frist von einem Monat.*
c) *Frist von drei Monaten.*
d) *Frist von sechs Monaten.*

13.6.3
Was bedeutet „summarische Prüfung"?

13.6.4
Herr L ist arbeitslos, hat aber einen Minijob, bei dem er 538 EUR monatlich verdient. Schon vor mehr als zwei Monaten hat er Bürgergeld beim Jobcenter beantragt und alle erforderlichen Unterlagen vorgelegt. Dennoch kommt es zu keiner Entscheidung und U hat bereits Schulden. Er überlegt:

a) *Untätigkeitsklage zu erheben;*
b) *Feststellungsklage beim Sozialgericht zu erheben, mit dem Antrag, dass ihm das Jobcenter Bürgergeld zahlen muss;*
c) *Eine soziale Beratungsstelle zu bitten, ihm die Summe auszurechnen, auf die er nach den §§ des SGB II einen monatlichen Anspruch hätte und dieses Geld beim Sozialgericht einzuklagen;*
d) *Einen Eilantrag auf Aussetzung der Vollziehung beim Sozialgericht zu stellen;*
e) *Einen Antrag auf Erlass einer einstweiligen Anordnung beim Sozialgericht zu stellen.*

Prüfen und begründen Sie, welche der Möglichkeiten für U empfehlenswert wäre(n)!

13.6.5
Übungsfall:
Frau F, 40 Jahre alt, ist alleinerziehend und lebt zusammen mit ihrem Sohn K, 13 Jahre alt. F ist schon seit einiger Zeit arbeitslos. Sie und K leben von Bürgergeld-Leistungen des Jobcenters. In ihrem Antrag auf Bürgergeld machte F folgende An-

gaben: F = Einkommen und Vermögen 0 EUR, K = Einkommen 255 EUR Kindergeld, Vermögen 0 EUR.

Was F bei der Antragstellung vergessen hatte: Die Großeltern (Eltern von Ks Vater) haben schon seit der Geburt für ihren Enkel K ein Sparbuch angelegt, auf das sie regelmäßig einzahlen. Darauf befinden sich mittlerweile Ersparnisse i. H. v. 120 000 EUR. Die Anlage des Sparbuches geschah damals mit Einverständnis von F.

Zwischen den Großeltern und F wurde betreffend des Sparkontos folgende Absprache getroffen: Das Guthaben soll K erst nach seiner Volljährigkeit und dem Abschluss der Schule zur Verfügung stehen. Es ist ausschließlich für Ks weitere Ausbildung und für seine berufliche Zukunft (z. B. Studienaufenthalt im Ausland) zu verwenden. Die Großeltern haben ein Mitspracherecht bei der Verwendung.

Gegenüber der Bank ist K alleiniger Inhaber des Kontos. Die Großeltern sind gegenüber der Bank als „Bevollmächtigte" benannt. F hat alles als gesetzliche Vertreterin für K damals unterschrieben. Das Sparbuch befindet sich im Besitz von F, die Sicherungskarte bei den Großeltern. Die Großeltern sind auch die einzigen Personen, die Zugang zu den Daten für das Online-Banking haben. Sie nutzen das Online-Banking für ihre Einzahlungen und das regelmäßige Abfragen des Kontostands. F hat sich seit der Einrichtung nicht weiter um das Sparbuch gekümmert. Soweit es Schriftverkehr gibt, läuft dieser ausschließlich über die Großeltern. So hat F die Existenz des Sparkontos von K weitgehend vergessen und auch keinerlei Überblick darüber, welche Summe sich auf dem Konto befindet oder welche Beträge von den Großeltern eingezahlt worden sind.

Durch einen Datenabgleich mit dem Finanzamt erfährt das Jobcenter, dass bei K ein Vermögen i. H. v. 120 000 EUR vorhanden ist. Das Jobcenter erlässt einen VA, mit dem die Leistungsbewilligung und Leistungszahlung für K (Bürgergeld gemäß § 19 Abs. 1 S. 2 SGB II) ab dem folgenden Monat aufgehoben werden, weil er nicht hilfebedürftig i. S. d. § 9 SGB II sei. Laut VA muss K sein Vermögen für seinen Lebensunterhalt einsetzen. Vertrauensschutz könne nicht geltend gemacht werden. Der Bescheid des Jobcenters ist formal korrekt erlassen, abgefasst und zugestellt worden.

Gehen Sie im Folgenden davon aus, dass die Großeltern auf der ausschließlichen Verwendung des Geldes für Ks zukünftige Ausbildung bestehen und die 120 000 EUR lieber abheben und das Sparkonto auflösen würden, als zuzulassen, dass es jetzt für den allgemeinen Lebensunterhalt verbraucht wird. Gehen Sie außerdem davon aus, dass F und K von niemandem finanzielle Unterstützung erwarten können und dass es nicht möglich ist, dass beide ihren notwendigen Lebensunterhalt nur von dem Bürgergeld der F bestreiten.

a) *Welche außergerichtlichen und/oder gerichtlichen Rechtsbehelfe kommen in Betracht, wenn F (handelnd als gesetzliche Vertreterin von K) erreichen möchte, dass das Jobcenter für K auch weiterhin Bürgergeld zahlt?*

b) *Prüfen Sie die Zulässigkeit und Begründetheit der in Betracht kommenden Rechtsbehelfe in Form einer Lösungsskizze! Nutzen Sie dabei die Schemata aus den Übersichten (vgl. Kap. 5.7, 9.6, 11.5 u. 13.5)!*

c) *Formulieren Sie die in Betracht kommenden Rechtsbehelfsanträge!*

(Lösungen unter www.lehrbuch-sozialverwaltungsrecht.de)

Weiterführende Literatur

Knödler, Christoph/Krodel, Thomas, Eilrechtsschutz und Klageverfahren in der Sozialen Arbeit, Regensburg/Berlin 2011, Kapitel IV.

Krasney, Otto Ernst/Udsching, Peter/Groth, Andy/Meßling, Miriam, Handbuch des sozialgerichtlichen Verfahrens, 8. Aufl., Berlin 2022, Kapitel IV und V.

14. Kapitel
Hilfe bei der Rechtsdurchsetzung

Im Kapitel werden Beratungs- und die Prozesskostenhilfe behandelt. Ihre Voraussetzungen, ihr Umgang und ihre jeweiligen Anwendungsbereiche werden dargestellt. Ein weiteres Thema ist das Rechtsdienstleistungsgesetz (RDG) als wichtige Grundlage für die soziale Rechtsberatung.

Die Verwaltung ist verpflichtet, bei der Erfüllung ihrer Aufgaben rechtmäßig zu handeln. Tut sie dies nicht, so steht jedem Betroffenen der Rechtsweg offen.[235] Alle Bürger:innen sind berechtigt, von der Verwaltung **rechtmäßiges Handeln** und die ihnen zustehenden Rechte und sozialen Ansprüche **einzufordern** – erforderlichenfalls mit Hilfe der Gerichte.

Häufig jedoch kennen die Betroffenen ihre Rechte und Ansprüche überhaupt nicht, geschweige denn, dass sie in der Lage wären, sie durchzusetzen. Hinderungsgründe sind z. B. Krankheiten, Armut, Ängste, psychischer Stress, fehlende Sprachkenntnisse, hohes Alter, Unerfahrenheit usw. Auch die Inanspruchnahme von professioneller Hilfe durch **Rechtsanwält:innen** scheitert oft an „Schwellenängsten" bzw. der Befürchtung, Kosten nicht tragen zu können. Doch Sozialstaats- und Rechtsstaatprinzip des GG gebieten es, dass solche Gründe nicht dazu führen dürfen, dass bestehende Rechte unverwirklicht bleiben. Hier setzen die staatlichen Instrumente **Beratungshilfe** und **Prozesskostenhilfe** an, mit denen einkommensschwachen Bürger:innen die Kosten für professionelle Rechtsberatung aus der Staatskasse finanziert werden.

Daneben besteht ein Bedürfnis nach sozialer Rechtsberatung/Rechtsdienstleistungen durch Angehörige **sozialer Berufe**. Denn auch wenn die Finanzierung von Rechtsanwält:inne durch Beratungs- und Prozesskostenhilfe gewährleistet ist, können diese doch nicht wie die sozialen Berufe zugleich **Rechts-** wie auch ganzheitliche **Lebenshilfe** leisten. Eine Reduzierung der Lebenssituation Betroffener auf rein rechtliche Fragen hilft diesen oft allein nicht weiter. Erforderlich ist vielmehr eine Kombination psychosozialer Arbeit und rechtlicher Hilfestellung. Beide Bereiche sind in der Praxis Sozialer Arbeit eng miteinander verzahnt.[236]

---

235 S. Kap. 10.3; vgl. auch Art. 19 Abs. 4 u. 20 Abs. 3 GG.
236 Trenczek/Tammen/Behlert/v. Boetticher/Beetz, Grundzüge, I-4.2, S. 191 ff.

Den gesetzlichen Rahmen für den Umfang und die Zulässigkeit sozialer Rechtsberatung/Rechtsdienstleistungen bildet das **Rechtsdienstleistungsgesetz (RDG)**.

14.1 Beratungshilfe

▶ Beratungshilfe ist die rechtliche Hilfe für einkommensschwache Bürger:innen außerhalb eines gerichtlichen Verfahrens. Die gesetzlichen Grundlagen sind im Beratungshilfegesetz (BerHG) geregelt. Die Beratungshilfe besteht in **Rechtsberatung** und/oder **außergerichtlicher Rechtsvertretung** durch Angehörige rechtsberatender Berufe.[237]

Beratungshilfe bekommt man für **alle Rechtsgebiete,** d. h. neben dem Sozial- und Verwaltungsrecht z. B. auch für zivil-, steuer- oder arbeitsrechtliche Angelegenheiten. Einschränkungen bestehen für das Straf- und Ordnungswidrigkeitenrecht: Nach § 2 Abs. 2 BerHG beschränkt sich die Beratungshilfe hier allein auf die Beratung.

Rechtssuchende können professionelle Rechtsberatung (z. B. darüber, ob ein beabsichtigtes Klage- oder Widerspruchsverfahren Aussicht auf Erfolg hat) oder Rechtsvertretung (z. B. die außergerichtliche Geltendmachung einer Forderung oder die Durchführung eines Widerspruchsverfahrens) in Anspruch nehmen. Beratungs-/Vertretungspersonen sind dabei in erster Linie Rechtsanwält:innen, jedoch auch Steuerberater:innen, Wirtschaftsprüfer:innen oder Rentenberater:innen im Rahmen der von ihnen bearbeiteten Rechtsgebiete.[238] Die Rechtsuchenden können sich die Beratungsperson grundsätzlich selbst aussuchen.[239]

---

237 Die Vertretung innerhalb eines gerichtlichen Verfahrens für einkommensschwache Bürger:innen regelt die Prozesskostenhilfe, s. Kap. 14.2; Einzelheiten: Lissner/Dietrich/Schmidt, Beratungshilfe, Rn. 18.

238 Vgl. § 3 BerHG.

239 Ausnahme: in den Bundesländern Bremen und Hamburg wurden öffentliche Rechtsberatungsstellen eingerichtet, die von den Rechtssuchenden in Anspruch zu nehmen sind; vgl. Frings/Schweigler, Sozialrecht, Kap. 2.7.5, S. 87.

14.1.1 Voraussetzungen

▶ Voraussetzung für die Beratungshilfe sind nach § 1 Abs. 1 Nr. 1–3 BerHG, dass rechtsuchende Person über geringes **Einkommen** und keine **anderen zumutbaren Hilfsmöglichkeiten** verfügt und die Inanspruchnahme der Beratungshilfe nicht **mutwillig** erscheint.

Für die Voraussetzung des geringen Einkommens verweist das BerHG auf die Vorschriften über die Prozesskostenhilfe, die im folgenden Abschnitt erörtert werden. Geringes Einkommen im Sinne der Beratungshilfe liegt vor, wenn die Voraussetzungen für eine **ratenfreie** Bewilligung von Prozesskostenhilfe gegeben wären.[240]

Andere, zumutbare Hilfsmöglichkeiten lassen den Anspruch auf Beratungshilfe entfallen. Sie sind gegeben, wenn rechtsuchende Person anderweitig einen **kostenlosen** Rechtsberatungsanspruch hat, z.B. aufgrund einer Rechtsschutzversicherung oder als Gewerkschaftsmitglied.[241] Die Inanspruchnahme von Beratungshilfe darf auch nicht „mutwillig" sein.[242] Dies ist dann der Fall, wenn jemand, der die Rechtsberatungskosten selbst tragen müsste, sinnvollerweise davon absehen würde, sein Geld für die entsprechende Angelegenheit zu investieren. Mutwilligkeit ist z.B. gegeben, wenn ohne konkreten Fall eine Klärung von Rechtsfragen „ins Blaue hinein" erfolgen soll, wenn in derselben Angelegenheit schon einmal Rechtsrat eingeholt wurde oder wenn Rechtsbehelfsfristen schon längst verstrichen sind.[243]

14.1.2 Bewilligung

▶ Es gibt gemäß § 6 BerHG **zwei** Möglichkeiten, wie die Beratungshilfe bewilligt werden kann. Zum einen durch die Ausstellung eines **„Beratungshilfescheins"** durch das Amtsgericht **vor** der Beratung. Zum anderen durch einen von der Beratungsperson beim Amtsgericht eingereichten Antrag **nach** der Beratung.

---

240 Vgl. § 1 Abs. 2 BerHG; s. auch Kap. 14.2.1.
241 Einzelheiten: Lissner/Dietrich/Schmidt, Beratungshilfe, Rn. 136 ff.
242 Vgl. § 1 Abs. 3 BerHG.
243 Einzelheiten: Lissner/Dietrich/Schmidt, Beratungshilfe, Rn. 191–195.

Bewilligung vor der Beratung

Für den Erhalt eines Beratungshilfescheins (= Formular, in dem die positive Bewilligung der Beratungshilfe erklärt wird und das man der Beratungsperson aushändigt) muss sich die rechtsuchende Person entweder schriftlich oder persönlich an das Amtsgericht des Wohnsitzes wenden.[244] Den Beratungshilfeschein bewilligt ein Rechtspfleger, dem man die Angelegenheit kurz darlegen muss. Vorzulegen sind Personalausweis und Nachweise, die die Mittellosigkeit belegen (z. B. Renten-, Bürgergeld-, Sozialhilfe- oder Arbeitslosengeld-Bescheid, Gehaltsbescheinigungen, Kontoauszüge, Belege über Ausgaben, wie z. B. Mietvertrag, Versicherungs- oder Darlehensverträge, Angaben zu Familienverhältnissen/Unterhaltsverpflichtungen, etc.). Ferner sollte man, nach Möglichkeit, geeignete Nachweise für die Rechtsangelegenheit vorlegen (z. B. den Bescheids, gegen den man Widerspruch einlegen möchte, Verträge, Mahn- oder Kündigungsschreiben etc.).

Bei persönlicher Beantragung erhält man den Beratungshilfeschein i. d. R. unmittelbar nach der Vorsprache beim Amtsgericht. Im Gegensatz zur Prozesskostenhilfe findet **keine rechtliche Prüfung statt,** ob die Angelegenheit der rechtsuchenden Person **Aussicht auf Erfolg** hat.[245]

Bewilligung nach der Beratung

Die rechtsuchende Person kann auch unmittelbar eine Beratungsperson aufsuchen und durch diese nachträglich den Antrag stellen lassen. Es muss allerdings von Beginn an deutlich gemacht werden, dass Beratung/Vertretung auf der Basis des BerHG erfolgen soll. In der Regel müssen dann der Beratungsperson sämtliche Nachweise über Einkommen, Vermögen und Ausgaben und über die Rechtsangelegenheit zur Verfügung gestellt werden. Diese müssen zusammen mit dem nachträglichen Antrag auf Beratungshilfe beim Amtsgericht eingereicht werden. Der nachträgliche Antrag muss innerhalb von vier Wochen nach Durchführung der Beratung gestellt werden.[246]

Umfang der Beratungshilfe

Die Beratungshilfe ist kostenfrei. Allerdings ist die Beratungsperson berechtigt, eine Gebühr i. H. v. 15 EUR von den Rechtssuchenden zu verlangen.[247] Ansonsten rechnet die Beratungsperson ihre Gebühren mit der Landesjustizkasse ab. Für

---

244 Schriftlich: Antragsformular aus dem Internet; persönliche Vorsprache bei der Rechtsantragsstelle des Amtsgerichts.
245 S. Kap. 14.2.2.
246 Vgl. § 6 Abs. 2 BerHG.
247 Vgl. Vergütungsverzeichnis zum Rechtsanwaltsvergütungsgesetz VV RVG Nr. 2500.

die Beratung gibt es eine einmalige Pauschalgebühr i. H. v. 38,50 EUR, für die Rechtsvertretung i. H. v. 93,50 EUR, im Falle einer Einigung i. H. v. 165 EUR.[248] Angesichts der geringen Gebühren werden Beratungshilfemandate oftmals abgelehnt. Trotzdem sind alle Rechtsanwält:innen standesrechtlich dazu verpflichtet, auch Beratungshilfemandate anzunehmen und können sie nur „im Einzelfall aus wichtigem Grund ablehnen".[249]

Nach § 2 Abs. 1 BerHG besteht die Beratungshilfe zunächst **nur in einer Beratung**. Eine **Rechtsvertretung** kommt erst dann in Betracht, wenn sie „erforderlich" ist, d. h. wenn die rechtsuchende Person auch nach der Beratung angesichts des Umfangs oder der Schwierigkeit Angelegenheit ihre Rechte nicht selbst wahrnehmen kann. Dies ist schwer zu generalisieren, da auch Bildungsstand oder Selbsthilfepotential der Person eine Rolle spielen. Erforderlich ist eine Rechtsvertretung z. B. beim Aushandeln einer außergerichtlichen Trennungsvereinbarung, nicht erforderlich z. B. bei einfach nachzuvollziehenden Berechnungsfehlern in einem Bescheid.[250]

14.2 Prozesskostenhilfe

> ▶ Die Prozesskostenhilfe (PKH) ist die Kostenübernahme der **Rechtsvertretung** durch **Rechtsanwält:innen** für einkommensschwache Bürger:innen innerhalb eines **gerichtlichen Verfahrens**. Die Betroffenen müssen **Partei** (Kläger:in oder Beklagte:r)[251] in einem gerichtlichen Verfahren sein. Geregelt ist die PKH in den §§ 114–127 ZPO.[252] Die Vorschriften gelten für alle Arten gerichtlicher Verfahren,[253] für alle gerichtlichen Instanzen und genauso für die Klage/Antragseinleitung, wie auch für die Rechtsverteidigung.

Auch juristische Personen (z. B. freie Träger) haben die Möglichkeit, PKH zu bekommen.[254] Für Angeklagte eines Strafprozesses gibt es keine PKH, sondern nur

---

248 Vgl. Vergütungsverzeichnis zum Rechtsanwaltsvergütungsgesetz VV RVG Nrn. 2501, 2503 u. 2508.
249 Vgl. § 49a Abs. 1 BRAO.
250 Einzelheiten: Lissner/Dietrich/Schmidt, Beratungshilfe, Rn. 208–213.
251 In Klageverfahren heißen die Parteien Kläger und Beklagter, in sonstigen Verfahren, z. B. Eilverfahren, Antragsteller und Antragsgegner.
252 Auf die ZPO wird verwiesen in § 73a SGG; Parallelvorschrift: § 166 VwGO.
253 Auch in den familienrechtlichen Verfahren, dort allerdings unter dem Namen „Verfahrenskostenhilfe", vgl. § 76 FamFG.
254 Vgl. § 116 Nr. 2 ZPO.

die Möglichkeit, sich in bestimmten Fällen einen Pflichtverteidiger beiordnen zu lassen.[255]

14.2.1 Voraussetzungen

> ▶ Für die Bewilligung von PKH ist Voraussetzung, dass der Betroffene aufgrund seiner **persönlichen** und **wirtschaftlichen Verhältnisse** nicht in der Lage ist, die Kosten eines gerichtlichen Verfahrens zu tragen, und dass die beabsichtigte Rechtsverfolgung oder Rechtsverteidigung **hinreichende Erfolgsaussicht** hat und nicht mutwillig erfolgt.[256]

persönliche und wirtschaftliche Verhältnisse
Die Berechnung des für die PKH maßgeblichen Einkommens richtet sich gemäß § 115 ZPO nach den Vorschriften des SGB XII. Für das Einkommen gilt § 82 SGB XII, für das Vermögen § 90 SGB XII.

Beim Einkommen werden vom Bruttoeinkommen zunächst Steuern, Sozialversicherungsbeiträge, Unterhaltszahlungen, weitere gesetzliche vorgeschriebene oder angemessene Versicherungen und Werbungskosten, Kosten für besondere Belastungen etc. abgezogen. Weiter werden die (angemessenen)[257] Kosten für Unterkunft und Heizung abgezogen. Vom verbleibenden Einkommen stehen der Partei nach § 115 Abs. 1 ZPO folgende **Freibeträge** zu:

* 110 % der Regelbedarfsstufe 1 nach der Anlage zu § 28 SGB XII
* bei Erwerbstätigkeit zusätzlich 50 % der Regelbedarfsstufe 1 nach der Anlage zu § 28 SGB XII
* für Ehe- oder Lebenspartner 110 % der Regelbedarfsstufe 1 nach der Anlage zu § 28 SGB XII
* für jeden unterhaltsberechtigten Angehörigen 110 % der für diesen Angehörigen maßgeblichen Regelbedarfsstufe nach der Anlage zu § 28 SGB XII.[258]

Bleibt man im Rahmen der Freibeträge, wird ratenfreie PKH bewilligt (= Freistellung von den eigenen Prozesskosten ohne Eigenbeteiligung). Übersteigt das Ein-

---

255 Vgl. § 140 StPO.
256 Vgl. § 114 ZPO.
257 Vgl. § 115 Abs. 1 Nr. 3 ZPO.
258 S. Kap. 14.4 Übersicht 1; s. auch Frings/Schweigler, Sozialrecht, Kap. 2.7.6, S. 88 ff.; Berechnung der PKH im Internet z. B. www.pkh-fix.de.

kommen die Freibeträge, ergibt sich eine gestaffelte Ratenzahlung, d. h. je nach Höhe des übersteigenden Einkommens sind die Prozesskosten in Monatsraten ab 10 EUR an das Gericht zu zahlen.[259]

hinreichende Erfolgsaussicht/keine Mutwilligkeit

Das Gericht hat im Rahmen einer **summarischen Prüfung** die Erfolgsaussichten der Rechtssache zu überprüfen. Dies bedeutet, wie bei den Eilverfahren auch,[260] eine überschlägige und vorläufige Prüfung, ob die Klage oder Rechtsverteidigung erfolgreich (= zulässig und begründet) sein wird. Von einer in diesem Sinne hinreichenden Erfolgswahrscheinlichkeit muss ausgegangen werden, wenn der Rechtsstandpunkt des Betroffenen vertretbar ist, eine gefestigte höchstrichterliche Rechtsprechung noch nicht entgegensteht und die behaupteten, seine Rechtsauffassung stützenden Tatsachen nachweisbar erscheinen.[261]

> Beispiel: In einem sozialgerichtlichen Verfahren, in dem es um die Bewilligung einer Erwerbsminderungsrente und damit um die Frage der Erwerbs(un)fähigkeit des Klägers geht, liegen sich widersprechende medizinische Aussagen vor. Ein von der Behörde erstelltes Gutachten geht von noch bestehender Erwerbsfähigkeit aus. Berichte der behandelnden Ärzte des Klägers sagen das Gegenteil. Durch das Gericht müsste noch ein weiteres medizinisches Gutachten von Amts wegen eingeholt werden, damit über die Frage der Erwerbsfähigkeit abschließend entschieden werden kann. Aufgrund der Arztberichte des Klägers kann nicht ausgeschlossen werden, dass ein neues Gutachten die Erwerbsunfähigkeit des Klägers bestätigen wird. Im Rahmen der summarischen Prüfung ist daher von hinreichender Erfolgsaussicht auszugehen und dem Kläger PKH zu bewilligen.

Die Frage der Mutwilligkeit beurteilt sich – wie bei der Beratungshilfe auch – danach, ob eine selbstzahlende Partei das Verfahren ebenfalls durchführen und Geld investieren würde oder nicht.[262]

14.2.2 Bewilligung

PKH wird auf entsprechenden Antrag hin von dem Gericht bewilligt, bei dem der Prozess geführt wird. Für den Nachweis der Mittellosigkeit wird ein „PKH-For-

---

259 Vgl. § 115 Abs. 2 ZPO.
260 S. Kap. 13.4.
261 Trenczek/Tammen/Behlert/v. Boetticher/Beetz, Grundzüge, I-5.3.3, S. 225 ff.
262 Vgl. § 114 Abs. 2 ZPO.

mular" über die **persönlichen** und **wirtschaftlichen Verhältnisse**[263] zusammen mit Belegen (Einkommens- und Vermögensunterlagen, Mietvertrag, Angaben zu Familienverhältnissen, Angaben zu sonstigen laufenden Kosten) eingereicht. Für die Prüfung der anderen Voraussetzungen (hinreichende Erfolgsaussicht, keine Mutwilligkeit) wird üblicherweise zusammen mit dem PKH-Formular ein Klage- oder Rechtsverteidigungsschriftsatz eingereicht, aus dem sich die notwendigen Angaben zum Verfahren, für das PKH beantragt wird, ergeben.[264]

Fällt die Prüfung des Gerichts positiv aus, wird PKH per Beschluss für eine Instanz bewilligt und **eine Rechtsanwältin nach Wahl beigeordnet.** Wird PKH abgelehnt, steht dagegen noch der Rechtsbehelf der Beschwerde zur Verfügung.

Eine PKH-Bewilligung bedeutet, dass der hilfesuchenden Partei die **eigenen Anwaltskosten** und die **Gerichtskosten** (soweit solche anfallen)[265] aus der Landesjustizkasse gezahlt werden. Gewinnt man das Verfahren, gilt das Prinzip aus § 91 ZPO: Der unterlegene Gegner trägt alle Kosten des Prozesses. Verliert man das Verfahren, deckt die PKH **nicht** die gegebenenfalls zu erstattenden **Anwaltskosten der gegnerischen Partei** ab.[266]

Nach rechtskräftigem Abschluss des Verfahrens ist das Gericht berechtigt, die bewilligte Prozesskostenhilfe gegebenenfalls **zurückzuverlangen.** Dies ist möglich:

- entweder wenn die Partei Zahlungen aufgrund des Gerichtsverfahrens erlangt hat, die ihre wirtschaftlichen Verhältnisse entsprechend verbessert haben (z. B. Zahlung einer Entschädigungssumme),
- oder wenn sich die wirtschaftliche Situation der Partei aus anderem Grund nach dem Gerichtsverfahren wesentlich verbessert hat (z. B. Überwindung von Arbeitslosigkeit). Hierzu darf das Gericht vier Jahre lang die Einkommensverhältnisse der Partei abfragen.[267]

---

263 Das PKH-Formular kann auf der Internetseite des Bundesministeriums der Justiz heruntergeladen werden, www.bmj.de.

264 Einzelheiten: Knödler/Krodel Eilrechtsschutz und Klageverfahren, Kap. V.1.

265 S. Kap. 12.2.7.

266 Dies ist in sozial- und verwaltungsgerichtlichen Prozessen weniger relevant, da sich Behörden selten von Rechtsanwält:innen vertreten lassen, sondern ihr eigenes juristisches Personal verwenden; anders jedoch bei zivilgerichtlichen Verfahren.

267 Vgl. § 120a ZPO.

14.3   Soziale Rechtsdienstleistungen

Effektive Soziale Arbeit erfordert die sachgerechte **Information** über Sozialleistungsansprüche und die Hilfe bei deren **Durchsetzung**. Dies bedeutet für die Angehörigen sozialer Berufe, dass zu ihren Aufgaben auch die professionelle Rechtsberatung und Rechtsvertretung der Klient:innen gehört.

Professionelle Rechtsberatung und -vertretung ist gesetzlich reglementiert und vom Grundgedanken her nur speziell dafür ausgebildeten Berufsgruppen gestattet, nämlich **Rechtsanwält:innen** oder sonstigen „**Volljurist:innen**" (= Personen, die die beiden juristischen Staatsprüfungen bestanden haben). Angehörigen der sozialen Berufe oder andere „Nicht-Volljurist:innen" ist professionelle Rechtsberatung und -vertretung nur **eingeschränkt** gestattet. Als professionell gilt die Beratung und Vertretung immer dann, wenn sie „laufend" oder „wiederholt" erfolgt. Auf die Entgeltlichkeit oder Unentgeltlichkeit kommt es dabei nicht an. Grund für die strenge Regulierung ist der Schutz von rechtsuchenden Personen vor ungenügend qualifizierter Beratung und Vertretung.[268]

Die gesetzlich reglementierten Tätigkeiten lassen sich wie folgt einteilen:

* **rechtliche Beratung** (= Informationen, Anleitung oder Hilfestellung ohne Auftreten nach außen)
* **außergerichtliche Rechtsvertretung** (= nach außen erkennbares Auftreten und Handeln im Namen der Klient:in)
* **gerichtliche Rechtsvertretung** (= Vertretung von Klient:innen in einem Gerichtsverfahren)

▶ Die rechtliche Beratung und die außergerichtliche Rechtsvertretung werden zusammengefasst unter dem Begriff „**Rechtsdienstleistung**" im Rechtsdienstleistungsgesetz (RDG) geregelt. Danach ist eine Rechtsdienstleistung „jede außergerichtliche Tätigkeit in konkreten fremden Angelegenheiten, sobald sie eine rechtliche Prüfung des Einzelfalls erfordert".[269] Die **gerichtliche Rechtsvertretung** ist in jeder **Prozessordnung** für jeden einzelnen Gerichtszweig geregelt (und nach wie vor im Wesentlichen Volljurist:innen vorbehalten, unabhängig davon, ob in dem Gerichtsverfahren Anwaltszwang besteht oder nicht)[270].

268 Vgl. § 1 Abs. 1 RDG.
269 Vgl. § 2 Abs. 1 RDG.
270 Vgl. § 73 SGG u. § 67 VwGO; s. auch Kap. 12.1.3.

Das RDG regelt, wer in welchen Zusammenhängen befugt ist, Rechtsdienstleistungen zu erbringen, ohne Volljurist:in zu sein oder in sonstiger Weise über eine **Erlaubnis** dafür zu verfügen.[271] Entscheidend für die Befugnis von Nichtjurist:innen, Rechtsdienstleistungen ohne Erlaubnis zu erbringen, sind die einzelnen Fallgruppen der §§ 5–8 RDG, die sich auch überschneiden können. Gemeinsam ist den Fallgruppen, dass die Rechtsdienstleistung **thematisch** stets auf das jeweilige berufliche Aufgabenfeld beschränkt bleiben muss.

> **Beispiel:** Eine Erziehungsberatungsstelle aus der freien Jugendhilfe kann ein Ehepaar nach § 17 SGB VIII zwar zu Fragen des Umgangs-, Sorge- und Unterhaltsrechts beraten. Unzulässig wäre jedoch eine Beratung über wirtschaftliche Fragen von Trennung und Scheidung, z. B. eine Beratung über die Aufteilung des Immobilienbesitzes bei einer Ehescheidung.

14.3.1 Rechtsdienstleistungen als Nebenleistung

Nach § 5 Abs. 1 RDG dürfen Nichtjurist:innen Rechtsdienstleistungen erbringen, die als **Nebentätigkeit** im Zusammenhang mit ihrer anderen **Haupttätigkeit** stehen und die zum Berufs- oder Tätigkeitsbild gehören. Für den Bereich der Sozialen Arbeit ist genau diese Kombination eigentlich typisch, da ja z. B. die Durchführung von Familien-, Schuldner- oder Flüchtlingsberatung kaum denkbar ist, ohne einen Anteil an Rechtsberatung. Insoweit sind bereits nach den Studien- und Prüfungsordnungen für die Soziale Arbeit verschiedene Rechtsgebiete berufsrelevant. Ohne Weiteres erlaubt sind die Rechtsdienstleistungen daher dann, wenn:

- grundsätzlich eine ganzheitliche Fallbetreuung der Klient:innen stattfindet (Rechts- und Lebenshilfe) und keine ausschließliche Rechtsberatung wie bei einer rechtsanwaltlichen Dienstleistung;
- die Rechtsdienstleistung auf einem Rechtsgebiet stattfindet, welches zu den Berufsfeldern der Sozialen Arbeit gehört.

---

271 Vgl. § 3 RDG, vgl. auch Trenczek/Tammen/Behlert/v. Boetticher/Beetz, Grundzüge, I-4.2, S. 192 ff.

14.3.2 Unentgeltliche Rechtsdienstleistungen

Zulässig sind nach § 6 Abs. 2 RDG unentgeltliche Rechtsdienstleistungen im Familien-, Nachbarschafts- und Freundeskreis. Gemeint sind dabei **Gefälligkeitsdienste** im Rahmen eines persönlichen Näheverhältnisses, an die keine gesetzlich reglementierten Qualifikationsanforderungen zu stellen sind.

Außerhalb von diesen persönlichen Beziehungen sind unentgeltliche, karitative Rechtsdienstleistungen nach § 6 Abs. 2 RDG zulässig durch Personen und Einrichtungen, die nicht bereits von § 8 Abs. 1 Nr. 5 RDG oder § 7 RDG erfasst werden,[272] so z. B. die ehrenamtliche Beratung bei einer Law Clinic oder in einer Kirchengemeinde. Zulässig ist diese Form von Rechtsdienstleistungen, soweit ein:e **Volljurist:in beteiligt** ist, bzw. die Rechtsdienstleistung „anleitet".

14.3.3 Rechtsdienstleistungen für Mitglieder

Zulässig sind nach § 7 RDG Rechtsdienstleistungen auch dann, wenn sie nicht unentgeltlich für jedermann, sondern entgeltlich[273] für **Mitglieder** von Vereinigungen oder Genossenschaften (z. B. Gewerkschaften, Mietervereine, ADAC, Berufsverbänden, den Sozialverbände VdK und SoVD u. v. m.) erbracht werden.

Zwei Voraussetzungen müssen gegeben sein: Zum einen dürfen die Rechtsdienstleistungen nur im Rahmen des **Vereinigungszwecks** erbracht werden, der aber nicht den alleinigen Sinn und Zweck der Vereinigung ausmachen darf. Die Gründung reiner „Rechtsberatungsvereine" wäre z. B. unzulässig – die Vereinigung muss stets noch einen darüber hinausgehenden Vereinigungszweck verfolgen[274]. Zum anderen müssen auch hier die Rechtsdienstleistungen unter **Beteiligung** und **Anleitung** einer **Volljuristin** erfolgen, was innerhalb der Organisationsstrukturen der jeweiligen Vereinigung sichergestellt sein muss.

---

272 S. Kap. 14.3.3 u. 14.3.4.
273 Etwa durch die Erhebung von Mitgliedsbeiträgen.
274 Einzelheiten: Kilian/Sabel/vom Stein, Rechtsdienstleistungsrecht, Rn. 277–278; 286–287.

14.3.4 Rechtsdienstleistungen durch Verbände der Freien Wohlfahrtspflege

Gestattet sind Rechtsdienstleistungen nach § 8 Abs. 1 Nr. 5 RDG den Verbänden der **Freien Wohlfahrtspflege**[275] und ihren angegliederten Einrichtungen und Beratungsstellen, sowie den nach § 75 SGB VIII anerkannten Trägern der **freien Jugendhilfe** und den nach § 13 SGB IX anerkannten **Behindertenverbänden.** In Verbindung mit §§ 6 und 7 RDG sind die sozialen Rechtsdienstleistungen damit weitestgehend zulässig und erlaubnisfrei.

Auch hier besteht bei der Erbringung von Rechtsdienstleistungen die Pflicht, eine qualifizierte juristische Anleitung unter Beteiligung von Volljurist:innen anzubieten und bereit zu halten. Dies bedeutet jedoch **keine ständige Anwesenheit** einer Volljuristin oder deren Stellung als hauptamtliche Mitarbeiterin. Ausreichend ist das Bestehen eines Kontakts zu einem oder mehreren Volljurist:innen, so dass eine Grundanleitung oder eine Einweisung und Schulung der Mitarbeiter:innen erfolgen kann, sowie die Möglichkeit, gegebenenfalls einzelfallbezogene Fragen mit einer Volljuristin klären zu können. Größere Einrichtungen, die z. B. eigene Rechtsabteilungen haben, können dieses Kriterium ohne Weiteres erfüllen. Kleinere Einrichtungen sollten Kooperationsmöglichkeiten, z. B. mit Rechtsanwältinnen oder mit entsprechend ausgestatteten größeren Einrichtungen suchen, um das Kriterium der Anleitung zu erfüllen.

Beispiel: Eine gemeinnützige gGmbH betreibt mit Haushaltsmitteln aus dem Landeshaushalt und mit Spenden mehrere Cafés für obdachlose Menschen. Dort gibt es nicht nur Essen, Dusch- und Waschmöglichkeiten, sondern es sind mehrere Sozialarbeiter:innen beschäftigt. Diese beraten und helfen den Besuchern bei allen Arten von Anträgen oder Verfahren gegenüber Behörden. Die gGmbH hat zudem einen „Beratungsvertrag" mit einer Rechtsanwältin geschlossen, die zweimal im Monat für ein paar Stunden vorbeikommt, in speziellen Fällen Beratung für die Besucher anbietet und den Sozialarbeiter:innen für Fragen zur Verfügung steht.

14.3.5 Rechtsdienstleistungen durch Behörden

Seit jeher zulässig sind Rechtsdienstleistungen durch die vorn § 8 Abs. 1 Nr. 2 RDG erfassten Mitarbeiter:innen der **Behörden der Sozialleistungsträger.** Diese

---

275 Arbeiterwohlfahrt, Caritas, Diakonisches Werk, Deutsches Rotes Kreuz, Paritätischer Wohlfahrtsverband, Wohlfahrtsstelle der Juden in Deutschland.

sind und waren schon immer zu einer umfassenden rechtlichen Beratung jeweils in ihrem Aufgabengebiet verpflichtet und berechtigt.[276]

14.4 Übersichten

Übersicht 1: Berechnung des Einkommens bei Beratungs- und Prozesskostenhilfe

(Brutto-)Einkommen *Arbeitseinkommen, Gewinne, Renten, Sozialleistungen etc.*	.... EUR
Abzüge vom Einkommen *Steuern, Sozialversicherungsbeiträge*	.... EUR
Versicherungen (soweit angemessen) *Altersvorsorge (Riesterrente), Haftpflicht, Hausrat, Zusatzkranken- u. Zusatzpflegeversicherung etc.*	.... EUR
Werbungskosten *Fahrtkosten, Kinderbetreuungskosten*	.... EUR
Kosten der Unterkunft *tatsächliche Kosten soweit angemessen*	.... EUR
Freibeträge 110 % Regelbedarfsstufe 1 für Rechtsuchenden 50 % Regelbedarfsstufe 1 Bonus bei Erwerbstätigkeit 110 % Regelbedarfsstufe 1 für Ehe-/Lebenspartner 110 % Regelbedarfsstufe 3–6 für Kinder	.... EUR .... EUR .... EUR .... EUR
Ergebnis	.... EUR

Einsatz von **Vermögen**? (§ 90 SGB XII)
Schonvermögen i. d. R. max 10.000 EUR

Ist das Ergebnis 0 (oder weniger), wird ratenfreie PKH bewilligt.
Es besteht Anspruch auf Beratungshilfe.

Ist das Ergebnis über 0, wird PKH mit gestaffelter Ratenzahlung bewilligt
(§ 115 Abs. 2 ZPO).
Es besteht kein Anspruch auf Beratungshilfe.

---

276 Vgl. §§ 13–16 SGB I.; s. auch Kap. 6.1.3; Kilian/Sabel/vom Stein, Rechtsdienstleistungsrecht, Rn. 306–309.

Übersicht 2: Soziale Rechtsdienstleistungen

Soziale Berufe → **Rechtsdienstleistungen** (= Beratung und außergerichtliche Vertretung) → zulässig nach **RDG**

grundsätzlich **nicht zulässig**: gerichtliche Vertretung

§ 5 RDG
Nebenleistung

§ 6 Abs. 1 RDG
unentgeltlich für Familien- und Freundeskreis

§ 6 Abs. 2 RDG
unentgeltlich karitativ
+ juristisch Qualifizierte Anleitung

§ 7 RDG
Mitglieder
+ juristisch qualifizierte Anleitung

§ 8 Abs. 1 Nr. 1 RDG
Behörden

§ 8 Abs. 1 Nr. 2 RDG
Freie Wohlfahrtspflege
+ juristisch qualifizierte Anleitung

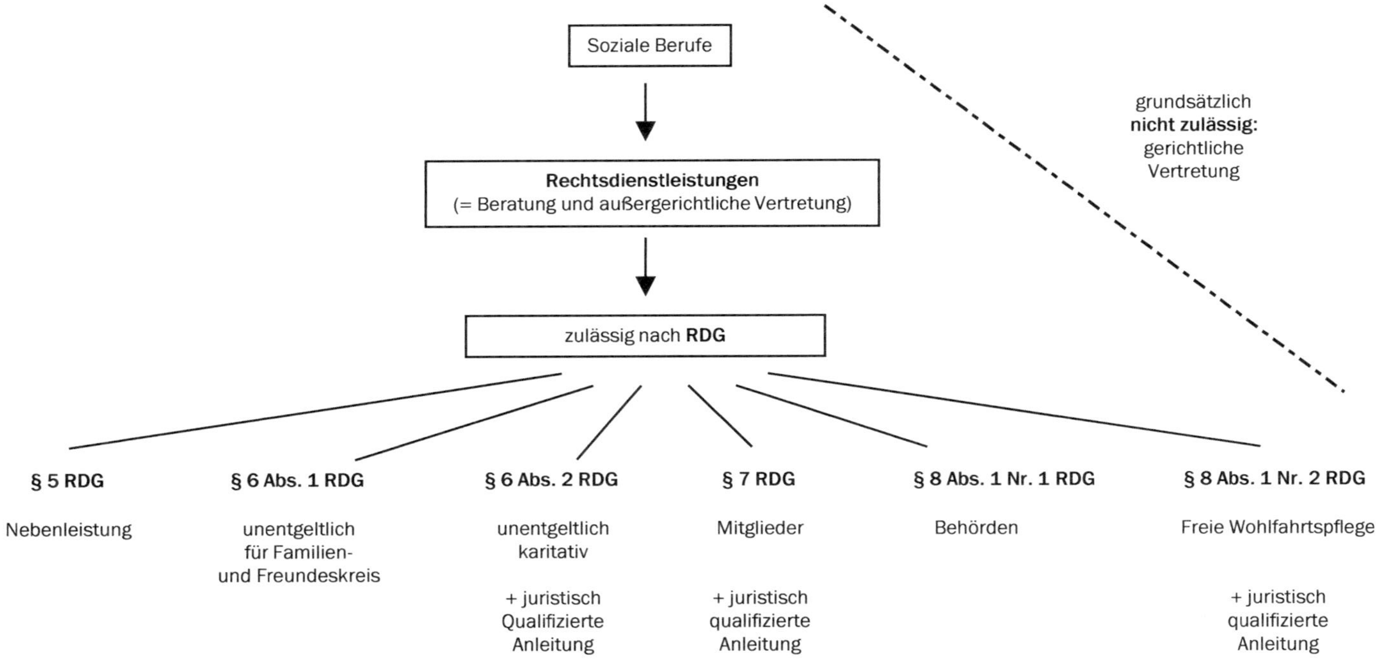

14.5   Übungsfragen

14.5.1
Gegen Herrn A läuft ein Ermittlungsverfahren wegen Trunkenheit im Straßenverkehr. A hat eine Vorladung von der Polizei bekommen. Er würde zu diesem Termin gerne zusammen mit einem Rechtsanwalt gehen, um nichts falsch zu machen. A ist aber gerade arbeitslos und hat kein Geld. A würde gerne wissen,

a) *ob er einen Rechtsanwalt, der ihn zur Polizei begleitet, auch im Rahmen der Beratungshilfe bekommen könnte?*
b) *ob im Falle eines Gerichtsverfahrens in dieser Sache ein Rechtsanwalt im Rahmen der Prozesskostenhilfe beigeordnet werden würde?*

14.5.2
Frau U ist alleinerziehende Mutter eines minderjährigen Sohns, C. Sie möchte gegen den Vater von C ein Unterhaltsverfahren einleiten, da dieser freiwillig keinen Kindesunterhalt zahlt. U arbeitet und erzielt ein Nettoeinkommen inklusive Kindergeld von 1 500 EUR. Hiervon bezahlt sie Miete und Nebenkosten i. H. v. 700 EUR, weitere Kosten für Versicherungen und ihr Auto betragen monatlich 200 EUR. U möchte wissen, ob sie Prozesskostenhilfe für das Verfahren bekommen kann.

14.5.3
Die Caritas betreibt eine Beratungsstelle für Geflüchtete und andere Migranten, in der ausschließlich Sozialarbeiter:innen und Freiwillige tätig sind. Sie beraten die Klient:innen u. a. in Fragen des Aufenthalts- und des Asylverfahrensgesetzes und verhandeln für sie mit Behörden, schreiben Anträge und Widersprüche. Als Freiwilliger ist dort auch Herr J, Student der Sozialen Arbeit, tätig. J bekommt mit, dass sich die Angelegenheiten der Klient:innen meistens nur durch Klagen oder Eilanträge beim Verwaltungsgericht lösen lassen. Er würde gerne wissen, ob und wenn ja, welche Möglichkeiten es gibt, dass die Beratungsstelle die Klient:innen auch bei ihren Gerichtsverfahren unterstützt.

(Lösungen unter www.lehrbuch-sozialverwaltungsrecht.de)

Weiterführende Literatur

Lissner, Stefan/Dietrich, Joachim/Schmidt, Karsten, Beratungshilfe mit Prozess- und Verfahrenskostenhilfe, 4. Aufl. Stuttgart 2022.
Kilian, Matthias/Sabel, Oliver/vom Stein, Jürgen, Das neue Rechtsdienstleistungsrecht, Bonn 2008.

Literaturverzeichnis

Beetz, Claudia/von Harbou, Frederik, Von den „Sanktionen" des Arbeitslosengelds II zu den „Leistungsminderungen" des Bürgergelds, in: Opielka, Michael/Wilke, Felix, Der weite Weg zum Bürgergeld, Wiesbaden 2024, S. 85–104.

Beyer, Thomas, Recht für die Soziale Arbeit, 3. Aufl., Baden-Baden 2022.

Bieker, Rudolf, Kommunale Sozialverwaltung, München 2006.

Bringewat, Peter, Methodik der juristischen Fallbearbeitung, 5. Aufl., Stuttgart 2024.

Bull, Peter/Mehde, Veith, Allgemeines Verwaltungsrecht mit Verwaltungslehre, 10. Aufl., Heidelberg 2022.

Burgi, Martin, Kommunalrecht, 7. Aufl., München 2024.

Dörr, Gernot, Bescheidkorrektur, Rückforderung, Sozialrechtliche Herstellung, 6. Aufl., Stuttgart/München 2019.

Dörr, Gernot/Francke, Konrad, Sozialverwaltungsrecht, 3. Aufl., Berlin 2012.

Eichenhofer, Eberhard, Sozialrecht, 13. Aufl. 2024.

Ehlers, Dirk/Pünder, Hermann (Hrsg.), Allgemeines Verwaltungsrecht, 16. Auflage, Heidelberg 2022.

Falterbaum, Johannes, Rechtliche Grundlagen sozialer Arbeit, 6. Aufl., Stuttgart 2024.

Finkenbusch, Norbert, Das sozialrechtliche Verwaltungsverfahren, Regensburg 2013.

Frings, Dorothee/Schweigler, Daniela, Sozialrecht für die Soziale Arbeit, 5. Aufl., Stuttgart 2021.

Hufen, Friedhelm, Verwaltungsprozessrecht, 13. Aufl., München 2024.

Ipsen, Jörn, Allgemeines Verwaltungsrecht, 11. Aufl., München 2019.

Ipsen, Jörn/Kaufhold, Ann-Katrin/Wischmeyer, Thomas, Staatsrecht I, 33. Aufl., München 2023.

Jellinek, Georg, Allgemeine Staatslehre, 3. Aufl., Berlin 1914.

Kilian, Matthias/Sabel, Oliver/vom Stein, Jürgen, Das neue Rechtsdienstleistungsrecht, Bonn 2008.

Knödler, Christoph/Krodel, Thomas, Antragstellung und Widerspruchsverfahren in der Sozialen Arbeit, Regensburg/Berlin 2011.

Knödler, Christoph/Wimmer, Kerstin, Eilrechtsschutz und Klageverfahren in der Sozialen Arbeit, 3. Aufl., Regensburg/Berlin 2021.

Krasney, Otto Ernst/Udsching, Peter/Groth, Andy/Meßling, Miriam, Handbuch des sozialgerichtlichen Verfahrens, 8. Aufl., Berlin 2022.

Lissner, Stefan/Dietrich, Joachim/Schmidt, Karsten, Beratungshilfe mit Prozess- und Verfahrenskostenhilfe, 4. Aufl. Stuttgart 2022.

Luik, Steffen (Hrsg.), SGB XIV: Sozialgesetzbuch, Soziale Entschädigung, Teilkommentierung, Berlin 2022.

Maurer, Hartmut/Waldhoff, Christian, Allgemeines Verwaltungsrecht, 21. Aufl., München 2024.

Möllers, Thomas, Juristische Arbeitstechnik und wissenschaftliches Arbeiten, 10. Aufl., München 2021.

Meyer-Ladewig, Jens/Keller, Wolfgang/Schmidt, Benjamin, Sozialgerichtsgesetz, 14. Aufl., München 2023.

Muckel, Stefan/Ogorek, Markus/Rixen, Stephan, Sozialrecht, 5. Aufl., München 2019.

Muthorst, Olaf, Grundlagen der Rechtswissenschaft, 2. Aufl., München 2020.

Mrozynski, Peter, Sozialgesetzbuch I, 7. Aufl., München 2024.

Patjens, Rainer/Patjens, Tina, Sozialverwaltungsrecht für die Soziale Arbeit, 3. Aufl. Baden-Baden 2022.

Siegel, Thorsten, Allgemeines Verwaltungsrecht, 15. Aufl., Heidelberg 2024.

Reinhardt, Jörg, Grundkurs Sozialverwaltungsrecht für die Soziale Arbeit, 3. Aufl., München 2023.

Robbers, Gerhard, Einführung in das deutsche Recht, 8. Aufl., Baden-Baden 2023

Rüthers, Bernd/Fischer, Christian/Birk, Axel, Rechtstheorie mit juristischer Methodenlehre, 12. Aufl., München 2022.

Schaumberg, Torsten, Sozialrecht. Einführung, 4. Aufl., Baden-Baden 2022.

Sodan, Helge/Ziekow, Jan, Grundkurs Öffentliches Recht, 10. Aufl., München 2023.

Stolleis, Michael, Geschichte des Sozialrechts in Deutschland, Stuttgart 2003.

Trenczek, Thomas/Tammen, Britta/Behlert, Wolfgang/von Boetticher, Arne/Beetz, Claudia, Grundzüge des Rechts, 6. Aufl., München 2024.

Ruland, Franz/Becker, Ulrich/Axer, Peter (Hrsg.), Sozialrechtshandbuch (SRH), 7. Aufl. Baden-Baden 2022.

Schütze, Bernd (Hrsg.), SGB X. Sozialverwaltungsverfahren und Sozialdatenschutz, Kommentar, 9. Aufl., München 2022.

Waltermann, Raimund/Schmidt, Benjamin/Chandna-Hoppe, Katja, Sozialrecht, 15. Aufl. Heidelberg 2022.

Christoph Kahle | Florian Zenger
**Grundzüge des Rechts – Eine Einführung
für Studierende der Sozialen Arbeit**
2024, 180 Seiten, Hardcover
ISBN: 978-3-7799-7152-6
Auch als E-BOOK erhältlich

Das Lehrbuch bietet in anschaulicher Sprache und mit vielen Fallbeispielen eine umfassende Einführung in das Recht der Sozialen Arbeit. Die Leser*innen lernen die juristische Arbeitsweise und erhalten einen Überblick über sämtliche relevanten Rechtsgebiete. Im Fokus stehen die in der sozialarbeiterischen Praxis bedeutsamen Themenbereiche. Dabei werden auch wichtige verfahrensrechtliche Fragen näher beleuchtet. Vertiefende Ausführungen zu Feldern, mit denen Sozialarbeiter*innen regelmäßig konfrontiert werden, runden das Lehrbuch inhaltlich ab.

www.beltz.de
Beltz Juventa · Werderstraße 10 · 69469 Weinheim